Het Einstein meisje

Philip Sington

Het Einstein meisje

SIJTHOFF

© 2009 Philip Sington
© 2009 Nederlandse vertaling
Uitgeverij Luitingh~Sijthoff B.V., Amsterdam
Oorspronkelijke titel: *The Einstein Girl*
Vertaling: Mieke Trouw-Luyckx
Omslagontwerp: Marry van Baar
Omslagfotografie: ullstein bild

ISBN 978 90 218 0282 4
NUR 302

www.boekenwereld.com
www.uitgeverijsijthoff.nl

Voor Uta en Leo

'*Wie niet in staat is in een maatschappij te leven, of daar geen behoefte aan heeft omdat hij genoeg aan zichzelf heeft, moet een beest of een god zijn.*'

ARISTOTELES, *Politica*

'*We zijn het erover eens dat uw theorie krankzinnig is. De vraag die ons verdeelt, is of ze krankzinnig genoeg is om waar te kunnen zijn.*'

NIELS BOHR, reactie op een presentatie van Wolfgang Pauli

Zürich, 18 oktober

Mijn lieve Elisabeth,

In dit pakket zit het manuscript van een boek, dat ik de dag nadat je afscheid kwam nemen eindelijk heb afgemaakt.

Ik noem het een boek, al is het op dit moment niet meer dan een stapel papier die niet eens een titel heeft. Zolang ik leef, zal dat ook niet veranderen. Om redenen die je tijdens het lezen duidelijk zullen worden, durf ik niet op zoek te gaan naar een uitgever. Toch noem ik het nog steeds mijn boek; niet uit ijdelheid, maar omdat het moeilijk te bepalen is wanneer een boek precies een boek wordt, net zoals je moeilijk kunt bepalen wanneer een reeks muzieknoten een melodie wordt. We hebben onze geest nodig om vast te stellen wat het is, net zoals we onze geest nodig hebben om een melodie te onderscheiden.

Ik wil dat je het meeneemt als je weggaat. Uit ervaring weet ik dat je een lange reis voor de boeg hebt, en ik hoop dat het verhaal je aandacht — in elk geval een poosje — kan afleiden van de ratelende wielen, de muffe lucht en de vermoeiende opdringerigheid van de bureaucratie. Met andere woorden, ik hoop zowel de tijd als de afstand korter te maken, zodat we in beide dichter bij elkaar blijven.

Ik hoop ook dat mijn boek je helpt bij de voorbereiding op je taak in Berlijn. Er zijn veel dingen die ik je eerder had moeten vertellen, maar ik heb gemerkt dat je in fictie meer vrijheid hebt om de waarheid te spreken, al was het alleen maar omdat men in fictie geen waarheid verwacht of verlangt. Je kunt haar makkelijk verbergen,

9

waardoor ze pas veel later naar buiten komt, als het verhaal en de personages tot schimmen zijn vervaagd.

Wat ik verder nog hoop, en daarin ben ik nog egoïstischer dan in het andere: dat je me na het lezen laat weten wat jij een goede titel zou vinden. Als ik het boek geen titel geef, bedenkt iemand anders er na mijn dood een. Dat zou ik vreselijk vinden, al zou ik na mijn dood niet in de positie zijn om iets vreselijk te vinden.

Maar dat komt allemaal pas aan het einde van je reis. Voorlopig blijft dit boek naamloos, en in deze angstige, chaotische tijden zul je misschien ontdekken dat dat het veiligste is.

Naamloos

1

Berlijn, mei 1933

Twee weken na de verdwijning van haar verloofde reisde Alma Siegel door de krioelende stad naar de rand van de oostelijke wijken om naar foto's van onbekende doden te kijken. Op het hoofdbureau van politie hingen ze in glazen vitrines in een gang, met onder elke foto een papiertje waarop stond waar en wanneer het lichaam was gevonden: braakliggend terrein bij Danziger Straße (24 januari), openbare wc's Anhalter Bahnhof (7 februari), Landwehrkanal ter hoogte van de Kottbusserbrücke (15 april). Het was druk in de gang. Er waren allerlei redenen om een bezoek aan het politiebureau te brengen: sommige mensen moesten zich bij de vreemdelingenpolitie melden en andere wilden een visum aanvragen, verloren voorwerpen zoeken of een diefstal aangeven. In hun haast en vastberadenheid om hun eigen zaken te regelen, stootten ze haar in het voorbijgaan aan, zonder aandacht te schenken aan de rijen verstarde gezichten die door het glas naar hen staarden.

Haar oude vriend Robert had haar met alle geweld willen vergezellen. Hij was degene die haar destijds aan Martin Kirsch had voorgesteld. De twee mannen waren collega's op de afdeling psychiatrie van het Charité-ziekenhuis, en Robert voelde zich ongetwijfeld verplicht haar te helpen. Hij verzekerde haar dat het bezoekje aan het politiebureau in elk geval niet meer dan een formaliteit was. De kans was klein dat de foto van haar verloofde tussen de gezichten in de vitrines zou hangen. Die waren van arbeiders, immigranten, dienstmeisjes en vrouwen uit 'het leven' – waarmee hij waarschijnlijk prostituees bedoelde. Een man met Martins goede naam, een psychiater, ging niet met dergelijke mensen om. Dat bleek te kloppen. De gesteven witte kragen van de hoger opgeleide klassen werden zelden om de halzen van de onbekende doden aangetroffen. Hun overhemden waren open aan de hals en donker gekleurd om het vuil te verbergen. En ze hadden iets grofs over zich, iets onverzorgds dat dieper ging dan de staat van hun kleren.

Ze waren ter plekke gefotografeerd en waar nodig op hun rug gerold. Hun gezichten leken licht te geven door de felle magnesiumflitsen, en hun huid stak spierwit af tegen bodemloze zwarte schaduwen. De zwaartekracht trok aan hun wangen en haar, waardoor velen eruitzagen alsof ze met hun gezicht in een storm stonden. Hun ogen waren halfgesloten of tot spleetjes geknepen, hun mond stond open alsof ze naar een laatste ademtocht snakten. Vanaf het begin van het jaar waren er in heel Berlijn al meer dan honderd gevonden.

Het enige doel van de vitrines was identificatie. De papiertjes maakten geen onderscheid tussen onopgeloste moorden, zelfmoorden of sterfgevallen door de kou – al was het onderscheid soms maar al te duidelijk: een spoortje bloed dat over het gezicht van een man liep, een leren tourniquet die strak om de uitgestrekte hals van een vrouw was gedraaid. De drenkelingen waren het ergst: bedekt met slijm, opgezwollen en opengebarsten, alsof ze zichzelf hadden doodgegeten. De lichamen bleven een paar weken in het lijkenhuis en werden daarna geruimd. De meeste onbekende doden bestonden in feite toch al niet meer. Het enige wat er van hen overbleef, het enige bewijs dat ze ooit hadden bestaan, waren de kiekjes van de politiefotografen die in de gang hingen. Zelfs deze gunst was tijdelijk. Na een paar maanden werden de foto's uit de vitrines gehaald en in de kelder gearchiveerd, om nooit meer tevoorschijn te komen.

Alma had een foto van Martin meegenomen, waarop hij er uitzonderlijk netjes uitzag en een driedelig pak droeg. Zijn haar was iets langer dan gewoonlijk, waardoor het stoer over zijn voorhoofd viel, en hij keek glimlachend en met samengeknepen ogen in het licht. De politieagenten bestudeerden de foto en zeiden dat ze hem nog nooit hadden gezien.

'Hij draagt een bril,' zei ze. 'Om te lezen.' Ze bleven hun hoofd schudden.

Om de paar dagen kwam ze terug, in haar eentje. De agenten raakten gewend aan haar bezoekjes en glimlachten naar haar als ze binnenkwam. Met haar rossige krullen, bevallige wipneus, getailleerde jasjes en gestippelde sjaals leek ze totaal niet op de vrouwen met wie ze doorgaans te maken hadden. Alles aan haar straalde verfijning uit: haar huid, haar welgevormde benen en slanke enkels, haar kaarsrechte houding, de melodieuze klikklak van haar hakken. Ze begeleidden haar gedienstig naar de vitrines. Soms lieten ze haar foto's zien die nog niet waren opgehangen, die nog op de juiste bureaucratische bestemming wachtten. Ze lieten haar zelfs de foto's zien die doorgaans niet geschikt werden geacht voor het publiek: lichamen die op spoorbanen in tweeën waren gereten, verkoold uit brandende huizen waren gehaald of vanuit een ondiep graf dwars door hun verrotte vlees heen naar de camera grijnsden.

'Deze zijn niet prettig om te zien,' zeiden ze dan, terwijl ze de dossiers opensloegen. Ze keken aandachtig naar haar terwijl de donkere, samengeklonterde massa's voor haar ogen vorm kregen, in vlees en bot veranderden, geleidelijk aan mensen werden. Ze deden of ze de foto's met tegenzin toonden, maar Alma had het gevoel dat ze het leuk vonden om haar met deze verschrikkingen te confronteren, net zoals verleiders genoten als ze onschuld verloren zagen gaan. Het had iets kameraadschappelijks om verregaand lichamelijk verval te trotseren en het hoofd niet af te wenden. Of misschien vonden ze het leuk om haar op haar maatschappelijke voetstuk te zien wankelen. Het feit dat ze meewerkte aan haar ontaarding, dat ze steeds weer terugkwam alsof ze een verderfelijke honger moest stillen, maakte hen des te gretiger om haar van dienst te zijn.

Een van de oudere brigadiers had een glad, glanzend litteken aan de zijkant van zijn gezicht en een ooglid dat nooit helemaal openging. 'Waarom denkt u dat hij dood is, die dokter Kirsch van u?' vroeg hij toen ze op een dag bij de vitrines stonden.

Sinds Alma's laatste bezoek was er iets aan de vitrines veranderd. Het duurde een paar tellen voordat ze zag wat er was gebeurd. Een van de verdronken vrouwen was naar de onderste rij verhuisd, alsof haar eigen gewicht haar naar beneden had getrokken. In de bovenste rij was nu een gat gevallen.

'We hadden trouwplannen,' zei ze.

'Ja, *Fräulein*, maar heeft hij iets gezegd? Iets waar u zich zorgen over maakt? Had hij bijvoorbeeld vijanden?'

Alma schudde haar hoofd. Ze had er wel zo haar gedachten over, intuïtieve gevoelens, maar die kon ze niet uitleggen. Ze hadden te maken met een van Martins patiënten, een jonge Slavische vrouw. De zaak had wekenlang het nieuws beheerst en tot veel onsmakelijke speculaties geleid. Omdat Kirsch haar arts was geweest, waren er foto's van hem gemaakt en artikelen over hem geschreven, een ontwikkeling die Alma destijds had toegejuicht. Maar geleidelijk aan was Martin veranderd. De zaak leek verslavend te werken, hij werd er door verleid, vergiftigd. Robert had geklaagd dat hij afstandelijk en geheimzinnig deed. Hij had gezinspeeld op een fixatie. Dit was een Martin die Alma niet kende, die níémand kende.

Zijn superieuren wilden liever niet over de zaak praten. Ze konden niet zeggen of Martins verdwijning er iets mee te maken had en weigerden beleefd hun medewerking, alsof ze wilden verbergen dat hun beroepsgroep in verlegenheid was gebracht. Maar uit het feit dat ze zich geen zorgen maakten, bleek dat ze dachten dat Martin uit vrije wil was verdwenen. Als hij het slachtoffer van een misdrijf was geworden – een uit de hand gelopen beroving op straat, een ontvoering, een moordaanslag – waren ze in elk geval niet van plan om er onderzoek naar te doen.

Martin bewoonde een huurappartement in een zijstraat van de Schönhauser Allee, ongeveer drie kilometer van het ziekenhuis. Alma had hem niet vaak bezocht – ze was maar één keer kort binnen geweest – maar ze wist dat het geen goede buurt was. Ten noorden ervan lagen de flats van Pankow, ten zuiden ervan de smoezelige nachtclubs die als een krentenbaard rond station Alexanderplatz lagen. Hij had uitgelegd dat het een goedkope buurt was, die lekker dicht bij zijn werk lag. Maar toen ze in het westelijker gelegen Charlottenburg een beter onderkomen voor hem vond, had hij getalmd.

'Ik ben aan dit appartement gewend geraakt. En wat heeft het voor zin als we volgend jaar samen buiten de stad gaan wonen?'

Ze had gedacht dat hij gewoon een beetje sloom was en als vrijgezel niets om uiterlijkheden gaf. Hij wilde ruimte voor zijn boeken en

rust om in te werken, meer had hij niet nodig. Maar na zijn verdwijning zag ze zich gedwongen om vraagtekens bij haar veronderstelling
te zetten. Ze vroeg zich af of het waar was wat de mensen zeiden: dat
dit deel van de stad bekoringen bood waarvan zij nooit enig idee had
gehad.

Haar ouders begrepen niet waarom ze steeds terugging. In hun
ogen kon ze Kirsch maar beter zo snel mogelijk vergeten. Ze hadden
die zomer een huis aan de Baltische Zee gehuurd en erop aangedron-
gen dat ze naar hen toe zou komen. Om een einde aan het gezeur te
maken, had Alma een deeltijdbaan als receptioniste genomen.

Na haar werk stapte ze in de S-Bahn, die huizenhoog boven de
straten denderde, uitgeholde gebouwen in dook en zo dicht langs flatgebouwen reed dat ze haar eigen spiegelbeeld op de ramen kon zien
dansen. Ze nam de routes die haar verloofde altijd nam, vastbesloten
om de stad door zijn ogen te bekijken. Vanuit de S-bahn kon je dingen
zien die vanaf de straat onzichtbaar waren: een eenzame kersenboom
die op een binnenplaats in bloei stond, kinderen die zich in een zinken
bad wasten, een meisje dat een turkooiskleurige jurk aan het balkon
van een flat hing. Het spoor was enerzijds een scalpel, anderzijds een
filmcamera, die de stad opensneed en het binnenwerk met vijftig
beeldjes per seconde aan het oog liet voorbijtrekken. In de S-Bahn
voelde ze zich het minst verlaten, alsof reizen de klok terugdraaide en
haar dichter bij de toekomst bracht die ze was kwijtgeraakt.

Soms reisde ze met de tram nog verder dan het Alexanderplatz en
kwam ze op plaatsen die ze alleen maar van naam kende, immigran-
tenwijken waar voor dagjesmensen werkelijk niets te beleven was.
Sinds de oorlog was de hoofdstad groter en rommeliger geworden.
Berlijn was uitgedijd en had zich over velden en bossen uitgezaaid.
De proletarische massa was gegroeid door hordes uit het oosten:
Russen en Polen, zigeuners en joden. Vergeleken met andere Duitse
steden was het geen echte Duitse stad meer, had haar vader gezegd.

Gekweld door de gedachte dat dit plekken waren die haar verloofde kende, waar men hem misschien nog steeds kende, staarde Alma
naar de vreemde, onbekende straten met hun waakzame mensenmas-
sa's en overdekte markten en tempels. Eén keer zag ze hem met gebogen schouders voor een etalage staan, bezig om een sigaret op te ste-

ken. Ze was al uit de tram gestapt en de straat overgestoken voordat ze besefte dat ze zich had vergist.

'Neem me niet kwalijk. Ik dacht...'

De onbekende man had geglimlacht, zijn hoed aangetipt en iets gezegd in een taal die ze niet begreep.

Alma ging naar de Preussische Staatsbibliothek om oude krantenartikelen te lezen. Een groep ijverige jonge studenten met sportjasjes hielp mee om de stapels boeken te reorganiseren en liep luid pratend en lachend met rolwagentjes door de gangen. Berlijn kon bogen op tientallen kranten. Alma ging in de tijdschriftenzaal zitten en bladerde door de kranten, waarbij ze de vettige stank van de inkt inademde en haar vingers en handpalmen steeds zwarter zag worden. Ergens tussen de schreeuwerige actualiteiten moest toch een spoor van de waarheid te vinden zijn, een paar voortekenen van de catastrofe in haar eigen leven.

Martins patiënte was in de bossen bij Potsdam gevonden, ruim twintig kilometer ten zuidwesten van de stad. Twee jongetjes hadden haar tijdens een fietstochtje aangetroffen. Er stond een foto van hen in de *Berliner Morgenpost*: Hans en Ernst Waise, die stijfjes hun fietsen vasthielden terwijl ze in de camera keken. Het was eind oktober en ze waren op die zaterdagochtend al vroeg op pad gegaan om naar het dorp Caputh te fietsen, dat aan een meer lag. Ze hadden gehoord dat de beroemde Albert Einstein daar woonde en zeilde. Maar het was die dag mistig en ze waren verdwaald. Uiteindelijk had de jongste van de twee iets aan de waterkant zien liggen.

ZE ZOCHTEN EEN GENIE EN ONTDEKTEN EEN ZEDENDELICT, ZO begon het krantenartikel. Het meisje was halfnaakt, kleddernat, en had sneeën en krassen op haar benen. Op haar lichaam waren nog andere, niet nader genoemde tekenen van geweld te bespeuren, en ze was zo bleek dat de jongens dachten dat ze dood was. Toen ze in haar hals nog een zwakke hartslag voelden, bedekten ze haar met hun jassen en ging Hans, de oudste van de twee, op zijn fiets hulp halen. Het duurde ruim een uur voordat hij met de politie terugkwam.

Een fantasierijk feuilleton in de *Berliner Illustrierte Presse* stond stil bij de beproeving van de achtjarige Ernst Waise, die in zijn eentje in het nevelige bos bij een mooie, stervende vrouw achterbleef, zich allerlei verhalen over spoken en boze feeën herinnerde en nauwelijks durfde te ademen uit angst dat ze hem zouden opmerken. De jongen beweerde later dat het meisje iets had gezegd voordat ze het bewustzijn weer verloor, al kon hij haar woorden niet herhalen. Hij zei dat hij haar zelfs een kus had gegeven, omdat hij dacht dat ze daardoor misschien in leven zou blijven.

Het duurde langer voordat er details over de toestand van het meisje naar buiten kwamen. Alma vond de meeste informatie in actualiteitenmagazines, tweekleurige sensatiebladen vol vage zwart-witfoto's. Het waren de weekbladen die haar vaders chauffeur, Hans-Peter, altijd las als hij in de auto moest wachten.

De politieagenten ter plekke hadden niet goed geweten wat ze moesten doen. Ze hadden de bewusteloze vrouw naar een medische hulppost in Caputh gebracht, waar ze alleen maar dekens, verband en een ontsmettingsmiddel bleken te hebben, en daarna naar een sanatorium in Potsdam. Daar had het personeel ook geen ervaring met dit soort gevallen, want de meeste patiënten in het sanatorium hadden tbc of bronchitis. Omdat ze bang waren dat ze onderkoeld was geraakt, legden ze het meisje in een heet bad om haar lichaamstemperatuur omhoog te krijgen. Later zeiden de artsen in het Charité dat dat de zaak misschien alleen maar erger had gemaakt. Door de plotselinge warmte waren de vernauwde bloedvaten in haar armen en benen verwijd, zeiden ze. Het koude bloed in de uiteinden van haar lichaam kon vervolgens terugstromen naar haar romp en hersenen, waardoor die nog verder afkoelden. Datzelfde bloed bevatte verhoogde toxine- en zuurwaarden. Waarschijnlijk was ze door acidose in coma geraakt.

Het meisje kreeg een korte toeval, waarbij het personeel wist te voorkomen dat ze haar tong inslikte. Daarna werden haar pupillen groter en verloor ze het bewustzijn. Toen haar hartslag zwakker werd, werd de kapelaan uit de eetzaal gehaald om haar de laatste sacramenten toe te dienen, al wisten ze natuurlijk niet zeker of het meisje wel katholiek was. Terwijl er boven de stad een enorme regenbui losbarstte, arriveerde er rond twee uur eindelijk een ambulance, die haar met grote snelheid over de AVUS-snelweg naar Berlijn bracht.

Toen ze uiteindelijk bijkwam, was ze haar geheugen kwijt. Ze wist niet eens meer hoe ze heette.

De volgende dag werd er haastig een politieonderzoek op touw gezet. In de bossen rond de hoofdstad doken vaak tentenkampen vol werkloze mannen en hun gezinnen op – een fractie van de miljoenen werkzoekenden die als menselijk wrakhout van het ene verstedelijkte gebied naar het andere dreven. De kranten speculeerden dat de waarheid in zo'n 'enclave van wanhoop' gevonden kon worden. Terwijl de pers toekeek, sjokten zestien agenten door de bossen rond Caputh, op zoek naar aanwijzingen. In de dinsdageditie van de *Berliner Morgenpost* stond een foto van de mannen, die diep in hun oliejassen waren weggedoken of hurkten om voetafdrukken in de met bladeren bezaaide aarde te bestuderen. Maar ze vonden geen tentenkamp, en ook geen aanwijzing dat er ooit een had gestaan. Forensisch gezien leverde de operatie weinig op: een paar stukjes stof, een haarspeld en een bemodderde schoen die nog vrij nieuw leek te zijn. Ze ontdekten ook het doorweekte restant van een strooibiljet, dat was uitgedeeld om reclame te maken voor een openbare lezing in het concertgebouw. De lezing was getiteld 'De huidige staat van de kwantumtheorie'. De voornaamste spreker was professor Albert Einstein.

De bibliotheek ging om zes uur dicht. Alma liep Unter den Linden op en schermde haar ogen af tegen de avondzon. Toen ze binnen was, had het geregend. De kasseien waren donker en glad. Vlakbij stond een luidspreker, waaruit luide muziek klonk. Mannenstemmen en marsmuziek weerkaatsten tussen de met roet bedekte keizerlijke façades.

Robert zat in een nieuwe Daimler op haar te wachten. Zodra hij haar zag, stapte hij uit en hield hij met een hoopvolle glimlach het portier aan de passagierskant voor haar open.

De studenten hadden hun werk mee naar buiten genomen en rolden karretjes vol boeken naar een wachtende vrachtwagen. Een van hen glimlachte naar Alma toen ze de trappen af liep. Zijn tanden waren wit, net als het puntje van de zakdoek die uit de borstzak van zijn sportjasje piepte. Alma keek fronsend toe terwijl hij de inhoud van zijn karretje achteloos in de vrachtwagen kiepte, alsof hij een arbeider was die steenkool schepte.

'Wat zijn ze aan het doen?' vroeg ze.

'Plezier maken, zo te zien,' antwoordde Robert.

Hij legde een hand op haar schouder. Ze vond hem verbazend zorgzaam. Hij was altijd opgewekt, maar ze had nooit gedacht dat hij werkelijk teder kon zijn. Het feit dat ze de recente gebeurtenissen allebei zo verwarrend vonden en beiden moeite hadden om zich bij de verdwijning van Martin Kirsch neer te leggen, had hen dichter bij elkaar gebracht.

Terwijl ze langs het pleintje voor het operagebouw reden, zag Alma de boeken weer. Ze waren manshoog opgestapeld. Pas op dat moment begreep ze het: ze stonden op het punt om verbrand te worden.

2

Oktober 1932

Martin Kirsch stond op de wc zijn handen te wassen toen hij het hoorde: een schorre, metaalachtige schreeuw. Het geluid leek uit de afvoer te komen – een afgrijselijke gil vol doodsangst en pijn. Als verstijfd bleef hij met druipende handen bij de wastafel staan, starend naar de duisternis in het roestige gat.

Kirsch was vroeg naar zijn werk gegaan om in alle rust wat papierwerk door te nemen. De hele week reden er in verband met de verkiezingen al vrachtwagens vol campagnevoerders en paramilitairen over de Schönhauser Allee, die claxonneerden, zongen en hatelijke opmerkingen maakten. Als de politie toevallig niet in de buurt was, braken er gevechten uit. Er werden tanden kapotgeslagen en botten versplinterd. Zijn huisbazin, Frau Schirmann, hield de grendel en de ketting op de voordeur. Hij had haar wakker moeten maken om naar buiten te kunnen.

Buiten was het nog maar nauwelijks licht. De patiënten lagen op dat tijdstip nog te slapen, en de slaapzalen lagen trouwens aan de andere kant van het gebouw. Toch bleef hij doodstil staan luisteren, voor het geval hij de schreeuw nog een keer zou horen. Maar het enige geluid kwam van het water dat van zijn vingers op het gebarsten witte porselein drupte.

Het zouden de leidingbuizen wel zijn geweest. Een boiler met kuren. Een luchtbel. Dom van hem. Hij ging rechtop staan en stak zijn hand uit naar een handdoek. Deze oude gebouwen kraakten en kreunden erger dan oude mannen.

Weer een stem, nu met een andere klank: sneller en zachter. Hijgen – of was het snikken? Met ingehouden adem leunde hij voorover.

'Nee nee nee nee nee nee nee nee.'

Ergens liep water door een afvoer. De luchtbel vond een uitweg. Helemaal geen menselijke stem.

Hij zette zijn bril weer op en tuurde onder de rij wastafels. De afvoerbuizen waren vijftig jaar oud: zwaar gegalvaniseerd ijzer, roestblazen die door een huid van grijze verf heen barstten. Na de zwanenhals maakten de buizen een scherpe hoek in de richting van de wc's voordat ze in de vloer verdwenen. Onder de wc's lagen de kantoren op de begane grond, en daaronder was de kelder, die voor een deel was uitgeruimd voor de experimenten van het plaatsvervangend afdelingshoofd. Hij herinnerde zich dat er beneden, in de oude wasserij, ook wastafels waren. Alle buizen stonden met elkaar in verbinding, als een enorme telefooncentrale.

Hij keek op zijn horloge: zeven uur. Hij boog zich weer voorover en hield zijn oor behoedzaam bij het afvoerputje.

Nu hoorde hij alleen gefluister, een klaterend geluid in de verte. Tik, tik, tik. Daarna vloeiden er weer stemmen door het metaal – vrouwenstemmen.

'Walgelijke smeerlap.'

Hij schrok. De stem klonk glashelder.

Geratel van kranen. Water dat door de buizen stroomde.

Achter hem zwaaide de deur open. Het was het plaatsvervangend afdelingshoofd, dokter Heinrich Mehring, die zijn hakstukken op de betegelde vloer liet klikken en natuurlijk weer een exemplaar van de *Kreuz-Zeitung* onder zijn arm had. Hij droeg een hemd met een puntboord en had zijn hoofd zorgvuldig kaalgeschoren.

'Goedemorgen, dokter Kirsch.' Kirsch ging rechtop staan. 'Bent u uw jas weer vergeten?'

Alle artsen moesten tijdens hun werk een witte jas dragen. Het afdelingshoofd stond erop. Hij vond het belangrijk dat er een duidelijke afstand tussen arts en patiënt bestond.

'Nee, dokter Mehring. Ik ben vandaag niet van plan om naar mijn patiënten te gaan.'

Mehring deed een van de wc-deuren open en ging op zijn tenen staan. Hij vond het prettig om vanaf veilige afstand de pot te inspecteren voordat hij naar binnen ging. 'Maar misschien komen zij wel naar u. Daar gaat het nu juist om, volgens mij. Er hangt een extra jas in mijn kantoor, als u er een nodig hebt.'

Blijkbaar kon de pot zijn goedkeuring wegdragen, want hij liep naar binnen en deed de deur achter zich op slot. Kirsch hoorde dat hij de krant opensloeg.

Hij was niet meer in de kelder geweest sinds Mehring de ruimte had opgeëist. Hij herinnerde zich een doolhof van voorraadkamers, een magazijn vol overtollige medische boeken en een stokoude boiler, die werd onderhouden door een zwijgzame, oplettende conciërge die bijna geen tanden meer had. Mehring verkoos de kelder boven de beschikbare bovengrondse vertrekken. Hij wilde zijn experimenten wetenschappelijk houden door ze in afzondering te laten plaatsvinden, alsof contact met de rest van de kliniek zijn bevindingen ongeldig zou maken.

Hij richtte zijn werk vooral op een nieuwe behandelmethode, die was ontwikkeld in het sanatorium in Lichterfelde, een paar kilometer verderop. Een van de psychiaters daar, Manfred Sakel, had patiënten die hij van een opiumverslaving wilde genezen insuline ingespoten, een hormoon dat werd gebruikt om het glucosegehalte in het bloed te verlagen. De vreselijke ontwenningsverschijnselen – de tremors, het overgeven, de angstaanvallen – leken daarna minder hevig te worden. Maar Sakel kreeg de beste resultaten als hij zulke hoge doses gebruikte dat de patiënten in een hypoglykemische shock raakten. Als hun hersenen geen glucose kregen, raakten zijn patiënten in coma en konden ze alleen bij bewustzijn worden gebracht door het toedienen van hoge doses glucose. Sakel wist niet of de behandeling nu succesvol was door de shock of door de daaruit voortvloeiende coma's, maar hij meldde dat zijn patiënten zich veel beter gingen gedragen. Ze maakten minder ruzie, waren niet meer zo vijandig en werkten beter mee. Hij had zijn werk voortgezet aan de universiteit van Wenen, waar hij dezelfde methode gebruikte voor patiënten die de diagnose *dementia praecox* hadden gekregen – of schizofrenie, zoals de aandoening bekend was geworden. Tot nu toe had hij er nog steeds geen officieel medisch artikel over geschreven, maar het scheen dat zijn resultaten daar net zo verbluffend waren. Patiënten die vijf of zes keer per week in coma werden gebracht, werden niet meer geplaagd door psychotische gedachten. Hun waanbeelden verdwenen of leken hen niet meer in hun greep te krijgen. Het kwam vaak voor dat ze gedesoriënteerd waren en hun geheugen kwijtraakten, maar ze waren minder in zichzelf gekeerd en vertoonden minder ongepast emotioneel gedrag. Ze werden, zoals Sakel het omschreef, minder 'ingewikkeld'.

Dokter Mehring had het werk van Sakel met interesse gevolgd. Zodra er een vacature voor een verpleegster was gekomen, had hij een lid van Sakels oude team in Lichterfelde aangenomen. Hij had eigen theorieën ontwikkeld over de vraag hoe de shocktherapie kon worden uitgebreid. Hij dacht dat de door Sakel gerapporteerde effecten werden veroorzaakt door veranderingen in de elektrische activiteit in de hersenen, en zag mogelijkheden voor allerlei interessante, nieuwe behandelmethodes.

Kirsch had verslagen van de procedure gelezen. De patiënt werd elke ochtend om zes uur wakker gemaakt en meteen naar een raamloze ruimte gebracht. Daar legden de verpleegsters hem op een bed en kreeg hij kussens onder zijn hoofd. Vervolgens werd er een ingevette rubberen slang door zijn linkerneusgat ingebracht en via zijn slokdarm naar zijn lege maag geleid. Het andere uiteinde van de slang werd aangesloten op een glazen reservoir met suikerwater, dat naast het bed was opgehangen. De suiker was bedoeld om hem op het afgesproken tijdstip uit zijn coma te halen. Voor het geval er sneller moest worden ingegrepen, lagen er instrumenten klaar op een blad: injectienaalden en verzegelde flesjes met een glucoseoplossing van achtendertig procent.

Om zeven uur kreeg de patiënt via een bloedvat in zijn linkeronderarm insuline toegediend. De dosis werd elke dag verhoogd, van twintig eenheden naar veertig naar tachtig, tot de comateuze toestand intrad. Sommige patiënten vertoonden een opmerkelijke weerstand tegen de insuline. Met trillende, trekkende armen en benen vochten ze om wakker te blijven, alsof ze naar een angstaanjagende plek afdaalden als ze het bewustzijn verloren. Als hun lichamen in shock raakten, kregen ze kippenvel op hun armen, begonnen ze te transpireren en vulde hun mond zich met speeksel, zodat ze op hun zij gerold moesten worden om te voorkomen dat ze in het speeksel stikten.

Kirsch had voor zijn schizofreniepatiënten vrijstelling van Mehrings experimenten gevraagd. Hij was ervan overtuigd dat dergelijke beproevingen nadelige gevolgen hadden voor zijn behandeling, die alleen kon slagen als hij hun vertrouwen kon winnen. Hij had de kwestie besproken met het afdelingshoofd, dokter Bonhoeffer, en toen dat niets had opgeleverd, was hij met de familie van de patiënten gaan praten. Voor zover hij wist, had Mehring zich daar niets van aangetrokken.

De dienstlift kwam tot stilstand. Kirsch liet de deur openstaan en liep door de centrale gang. Er hingen elektrische gloeilampen aan het plafond. Hun lichtsterkte varieerde naarmate het voltage van de ziekenhuisgeneratoren fluctueerde. Er hing een indringende, zure verflucht.

De boeken waren allemaal verdwenen. Het magazijn en de oude wasserij waren omgebouwd tot behandelkamers. Er waren zware deuren aangebracht, die uit zichzelf dichtzwaaiden. Hij duwde de dichtstbijzijnde deur een stukje open. Twee van Mehrings verpleegsters stonden over een ijzeren bed gebogen. De ene had een spons in haar hand, de andere een klembord. Tussen hen in lag een patiënt, wiens knokige blote voeten onder een wollen deken uit staken.

De voeten wezen naar elkaar toe, de tenen waren samengeknepen als vuisten. Deze spanning werd het knipmesfenomeen genoemd en was doorgaans een symptoom van spasticiteit of hersenbeschadiging.

De voeten maakten krampachtige bewegingen.

'Verschoon hem straks maar. Waarschijnlijk gebeurt het zo weer.'

Zuster Regina Honig was uit het sanatorium in Lichterfelde gerekruteerd. De enige van wie ze orders aannam, was dokter Mehring. Ze was groot en gezet, met een bleke huid die er altijd zonverbrand uitzag. De andere verpleegster heette Ritter. Ze was een magere, nerveuze vrouw met holle ogen die op slapeloosheid wezen. Kirsch had haar nog nooit iets horen zeggen, in elk geval niet in een gesprek. Hij had het idee dat ze dodelijk verlegen was.

Zuster Honig keek op haar zakhorloge en maakte een aantekening op het klembord. De patiënt kreeg stuiptrekkingen. De deken werd op de grond geschopt. Kirsch herkende de man als een van zijn patienten: Andreas Stoehr. Er kwam een gesmoord, gorgelend geluid uit zijn keel.

Zuster Ritter boog zich over hem heen. 'Moeten we hem op zijn zij draaien, denkt u?'

Kirsch kon niet werkeloos blijven toekijken. Hij liep de kamer in. 'Wat is hier aan de hand?'

Zuster Honig keek op, fronste haar wenkbrauwen en kwam met opgeheven hand naar hem toe gebeend.

'Dokter Kirsch, we zijn bezig met een behandeling. Als u zo vriendelijk wilt zijn...'

Ze was gewaarschuwd voor zijn bemoeienis.

Hij duwde haar aan de kant. Stoehr was op het bed vastgebonden. Van zijn polsen tot zijn ellebogen waren zijn armen blauw van de insuline-injecties, paarse en zwarte cirkels die eruitzagen alsof een ziekte zich over zijn lichaam verspreidde. Zijn gezicht was vertrokken als dat van iemand die op het punt stond om te sterven. Zijn dikke, stekelige haar vertoonde hier en daar plukjes wit en grijs. Hij had net zijn plas laten lopen en zijn pyjama stonk naar urine.

Stoehr draaide zijn hoofd voortdurend heen en weer, en zijn mond vertrok terwijl hij de rubberen slang in zijn slokdarm uit probeerde te braken.

'Dat doet hij elke keer,' legde zuster Honig uit. 'Hij verzet zich tegen de comateuze toestand. Het is gewoon een overgangsfase.'

'Hij stikt,' zei Kirsch.

Zuster Honig kwam voor hem staan.

'Onmogelijk, dokter Kirsch. Er is niets waar hij in kan stikken.'

De kaken van Stoehr begonnen verwoed te malen. Hij probeerde op de slang te bijten, hem uit zijn mond te krijgen. Er liep speeksel over zijn wang.

Zuster Ritter keek nerveus toe en speelde met een ring om haar vinger. 'Zullen we hem op zijn zij leggen, zuster?' vroeg ze nogmaals.

Stoehr liet een schor geluid horen. Zijn ogen gingen knipperend open.

'Z-z-zwarte honden!'

Hij brulde en rukte aan de riemen waarmee hij vastgebonden was.

'Hij heeft een toeval,' zei Kirsch. 'Haal hem eruit.'

Er borrelde schuim uit Stoehrs mond, alsof er een pan overkookte. Het gorgelende geluid was afschuwelijk om te horen.

'Zuster?' Zuster Ritter keek bezorgd.

'We hebben alles onder controle.' Zuster Honig legde haar handen op Kirsch' schouders en probeerde hem de andere kant op te draaien. 'Het plaatsvervangend afdelingshoofd kan elk moment terugkomen. Ik denk niet dat hij…'

Ze haastte zich terug naar het bed omdat Stoehr een luid geluid maakte, dat klonk alsof hij stikte. 'Draai zijn hoofd opzij.' Ze liet haar klembord vallen en schoof een schaal onder Stoehrs kin, terwijl zuster Ritter met haar vlakke handen zijn hoofd naar de linkerkant rolde. In de riemen maakten zijn armen schokkerige bewegingen.

Kirsch keek wat er op het karretje met instrumenten lag. Hij zocht injectienaalden, want voor noodgevallen hoorden ze spuiten met glucose klaar te leggen. Intraveneuze toediening werkte sneller op de hersenen dan opname via de maag.

Er lagen twee spuiten naast elkaar, klaar om gebruikt te worden.

Stoehr schokte over zijn hele lichaam. De poten van het ijzeren bed schuurden met veel kabaal over de vloer. Zuster Ritter deinsde achteruit.

'Hou hem in bedwang!' Zuster Honig keek met een nijdige blik naar Kirsch, alsof dit allemaal zijn schuld was. 'Ik heb geen idee waarom hij zo vervelend doet.'

Kirsch pakte de spuit en spoot de lucht eruit. 'Allebei aan de kant. Alstublieft.'

'Dokter, dat mag u niet doen. We zijn bezig met…'

'Ik neem de volledige verantwoordelijkheid.'

'Maar het behandelingsplan van dokter Mehring…'

Hij pakte de hand van Stoehr en legde de arm recht. In de oppervlakkige aderen was al zo vaak geprikt dat er geen geschikt plekje meer over was.

Opeens greep Stoehrs hand de zijne beet. Voor zo'n magere man was zijn greep verrassend sterk. 'Ze hebben me gevonden.' Met uitpuilende ogen staarde hij naar Kirsch. 'Jij hebt het ze verteld. Jij!'

'Probeert u zich maar te ontspannen.'

Stoehrs lichaam begon weer te stuiptrekken. Kreunend liet hij zich achteroverzakken. Kirsch worstelde om het riempje om zijn pols los te krijgen. Hij zou Stoehr de spuit in de bovenarm moeten geven, als een vaccinatie.

'Dokter, dat is niet verstandig.' Zuster Honig had rode vlekken in haar gezicht gekregen. 'Zonder riempjes zou hij...'

'Kunnen ontsnappen? U kunt hem geen ongelijk geven.'

'Dokter Mehring heeft uitdrukkelijk gezegd dat hij geen glucose toegediend mag krijgen tot...'

Ze had Kirsch bij de arm gegrepen. Hij rukte zich los.

'Dokter Mehring is hier niet.'

'Toch wil ik...'

Zuster Ritter gilde. Met zijn vrije arm had Stoehr uitgehaald en haar bij haar haren gegrepen. Nu trok hij haar naar zich toe.

'Zwarte honden!'

Haar kapje viel af toen hij haar hoofd naar beneden trok. Lange, bruine haren waaierden over hen beiden uit.

Stoehrs mond stond wijd open. Kirsch zag hoektanden en snijtanden, gebarsten en vergeeld, een ziekelijk witte tong. Stoehr had zijn ogen open, maar hij leek niets te zien. Zijn blik was wezenloos en wild.

'Z-z-zwart.'

Voordat iemand hem kon beetpakken, liet Stoehr zijn tanden in het vlees onder zuster Ritters oor zakken. Er klonk een zompend, knarsend geluid. Er spoot een straal bloed tegen zijn wang.

Zuster Ritter viel op de grond en lag met haar handen op haar bloedende wond te schreeuwen toen dokter Mehring het vertrek in kwam rennen.

Andreas Stoehr had de bijzondere belangstelling van Kirsch. Het was een moeilijk ziektegeval – zijn collega's stonden beslist niet in de rij om eraan te mogen beginnen – maar zodra Kirsch het dossier had gelezen, wist hij dat hij de man wilde behandelen.

Stoehr was vierendertig en was ooit sergeant in het 140e Infanterieregiment geweest. Hij was bij het operagebouw gearresteerd met twee steelhandgranaten en een blik paraffine, waarmee hij naar eigen zeggen het gebouw wilde vernietigen. Toen hij werd ondervraagd, had hij volgehouden dat het operagebouw de opening van een geheime tunnel tussen het aardoppervlak en de negende kring van de hel verborg, een gevangenis voor verraders en samenzweerders die de enige rechtmatige God omver wilden werpen. Deze wraakzuchtige zielen waren volgens hem door Satan gerekruteerd en kwamen via het operagebouw terug om de aarde te koloniseren. Stoehr was voor onderzoek naar de psychiatrische afdeling van het Charité-ziekenhuis gestuurd, waar werd vastgesteld dat hij aan dementia praecox van het paranoïde subtype leed.

Stoehr droomde vaak dat hij verdronk. Dag en nacht werd hij achtervolgd door angst voor verstikking. Bij regenachtig weer durfde hij niet in de U-Bahn te stappen, omdat hij bang was dat hij in de tunnels vast zou komen te zitten. Als hij over een brug liep, trilde hij van angst bij de gedachte aan het donkere water dat onder zijn voeten stroomde. 's Nachts werd hij vaak schreeuwend wakker omdat hij dacht dat hij geen lucht kreeg.

Bij veteranen uit de oorlog van 1914-1918 had Kirsch wel vaker dergelijke fobieën gezien. Ze kwamen voor bij mannen die gifgasaanvallen hadden meegemaakt of de effecten ervan van zeer dichtbij hadden gezien. Zij wisten dat chloorgas de slijmvliezen van de longen vernietigde, waardoor de slachtoffers in hun eigen lichaamssappen verdronken.

Stoehr was op zijn vijftiende vrijwillig in het leger gegaan en had op het rekruteringsbureau over zijn leeftijd gelogen. Toen hij naar het westen werd gestuurd, arriveerde hij op tijd voor de Slag bij Verdun. Kirsch probeerde de feiten zo goed mogelijk op een rijtje te krijgen, maar Stoehrs herinneringen waren vaak verward. In Frankrijk had hij dysenterie gekregen toen hij water dronk uit een granaattrechter vol lijken. Op een gegeven moment was hij wegens dapperheid onderscheiden en bevorderd tot sergeant. Tijdens een aanval op Fort Souville was hij in zijn heup geschoten, en hij had een halve dag of langer ijlend op medische hulp moeten wachten, luisterend naar het gesmeek en geschreeuw van andere gewonden.

Na de oorlog was hij teruggegaan naar zijn woonplaats Bremen, waar hij een jaar als stationskruier werkte voordat hij zijn zus achternareisde naar Berlijn. Daar had hij allerlei losse klusjes gedaan voordat hij eindelijk een baan als nachtportier in het kledingpakhuis van de gebroeders Sklarek had gevonden. Deze baan leek bij hem te passen. Voor het eerst kwamen er geen klachten over afwezigheid of ongehoorzaamheid. Maar na een paar jaar gingen de Sklareks als gevolg van een financieel schandaal failliet. Hun voorraad werd geliquideerd en het pakhuis ging dicht. Rond die tijd begon Stoehr zich volgens zijn zuster steeds vreemder en verontrustender te gedragen. Zo vermoedde ze bijvoorbeeld dat hij de hond van een buurtgenoot had gedood. Na een meningsverschil met zijn zwager was Stoehr het huis uit gegaan en had hij een kamer in Pankow gehuurd. De familie hoorde niets meer van hem tot hij bij het operagebouw werd gearresteerd.

Als je goed keek, zat er een bepaald patroon in Stoehrs waanzin. Volgens hem lag het epicentrum van alle verschrikkingen, alle gruwelen, onder zijn voeten, in de kolkende aarde en stinkende wateren. In de granaattrechters lagen lijken, zei hij, maar dat had hij zich niet verbeeld. Bij Verdun hadden tien maanden artilleriebeschietingen een paar duizend ton menselijk vlees in de aarde gezaaid. Sergeant Stoehr had de stank van de doden ingeademd, hij was over hun lijken heen gekropen en had erom gevochten, hij had zijn maag gevuld met hun rottende bloed. Hun vlees was het zijne geworden.

De collega's van Kirsch begrepen niet dat hij zo veel belangstelling had voor het gebazel van de sergeant. Ze waren van mening dat verschillende neurologische ziektes verschillende symptomen veroorzaakten. Volgens een classificatiesysteem kon je aan de aard van iemands waanzin vaststellen welke ziekte hij had. Maar hoe die waanzin naar buiten kwam, welke waanbeelden en fantasieën een patiënt in hun greep hielden, deden er niet toe. Het was de taak van de psychiater om de ziekte te genezen, desnoods met vallen en opstaan, zodat de patiënt uiteindelijk weer kon terugkeren in de maatschappij. Hoe kon de psychiatrie zichzelf een vorm van geneeskunde noemen als er niet naar genezing werd gezocht?

Maar wat betekende 'genezing' in het geval van Andreas Stoehr? Welk deel van zijn brein, zijn manier van denken of zijn gedrag kon worden verbeterd? Welk deel van hem was ziek, als hij al ziek was? De kern van zijn problemen lag in zijn oorlogservaringen. Dat was in elk geval aannemelijk. Maar het verleden kon niet worden teruggedraaid, het kon alleen worden vergeten. En voor zover Kirsch wist, was het opwekken van geheugenverlies in geen enkele psychiatrische stroming een erkende behandelmethode.

Ze reden zuster Ritter op een brancard naar het hoofdgebouw van het ziekenhuis. Ze trilde zo hevig dat ze niet in staat was te lopen. Zodra het glucosegehalte in Stoehrs bloed weer normaal was, kreeg hij een dwangbuis aan en werd hij in de zuidvleugel opgesloten, in een van de cellen die ze voor gevaarlijke patiënten reserveerden. Kirsch ging elk uur bij hem kijken, maar Stoehr leek hem niet meer te herkennen. Hij had zijn knieën tot onder zijn kin opgetrokken en zat op zijn matras naar de muur te staren.

Kirsch bracht de rest van de ochtend in zijn kantoor door, waar hij wachtte tot dokter Mehring langs zou komen. In alle commotie na zuster Ritters verwonding had hij geen kans gehad om zijn beslissing uit te leggen, geen gelegenheid om te vertellen waarom hij het riempje rond Stoehrs arm had losgemaakt en de behandeling had beëindigd. Hij verwachtte niet dat Mehring zijn uitleg zou accepteren, maar hij verwachtte wel dat hij op het matje zou worden geroepen.

Tegelijkertijd vond hij dat niet alleen zijn eigen gedrag onder de loep moest worden genomen. Per slot van rekening was Mehring tijdens een gevaarlijke procedure afwezig geweest. De achtergebleven verpleegsters waren dan misschien wel bekwaam, maar men kon niet van hen verwachten dat ze cruciale beslissingen namen. Mehring spoot elke dag hogere insulinedoses bij zijn patiënten in, waardoor ze steeds langer en dieper in coma raakten. In elke fase van het proces moesten ze goed in de gaten worden gehouden. Zou hij het op een andere weekdag hebben gewaagd om (nota bene met een krant onder zijn arm) naar de wc te verdwijnen? Vandaag was het zondag, een dag waarop er minder artsen rondliepen die zijn nalatigheid zouden kunnen opmerken.

De uren tikten voorbij, maar Mehring kwam niet langs. Buiten werd het donker. Regendruppels tikten tegen het smalle, vuile raam. Kirsch knipte de lampen aan, maar hij had moeite om zich op zijn werk te concentreren. Hij besloot zelf naar Mehring toe te gaan. Gezien het feit dat Mehring zijn superieur was, was dat waarschijnlijk ook wat de etiquette voorschreef, maar toen hij bij de werkkamer van het plaatsvervangend afdelingshoofd kwam, bleek de deur op slot te zitten. Op de ziekenzalen en in de recreatieruimtes trof hij hem ook niet aan. Toen hij naar zuster Honig vroeg, kreeg hij te horen dat ze naar huis was gegaan.

Mehring had dus geen haast om het incident te bespreken – in elk geval niet met hem.

Kirsch haastte zich terug naar zijn kantoor. Hij had behoefte aan iemand die zijn versie van het verhaal kon onderschrijven, iemand die kon bevestigen dat Stoehrs toeval werkelijk reden tot bezorgdheid was geweest. Hij moest met haar praten voordat Mehring haar had gesproken.

In zijn werkkamer nam hij de hoorn van de telefoon. De telefoniste verbond hem door met de Spoedeisende Hulp.

'Ik wil graag weten hoe het met zuster Ritter gaat.'

'Ze ligt te slapen. We hebben haar Luminal gegeven. Ze had veel pijn.' De stem van dokter Oswald Brenner klonk enigszins geïrriteerd. 'Ze heeft maar vijf hechtingen, maar die zitten diep en ze heeft een paar flinke bloeduitstortingen. Wat het infectiegevaar betreft, het is nog te vroeg om te zeggen of we een probleem hebben.'

Kirsch dacht terug aan het knarsende kraakbeen en de straal bloed – bloed dat verrassend helder van kleur was geweest voor een vrouw die eruitzag alsof ze bloedarmoede had.

'Heeft ze iets nodig? Kan ik misschien...'

'Rust. Dat heeft ze nodig. We kijken morgenochtend hoe het met haar is.'

Kirsch herinnerde zich de blik van zuster Ritter toen Stoehr begon te schuimbekken: ze was bang geweest. Het was zijn enige hoop dat ze het met zijn beslissing eens was. 'Ze heeft zeker niets gezegd over het incident?'

'We hebben haar gevraagd wat er was gebeurd. Dat vragen we altijd.'

'En?'

'Ik heb begrepen dat ze gebeten is. Door een of andere waanzinnige.'

'Een patiënt, ja. Al was hij niet... Ik denk dat hij niet besefte wat hij deed.'

Dokter Brenner bromde. 'We bekommeren ons later wel om de details. Ik heb gezegd dat ze vannacht hier moest blijven.'

'Is dat echt nodig?'

'Gewoon een voorzorgsmaatregel. Bijtwonden zijn vaak vuil en raken snel geïnfecteerd. Vooral in dit geval.' Er klonken stemmen op de achtergrond, het geluid van haastige voetstappen. 'Als u me nu wilt excuseren...'

'Nog één ding: is dokter Mehring bij u langs geweest? Ik kon hem niet vinden.'

'Hij is hier vanmiddag geweest. Hij heeft precies hetzelfde te horen gekregen als u: als u zuster Ritter wilt spreken, zult u moeten wachten tot het bezoekuur van morgen.'

4

Het was al vijf uur geweest toen zijn trein station Alexanderplatz binnenreed. Een regenbui van een uur had de mensen van de straten verdreven. De meeste campagnevoerders waren naar huis gegaan en hadden de vochtige resten van hun voorlichtingsmateriaal op muren en lantaarnpalen geplakt. Bij de uitgang stond een laatste groepje meisjes strooibiljetten uit te delen en door elkaar heen '*Deutschland erwache!*' te schreeuwen. Met hun blonde vlechten en bruinverbrande gezichten leken ze hier helemaal niet thuis te horen. De meeste biljetten werden in de goot gegooid.

Als een slang gleed tram 69 noordwaarts naar de Schönhauser Allee, maar Kirsch liep de halte voorbij en wandelde door. Hij nam niet de kortste weg naar huis, maar maakte een omweg over de Grenadierstraße, overdag een drukke weg met winkeltjes en marktkraampjes, 's avonds het domein van straatprostituees en stropende katten.

Kirsch voelde zich op zijn gemak in de Grenadierstraße. Tijdens de wintermaanden rook het er naar gepofte kastanjes en gebrande suiker. De winkels verkochten spullen die een warenhuis nooit in het assortiment zou hebben: skeletten van dieren, medicijnen die alleen op recept verkrijgbaar waren, klompjes amber en rood goud. Mannen met baarden verzamelden zich onder de luifels – waarschijnlijk om te roddelen, al zag het er zo niet uit, omdat ze hun hoofd schudden en fronsten alsof er een vriend te vroeg was overleden. Het puntige, Hebreeuwse schrift op de winkelruiten en naamplaatjes zag er indrukwekkend uit, alsof het belangrijke goddelijke verordeningen of de codes van een geheim genootschap weergaf. Niemand kende hem hier, en de kans dat hij een collega of een kennis tegenkwam, was erg klein. Daarvoor was de wijk te sjofel en te buitenlands.

Aan het andere uiteinde van de straat, tegenover een goedkoop hotel, was een hoek waar altijd regenwater naartoe liep. Daardoor lag er een grote plas naast het trottoir. De week ervoor, op een maandag, had hij Elisabeth daar voor het eerst gezien.

Hij was rond vijf uur vanaf de S-Bahn komen aanlopen. Hij had bij zijn vaste leverancier net wat Salvarsan gekocht en stond stil voor een winkel die grammofoonplaten verkocht. Hij stond door de winkelruit naar de platen te kijken, die op een ondergrond van rood fluweel waren uitgestald, toen zijn blik op haar spiegelbeeld viel. Ze liep voorbij en hij ving slechts een glimp van haar gezicht op – een volle mond die een stukje openstond, donkere ogen – maar bij het besef dat ze naar hem had gekeken (of was het naar de platen?) sprong zijn hart even op. Hij draaide zich om. Ze liep naar de rand van het trottoir en stopte voor de plas, die zo groot was dat ze er niet zomaar overheen kon stappen. Ze droeg een effen bruine cloche en een jas die te zwaar was om modieus te zijn. Ze zag eruit als een arm plattelandsmeisje dat net uit de trein was gestapt en als dienstmeisje in de grote stad ging werken. Onder haar arm klemde ze een dikke witte enveloppe, waarop een adres was geschreven.

Ieder ander zou om de plas heen zijn gelopen. In plaats daarvan hield ze een voet boven het water – Kirsch zag de zware, zwarte rijgschoenen nog voor zich – en sprong ze naar de andere kant, waar ze met de elegantie van een ballerina neerkwam. Toen er wat water opspatte omdat ze met haar achterste voet het randje van de plas raakte, hoorde hij haar niet mopperen of vloeken, maar lachen.

Ze liep verder en verhoogde haar tempo toen er op de Hirtenstraße een taxi voorbijreed. Kirsch bekeek haar aandachtig, omdat hij hoopte dat ze de balletsprong voor hem had gemaakt en nog een keer omkeek, al was het alleen maar om te controleren of hij het had gezien. Maar een paar tellen later verdween ze in de menigte en het verkeer, waardoor er niets anders van haar achterbleef dan een lichte modderwerveling in het water.

Op dit moment stond hij bij de plas naar zijn eigen spiegelbeeld te staren, dat donker afstak tegen het felle licht van de straatlantaarns.

De eigenaar van de winkel had hem uiteindelijk in de gaten gekregen en speciaal voor hem de deur opengedaan. Kirsch kon zich moeilijk concentreren op een keuze. Uiteindelijk kocht hij pianomuziek van Arthur Schnabel omdat de eigenaar die plaat aanbeval, en daarna ging hij naar huis. Misschien kwam het door de steeds donker wordende avond, misschien lette hij niet goed op, maar na een poosje bevond hij zich in een straat die hij niet kende.

Omdat hij niemand zag aan wie hij de weg kon vragen, liep hij door, langs een pompstation en een synagoge, tot hij een steegje in liep waarvan hij dacht dat het hem weer naar de hoofdweg zou brengen. Hij kwam op de hoek en kon in de verte net de muren van een kerkhof zien toen er boven hem een raam openging. Het volgende moment zag hij haar weer.

Ze had een ijzeren balkonnetje, net groot genoeg voor een droogrek of een paar potplanten. Ze leunde naar buiten, pakte een fles melk, drukte met haar duim de sluiting open en rook eraan. Ze had haar hoed afgezet, maar zelfs in het halfdonker wist hij dat zij het was. Ze had een Zuid-Europees uiterlijk, een bijna onaantrekkelijk breed gezicht en wenkbrauwen die elke Berlijnse vrouw tot onnatuurlijke boogjes zou hebben geëpileerd. Hij bedacht dat ze misschien alleen naar buiten was gegaan om haar brief te posten en dat ze weer naar huis was gegaan terwijl hij in de winkel was.

Ze trok het raam dicht.

'Fräulein! De Schönhauser Allee, is dat die kant op?'

Hij stond zelf versteld van zijn stoutmoedigheid. Zijn hart bonkte. Zo zenuwachtig als een schooljongen die om een eerste afspraakje vroeg.

Aarzelend ging het raam weer open.

'Fräulein?'

Haar hoofd verscheen over de rand van het balkon. Op de verdieping boven haar ging een licht aan.

Hij nam zijn hoed af. 'Volgens mij ben ik verdwaald. Moet ik die kant op naar de Schönhauser Allee? Neemt u me niet kwalijk dat ik u stoor.'

Ze bekeek hem een paar tellen aandachtig en wees toen het steegje in. 'Honderd meter. Eerst rechtsaf en dan naar links.' Ze had een buitenlands accent.

'Dank u. Heel hartelijk bedankt.'

Glimlachend keek ze naar beneden. Een paar tellen lang – het kon nooit langer zijn geweest, al leek dat wel zo – stonden ze allebei dood-stil. Daarna deed ze het raam dicht.

Nu hij op de hoek van de Grenadierstraße stond, dacht hij na over zijn gedrag van die avond. Hij was werkelijk verdwaald geweest. Het was verstandig geweest om de weg te vragen, maar dat was niet de re-den waarom hij het had gedaan. Voor de etalage van die muziekwin-kel was er iets veranderd. De hevigheid van zijn gevoelens was een openbaring voor hem, even stimulerend als verontrustend. Hij vrees-de – nee, hij wíst – dat hij zulke hevige gevoelens nooit voor zijn ver-loofde had gekoesterd, al bezat ze nog zoveel goede eigenschappen. Hij had heel lang gedacht dat zulke hevige gevoelens niet bestonden, dat híj ze in elk geval niet kon voelen.

Hij volgde nu dezelfde route. Na een blik op een plattegrond wist hij waar hij vorige keer een fout had gemaakt, welke afslag hij had ge-mist. Hij liep langs het pompstation en de synagoge voordat hij koers zette naar het kerkhof en het steegje op de hoek van de Wörther-straße. Het was een route die hij bijna elke dag liep – gezonder dan een ritje in een propvolle tram met hoestende en niezende mensen. En net als elke dag bleef hij bij het pension staan om naar het raam van het meisje te kijken.

De afgelopen drie dagen had hij er geen licht zien branden.

Voor een zondag deed Café Tanguero goede zaken, maar de meisjes die rond de dansvloer zaten, trokken er weinig profijt van. Aan de ta-feltjes zaten stelletjes die voor de regen schuilden. De geur van natte wol en leer vermengde zich met de muffe stank van sigarettenrook en gemorst bier.

Kirsch nam plaats aan de bar. Aan de andere kant van de kroeg, on-der een afbladderend landelijk fresco, zat een oude man in een krijt-streephemd bandoneon te spelen. De melodie was traag en treurig, maar toen een van de meisjes zich naar hem toe boog en aan zijn knie schudde, schakelde hij over op een polka. Ze noemde zichzelf tegen-woordig Carmen, maar Kirsch had uit betrouwbare bron vernomen dat ze in werkelijkheid Ludmila heette en uit Warschau kwam. Ze had zichzelf onlangs een nieuw uiterlijk aangemeten en haar ouderwetse bobkapsel voor een Latijns-Amerikaanse stijl verruild. Haar haar was strak achterovergekamd en achter op haar hoofd vastgezet. Het kapsel stond goed bij haar zwarte jurk en lange rijglaarzen.

Hun blikken kruisten elkaar en ze kwam naar de bar. 'Ben je er weer? Dan vind je het hier zeker gezellig.' Met haar ellebogen duwde ze andere mensen aan de kant, tot ze naast hem stond en haar hand op zijn pols legde. 'Kom, we gaan dansen.'

Het was een vertrouwde volgorde: voor een dans trakteerde de klant op een drankje, meestal iets prijzigs als een cocktail of cognac, of een kummel als hij echt krap bij kas zat. Dat deel was voor het café. Na een drankje en een dansje kon de klant kiezen voor een minder verbloemende transactie, waarbij een wandeling naar een kamer of een goedkoop hotel in de buurt werd gemaakt.

Hij schudde zijn hoofd. 'Ik kan niet dansen.'

'Natuurlijk wel. Iedereen kan dansen.'

Er waren al twee andere meisjes op de vloer, die elkaar rondzwierden om aandacht te trekken. Uit de regenjassen en paraplu's was water op de planken gedrupt. De meisjes gleden uit en glibberden met gillende, aanstellerige lachjes over de vloer.

'Ik niet.'

De barman zette het glas bier voor hem neer. Carmen pruilde. Haar hand lag nog steeds op zijn onderarm. Ze aaide met haar vingers naar zijn elleboog en weer terug. 'Je mag niet liegen. Dat is niet aardig.'

Haar adem rook naar alcohol. Ze was al aangeschoten.

'Liegen?'

'Ik heb je zien dansen.'

'Hier?'

'Doe maar niet of je dat niet meer weet. Het heeft je genoeg moeite gekost om moed te verzamelen.'

Ze had gelijk. De week ervoor was hij op een drukke donderdagavond voor een slaapmutsje naar Café Tanguero gegaan. In een hoek had hij het meisje uit de Grenadierstraße zien zitten, gekleed in dezelfde slobberige jas en lompe schoenen. Haar grofheid en onschuld waren net zo met elkaar verweven als de uiteinden van haar veters. Zodra hij haar zag, merkte hij dat zijn bloed sneller ging stromen. Ze zat met een drankje in haar eentje aan een tafel naar de dansvloer te kijken. Uiteindelijk had hij haar ten dans gevraagd. Ze was zwijgend opgestaan en had haar hand naar hem uitgestoken.

Hij wist nog steeds niet precies wat er daarna was gebeurd. Hij herinnerde zich niets van de muziek, de mensen in het café of de andere dansers. Hij herinnerde zich de schouder van het meisje, de donkere, geplooide rok van haar jurk, de zoete vanillegeur van haar haren en het feit dat ze heel licht had aangevoeld – zo licht dat hij dacht dat hij haar met één arm had kunnen optillen. Een paar keer verstapte ze zich en botste ze tegen hem aan. Blijkbaar moest ze wennen aan de passen en moest ze zich goed concentreren.

'Zullen we gaan zitten?' vroeg hij na de tweede keer.

Ze schudde haar hoofd, niet bereid om het op te geven.

'Ben je hier in je eentje?' vroeg hij toen het nummer ten einde liep. Ze knikte.

'Ik ook.'

Ze bleven in de danshouding staan en keken over elkaars schouder.

'Kom jij van buiten de stad?' vroeg ze.

'Nee.'

'Waarom ben je hier dan in je eentje?'

Hij wist niet wat hij moest zeggen. Om hen heen werden dansparen gesplitst of gevormd, en er liepen mensen van de vloer af terwijl anderen er juist op kwamen. Voordat hij 'geen idee' kon zeggen, begon de muziek weer te spelen. Hij herinnerde zich dat ze op dat moment naar hem had gekeken, vlak voordat het aardedonker in de zaal werd.

De stroom viel weer eens uit. Er klonk gekreun om hen heen, vermengd met ironisch gejuich. Het personeel, dat inmiddels aan dergelijke onderbrekingen gewend was geraakt, begon lantaarns boven de bar aan te steken. De band begon weer te spelen, een beetje rommeliger dan voorheen. Kirsch voelde het voorhoofd van het meisje langs zijn wang strijken.

In het donker kuste hij haar.

Het duurde maar een seconde, of anders hooguit twee. Hij voelde dat ze zich geschrokken of vol walging van hem losmaakte. Hij schaamde zich en kon zich wel voor zijn hoofd slaan. Maar voordat hij een verontschuldiging kon stamelen, kusten ze elkaar weer, nu langer en intiemer. In zijn armen was haar lichaam een donkere, aangename warmte.

De lichten knipperden en gingen weer aan. Rond de bar zaten nu nog meer mensen dan voorheen. En daar was Robert Eisner, die zich met zijn ellebogen een weg door de menigte baande en een verpleegster uit het Charité bij zich had. Uitgerekend Robert.

Eisner zag hem en zwaaide. Kirsch zwaaide terug.

'Neem me niet kwalijk,' zei hij tegen het meisje. 'Ik moet… Ik ben zo terug.'

Het meisje leek het te begrijpen. Ze knikte en draaide zich om. Kirsch kon nog net vragen hoe ze heette. Ze aarzelde, alsof ze er even over moest nadenken, maar toen zei ze: 'Elisabeth.' Hij vermoedde meteen dat ze heel anders heette en de naam ter plekke verzon.

Het bleek niet mee te vallen om Eisner weer kwijt te raken, want zijn collega leek er geen behoefte aan te hebben om met zijn afspraakje alleen te zijn. Vanuit zijn ooghoek zag hij Elisabeth met een andere man dansen, en daarna weer met iemand anders. Beide mannen waren dronken en opdringerig en trokken haar dichter tegen zich aan dan ze wilde. Uiteindelijk liep Eisner ook naar de dansvloer, maar tegen die tijd was Elisabeth nergens meer te bekennen.

De volgende avond en elke avond daarna ging Kirsch weer naar Café Tanguero, maar hij had haar niet meer gezien. Misschien was ze teruggegaan naar de plaats waar ze vandaan kwam. De kans was groter dat ze iemand had ontmoet, iemand die haar een beter leven in een beter deel van de stad had aangeboden.

Hij hield zichzelf voor dat het zo het beste was. Zijn interesse in haar was gewoon een paniekreactie op zijn huwelijksplannen, een voorval dat hij maar beter snel uit zijn hoofd kon zetten.

Hij staarde in zijn glas. Carmen speelde met een van haar grote zilveren oorringen. 'Dus jij was er die avond ook,' zei hij.

'Ik ben er altijd.'

'Herinner je je de jonge vrouw met wie ik danste?'

Carmen keek over haar schouder naar een man die binnenkwam. 'Niet echt.'

'Probeer het eens.'

'Dans je dan met me?'

'Probeer even terug te denken. Ze noemde zichzelf Elisabeth.'

Carmen keek een paar tellen aandachtig naar zijn gezicht. 'O, be-doel je háár. Dat donkere meisje.'

'Precies.'

Carmen giechelde. 'Ze zag eruit alsof ze haar eigen haar knipte.'

'Ik wil haar naam, haar volledige naam.'

'Waarom? Wil je bij haar langs?'

'Misschien.'

'Nou, ik kan je niet helpen. Ze is geen...' Carmen ging zachter praten. 'Ze werkt hier niet.'

'Dat weet ik. Ik dacht dat je haar misschien had gesproken. Omdat je hier altijd bent.'

Er gleed een berekenende blik over Carmens gezicht. Ze stak haar handen uit en haalde zijn bril van zijn neus. 'Weet je wat, als jij met me danst, vertel ik je alles wat ik weet.'

Aan haar toon was duidelijk te horen dat ze helemaal niets wist.

5

Robert Eisner stond met twee jonge verpleegsters van de afdeling psychiatrie voor de personeelskamer. Zodra hij Kirsch door de gang zag aankomen, haastte hij zich naar hem toe. Aan zijn bezorgde frons was te zien dat het nieuws over zuster Ritter bekend was geworden.

'Daar ben je. Ik was bang dat je vandaag niet zou komen.'

Kirsch was van plan geweest vroeg te komen, maar een onrustige nacht had daar een stokje voor gestoken. 'Waarom dacht je dat? Ik ben niet ziek.'

Hij besefte dat hij zijn linkerarm vasthield. De injectie met Salvarsan had een aanhoudende pijn achtergelaten die zelfs niet met alcohol kon worden verdoofd. Hij liep door in de richting van zijn werkkamer.

'Ik heb het over gisteren,' zei Eisner. Hij was vijf jaar jonger dan Kirsch, maar met zijn gladde huid en helderblauwe ogen had hij ook voor een twintigjarige kunnen doorgaan. 'Wat bezielde je in vredesnaam?'

Kirsch wist niet of hij blij moest zijn met de nieuwsgierigheid of dat hij zich eraan moest ergeren. 'Niets. Ik liep langs de behandelkamer...'

'In de kelder?'

'De patiënt kreeg een toeval, en Mehring was er niet.'

Eisner zweeg toen ze de trap op liepen, en de onkarakteristieke frons op zijn voorhoofd werd dieper. 'Luister, ik weet dat jij geen voorstander bent van die insulinebehandelingen, maar...'

'Tien procent van de patiënten ontwaakt niet meer uit het coma. Voor de rest is het resultaat ongeveer net zo effectief als een harde klap tegen het hoofd.'

'Ja, ja. Maar wat ik niet begrijp, is waarom jij en zuster Honig…'
Eisner haalde hulpeloos zijn schouders op. 'Waarom je het nodig vond om haar aan te vallen.'
Kirsch stond stil. 'Zegt ze dat? Dat ik haar heb aangevallen?'
'Dat heb ik gehoord.'
Kirsch dacht terug aan de confrontatie, het opgeblazen, rode gezicht van zuster Honig vlak bij het zijne, haar roodomrande, uitpuilende ogen. Hij had haar hooguit opzij geduwd.
'Mehring. Hij heeft haar zover gekregen dat ze dit zegt.'
'Mehring?' Eisner stopte zijn handen diep in zijn jaszakken. 'Dus je hebt haar helemaal niet…'
'Ze zegt maar wat.'
Eisner raakte een stukje achterop toen ze bij de gang kwamen. 'Tja, zij en Mehring zijn inderdaad wel dikke maatjes.'
'Precies. Ze heeft haar baan aan hem te danken.'
Eisner knikte gedecideerd. 'Dus zuster Ritter was helemaal niet…'
'Zeggen ze soms ook dat ik haar heb gebeten?'
'Nee, dat heeft sergeant Stoehr gedaan, nadat jij…' Eisner kwam naar hem toe en legde een hand op zijn schouder. 'Waar het om gaat: kan iemand jouw versie van het verhaal bevestigen?'

Hij haastte zich naar de andere kant van de weg, waar het hoofdgebouw van het ziekenhuis lag. Eisner volgde hem op de voet. Het eerste bezoekuur was pas die middag, dus ze besloten via Triage te gaan om de formaliteiten te omzeilen.
'Die dokter Brenner houdt zich altijd keurig aan de regeltjes,' zei Eisner, terwijl ze de weg overstaken. 'En hij vindt psychiaters kwakzalvers. Ik weet zeker dat hij ons wegstuurt.'
Bij de ingang stond een ambulance. Een gewonde man werd naar binnen gedragen. Zijn overhemd was losgescheurd en op zijn ene schouder was het blauwpaarse vlees hevig opgezwollen. Terwijl ze achter de brancard aan liepen, staarde de gewonde man, die in shock was, hen met een verstarde blik aan.
Op de Spoedeisende Hulp waren alle bedden bezet, en aan beide kanten van de zaal waren artsen en verpleegsters aan het werk. Ze praatten allemaal door elkaar heen en probeerden hun patiënten te

stabiliseren door luchtwegen vrij te maken, infusen aan te leggen of morfine toe te dienen. Er zaten bloedvegen op het grijze linoleum. Die nacht waren de straatgevechten weer opgelaaid in Friedrichshain en Neukölln. Op een café in Pankow waren schoten afgevuurd. Eisner zei dat een deel van het ambulancepersoneel de gewonden niet had willen ophalen voor het licht werd.

Aan de andere kant van de zaal begon iemand te gillen. Een verpleegster kwam haastig achter een scherm vandaan en botste tegen Kirsch aan. Een steriele schaal met instrumenten viel kletterend op de grond.

'Bah! Jij… *Sch-schwein!*' Er spatte duivelse woede van de stem af.

De verpleegster bukte zich om haar spullen op te rapen. Een lok haar was onder haar kapje vandaan gegleden en hing slap over haar voorhoofd. Door een kier in het scherm ving Kirsch een glimp op van een paar benen in slobberige bruine broekspijpen, die wild om zich heen schopten.

Twee zaalhulpen probeerden de patiënt in bedwang te houden. Hij was nog jong, hooguit vijfentwintig, van top tot teen gekleed in het paramilitaire uniform van de SA. Hij staarde vol verbijstering en woede naar de gescheurde restanten van zijn overhemd en onderhemd, en naar het met bloed doordrenkte verband dat op zijn buik was vastgeplakt.

Kirsch keek naar de artsen en verpleegsters die hem behandelden. Misschien kwam het door de ernst van de verwonding en de hoeveelheid bloedverlies, maar ze leken gespannen, geagiteerd. Twee weken geleden was er op de Spoedeisende Hulp van een ziekenhuis in Lichterfelde een SA-lid met hoofdwonden binnengebracht. Hij was met een ijzeren staaf geslagen en stierf een paar uur later. Een groep kameraden van hem was de volgende dag in het ziekenhuis verschenen en had de dienstdoende chirurg verweten dat hij hun vriend met opzet had laten sterven. Ze hadden hem met knuppels tegen de grond geslagen en uit een raam op de eerste verdieping gegooid. Als er geen auto met een canvas-dak onder het raam had gestaan, had de man het niet overleefd. Er waren minstens tien getuigen van de aanval, maar er was niemand gearresteerd.

Iedereen in het Charité kende het verhaal, maar er werd niet veel over gepraat. Politiek, zelfs politiek geweld, werd geen geschikt gespreksonderwerp geacht, alsof een discussie erover alleen maar tot onenigheid en tweedracht zou leiden en daardoor alles nog erger zou maken. De enige politieke ideeën die mochten worden uitgesproken, waren de meningen die door de hoger opgeleide klasse werden gedeeld: dat de republiek ten onder ging, dat politiek geweld een symptoom van een falende staat was en dat er vroeg of laat een oplossing moest komen.

De SA'er werd bleek. Hij knipperde langzaam met zijn ogen en zijn hoofd zakte achterover op het kussen. Om hem heen bereidde het medisch personeel hem steeds koortsachtiger voor op een operatie.

Kirsch voelde Eisners hand op zijn arm.

'Niet ons probleem, vind je wel?'

Toen ze Triage verlieten, liepen ze de verkeerde kant op en belandden ze in een opslagkamer. Op drie van de brancards lagen dode lichamen. Een vuil voorhoofd en piekend haar kwamen net onder een laken uit.

Op de volgende verdieping was het rustiger. De plafonds waren hoog, de muren wit, en op de achtergrond klonk overal een echo van kordate voetstappen en zachte stemmen. Kirsch begon te twijfelen of hij zuster Ritter aan zijn kant zou kunnen krijgen. Hij had per slot van rekening instructies genegeerd, en als gevolg daarvan was zij gewond geraakt. Misschien kon hij het beste rechtstreeks naar het afdelingshoofd gaan om zijn verhaal te doen, maar daar wilde Eisner niet van horen.

'De aanval is de beste verdediging. Als je die oude zak op een leugen kunt betrappen, ga jij vrijuit.'

Een kruier duwde een wasmand door de gang. Ze vroegen hem waar de vrouwenzalen waren. Hij wees afwezig in de richting waar hij vandaan was gekomen.

'Ze hebben hier gisteren een verpleegster binnengebracht,' zei Kirsch. 'Ze heet Ritter. Ze was gewond.' Hij wees op de plek, een paar centimeter onder het oor. 'Jonge vrouw, donker haar.'

De kruier rook naar tabak. Hij had een pokdalige huid en geverfd haar. 'Ik weet wie u bedoelt,' zei hij.

Ze bogen zich over haar heen, als pathologen-anatomen die een interessant lijk bekijken. Dokter Brenner scheen met een zaklampje in haar ogen terwijl de zaalzuster aantekeningen op een klembord maakte. Er was iets misgegaan. Zuster Ritter lag roerloos op het bed, op het eerste gezicht bewusteloos. Er was een infuus in haar pols aangebracht.

Brenner was vijftig, een slordige, bijziende man wiens vlezige gezicht naar binnen leek te vouwen omdat hij altijd met zijn ogen kneep. Iedereen van de psychiatrische afdeling kende hem. In de loop der jaren hadden hij en dokter Bonhoeffer gezamenlijk een aantal patiënten behandeld, meestal mensen met neurologische problemen als gevolg van een hoofdwond. Maar dit was geen neurologisch of psychiatrisch probleem. Het was een routinegeval, een vleeswond.

Alle kleur trok uit Kirsch' gezicht weg. Tijdens hun laatste gesprek had dokter Brenner zijn vrees voor infectie uitgesproken. Bijtwonden waren vuil. Maar het duurde dagen voordat een wond geïnfecteerd raakte. Zelfs van een beet van een hond met rabiës zou ze niet zo snel in coma raken.

Brenner zuchtte en boog zich nog verder naar haar toe. De bleke armen van zuster Ritter lagen langs haar lichaam, met de handpalmen naar boven.

'Pupilreflex aanwezig,' zei hij. 'Dat betekent in elk geval essentiële activiteit in de hersenstam.'

De hersenstam. Een hoeveelheid grijze massa ter grootte van een noot, benodigd om de vitale organen te laten functioneren: het hart te laten pompen, de longen te laten werken. De hersenstam voerde een aantal essentiële taken uit, waarvoor een mens niet per se bij bewustzijn hoefde te zijn of moest kunnen denken.

'We gaan door met de diepere peesreflexen.' Brenner ging rechtop staan en kreeg in de gaten dat hij en de verpleegster gezelschap hadden gekregen. 'Kan ik iets voor u doen, heren?'

Kirsch liep naar het bed. In gedachten zag hij alleen nog maar de bijtwond voor zich. Hij zag hem openvouwen als een bloem, trekkend aan het web van hechtingen, paars, opgezwollen en etterend: een beet van Cerberus, een vleugje van sergeant Stoehrs innerlijke wereld.

'Laat maar, dokter Brenner,' zei Eisner. 'We hebben ons vergist.'

Kirsch stond doodstil. Voor het eerst kon hij haar gezicht zien. Het was zuster Ritter niet.

Eisner boog zich naar hem toe. 'Verkeerde patiënt, Martin. Zullen we gaan?'

Brenner fronste zijn wenkbrauwen en ging weer aan het werk, waarvoor hij een houten hamertje uit de zak van zijn jas haalde. De zaalzuster sloeg de dekens terug. Ze gingen de reflexen van de vrouw testen om te kijken of haar zenuwen beschadigd waren.

'Martin? Wat is er?'

Haar huid leek wel van was, haar bloedeloze lippen waren gebarsten en opgezwollen en haar oogleden waren dik. Maar Kirsch zag meteen wie het was, er was geen twijfel mogelijk: het was het meisje uit de Grenadierstraße. Ze hadden haar een ziekenhuishemd aangetrokken, zo'n geval dat aan de achterkant als een dwangbuis werd dichtgestrikt. Haar nek was verkleurd door een aantal vlekkerige blauwe plekken.

Dit was wel de laatste plaats waar hij haar had verwacht. Er borrelde paniek in hem op, hij kreeg opeens moeite met ademhalen. Een beter deel van de stad. Het was de bedoeling dat ze in een beter deel van de stad was beland.

Brenner draaide de handen van het meisje om. 'Jullie zijn toch van dokter Bonhoeffer? Heeft hij jullie gestuurd?'

Met een vragende blik keek Eisner naar Kirsch. 'We waren op zoek naar Fräulein Ritter. Er was ons verteld...'

'Zuster Ritter is vanochtend ontslagen,' zei de verpleegster. 'Ze is naar huis gegaan.'

Kirsch stond bij het voeteneinde van het bed. Het was afschuwelijk om het meisje zo roerloos te zien liggen. Het leek wel of ze dood was. 'Wat is er met haar gebeurd?'

Brenner tikte zachtjes met de hamer tegen haar pols. Er kwam geen reactie. 'Dat is nog onduidelijk. Ze is bewusteloos gevonden. De wond op haar slaap ziet er niet ernstig uit, dus ik denk dat ze door onderkoeling in coma is geraakt.'

'In coma? Hoe lang is ze al...'

'Dat weten we niet zeker. Achtenveertig uur, schat ik. Mogelijk langer.' Brenner tikte nog een keer met het hamertje. De onderarm bewoog. 'Brachioradialis-reflex aanwezig, maar zwak.'

De verpleegster maakte een aantekening. Brenner leunde over het bed en voerde het testje ook op de linkerarm uit.

'Maar ze komt toch wel bij? Ja toch?'

'Moeilijk te voorspellen. Dat hangt van de schade aan de hersenen af. In mijn ervaring wordt de prognose steeds slechter naarmate de patiënt langer in coma blijft.' Brenner ging verder met zijn werk en onderzocht met zijn hamertje elke centimeter tussen haar elleboog en haar vingers. Met de precisie van een violist die zijn instrument stemt, onderzocht hij haar op beschadigingen van het centrale zenuwstelsel. 'De kans is groot dat ze het niet overleeft.'

Kirsch hield zich staande aan het voeteneinde, verbaasd dat hij zo heftig reageerde. Het was buiten proportie, onnatuurlijk. Lichamelijk. Het ging om een vrouw die hij nauwelijks kende.

Brenner boog een van haar benen en legde hem over de andere, waarbij hij haar voet in zijn hand nam en tegen de achillespees tikte. Haar tenen waren bont en blauw, en één teen leek gebroken te zijn. Er zat gedroogd bloed onder haar nagels.

'Weet u hoe ze heet?'

Brenner trok haar hemd op tot haar knieën. De schrammen en blauwe plekken leken erop te wijzen dat ze was gevallen.

'Nog niet,' zei Brenner. 'De politie hoopt dat iemand zich meldt.'

'Wacht eens even.' Eisner kwam naast hem staan. 'Ze heeft in de kranten gestaan. Hier heb ik over gelezen. Twee jongetjes hebben haar in de bossen bij Caputh gevonden.' Over de rand van haar klembord keek de verpleegster hem fronsend aan. 'Ze hebben alleen maar een programma van een natuurkundelezing gevonden.'

'Een natuurkundelezing?' vroeg Kirsch. 'Weet je dat zeker?'

'Heb je het niet gelezen? Het was een lezing van Albert Einstein.' Eisner vouwde zijn armen over elkaar en bekeek haar van top tot teen, als een man die een nieuw type auto op de oprit van zijn buurman bestudeert. 'Daarom noemen ze haar het Einstein meisje.'

Kwanta

6

Dokter Oswald Brenner werd met een schok wakker. Hij zat nog steeds achter zijn bureau, waarop de begrotingscijfers voor het komende jaar waren uitgespreid. Na een hele avond snoeien en beknibbelen kwamen de plannen voor zijn afdeling nog steeds niet op het gewenste bedrag uit. Onhandig zocht hij naar zijn bril, omdat hij in de gang het geluid van haastige voetstappen hoorde. Hij haakte vlug zijn bril achter zijn oren en keek met samengeknepen ogen naar de klok. Het was bijna elf uur. Hij had zitten slapen sinds...

Met een klap viel er een deur dicht. Hij hoorde stemmen, iets wat als een ruzie klonk. De voetstappen kwamen steeds dichterbij en kwamen voor zijn werkkamer tot stilstand.

'Wat is er in vredesnaam aan...'

Er klonk een dringende klop, en een van de jongere verpleegsters stak haar hoofd om de deur. 'Dokter Brenner? Ik denk dat u even moet komen.'

Zuster Friedrich: een groentje nog, erg gespannen en slecht opgeleid.

'Zuster Friedrich, u hoort in dit ziekenhuis niet te rennen. Onze patiënten hebben er niets aan als u tegen hen aan botst.'

'Het spijt me, dokter. Het gaat om de comapatiënte. Het Einstein...' Zuster Friedrich verbeterde zichzelf. 'De patiënte die ze in het bos hebben...'

Ze was zo buiten adem dat ze de woorden bijna niet kon uitspreken.

'Ik weet wie u bedoelt. Wat is er met haar?'

Er rende nog iemand door de gang. Op de trap naar de vrouwenzalen klonken dreunende voetstappen.

'Ze...' Zuster Friedrich wreef haar knieën langs elkaar, alsof ze met een volle blaas worstelde. 'Ik denk dat u even moet komen.'

Iemand had de kranten gewaarschuwd. Er waren al verslaggevers bij het ziekenhuis gearriveerd voordat de politie er was, al liet dokter Brenner niemand binnen. Uren later hingen ze nog steeds rond en hielden ze iedereen staande die eruitzag alsof hij informatie zou kunnen hebben. Vanuit de personeelskamer zag Kirsch hen ijsberen bij de auto van de adjudant van politie: magere, hongerig uitziende mannen met schichtige blikken, als honden die elk moment verwachtten een schop te krijgen.

Hij had het verhaal gehoord van Robert Eisner, die het weer van de verpleegsters had. Het Einstein meisje was opeens krijsend bij bewustzijn gekomen. Een van de dienstdoende verpleegsters had zich naar haar toe gehaast, maar het meisje leek hysterisch te zijn. Ze had een glas tegen het ledikant kapotgeslagen en had het in het gezicht van de verpleegster willen duwen. De verpleegster was weggerend om hulp te halen, maar tegen de tijd dat ze terugkwam, was de patiënte verdwenen. Nadat iedereen was gealarmeerd, hadden ze haar uiteindelijk buiten op de brandtrap aangetroffen. Volgens Eisner was het niet duidelijk of ze zich verstopte of dat ze van plan was naar beneden te springen. Er moesten twee mannelijke zaalhulpen en een injectie met fenobarbital aan te pas komen om haar weer naar binnen te krijgen. Sindsdien hielden ze haar met kalmeringsmiddelen rustig.

Eisner was nu ook in de personeelskamer en zat onderuit in een versleten leren stoel de *Neue Berliner Zeitung* te lezen. Op de voorpagina stonden verhalen over de verkiezingsuitslagen. Volgens de Reichstag was er weer sprake van een impasse. Met uitzondering van de communisten hadden de meeste politieke partijen zetels verloren. Maar omdat president Hindenburg de gewoonte had om zijn regeringen samen te stellen zonder de volksvertegenwoordiging te raadplegen, kon men zich niet voorstellen dat dat iets uitmaakte.

'Het ziet ernaar uit dat Von Papen zijn beste tijd heeft gehad,' merkte Eisner op. 'Het leger is hem beu.'

Een van de verslaggevers slenterde om een geparkeerde vrachtwagen heen en begon tegen het wiel te plassen.

'Heb jij liever Hitler?'

'Als kanselier?' Eisner sloeg een pagina om. 'Hindenburg zou nog liever zijn eigen keel doorsnijden. Hitlers afkomst is veel te gewoontjes.'

'Wie dan?'

'Generaals zijn net brandnetels. Als je er eentje weghaalt, schiet een andere omhoog. Het leger zal wel degene krijgen die het wil. Er is altijd wel iemand.'

Kirsch' aanstaande schoonvader was heimelijk altijd een aanhanger geweest van Franz von Papen, de huidige rijkskanselier, en van wat de Berlijnse pers spottend zijn 'baronnenkabinet' noemde, een feit dat aan de eettafel van de familie Siegel wel eens tot ongemakkelijke momenten had geleid. Onder het voorwendsel dat hij de orde en nationale eenheid wilde herstellen, had de voormalige cavalerieofficier en amateurjockey, wiens lange gezicht verbluffende overeenkomsten met dat van een paard vertoonde, het leger gebruikt om het staatsbestuur van Pruisen naar huis te sturen. Het was duidelijk de eerste stap naar een volledige ontmanteling van de verachte republiek. Maar de economische situatie was steeds slechter geworden en het geweld nam nog steeds toe.

Kirsch' adem condenseerde op het koude glas. Wederom maakten mannen in uniformen overal de dienst uit, net als tijdens de oorlog. Niemand leek dat vreemd te vinden, ondanks het resultaat van dat bewuste conflict. En waarom zouden ze? Exercities en schoenpoets waren de voornaamste basisvoorwaarden voor een goed bestuur. Dat wist iedereen.

Buiten kwamen de mannen in beweging, een explosie van flitslicht en schaduw. De verslaggevers kwamen haastig aanlopen en gooiden hun sigaretten weg.

De politieadjudant was broodmager en slungelig. Bijna al zijn energie leek te zijn geabsorbeerd door zijn snor, die dik en glanzend was. Hij trok een lelijk gezicht toen er vlak voor zijn gezicht weer een flitslicht afging en schudde geïrriteerd zijn hoofd, ten teken dat hij geen vragen wilde beantwoorden. Kirsch stond op zijn tenen toen hij het trottoir bereikte.

'Wat is er aan de hand?' vroeg Eisner, terwijl hij om de krant heen keek.

Bij de auto draaide de adjudant zich naar de verslaggevers om. Het zag ernaar uit dat hij toch wat vragen ging beantwoorden.

Kirsch stopte zijn handen in zijn zakken. 'Ik denk dat ik even een frisse neus ga halen,' zei hij.

Het begon te regenen. Het was geen flinke bui, maar er vielen grote, dikke druppels op hoedranden en overjassen. De chauffeur van de politieauto zette zijn koplampen aan toen Kirsch haastig over de weg kwam aanlopen.

'Dokter Brenner heeft me verzekerd dat de patiënte niet in levensgevaar is. Lichamelijk schijnt er niet veel met haar aan de hand te zijn.' De adjudant kuchte en wierp een ontstemde blik op de hemel. 'Maar op dit moment is ze nog steeds gedesoriënteerd.'

'Wat betekent dat?' schreeuwde een verslaggever. 'Is ze gek geworden?'

'Het betekent dat ze gedesoriënteerd is.'

Een andere verslaggever schreef grijnzend alles op. Hij leek het voordeel van een bepaalde anciënniteit te hebben, want de andere verslaggevers hielden hun mond en luisterden als hij het woord nam.

'Adjudant Hagen, hebt u ook maar enige vooruitgang geboekt bij de zoektocht naar degene die haar heeft aangevallen?'

De adjudant fronste zijn wenkbrauwen. 'Meneer Lehnert, het staat nog niet onomstotelijk vast dat ze is aangevallen. Ze heeft lichte verwondingen, die erop zouden kunnen wijzen dat ze is gevallen.'

'In het bos? Waar is ze dan uit gevallen, adjudant? Uit een boom?'

De andere verslaggevers lachten.

'Op dit moment heeft ze nog geen aanklacht ingediend,' zei Hagen.

De verslaggevers konden hun oren niet geloven. Voor hen was dit een aansporing om allemaal door elkaar heen te gaan schreeuwen.

'Maar het is toch duidelijk dat iemand haar heeft ontvoerd?' drong Lehnert aan. 'Ik bedoel, waar zijn haar kleren dan gebleven?'

'Die hebben we niet gevonden. Maar dat betekent nog niet...'

'Gaat de politie er misschien van uit dat het slachtoffer voor haar plezier ging zwemmen?' De andere verslaggevers lachten weer, nog harder deze keer. 'Of wilt u soms beweren dat ze in die denkbeeldige boom lag te zonnebaden?'

De verslaggevers sloegen bijna dubbel van het lachen. Adjudant

Hagen schudde vol afkeer zijn hoofd. Hij had duidelijk spijt van zijn besluit om hen te woord te staan.

Tijdens de jaren daarvoor had de Duitse pers de kwaliteit van de onderzoekmethodes van de burgerpolitie vaak belachelijk gemaakt. Dat kwam grotendeels door hun slechte resultaten bij het opsporen van seriemoordenaars. Eerst was er de zaak van Karl Denke geweest, een kerkorganist en leverancier van gerookt varkensvlees uit Münsterberg, wiens uiterst zorgvuldige dagboeken een waslijst van dertig moorden bevatten en in wiens kelder vaten met gerookt mensenvlees, botten, gedroogde huid en potten mensenreuzel werden gevonden. In Berlijn was er Carl Grossmann geweest, een voormalige slager en colporteur die de moorden op vierentwintig jonge vrouwen had bekend, allemaal meisjes van buiten de stad die in Berlijn een baan zochten en die hij als huishoudster had ingehuurd voordat hij hen vermoordde, in stukken sneed en in discrete papieren pakjes als vers vlees verkocht. En dan was er nog Georg Haarmann, een politie-informant uit Hannover die zich op het station ontfermde over jonge arbeiders van buiten de stad. Hij nam hen mee naar huis, misbruikte hen en vermoordde hen door met zijn tanden hun keel door te bijten, een gruweldaad die hij minstens vijfentwintig keer pleegde. Tegen die tijd begonnen er menselijke schedels op de oevers van de rivier de Leine aan te spoelen. Haarmann had het ook zonde gevonden om de lichamen te verspillen en had ze vakkundig in stukken gesneden, gekookt en op de zwarte markt verkocht als ingemaakt kalfs- en varkensvlees. Zijn uiteindelijke arrestatie scheen, net als die van de anderen, in de hele stad tot veel discreet gebraak te hebben geleid.

Wat Kirsch boeide, was dat de moordenaars geen berouw toonden. Over de vraag of ze krankzinnig waren, waren de meningen verdeeld. Wat wel vaststond, was dat ze niet in staat waren om zich in de slachtoffers of hun families te verplaatsen. Onderzoek wees uit dat ze sowieso maar een beperkt scala aan emoties hadden. Ze leden aan emotionele armoede en stonden buiten het normale leven. Een Amerikaanse psychiater, Partridge geheten, had voorgesteld om zulke mensen 'sociopaten' te noemen, met als argument dat de oorzaken van hun aandoening op sociaal gebied lagen, een conclusie die hij had getrokken na een studie naar jeugdcriminaliteit.

Kirsch wilde weten of de aandoening reversibel was, maar de pers had zich op dringender zaken gericht. De incompetentie van de burgerpolitie was de rode draad in hun artikelen en redactionele commentaren. Of het nu hun bedoeling was geweest of niet, het resultaat was dat er een impliciete rechtvaardiging ontstond van de paramilitaire groepen die vaak het recht in eigen handen namen.

Lehnert en de andere verslaggevers stonden nog steeds te lachen. Met een rood hoofd keerde de adjudant hun de rug toe, maar het volgende moment draaide hij zich weer terug en hief hij boos een vinger op. 'U mag fantaseren wat u wilt, heren, maar ik hou me met de feiten bezig. De jonge vrouw heeft een nare ervaring gehad, maar het is níét duidelijk of daar andere partijen bij betrokken waren.'

Hij stapte achter in de auto en weigerde nog vragen te beantwoorden. Het passagiersraam aan de andere kant stond een stukje open. Kirsch tikte op het glas.

'Hoe heet ze, adjudant? Bent u achter haar naam gekomen?'

De adjudant draaide zich naar Kirsch, keek naar de witte jas en besefte dat deze man niet bij de horde verslaggevers hoorde. Zijn gelaatsuitdrukking werd wat zachter. 'Helaas niet, dokter. Ze zegt dat ze het niet meer weet.' De chauffeur vloekte toen het interieur van de auto oplichtte door een felle flits. 'Als u het mij vraagt, is ze…'

Maar Kirsch kon niet meer horen wat de adjudant dacht, want de auto was al weggereden.

Later die dag brak er in de eetzaal een gevecht uit. Het was niet de eerste keer. Sinds het begin van de verkiezingscampagne waren de patiënten in de kliniek steeds onrustiger geworden. De bittere strijd en de felheid van de bijbehorende retoriek had hen op een of andere manier aangestoken, ook al hadden ze maar zelden contact met de buitenwereld.

Vooral de nationaalsocialistische propaganda biologeerde hen. Diverse patiënten beweerden dat ze hooggeplaatste leden van de partij waren (al waren ze dat overduidelijk niet) en eisten dat de andere patiënten zich aan hun gezag onderwierpen. Anderen hekelden medepatiënten die volgens hen verraders waren en riepen om straf en vergeldingsmaatregelen. Bijna elke dag bezwoer Franz Scheck, een manisch-depressieve tandarts, boven aan de trap dat hij de Führer was en dat hij wraak zou nemen op de duivels en de joden uit de geldwereld die de ondergang van Duitsland orkestreerden. Eén keer sloot hij zijn betoog af door achteloos op zijn naar boven kijkende publiek te plassen. Sommige patiënten werden afgetuigd en verschenen met kapotte lippen en opgezwollen gezichten aan tafel, maar ze kwamen er niet achter wie de daders waren. Kirsch vermoedde dat er een paar zaalhulpen bij betrokken waren. Hij had hen al een paar keer op de vingers moeten tikken omdat ze schreeuwden of overmatig geweld gebruikten. Hij had het afdelingshoofd zelfs gevraagd om een beruchte bullebak, Jochmann geheten, te ontslaan, maar op zijn schriftelijke verzoeken werd niet gereageerd. De isolatiecellen raakten steeds voller en kalmerende doses werden verdubbeld, maar de nachten werden nog steeds onderbroken door duivelse woede-uitbarstingen, die gepaard gingen met honende kreten en fluitconcerten die door het hele gebouw weerkaatsten. Nu het afdelingshoofd met griep in bed lag en zijn plaatsvervanger zich op zijn insuline-experimenten concentreerde, was het verval voelbaar.

Er was al meer dan een week voorbijgegaan, en nog steeds was Kirsch niet ter verantwoording geroepen voor de wond van zuster Ritter en het vermeende geweld tegen zuster Honig. Hij begon te hopen dat de zaak wel zou overwaaien en dat hij niet ontslagen zou worden. Tot nu toe had hij zijn familie en Alma niets over zijn hachelijke positie verteld. Hij wist dat ze zich zorgen zouden maken. En wat had dat voor zin als zou blijken dat ze zich nergens zorgen over hoefden te maken?

Hij was de hele dag in de weer met zijn patiënten, noteerde hun vooruitgang of het gebrek daaraan, en bedacht wat hij zou gaan zeggen. De dreigende sfeer beïnvloedde iedereen. Zelfs zijn gedweeëre patiënten waren achterdochtig, alsof ze niet goed durfden te vertellen wat ze dachten. Keer op keer dwaalden zijn gedachten af naar het Einstein meisje in haar ziekenhuisbed. Hij had het politieonderzoek verder kunnen helpen door te vertellen wat hij wist. Hij had haar vermoedelijke adres in de zijstraat van de Wörtherstraße kunnen melden, waarmee ze in elk geval konden vaststellen wie ze was. Maar hoe moest hij verklaren dat hij zulke dingen wist? Wat zouden de kranten erover schrijven, en wat zouden zijn verloofde en haar familie wel zeggen? Zulke dingen hoorde een man in zijn positie helemaal niet te weten.

Hij wenste dat het meisje haar geheugen snel terugkreeg. Hij wenste – al wilde hij dat nog niet toegeven – dat ze zich hém zou herinneren. Maar wat zou er dan gebeuren? Hoe kon hun verhaal in vredesnaam een vervolg krijgen? Dat was natuurlijk onmogelijk. Dat zou alleen maar ellende opleveren. Hij was een hoogopgeleide man, die op het punt stond om te trouwen. Zijn toekomst met Alma was helemaal uitgestippeld. Dit was zijn kans op een nieuw begin, op een gezinsleven en kinderen – heilzame, goede vooruitzichten die voorgoed met zijn verleden zouden afrekenen. Wat had hij dan aan het Einstein meisje, deze onbekende jonge vrouw wier rampspoed op een of andere manier de kranten had gehaald?

Ze betekende niets voor hem, of ze zich hem nu herinnerde of niet: ze was een minnares uit een droom, een vluchtige schim – maar als hij zijn ogen sloot en aan haar dacht, leken de aantrekkingskracht en de honger wezenlijker, hardnekkiger en levensechter dan wat dan ook.

7

Ze hadden haar van de vrouwenzaal verplaatst naar een kamer boven in het gebouw, met tralies voor de ramen en een deur die op slot kon. Deze ruimte was gereserveerd voor zeer besmettelijke patiënten of mensen die om een andere reden een bedreiging voor de orde en regelmaat in het ziekenhuis vormden.

'Na alles wat er is gebeurd, dacht dokter Brenner dat dit het beste was,' legde de verpleegster uit die Kirsch naar de kamer bracht. 'En ze gaat binnenkort toch weg.'

'Waar gaat ze naartoe?'

De verpleegster haalde haar schouders op. 'Dokter Brenner zegt dat we niets meer voor haar kunnen doen.'

De muren waren bedekt met afbladderende grijze verf en vervaagde anatomische tekeningen. Boven het bed hing een klein houten kruisbeeld met een oud, verdord bloemenkransje eromheen, dat verbleekt was en de kleur van stro had gekregen. In het plafond was één gloeilamp geschroefd. De voetstappen van de verpleegster stierven weg in de gang.

Het meisje lag op het bed te slapen, haar gezicht van de deur afgewend. Ze hadden haar haren afgeknipt, waardoor ze er jong en jongensachtig uitzag en een heel andere, androgyne soort schoonheid had gekregen. De kapotte lip was bijna geheeld, en de blauwe plekken op haar gezicht waren vervaagd en hadden donkere schaduwen op haar jukbeenderen en onder haar ogen achtergelaten. Ze zag er brozer uit dan ooit.

Ze heeft lichte verwondingen, die erop zouden kunnen wijzen dat ze is gevallen. Dat had adjudant Hagen gezegd.

Kirsch kwam een stap dichterbij. Opeens hapte het meisje doods-

bang naar adem. Haar hele lichaam draaide en schokte, alsof ze ge-
boeid was en zich wanhopig los probeerde te wrikken. Er ontsnapte
een snik aan haar keel, en het volgende moment lag ze weer even abrupt stil.

Angstaanjagende nachtmerries, hij wist er alles van. De laatste tijd
waren ze weer teruggekeerd, min of meer sinds Stoehr was opgenomen: afgrijselijke visioenen die hij zich overdag maar moeilijk kon
herinneren, maar die voor zijn gevoel 's nachts op de loer lagen. De
laatste tijd ging hij steeds later naar bed. Hij bleef lezen, drinken en
van de ene kroeg naar de andere lopen om het moment uit te stellen
waarop hij er weer last van zou kunnen krijgen. De beste slaap, de
slaap waarin hij diep wegzonk en niet geplaagd werd, kwam pas als
hij volledig uitgeput was.

Hij ging naast het bed zitten en pakte haar hand, die zacht en glad
aanvoelde, niet als de hand van een dienstmeisje of fabrieksarbeidster. Hij zag ook geen enkele kras, alleen een schaafplek en een lichte
zwelling op de pols. Toen hij haar hartslag opnam, was hij verbaasd
dat haar huid zo koel aanvoelde. Het was te koud in de kamer. Omdat
hij zijn jas aanhad, had hij het niet gemerkt. Hij trok haar deken verder omhoog en vouwde hem onder haar kin. Daarna pakte hij haar
hand weer, keek op zijn horloge en begon te tellen. Terwijl hij de angstige hartslag opnam, vroeg hij zich af hoe dokter Brenner toestemming had kunnen geven om deze patiënte barbituraten toe te dienen.
Wat de omstandigheden ook geweest mochten zijn, door die injecties
had ze makkelijk weer in coma kunnen raken. Misschien was ze dan
nooit meer wakker geworden en gestorven voordat iemand erachter
had kunnen komen wie ze was.

Ze had blauwe plekken op haar armen. Haar bloedvaten waren ge-
irriteerd door de katheters en waren donker en prominent, als de ten-
takels van een invasieve tumor.

Tweeënzeventig slagen per minuut: wat aan de snelle kant, maar
geen reden tot bezorgdheid. De onregelmatigheid van de hartslag
was zorgwekkender. Hij keek naar haar gezicht en besefte dat haar
oogleden niet meer helemaal gesloten waren. Achter de donkere
wimpers zag hij beweging tussen de stipjes gereflecteerd licht.

Haar ogen trilden en gingen open.

'Goedenavond,' zei hij.

Ze ging abrupt rechtop zitten en bracht haar handen naar haar mond. Ze voelde haastig aan haar lippen, zowel aan de binnenkant als de buitenkant, en duwde haar vingers tussen haar tanden. Ze was doodsbang.

'Gewoon een nare droom,' zei Kirsch. 'Je bent nu veilig.'

Ze haalde haar handen van haar mond, staarde ernaar en keek daarna naar hem. In haar ogen zocht hij naar een teken van herkenning, maar dat trof hij niet aan.

'Weet je waar je bent?'

Ze kroop achteruit en trok de lakens tot onder haar kin.

'Als je het boek wilt hebben, ben je te laat.'

'Te laat?'

'Ik heb het niet meer. Ik heb het teruggestuurd.'

'Over welk boek heb je het?'

Ze deed haar mond open om iets te zeggen, maar er kwamen geen woorden over haar lippen. Langzaam schudde ze haar hoofd. 'Ik heb het gedroomd.'

'Weet je het zeker?'

Ze gaf geen antwoord, maar keek naar het raam. Er verscheen een wezenloze blik in haar ogen, en er daalde een rust over haar heen die Kirsch vaak zag bij schizofreniepatiënten en anderen die in de greep van een psychose waren. Het was de aantrekkingskracht van de innerlijke wereld, die in bepaalde situaties onweerstaanbaar werd en die de geometrie, de rechte lijnen en loodrechte hoeken van het bewuste denken verstoorde. Herinneringen draaiden in kringetjes rond, niet in staat om een bestemming te bereiken. Zonder de discipline van de chronologie vloeiden ze in elkaar over of liepen ze achteruit, waardoor ze de onmisbare logica van oorzaak en gevolg tenietdeden. Ze gingen van aanwezigheid naar halve aanwezigheid naar totale afwezigheid. Zo zag hij het, zo zag hij waanzin in het algemeen: een soort van vertrek. Zo beleefde hun naaste omgeving het ook. De patiënten bleven lichamelijk aanwezig, maar hun brein bereisde een andere weg, een weg die niemand anders kon volgen, zelfs hun dierbaren niet.

Hij moest haar weer in contact met de buitenwereld brengen, haar terug naar het hier en nu halen.

'Ik zal me even voorstellen,' zei hij. 'Ik ben dokter Kirsch. Martin Kirsch. Ik werk op de psychiatrische afdeling van het Charité-ziekenhuis.' Hij knikte in de richting van het raam. 'Aan de overkant van de weg.'

'Kirsch.' Ze bleef naar de lucht kijken, die in het schemerlicht blauw kleurde. Een ambulance reed met rinkelende alarmbellen weg van het ziekenhuis. 'Je ziet er anders uit dan ik had verwacht.'

'Verwachtte je me?'

'Je staat in het boek. Ik dacht dat je ouder zou zijn.'

Het was duidelijk dat ze in de war was.

'We hebben elkaar een keer kort ontmoet,' zei hij. 'Herken je me niet?'

Ze fronste haar wenkbrauwen en slikte. 'Ben ik gek geworden?'

Kirsch hoorde haar accent weer. Slavisch, of nog verder naar het zuiden? Griekenland misschien, of Italië?

'Natuurlijk niet. In deze omstandigheden is het heel normaal dat je last hebt van...' Hij zocht naar een verzachtende term. '... desoriëntatie. Heb je enig idee hoe je hier bent gekomen?'

'In een ambulance. Ik herinner me de bellen.'

'En daarvoor?'

'Ze z-zeiden dat ik ben gevonden. In het bos.'

'Maar daar weet je niets meer van?'

Ze schudde haar hoofd. 'Amnesie. Zo heet dat toch?'

'Geheugenverlies, inderdaad.'

Ze knikte. 'Ik heb amnesie.' Terwijl ze de woorden uitsprak, ging haar kin omhoog, alsof de aandoening haar op een bepaalde manier troost gaf. 'Kun jij me beter maken?'

Ze keek hem met een krachtige, heldere blik aan.

'Het punt is...' De openhartigheid van haar blik bracht hem van zijn stuk. 'Ik ben je arts niet. Je bent geen patiënte van mij. Je bent onder behandeling van dokter Brenner. Ik was gewoon...'

Het meisje fronste haar wenkbrauwen. 'Gewoon wat?'

'Nieuwsgierig.'

Kirsch dacht aan de verslaggevers bij de ingang en wenste dat hij iets anders had gezegd. Het meisje keek naar haar dekens. Verstrooid streek ze met haar vingers over de contouren van haar keel.

'Je zult wel dorst hebben,' zei hij. 'Wil je misschien wat water?'

Hij wachtte niet eens op antwoord, maar ging beneden een glas water halen. Tegen de tijd dat hij terugkwam, had ze haar ogen gesloten. Een van haar voeten stak onder de dekens uit en was blootgesteld aan de kou. De enkel was nog steeds opgezwollen, en er zat gedroogd bloed rond de teennagels. Hij herinnerde zich de eerste keer dat hij haar had gezien, toen ze haar voet uitstrekte boven een grote zwarte plas op de Grenadierstraße en lachte toen er wat water opspatte. Ze was op weg geweest om een brief te posten. Naar wie had ze die gestuurd? Een minnaar, misschien? Zo ja, waar was hij dan nu? En waar was haar familie? Waarom hadden ze zich niet in het ziekenhuis gemeld? Hoe kon zo'n meisje helemaal alleen zijn?

Hij trok de deken voorzichtig strak en stopte hem in onder de matras. 'Ga maar lekker slapen,' zei hij, maar ze was al in diepe rust.

Hij vond dokter Brenner op de afdeling anatomie.

'Er is sprake van retrograde amnesie. Ze herinnert zich alles wat er met haar is gebeurd sinds ze bij bewustzijn is gekomen, ook alles wat de artsen haar vanochtend hebben verteld. De herinneringen waar ze niet bij kan, zijn van vóór het coma. Toen ik naar haar verleden vroeg, leek ze me geen antwoord te kunnen geven.'

'Of te wíllen geven, als we met alle mogelijkheden rekening houden,' mompelde dokter Brenner. Hij aarzelde en ging Kirsch voor naar de voorraadkamer.

'Denkt u dat ze het niet wil?'

Brenner schudde zijn hoofd. 'Het maakt niet uit. Eigenlijk zou ik u dankbaar moeten zijn voor uw belangstelling. Ik heb erover gedacht om dokter Bonhoeffer om een psychisch rapport te vragen. Afgezien van de amnesie zie ik in elk geval geen tekenen die op hoofdtrauma of een andere beschadiging wijzen. Ik heb haar verstandelijke vermogens onderzocht, en de uitslagen waren juist een flink stuk hoger dan het gemiddelde.'

'Zijn er tekenen die op alcoholisme wijzen?'

'Nee. We hebben haar bloed onderzocht toen ze hier kwam, maar op dat moment was er natuurlijk al heel wat tijd verstreken. We kunnen het niet uitsluiten.'

'Het viel me op dat ze een beetje stotterde, maar misschien deed ze dat hiervoor ook al.'

'Inderdaad. Hoe dan ook, dat valt te verwachten na een coma. Het spraakvermogen is het eerste wat afbrokkelt.'

Kirsch hield abrupt zijn pas in bij het zien van een compleet menselijk brein op sterk water, dat in een grote glazen pot op een werkbank stond. Aan alle kanten van de schemerig verlichte kamer bevonden zich planken vol soortgelijke potten, die allemaal organisch weefsel bevatten: hersenen, foetussen, longen of andere inwendige organen. Hersens hadden de speciale belangstelling van dokter Brenner. Hij had een paar wetenschappelijke verhandelingen geschreven over hoofdtrauma's en het patroon in de daaruit voortvloeiende gevolgen.

'Ze heeft ook levensechte dromen,' vertelde hij. 'Nachtmerries. Mogelijk met verwondingen in en rond haar mond, wat belangrijk zou kunnen zijn.'

'Echt waar? In welk opzicht?'

'In mijn ervaring houden ze verband met gedwongen stilzwijgen, het onvermogen om vrijuit te kunnen spreken. Of met hevige schuldgevoelens.'

'Tja.' Brenner fronste zijn wenkbrauwen. 'Haar dromen zijn mijn zorg niet.' Hij knipte een lamp boven de tafel aan. 'Maar ik ben het met uw waarnemingen eens. Zoals u weet, denk ik dat de schade is ontstaan toen ze in coma raakte. In zulke gevallen kunnen allerlei neurologische symptomen optreden.' Hij zweeg even om bewonderend naar het grootste van de twee breinen voor zijn neus te kijken en tuurde door het dikke glas. De laatste restjes kleur waren uit het weefsel weggebleekt, waardoor het een roomachtige, vezelige witte tint had gekregen. 'Hoe dan ook, de patiënte lijkt op dit moment niet in levensgevaar te zijn. Sterker nog, lichamelijk is ze bijna helemaal hersteld.'

'Ik hoorde dat u haar wilt ontslaan.'

'Tenzij haar toestand achteruitgaat. We houden haar nog een paar dagen ter observatie. Het heeft geen zin om haar hier te houden als we haar toestand niet kunnen verbeteren.'

'Maar ze kan nergens naartoe.'

'Uiteindelijk komt er wel iemand die haar kent. Vermiste personen en zo. Ik weet zeker dat de kranten met alle plezier een foto plaatsen. Tot die tijd zijn er toch tehuizen voor nooddruftige vrouwen?'

Er waren inderdaad wel een paar van die tehuizen. Sommige werden door kerken bestuurd, andere door de gemeente. Het merendeel had nog het meest weg van een gevangenis of een kazerne, en de bewoonsters moesten werken om hun kost en inwoning te verdienen. Zelfmoorden kwamen regelmatig voor. De meeste vrouwen die Kirsch had gesproken, woonden nog liever op straat.

Hij kon maar één ding doen.

'Ik wil graag onderzoeken of de amnesie een psychiatrische oorzaak heeft,' zei hij. 'Misschien is het méér dan een neurologisch probleem.'

Brenner keek een beetje beledigd. 'Ik heb nog nooit gehoord van een psychiatrische aandoening waardoor patiënten in coma raken. Misschien heb ik in de boeken iets over het hoofd gezien.'

Hij keek naar een tweede, aanzienlijk kleiner hersenmonster. Hij pakte de pot op en tuurde naar wat een gezwel boven de rechterslaapkwab leek.

'Misschien hebben we wel te maken met de gevolgen van een shock.'

Brenner draaide de pot in zijn handen. Het brein dobberde. 'Ze is niet verkracht, dat weet u toch? Sterker nog, ik heb geen aanwijzingen dat ze recentelijk seksuele betrekkingen heeft gehad.'

Zonder dat Kirsch het wilde, zag hij beelden van het onderzoek voor zich, de patiënte die bewusteloos op de tafel werd gesleept, Brenner die met samengeknepen ogen tussen haar opgetrokken benen tuurde en met zijn dikke vingers spitte en prikte.

'Maar dat neemt niet weg dat ze beslist geen blozende maagd is,' voegde Brenner eraan toe. 'Ik weet bijna zeker dat ze een kind heeft gebaard. En ze draagt geen trouwring.'

'Het kan zijn dat een aanvaller die van haar vinger heeft gehaald.'

'Dan zou er een afdruk op haar vinger moeten staan. Ik heb niets gevonden.'

Opeens was Brenners onverschilligheid beter te begrijpen: in zijn ogen was het Einstein meisje geen respectabele vrouw. Ze behoorde tot een klasse die rampspoed leek aan te trekken. Meestal kwamen ze in de problemen door mannen, maar uiteindelijk hadden ze de ellende altijd aan zichzelf te danken.

'Hoe dan ook, ze heeft duidelijk een traumatische ervaring achter de rug,' zei Kirsch.

'Ik weet niet of dat wel helemaal duidelijk is, dokter Kirsch. De politie heeft geen aanwijzingen dat er sprake was van een misdrijf.'

'Maar hoe verklaren ze dan...'

'Voor wat het waard is: ze gaan uit van de theorie dat de vrouw al die tijd al gestoord is geweest. Ze zeggen dat ze wel eens vaker zulke zaken hebben gehad. Een gestoorde vrouw zou best eens kunnen besluiten om eind oktober in een meer te gaan zwemmen. Misschien dacht ze zelf dat het half juli was.' Brenner grijnsde. 'Natuurlijk komt deze theorie de politie wel erg goed uit, want dan hoeven ze verder geen onderzoek te doen.'

Brenner haalde een pen uit zijn zak en begon in het leenregister te schrijven. Er mochten geen spullen van de afdeling worden gehaald als er geen aantekening van werd gemaakt. Uiteindelijk keek hij op. 'Was er verder nog iets?'

'Als u er geen bezwaar tegen hebt, wil ik graag dat de patiënte voor observatie naar onze afdeling wordt overgeplaatst.'

Brenner hield zijn pen even stil. 'Ik kan me uw interesse voorstellen, dokter Kirsch. Patiënten zonder enige band met de buitenwereld kom je niet vaak tegen. U hebt min of meer de vrije hand.'

'Ik kan u verzekeren dat het niet mijn bedoeling is om...'

'Natuurlijk weten we niet of ze bestaansmiddelen heeft. Of ze kan betalen.'

'De kosten kunnen worden opgeschort.'

'Met toestemming van het afdelingshoofd, neem ik aan.'

'Het zou een heel interessante zaak kunnen zijn. Ik ben ervan overtuigd dat hij dat met me eens is.'

Brenner keek over de rand van zijn bril naar Kirsch voordat hij weer aan het werk ging. 'Goed, dan zal ik om een verwijzing vragen. Zodra ik zijn handtekening op de formulieren zie staan.'

Na zijn bezoek aan het hoofdgebouw vond Kirsch op de bureaulegger in zijn werkkamer een gesloten enveloppe. Het was een brief van dokter Bonhoeffer, die meedeelde dat hij na het weekeinde weer in het ziekenhuis zou zijn en dat hij Kirsch maandagochtend onmiddellijk wilde spreken.

8

Oranienburg, 2 november

Mijn lieve Martin,

Ik hoorde net dat het openbaar vervoer in Berlijn staakt. Ik hoop dat dat niet betekent dat je mijn brieven niet krijgt, of dat ze wekenlang in een magazijn blijven liggen. Vader zegt dat ik moet oppassen wat ik schrijf, omdat de stakers vroeg of laat de enveloppe zullen openen om te kijken of er geld in zit, vooral als deze hele zaak lang gaat duren. Denk jij dat de stakers de post zullen openen? Ik vind het een onverdraaglijke gedachte dat zulke afschuwelijke mensen zich misschien wel vermaken door mijn woorden, die alleen voor jou zijn bestemd, aan elkaar door te geven. Ik weet dat het dwaas is, maar ik kan het idee niet uit mijn hoofd zetten. Ik denk heus niet dat mijn woorden aan jou zo bijzonder zijn. Ik vermoed dat ze al een miljoen keer zijn gebruikt. Maar voor mij zijn ze bijzonder, omdat ze rechtstreeks uit mijn hart komen en omdat ik ze nog nooit aan iemand anders heb geschreven. Ik hoop ook dat jij de enige bent aan wie ik ze ooit zal schrijven – zo, nu weet je het! Zie je, ik let nu al op mijn woorden. Ik hoef niet te 'hopen'. Ik weet nu al dat een ander nooit jouw plaats in mijn hart kan innemen, wat er ook gebeurt... En nu verzink ik in allerlei droevige overpeinzingen terwijl ik daar helemaal geen reden voor heb – ik zou gelukkig moeten zijn. En dat allemaal door een malle staking!

Dus alsjeblieft, mijn liefste, laat me zo snel mogelijk weten of je deze brief hebt ontvangen, en stel me gerust. Ik heb nu al ruim een week niets van je gehoord, en er zijn zo veel dingen die ik met je wil *bespreken, zo veel dingen die we vóór juni moeten beslissen. Ik weet dat dat nog ver weg lijkt, maar als we geen knopen doorhakken, wordt de hele dag voor ons geregeld. Het kost me nu al de grootste moeite te voorkomen dat moeder de leiding neemt. Ze heeft zeer vastgeroeste ideeën over de vraag hoe een huwelijk eruit hoort te zien (een 'societyhuwelijk' noemt ze het steeds, al stuit dat begrip me enigszins tegen de borst, jou ook?), maar ik durf haar niet voortdurend haar zin te geven zonder eerst met jou te overleggen. Ze maakt nu al een lijst van tijdschriften die volgens haar wel geschikt zijn om de receptie te verslaan, en ik ben ervan overtuigd dat ze vaders hulp zal inroepen om te zorgen dat ze niet wordt teleurgesteld. Wil je echt een vol uur opera voordat we aan tafel gaan? Moeder wil dolgraag pronken met het feit dat ze Ruth Jost-Arden kent. Ik weet dat ze fantastisch kan zingen, maar een úúr? En wil je dat je arme bruidje zwoegend naar het altaar loopt met een sleep, als een grote bijenkoningin? Nou ja, misschien is dat iets waar jij je als man niet druk over hoeft te maken, maar ik maak me er zorgen over. Ik denk dat moeder te veel bioscoopjournaals heeft gezien.*

Ik neem aan dat je erover denkt om de 13e naar Reinsdorf te gaan, en ik zal natuurlijk zorgen dat ik er die zondag ben, zoals je had voorgesteld. Ik heb je vader en moeder al heel lang niet meer gezien. Zeg maar dat ik ernaar uitkijk om hen weer te zien. Ik vind het idee voor een oorlogsmonument fantastisch. Ik kan geen beter aandenken aan je lieve broer Max en al die andere dappere jongemannen bedenken. Ik weet zeker dat het benodigde geld er wel zal komen.

Ik moet deze brief nu beëindigen, want anders is de brievenbus al geleegd. Hans-Peter brengt hem voor me weg. Schrijf alsjeblieft, mijn liefste, als je tijd hebt, of als je arme gekken je er de kans voor geven. Ik vind het vreselijk als ik geen brief krijg. Moeder zegt dat mijn humeur dan de hele dag bedorven is.

Je liefhebbende (maar nu moet ik mezelf al weer verbeteren – daar zou 'je adorerende' moeten staan!)
Alma

9

Hij zag Max vroeger altijd in de herfst, als de ochtenden vergezeld gingen van mist, die stralenkransen rond de gaslantaarns tekende, de stroomdraden van de tram liet knetteren en de imposante contouren van de appartementengebouwen aan de Schönhauser Allee verzachtte. Hij dacht terug aan zijn broertje als de uiteinden van de laan in de laaghangende bewolking verdwenen. Op die momenten leek de laan klein en onvolledig, een splinter die door een grijze leegte dreef – gedetailleerd, vuil en door de jaren heen vervallen geraakt, maar geïsoleerd, als een fragment van een fries of een illustratie die uit een boek was gescheurd.

Hij herinnerde zich het meest van de vakanties in Mecklenburg, toen ze nog kinderen waren. Hij en Max gingen samen naar het meer en keken naar de optrekkende mist, die in zilveren draden naar de hemel kringelde. Ze stonden met hun rug naar het bos als de mist het land op kwam, tot het witte licht zich om hen heen vouwde en ze verder niets meer zagen. Het was hun geheime spelletje. Ze stonden vroeg op, als alle anderen nog sliepen, en gingen met een roeiboot het water op (iets wat zonder toezicht streng verboden was). Max pakte altijd de riemen en roeide tot ze bij het diepste deel van het meer kwamen. Onzichtbaar voor iedereen lieten ze zich in de stilte ronddrijven en voelden ze zich ontdekkingsreizigers op de rand van de wereld.

Ze ontdekten dat je het gevoel kreeg dat je opsteeg, dat je volledig vrij ronddreef en naar de hemel leek te zweven als je op je rug in de boot ging liggen. Je was afgesneden van de rest van de wereld, maar tegelijkertijd dichter bij het hart van de schepping, zielen op de drempel van de hemel. En als de mist optrok en de kust weer contact met hen zocht, was het alsof ze terug naar de aarde dwarrelden.

Max was dol op sterrenkunde. Op zijn twaalfde verjaardag kreeg hij van hun oom Stefan een oude koperen telescoop. Op heldere avonden zat hij uren naar de hemel te staren, en hij nam hem zelfs mee als ze naar het platteland gingen, want hij zei dat de lucht daar schoner was en de sterren feller waren. Hun ouders stimuleerden hem. Hun moeder gaf Frans aan de plaatselijke middelbare school en hun vader stond aan het hoofd van het familiebedrijf, dat mathematische instrumenten maakte: kompassen, steekpassers, hoekmeters. Ze vonden kennis – en dan met name de natuurwetenschappen – erg belangrijk. Over religie werd nauwelijks gesproken. Bij dat onderwerp werd ongeduldig gezucht of begon hun vader achter zijn krant laatdunkend te mompelen. De kerken hadden gewoon te vaak een verkeerd beeld van het universum gehad. De aarde was niet plat, ook al leek dat zo, en de zon maakte niet elke dag een omwenteling rond de aarde. Ondanks hun beweringen dat ze een intieme relatie met de Grote Schepper hadden, hadden de mannen van God doodgewone menselijke waarnemingen in steen willen uithouwen. Er hadden verbeeldingskracht, scepsis en rigoureuze wetenschappelijke methodieken aan te pas moeten komen om aan het licht te brengen dat deze waarnemingen niet klopten.

Jaren later, tijdens de oorlog, gingen ze voor de laatste keer naar Mecklenburg. Het was een periode waarin iedereen overdreven vrolijk was en de onuitgesproken voorgevoelens al in de lucht hingen. Max had een aanstelling gekregen bij de infanterie en zou een paar dagen later naar Frankrijk vertrekken. Hun oudere zus Frieda had zich net verloofd met Julius, een luitenant van de marine. Martin was met verlof teruggekeerd van de Roemeense campagne, waar hij als officier-arts in het 9e Leger had gediend. In die tijd waren zijn handen nog zo stabiel dat hij als chirurg kon werken. Iedereen was er – voor het laatst, zo bleek later.

Het was een idee van hun vader: een vakantie tussen de meren bij Schwerin, net als vroeger. Dat was beter dan je thuis verschuilen, zei hij. Kirsch was ervan overtuigd dat hij andere redenen had: afscheid nemen zou aan het einde van een vakantie minder plechtig zijn, minder definitief. Het was een manier om de angst beheersbaar te maken, vooral voor hun moeder, een manier om optimisme te bundelen. De bossen en meren veranderden niet. Ze zouden er altijd zijn. In Mecklenburg konden ze geloven dat ze in hun eigen tempo konden leven.

Tegelijkertijd hadden de festiviteiten iets breekbaars. Zelfs de lekkernijen waren nep: limonade met een scheutje sterkedrank in plaats van champagne, en de sigaren die Frieda's verloofde hun cadeau had gedaan, bleken te zijn gemaakt van gedroogde koolbladeren die in nicotine waren geweekt. Iedereen deed zijn best om niet over de oorlog te praten, maar het nieuws over de Russische revolutie drong zich op. Kirsch herinnerde zich dat zijn jongere zus Emilie op een holletje met een krant naar de ontbijttafel was gekomen. In Sint-Petersburg en Moskou waren gewelddadigheden uitgebroken. De tsaar was tot troonsafstand gedwongen. Dat betekende vast dat de oorlog snel voorbij zou zijn en dat de jongens thuis konden blijven. Iedereen dromde rond de tafel om het artikel te lezen, maar Kirsch zag de blik in zijn vaders ogen. Het land was niet in de stemming voor vrede, zelfs als er vrede werd aangeboden. De stemming vroeg om een overwinning tegen elke prijs, al was het alleen maar om te zorgen dat de doden niet voor niets waren gesneuveld. Er was op straat gejuicht toen de onderzeeërs opdracht kregen om in geallieerde wateren neutrale schepen te laten zinken, al zou dat vrijwel zeker betekenen dat Amerika bij de oorlog betrokken zou raken.

De familie Kirsch had aan het begin van het conflict ook al niet gejuicht. Met al die parades, muziekkorpsen en zingende mensen op straat was het of er een groot feest aan de gang was waarvoor ze niet waren uitgenodigd. Toen Martin zei dat hij graag wilde vechten, had zijn moeder hem een klap in het gezicht gegeven en was ze het huis uit gerend. Uiteindelijk bleek hij niet naar het front gestuurd te worden omdat zijn ogen te slecht waren. Dat maakte echter geen einde aan de angstige voorgevoelens van zijn familieleden. Ze maakten zich nog zorgen om Max, de jongen met het blonde haar en de jadekleurige ogen, degene die altijd vragen stelde, ook al leek hij alles te weten. De jongen die iedereen aan het lachen maakte. Hij had geen achilleshiel die hem veilig thuishield.

Gedurende zijn officiersopleiding had hij het werk van Albert Einstein gelezen. Hij kwam naar Mecklenburg met het recentste boek van de hoogleraar en wilde daar graag over praten. Kirsch vermoedde dat er op de kazerne niemand in geïnteresseerd was, of misschien wilde Max wel voorkomen dat ze over andere, belangrijkere dingen moesten praten.

Van alle grote wetenschappers had Einstein altijd een speciaal plekje in Max' hart gehad. Als opgroeiende jongen had hij zich op alle boeken en artikelen gestort die Einsteins werk probeerden te verklaren, ook als hij de wiskundige kant ervan niet begreep. Als er bezoek kwam, vroeg hij aan de gasten wat ze van differentiaalrekening wisten en wilde hij dat ze hem hielpen om de geheimen ervan te ontcijferen (wat ze niet vaak konden). Wat Max in die tijd nog het allermooist vond, was dat Einstein bestaande ideeën weerlegde – hoe vastgeroester, hoe beter. Voor Max was Einstein een beeldenstormer, iemand die de heilige huisjes van de bestaande wijsheid omverschopte, hoe angstvallig ze ook werden bewaakt.

Een van de eerste begrippen die Einstein onder vuur nam, was de ether, al sinds de tijd van Aristoteles een heilig huisje van zowel theologen als wetenschappers. De ether zou overal in het universum aanwezig zijn, onzichtbaar en onaantoonbaar, net als God. De wetenschap ging ervan uit dat het het medium was waarin lichtgolven zich konden voortplanten, net zoals geluidsgolven zich door de lucht verplaatsten, en zeegolven door het water. De ether móést wel bestaan, omdat eenvoudige experimenten onomstotelijk hadden vastgesteld dat licht geen stof was, maar een golfverschijnsel, een trilling die een medium nodig had om zich in te kunnen verplaatsen. Als een paar lichtstralen zich vanuit twee kleine puntjes verspreidden, kreeg je interferentie en werd het licht afwisselend helderder als pieken met pieken samenvielen en dalen met dalen, en minder helder als pieken en dalen elkaar overlapten. Het was een effect dat alleen optreedt bij golfverschijnselen. Maar Einstein had zo zijn twijfels over de mysterieuze ether. Was het wel wetenschappelijk om het bestaan van iets te accepteren wat zich op geen enkele manier liet observeren?

'Tweeduizend jaar religie en tweehonderd jaar wetenschap.' In gedachten zag Kirsch de vreugde op Max' gezicht nog voor zich. 'Omvergeworpen door één enkele vergelijking.'

Voor Max bestond er niets leukers dan het bewijs dat vooraanstaande, belangrijke mensen het bij het verkeerde eind hadden. Voor hem betekende dat vrijheid, een gewicht dat van zijn schouders werd getild. Hij was vrij om te bedenken wat hij wilde.

Volgens Einsteins vergelijking was licht geen golfverschijnsel, maar een stroom van energiedeeltjes die hij kwanta noemde. Als een kanonnade van piepkleine kogeltjes zou een lichtstraal zich ook zonder de aanwezigheid van ether prima door een vacuüm kunnen verplaatsen. En in tegenstelling tot golven hadden deze kwanta massa, net als de objecten die ze uitstraalden, wat betekende dat ze op dezelfde manier beïnvloed moesten worden door de zwaartekracht. Een lichtstraal die de zon – een object met veel massa – passeerde, zou afbuigen, waardoor een waarnemer een verkeerde indruk van de oorsprong van de straal zou krijgen.

Destijds had Martin Kirsch het een bizar verhaal gevonden. Hoe kon licht – de puurste vorm van energie – nu massa hebben? Massa en energie waren twee verschillende eenheden, de ene stoffelijk en bestendig, de andere ongrijpbaar, een eigenschap in plaats van een ding. Een voorwerp kon warm zijn, maar warmte zelf was immaterieel. Ze had massa nodig om te kunnen bestaan, net zoals een gedachte een brein nodig had. Maar Einstein zei dat massa gewoon energie in een andere vorm was. Hij ontkende zowel de vaste vorm als de bestendigheid, en ontkende zelfs dat er een duidelijk verschil was tussen de massa en de ruimte eromheen. Massa was niets anders dan een zeer hoge concentratie van energie. Als hij Max moest geloven, kon het materiële universum als niets minder dan vast geworden licht worden beschouwd. De kern van alle materie was immaterieel.

Wat Max niet wist, was dat Einsteins vage kwanta de wereld zouden veranderen. Hij wist ook niet dat Einstein een enorme hekel aan zijn creatie zou krijgen en zich aan de vernietiging ervan zou wijden. Dat kwam allemaal later pas.

Hoe dan ook, Martin deelde Max' enthousiasme voor de wetenschap van het licht niet. Hij voelde zich dom als ze erover praatten, en zo wil een oudere broer zich in het bijzijn van zijn jongere broer niet voelen. Hij beperkte zich tot luisteren en nadenken, om te voorkomen dat Max zijn woorden moest herhalen en dat gevoel van domheid zou versterken. Af en toe vroeg hij zich zelfs af of dat misschien Max' ware bedoeling was, de reden voor zijn niet aflatende nieuwsgierigheid:

een verborgen verlangen om de oudste zoon af te troeven.

Later kwam Kirsch erachter dat hij zich had vergist. De laatste keer dat hij Max in leven zag, drong de waarheid tot hem door: Einsteins visie was voor zijn broer niet zomaar een bron van fascinatie. Het was iets veel belangrijkers.

Die laatste ochtend gingen ze met hun tweeën in een boot het meer op. Het was een idee van Max.

'We sluipen gewoon bij zonsopgang het huis uit, net als vroeger. Ik heb al een boot gevonden.'

Geen uitleg. Hij ging er gewoon van uit dat Martin hem zou begrijpen, ook al was het begin april en koud. Alsof ze nog kleine jongens waren, en er niets – geen tijd, geen oorlog – tussen het verleden en het heden zat.

Kirsch nam aan dat Max hem wilde vragen wat hij van het front moest verwachten. Het kon niet anders dan dat hij bang was. Nieuwe rekruten waren altijd bang, al deden ze hun best om het te verbergen. Maar Max bleek het alleen maar over het boek van Einstein te willen hebben. Het hele weekend had hij het bij zich gehad, als een priester met een onafscheidelijke bijbel. Hij zei dat hij het inmiddels bijna doorhad. Hij begreep nu bijna dat alles in het universum – massa, energie, ruimte en tijd – in feite één geheel vormde, als een reusachtige slang die kronkelend en draaiend zijn eigen staart inslikte.

'Denk je daaraan? Zitten jouw hersens vol reusachtige slangen?'

Glimlachend keek Max uit over het water. De zon was opgekomen. Geel zonlicht priemde door de wolken heen. 'Wat heb je aan hersens als je nergens aan denkt?'

'En jij denkt aan Einstein, zelfs nu.'

'Ja.' Fronsend trok Max aan de riemen. Het gereflecteerde licht danste op zijn gezicht en verguldde zijn bleke huid. 'Sterker nog, ik hoop dat ik nog een hele poos aan hem blijf denken.'

Ik wou dat ik had gezegd dat ik wilde roeien, dacht Kirsch. Misschien was ik dan warm gebleven. Ik wou dat ik begreep wat we hier doen.

'Het is niet zo dat er veel te leren valt,' zei Max. 'Het is juist meer een kwestie van afleren – vergeten, zo je wilt. Dat is veel moeilijker. Je moet je intuïtie loslaten. Je moet iets accepteren wat onmogelijk lijkt.'

Kirsch herinnerde zich dat hij op zijn handen had geblazen.

'Zoals?'

Max hield de riemen stil en haalde iets uit een rugzak. 'Kijk zelf maar.'

Het was het boek: *Over de speciale en algemene relativiteitstheorie*.

Kirsch lachte. 'Verwacht je dat ik dat nu lees?'

'Niet nu. Als we hier weg zijn. Het is een cadeautje.'

Max stak het boek naar hem uit. Kirsch keek ernaar. Langzaam verdween de glimlach van zijn gezicht.

'Hou het maar,' zei hij. 'Het is niet aan mij besteed.'

'Hoe kun je dat nu zeggen als je het niet hebt gelezen?'

'We hebben het er wel over als je terugkomt. Dan hebben we meer dan genoeg tijd.'

Een fractie van een seconde bleef het stil, een pauze die voor Kirsch net lang genoeg duurde om te begrijpen dat zijn broer er niet van uitging dat hij terugkwam, en dat dit boek, dat hij zo koesterde, een afscheidscadeau was.

'Uiteraard, uiteraard,' zei Max. 'Maar toch.' Hij gooide het boek op de schoot van zijn broer en pakte de riemen weer beet. 'Ik vind het leuk als ik weet dat jij je hersens ermee pijnigt. Ik moet iets te lachen hebben als ik tot aan mijn nek in de modder zit.'

Het was de eerste keer dat hij begon over wat hem te wachten stond, de eerste keer dat hij erkende dat het wel een beproeving zou worden.

'En als we weer terug zijn – zoals jij zegt – kunnen we discussiëren over de stelling dat tijd niet bestaat.'

Kirsch las het boek pas een paar jaar later. Tegen die tijd waren Einsteins theorieën prachtig bevestigd door waarnemingen van sterrenlicht dat de massa van de zon passeerde, waarnemingen die alleen mogelijk waren tijdens een totale zonsverduistering. Daardoor was de Duitse wetenschapper de beroemdste man op aarde geworden.

Maar er was geen gelegenheid meer om met Max in discussie te gaan. Twee maanden na hun bezoek aan het meer, op 7 juni, bracht het Britse leger onder de Duitse stellingen op de heuvelrug bij Mesen

een miljoen pond zware explosieven tot ontploffing. Tweede luitenant Max Kirsch was een van de tienduizend dodelijke slachtoffers
van de explosie, die tot vijfhonderd kilometer verderop werd gehoord, zelfs tot in Mecklenburg. Er werd nooit meer een spoor van
hem teruggevonden.

10

De kamer van Max bevond zich op de bovenste verdieping van het huis in Reinsdorf. Alles zag er nog precies zo uit als hij het had achtergelaten, al waren er wat spullen van hem bij gekomen die elders in huis hadden gelegen: een schildpad kam waarop zijn naam gegraveerd stond, een witte, met paarlemoer bedekte nautilusschelp en een porseleinen beeldje van een brildragende terriër, dat hij cadeau had gekregen en nooit mooi had gevonden. Op de ladekast was een foto van hem zo neergezet dat je vanaf de deur de reflectie in de spiegel kon zien. De foto was een maand voor zijn vertrek naar het front gemaakt. Hij droeg zijn cadettenuniform – stijfjes, maar met een zichtbaar vleugje zelfspot. Door de jaren heen was de foto vervaagd, waardoor zijn huid nu een gelijkmatige witte tint had en zijn gelaatstrekken vage sepialijntjes waren geworden. De spiegel was in de loop der jaren ook troebel geworden, waardoor Max in het spiegelbeeld al achter een sluier van mist verdwenen was.

Niemand was van plan geweest een heiligdom te creëren. Het was geleidelijk aan zo gegroeid. Omdat het lichaam van Max en zijn persoonlijke bezittingen nooit waren gevonden, had hij officieel het stempel 'vermist' gekregen. De familie was altijd blijven hopen dat hij op een dag thuis zou komen, dat hij door de vijand gevangen was genomen, of, net als het meisje in het Charité, ergens in een ziekenhuis lag en door geheugenverlies niet meer wist wie hij was. Af en toe kwamen er nog wel eens vermiste soldaten naar huis. De kranten schreven erover, verhalen over rondzwervende soldaten die uit het oosten kwamen, waar ze aan de zijde van de kozakken hadden gevochten of door de communisten gevangen waren genomen. Voor de familie kwam er nooit een moment waarop de laatste hoop doofde, geen crisis die verwerkt moest worden waarna de draad van het leven weer opgepakt kon worden. Jarenlang bevonden ze zich in een soort niemandsland, een gebied tussen rouw en een normaal leven.

Al die tijd bleef de kamer van Max gewoon de kamer van Max. De lakens werden van tijd tot tijd verschoond, al werd het bed nooit beslapen, en de gaslampen werden vervangen door elektrische lampen, net als in de rest van het huis. Maar dat was alles. Uiteindelijk werd het ondenkbaar dat er nog iets zou worden veranderd. Emilie had nog steeds het piepkleine kamertje dat ze als kind had gehad, al was het veel te klein geworden voor een volwassen vrouw. Ooit had Kirsch voorzichtig gesuggereerd dat ze de kamer op de bovenste verdieping wel kon nemen, maar ze had heftig haar hoofd geschud. Ze was tevreden met haar eigen kamer, en ze vertelde dat hun moeder 's middags nog regelmatig in Max' kamer zat, vooral als het regende.

De blonde, slanke Emilie, die bijna slungelig te noemen was, was altijd in Reinsdorf gebleven. Ze werkte als lerares in Wittenberg, net als haar moeder vroeger, en fietste liever elke dag op en neer dan dat ze geld aan de trein verspilde. In plaats van Frans gaf ze aardrijkskunde en elementaire wiskunde.

Vóór de oorlog had Kirsch een paar jaar een heel hechte band met Emilie gehad, hechter dan die met Frieda, de oudste, of zelfs met Max, die altijd met zijn neus in de boeken had gezeten. Als kind was ze altijd levendig en bijzonder belangstellend geweest. Als er volwassenen kwamen eten, ging ze met haar handen onder haar benen in de hoek van de woonkamer zitten om aandachtig naar hun gesprekken te luisteren. Maar op een of andere manier was al die nieuwsgierigheid uitgedoofd. Ze had plaatsgemaakt voor bezadigdheid, afstandelijkheid en een bijna koppig aandoende saaiheid, zowel in kleding als in uiterlijk, alsof elk sprankje ijdelheid haar minachting zou opleveren. Bij de aanblik van haar doffe, bleke huid en opgestoken haar was het bijna niet te geloven dat ze ooit bekend had gestaan als een schoonheid.

Haar hechte band met haar broer Martin was samen met haar schoonheid verwaterd. Op een bepaald moment, misschien wel tijdens die lange jaren na de oorlog waarin hij bijna nooit thuis was, had ze waarschijnlijk besloten dat hij geen geschikte vertrouweling meer was. Hij vroeg zich af of ze een hekel aan hem had gekregen, of ze diep in haar hart vond dat hij haar in de steek had gelaten en haar had laten opgroeien in een huis vol verdriet.

In de oorlog waren er in totaal veertien jongemannen uit het dorp Reinsdorf en de omliggende gehuchten gesneuveld. Meneer en mevrouw Keil hadden hun beide zoons verloren – Erich in 1917 en Fritz in 1918. Stomtoevallig waren beide jongens op het moment van hun dood eenentwintig jaar en drie maanden geweest. Hun namen stonden op een ijzeren gedenkplaat in de kerk. Maar tien jaar later werden er plannen gemaakt voor een vrijstaand gedenkteken in de dorpskern. Het was een ingewikkeld project. Er moest geld worden ingezameld, grond worden gekocht en een ontwerp worden goedgekeurd. Zijn moeder zat in de stuurgroep en had het druk met het organiseren van benefietevenementen en afspraken met kunstenaars. Tegenwoordig stak ze er bijna al haar energie in. Als Kirsch naar huis ging, werden de laatste ontwikkelingen altijd uitgebreid besproken. Dit weekend was heel belangrijk voor het comité: zondagmiddag werd er in het oude schoolgebouw een kamerconcert georganiseerd, waarvoor een orkest van het conservatorium in Leipzig speciaal naar Reinsdorf zou komen.

'Bach, Beethoven en een bewerking van Wagner,' vertelde zijn vader toen ze die ochtend naar de kerk wandelden. '*Siegfried*, denk ik.'

'Passende keuzes,' zei Kirsch. Hij had besloten zijn familie te vertellen wat er in het Charité was gebeurd en dat er een grote kans bestond dat hij werd ontslagen. Hij had echter nog geen gelegenheid gehad om erover te beginnen.

'O ja, zeer passend,' zei zijn vader. 'Voor de opening hadden ze Rossini voorgesteld – het orkest, bedoel ik. Een of andere ouverture. Maar het comité...' Vertwijfeld schudde hij zijn hoofd.

'Te licht?'

'Te Italiaans. De vijand. Blijkbaar hadden ze zelfs bedenkingen tegen Mozart, omdat hij niet helemaal Duits was.'

Ooit zou hij zulke kleingeestige denkbeelden hebben bespot, maar dat deed hij nu niet meer. In de nasleep van de oorlog had niemand kritiek op uitingen van patriottisme, hoe idioot ze ook waren. Alleen mensen die het hoogste offer hadden gebracht, mochten kritisch zijn. Vreemd genoeg lieten zij zich nooit horen.

'Ik weet niet of Beethoven wel helemaal Duits was,' waagde Kirsch te zeggen. 'Kwam zijn familie niet uit Vlaanderen?'

'Zou kunnen.'

Zijn vader stond stil en keek bezorgd achterom. De vrouwen kwamen achter hen aan en deelden samen een paraplu. Kirsch' moeder liep stijfjes, alsof het gewicht van haar winterkleren te zwaar voor haar was.

Zijn vader liep verder over het pad. Het was duidelijk dat het onderwerp afgesloten was. 'Jammer dat Frieda niet kon komen. We zien haar veel te weinig. Julius ook, natuurlijk.'

Kirsch beaamde dat dat jammer was, al zag bijna niemand Julius nog. In het sterfjaar van Max had het schip van Julius een voltreffer van een Britse kruiser gehad. Julius had het overleefd, maar dat was dan ook zijn enige geluk. Bij de explosie was hij zijn linkerarm kwijtgeraakt en was hij zo vreselijk verminkt dat hij niet meer in het openbaar wilde verschijnen. Kirsch had gehoord dat de Franse overheid speciale tehuizen had opgericht voor veteranen met *gueules cassées* – kapotte smoelen – zodat niemand naar hen hoefde te kijken. Maar voor zover hij wist, bestonden zulke instellingen in Duitsland niet. Sommige verminkten waagden het erop en gingen de straat op, maar andere, zoals Julius, bleven als schimmen in de schaduw, omdat ze liever herinnerd wilden worden zoals ze vroeger waren en zich met hun huidige uiterlijk niet meer wilden laten zien.

Het goedgekeurde ontwerp voor het gedenkteken was vóór in de kerk te bezichtigen, uitgevoerd in waterverf en tentoongesteld op een ezel. Obelisken en gegraveerde blokken kalksteen hadden het moeten afleggen tegen een enorme granieten plaat. Boven de woorden VOOR GOD EN VADERLAND was een Maltezer kruis – de vereenvoudigde militaire versie – uit het donkere steen gehouwen.

De nieuwe dominee was klein en dik en had een blozend gezicht. Naar aanleiding van het gedenkteken was opoffering die ochtend het thema van zijn preek: de opoffering van Christus, Abraham die zijn zoon wilde opofferen, de opoffering van degenen die in de strijd waren gesneuveld. Opoffering was al zo oud als de schepping en bracht vernieuwing voort, zei hij, net zoals de gevallen herfstbladeren de aarde verrijkten en de komst van de lente mogelijk maakten – een analogie waar hij zelf heel tevreden over was, te oordelen naar zijn glimlach en de manier waarop hij op de bal van zijn voeten heen en weer wipte. Kirsch staarde naar het ontwerp en hoorde alleen maar het water dat van het dak drupte en de piepende schoenen van de dominee. In gedachten zag hij de naam van Max uitgebeiteld in het graniet staan. Zijn loyaliteit en vastberadenheid zouden na zijn dood onmiskenbaar voor de eeuwigheid worden vastgelegd, voor het geval iemand er nog aan zou twijfelen. Het monument meldde trots dat Max en de anderen letterlijk voor de grond onder Duitslands voeten waren gestorven. Ze hadden hun bloed in de fundering van het vaderland gegoten, tonnen van menselijk cement. In ruil daarvoor leverde de aarde nu het tastbare bewijs.

Voor God en vaderland. Het verbaasde Kirsch dat zijn moeder met die verklaring akkoord was gegaan. Per slot van rekening was Max' held Albert Einstein geweest, een verstokte pacifist die alles wat militair was verachtte en bespotte. Hoe dan ook, hij begreep niet wat God aan het offer had gehad, of hoe een oorlog in heel Europa zijn belangen had kunnen dienen. Bij sommige gedenktekens was men zo verstandig om God erbuiten te laten. Daar waren de gevallenen simpelweg gesneuveld 'voor het vaderland', een bewering die beter te verdedigen was, al kon er nog een vraagteken bij het voorzetsel worden gezet. Gezien het feit dat de meeste mannen aan het front voor hun nummer waren opgekomen, was het misschien accurater geweest om te zeggen dat ze 'in dienst van' het vaderland waren gestorven. Of misschien zelfs 'in opdracht van' het vaderland, want het vaderland had hen met opzet aan gevaar blootgesteld, zonder dat de mannen daar zelf iets over te zeggen hadden.

Kirsch keek naar de rijen getekende gezichten aan de andere kant van het gangpad, naar Frau Keil en naar de boer, Herr Kehlitz, wiens zoon in de eerste maand van de oorlog bij Mons was gesneuveld. Op dat moment besefte hij dat het eigenlijk helemaal niet om gedenken ging. Het gedenkteken zou hen niet helpen om eraan terug te denken. Ze hadden vooral behoefte aan iets waar ze trots op konden zijn, en om die reden moesten hun zoons de rol van helden spelen, die bewust en overtuigd van het nut van hun opoffering hun leven hadden gegeven. Op gewone slachtoffers konden ze niet trots zijn, hoe onschuldig die misschien ook waren. De dood van een slachtoffer was niet zinvol of nuttig, en dat was om een of andere reden onverdraaglijk.

In de tijd dat het ontwerp was binnengekomen en nog op goedkeuring wachtte, had Kirsch op een avond zijn bedenkingen met Emilie gedeeld. Hij zei dat hij niet voor de andere doden kon spreken, maar dat het gedenkteken totaal niet bij Max paste. Max zou nooit zo'n grof, bombastisch monument midden in het dorp willen. Emilie had op dringende toon gezegd dat hij omwille van hun moeder zachter moest praten. 'Zij wil het zo. Bemoei je er niet mee.'

Aangemoedigd door twee glazen cognac had Kirsch zijn mening nog eens onderstreept. 'Echt, ik zou niet willen dat mijn naam op dat ellendige stuk steen stond.'

Emilie was naar hem toe gelopen en had het glas uit zijn hand gerukt, waarbij ze de helft van de inhoud over haar jurk morste. 'Het is jammer dat jouw naam er niet op staat, in plaats van die van Max,' zei ze. 'Dan had het verder niemand iets uitgemaakt.'

Na een afschuwelijke stilte had Emilie haar excuses aangeboden. Ze had hem verzekerd dat ze het niet meende, dat ze gewoon uit haar slof was geschoten. Hij had haar excuses geaccepteerd en haar bezorgdheid met een glimlach weggewuifd.

Hij had het daarna nooit meer over het gedenkteken gehad.

Na de dienst haastten ze zich allemaal naar huis en bereidden ze zich voor op de lunch. Kirsch pakte een paraplu en liep vlug Alma's taxi tegemoet, maar tot zijn verbazing merkte hij dat het was opgehouden met regenen en dat de zon door de wolken heen brak. Hij moest zijn hand boven zijn ogen houden toen ze uit de auto stapte.

Onder haar regenjas droeg ze een mooi tweed pakje, en op haar hoofd had ze een scheefstaand hoedje met een veer erin, als een vrouwelijke jager in een landelijke operette. Haar blonde haar was net in de krul gezet. Ze legde een hand op zijn schouder en bood hem haar wang aan. Haar huid rook naar rozen.

'Waarom heb je me niets verteld over het tijdschrift?' vroeg ze, terwijl ze hem een kneepje in zijn arm gaf.

'Wat bedoel je?'

'Heb je de foto niet gezien?' Uit haar tas haalde ze een exemplaar van *Die Berliner Woche*. 'Hij stond er gisteren in. Hans-Peter zag hem staan.'

Het was het soort tijdschrift dat Alma zelf nooit zou kopen, een geïllustreerd weekblad vol misdaadverhalen en schandalen. Ze sloeg een paar pagina's om en gaf het aan hem. De kop luidde: EINSTEIN MEISJE — *VERHAAL STEEDS GEHEIMZINNIGER* — POLITIE STAAT VOOR EEN RAADSEL. Daaronder stond een foto. Het meisje zat rechtop in bed, gevangen in het felle licht van de flits. Met één hand drukte ze de deken tegen haar borst. De foto was al minstens een paar dagen oud, want haar haar was nog niet kortgeknipt. De krassen en schaafplekken op haar gezicht zagen er donker en lelijk uit, maar niets kon haar mooie tuitmondje of de donkere glans van haar ogen verhullen.

'Niet daar, dáár.'

Alma's gehandschoende vinger wees naar een paar foto's onder aan de bladzijde. Ze waren allebei voor de ingang van het ziekenhuis gemaakt. Op de eerste stond adjudant Hagen, die zijn onvoorbereide persconferentie gaf. Hij had zijn mond wijd open en hief zijn handen op, alsof hij zich moedeloos overgaf. Op de tweede zat Hagen achter in zijn auto en praatte hij door het zijraam met een man in een witte jas. Het gezicht van de man was maar voor een deel te zien, omdat het flitslicht door zijn bril werd gereflecteerd. Het bijschrift bij die foto luidde: *Adjudant Hagen overlegt met dokter Martin Kirsch, de eminente psychiater die de patiënte behandelt.*

'Dat is toch geweldig?' zei Alma. 'Mijn verloofde is "eminent". En de hele wereld weet het.'

Kirsch schudde ongelovig zijn hoofd. 'Hoe komen ze aan mijn naam?'

Door de manier waarop hij op het open raam leunde, zag hij eruit als een handtekeningenjager.

'Je bent veel te bescheiden,' zei Alma. Hij voelde dat ze naar hem keek toen hij het artikel las. 'Ze is wel mooi, hè?'

'Wie?'

'Wie denk je?'

Hij haalde zijn schouders op. 'Als je van vrouwen houdt die bont en blauw zijn.' Hij sloeg het blad dicht. 'Mag ik het lenen?'

'Je mag het houden.' Ze stak haar arm door de zijne terwijl ze naar het huis wandelden. 'Ik moet zeggen dat je wel wat lauwtjes reageert.'

Hij dacht aan het komende gesprek met Bonhoeffer en schudde zijn hoofd. 'Het spijt me.'

'Wat is er?'

'Het heeft zo weinig nut, dit soort onzin.'

'Voor de patiënte, bedoel je? Want als het verhaal klopt, dat het arme kind haar geheugen kwijt is en niet meer weet wie ze is, dan kan dit artikel haar wel degelijk helpen.'

Nog voordat hij het kon uitleggen, was zijn moeder bij de keukendeur verschenen en stak ze haar armen uit om Alma te verwelkomen.

De eettafel was gedekt met hun mooiste kanten kleed. Tafelzilver dat ze jaren niet hadden gebruikt, glinsterde in het bleke, winterse zonlicht. De maaltijd was een vriendelijke ondervraging. De moeder van Kirsch wilde alles weten over de voorbereidingen voor hun huwelijk en gaf Alma nauwelijks tijd om te eten.

'Hebben jullie al nagedacht waar jullie gaan wonen?' vroeg ze.

'Heeft Martin u dat niet verteld?'

'Martin vertelt me nooit iets. Ik ben zijn moeder.'

'Nou, ik heb een snoezig huis gevonden in Zehlendorf, niet ver van de Wannsee.' Glimlachend sneed Alma een aardappel. 'Het is nog niet te koop, maar ik heb de eigenaars gesproken. In de tussentijd zullen we een appartement in de stad moeten zoeken.'

'Martin heeft altijd in Berlijn gewerkt,' zei zijn moeder. 'Ik begrijp niet wat hij daar zo geweldig aan vindt. Als ik moet afgaan op wat ik lees, lijkt het me een vuile, gevaarlijke stad. Wat vindt je vader ervan?'

Alma keek verontschuldigend naar Kirsch. 'Ik vrees dat hij het met u eens is, Frau Kirsch. Hij zegt altijd dat die stad een goede schoonmaakbeurt nodig heeft.'

'Een arts moet op een plaats zijn waar men hem nodig heeft, Klara,' zei zijn vader. 'Niet in een omgeving die hij toevallig mooi vindt.'

Zijn moeder haalde haar schouders op. 'Zijn er dan geen krankzinnige mensen in Wittenberg? Of in Leipzig? Of is hun soort waanzin te saai en te provinciaals?'

Terwijl iedereen lachte, stak Kirsch zijn hand uit naar zijn wijnglas. Zijn vader had een fles Riesling uit de kelder tevoorschijn getoverd, uit een krat die waarschijnlijk ooit voor een feestelijke gelegenheid was gekocht. Inmiddels was de wijn over zijn hoogtepunt heen.

'Daar zijn geen banen vrij,' zei Kirsch.

'En de universiteit? Kun je daar niet lesgeven?'

Alma legde haar hand op zijn onderarm. 'Ik heb altijd gedacht dat Martin een geboren leraar was.'

Zijn moeder knikte. 'Toen hij in het leger zat, was hij een fantastische chirurg. Ik heb een brief bewaard van zijn superieur, kolonel Schad. Hij zei dat Martin de beste man van zijn eenheid was.' Ze keek naar haar zoon. 'Ik heb nooit begrepen waarom je de chirurgie vaarwel hebt gezegd, Martin. Er is altijd vraag naar goede chirurgen.'

Kirsch had zijn familie nooit verteld waarom hij de traditionele geneeskunde achter zich had gelaten. Zij dachten dat hij gewoon ergens anders in geïnteresseerd was geraakt en een nieuwe weg was ingeslagen. Dat deden de mannen in de familie Kirsch altijd, zonder zich om de financiële gevolgen te bekommeren.

'Hij is zijn eigen strengste criticus,' zei Alma.

Hij schudde zijn hoofd. 'Helemaal niet.'

'Maar ik weet zeker dat hij niet lang meer in het ziekenhuis hoeft te blijven, tenzij hij dat wil, natuurlijk.' Het leek wel of Alma het over een gevangenisstraf had. 'Hij begint aardig beroemd te worden. Neem nu dat artikel dat hij heeft geschreven...'

'Dat stelt niets voor,' zei Kirsch. Dat was ook zo, of het had in elk geval nauwelijks enig belang. Zijn enige bijdrage aan de psychiatrische vakliteratuur was gepubliceerd in de *Annalen der Psychiatrie*, een nieuw tijdschrift met een belachelijke oplage dat in München werd gedrukt.

'Nou, mijn vader zei...'

'Heeft jouw vader mijn artikel gelezen?'

Alma gaf hem een kneepje in zijn arm. 'Natuurlijk! Hij was diep onder de indruk. Sterker nog, hij zei dat hij het aan een paar andere mensen zou laten lezen.'

Zijn moeder en vader keken elkaar voldaan aan.

'Wat voor mensen?'

Glimlachend haalde Alma haar schouders op. 'Artsen, neem ik aan. Zijn bedrijf maakt medicijnen, lieverd, weet je nog?' Ze keek naar haar bord en begon elegant haar vlees te snijden. 'En hij steunt allerlei medische instituten.'

Kirsch wilde zeggen dat hij niet van plan was om het Charité te verlaten, dat dokter Karl Bonhoeffer waarschijnlijk de gerenommeerdste psychiater van Duitsland was en dat er maar weinig mentoren zouden zijn die meer ervaring hadden. Maar toen herinnerde hij zich dat hij de volgende ochtend op het matje moest komen en leek het hem beter om zijn mond te houden.

'Het is maar goed dat Martin jou heeft om voor hem te zorgen, Alma,' zei zijn moeder. 'Hij is bijzonder gehecht aan zijn boeken. Maar om vooruit te komen in de wereld...'

Zijn vader wilde Alma's glas nog eens bijvullen, maar ze legde glimlachend haar hand erop. 'Het grappige is dat Max de denker was toen de jongens nog klein waren,' zei hij. 'Martin was juist veel praktischer. We dachten dat hij ingenieur of zakenman zou worden. Hij haalde allerlei dingen uit elkaar om te kijken hoe ze werkten.' Grinnikend schonk hij zichzelf nog een glas wijn in. 'We hebben hier in huis nog steeds klokken die dankzij Martins jeugdige "inmenging" op heel bijzondere wijze de tijd weergeven. Waar of niet, Klara?'

Maar zijn moeder leek hem niet meer te horen. Ze staarde naar het kanten tafelkleed en streek het afwezig glad. Zijn vaders gezicht vertrok, alsof hij opeens besefte dat hij iets verkeerds had gezegd. Een paar tellen bleef het stil. Toen haalde zijn moeder hoorbaar adem en keek ze naar het plafond, in de richting van Max' kamer.

Het comité had zijn best gedaan om het oude schoolgebouw gezellig te maken. In de hoeken brandden paraffinelampen, en aan weerszijden van de deur en in de hoeken waren winterboeketten met wilgen en jasmijn neergezet. Langs de rand van het podium was een rij voetlichten aangebracht, zodat er op de achtermuur, waaraan een oude keizerlijke vlag was gehangen, een schaduwspel van de musici ontstond. Hoewel het orkest al aan het stemmen was, waren de meeste stoelen nog leeg.

De moeder van Kirsch was ten einde raad. 'Misschien komen de mensen wat later door het slechte weer,' zei ze. 'Zeg dat ze nog even moeten wachten.'

Ze stond met de programma's in haar hand bij de deur en weigerde binnen te komen. De beloning voor haar vasthoudendheid was een enkele laatkomer, die op de fiets arriveerde en weer wegging zonder te betalen. Toen ze eindelijk kon worden overgehaald om op haar plaats te gaan zitten, had ze nog steeds geen rust. Aan het einde van elk stuk liep ze naar buiten om te kijken of daar misschien mensen wachtten.

De muziek zelf leek vreemd genoeg misplaatst. De meeste musici waren tengere jongemannen met brillen, het soort man dat wegens een slechte gezondheid of slechte ogen meestal werd afgekeurd voor militaire dienst, en hun spel had een melancholieke, beschaafde ondertoon die geen enkele herinnering opriep aan parades, laat staan aan het slagveld. Het publiek, een mengelmoes van veteranen, dorpelingen en plaatselijke notabelen, zat roerloos op de klapstoelen en staarde met wezenloze blik naar de musicerende mannen. Er was een eerbiedig besef dat deze voorbeelden van verfijnde cultuur het ultieme bewijs voor de superioriteit van de Duitse beschaving vormden, maar tegelijkertijd wensten ze dat de melodieën iets pakkender waren. Al met al was Kirsch van mening dat een fanfarekorps misschien passender was geweest, al had Max daar altijd een hekel aan gehad en had hij altijd zijn oren bedekt als er een voorbijkwam.

Nadat de musici voor hun publiek hadden gebogen, stonden de mensen op om het volkslied te zingen. Daarna liep iedereen eindelijk naar buiten, zichtbaar opgelucht dat het voorbij was. Bij de deur was een collectebus voor bijdragen aan het gedenkteken neergezet, maar na de aanschaf van hun kaartjes leken de meeste mensen te denken dat ze al genoeg offers hadden gebracht.

De dominee, die vrolijk kwam binnenwaaien en zelfs geen poging deed om een kaartje te kopen, was de enige die de teleurgestelde stemming niet leek op te merken. 'Een prachtconcert, Frau Kirsch,' zei hij, terwijl hij naar hen toe kwam. 'We zouden er een jaarlijks evenement van moeten maken.'

'We hadden eigenlijk gehoopt dat één keer genoeg zou zijn,' zei zijn vader. 'We zullen onze gedachten er eens over laten gaan.'

'Maar het was echt mooi,' zei Alma. 'Ik zal het nooit vergeten.'

Kirsch' moeder keek haar verbaasd aan en glimlachte dankbaar. 'Dan was het allemaal de moeite waard, hoe het verder ook is gelopen.'

Ze liepen achter elkaar aan het schoolgebouw uit en wandelden in de schemering door het dorp. Ze passeerden het punt waar het gedenkteken moest komen te staan, een driehoekig grasveld dat Kirsch en zijn broer vroeger als eindstreep voor hun fietswedstrijdjes hadden gebruikt.

Alma pakte zijn arm weer. 'Hoeveel geld hebben ze nog nodig?' vroeg ze zachtjes.

'Voor het gedenkteken? Een paar honderd Reichsmark. Het probleem is dat ze steeds meer nodig hebben naarmate het langer duurt voordat ze het bij elkaar hebben.'

Alma trok hem wat dichter naar zich toe. 'Zeg maar tegen je moeder dat ze zich geen zorgen hoeft te maken. Het is een heel goed doel. Ik weet zeker dat ze het geld bij elkaar krijgt.'

Die avond was Kirsch weer terug in zijn appartement. Hij deed de gordijnen dicht, trok zijn jas, trui en overhemd uit en draaide zich naar de spiegel. Een kleine blauwe plek op zijn bovenarm was groter en donkerder geworden, en de huid rond de injectieplaats begon uit te drogen en te glanzen. De spier deed pijn, alsof er een koude steensplinter in zat. Zijn vrees was uitgekomen: het onderhuidse weefsel begon af te sterven. Dat was een risico van Salvarsan, van alle arseenpreparaten. Afgezien van de urenlange misselijkheid, de kramp en het overgeven moest het preparaat echt midden in het bloedvat worden gespoten. Vloeistof die naar omliggend weefsel lekte, veroorzaakte necrose. En dan was er nog de ader zelf: Salvarsan kon op de plaats van de injectie bloedproppen veroorzaken, waardoor het bloedvat opzwol, geïrriteerd raakte en gevaar liep om geïnfecteerd te raken. Misschien was dat het probleem. In het flauwe elektrische licht kneep hij zijn ogen samen en streek hij met zijn vingers over de koningsader, zoekend naar gevoelige plekken. Het viel niet mee om die te vinden, omdat zijn hele arm vreselijk pijn deed.

De meeste artsen dienden het medicijn inmiddels toe via een infuus, omdat injecties te gevaarlijk waren. Maar voor Kirsch was het niet eenvoudig om de normale medische wegen te bewandelen. Het zou kunnen dat een andere arts het medicijn niet wilde voorschrijven, en al helemaal niet als de patiënt er zelf om vroeg. Hij kon er ook niet zeker van zijn dat zijn geheim bij een collega veilig was. Over een arts die voor een ernstige overdraagbare aandoening werd behandeld, zou beslist worden geroddeld, ook al bevond de aandoening zich in een latente fase. Dergelijke nieuwtjes lekten altijd uit, was het niet via de artsen zelf, dan wel via hun assistentes en secretaresses. Daarnaast vonden sommige collega's het hun plicht om besmettelijke ziektes bij de autoriteiten te melden, vooral als ze dachten dat het risico op verspreiding groot was. Anderen waren van mening dat het besmette patiënten op straffe van openbaarmaking verboden moest worden te trouwen, tot de uitslagen van hun serumonderzoeken een paar jaar lang negatief waren geweest. Al met al vond hij het eenvoudiger en veiliger om de ziekte zelf te behandelen, zelfs als dat betekende dat hij het poeder van handelaren zonder vergunning moest kopen en de injecties zelf moest bereiden, net als de kwik- en bismutzalf die hij diep weggestopt onder de wastafel bewaarde voor het geval hij weer zweren of wonden kreeg.

Het elektrische licht was niet scherp genoeg. Hij stak de paraffinelamp aan en trok de rest van zijn kleren uit. In zijn geval waren de eerste tekenen van infectie tijdens de oorlog ontstaan, in de vorm van kleine ronde zwellingen aan de binnenkant van zijn vingers. Ze waren bruinig, hard en hielden het midden tussen brandneteluitslag en blaren, maar ze waren nauwelijks gevoelig, in elk geval niet pijnlijk. Na een paar weken waren ze verdwenen, voordat hij tijd had gehad om zich zorgen te maken. Het duurde nog een paar maanden voordat hij andere symptomen kreeg: koortsaanvallen, gewrichtspijn en een vurige rode uitslag onder zijn armen en op zijn borst. Zelfs toen kwam het niet bij hem op dat hij werd belaagd door een dodelijke ziekte, dat de kleine, wormachtige spirocheten *Treponema pallidum* door zijn lichaam koersten, zich vermenigvuldigden, zich in troepen en trosjes in zijn organen en bloedvaten nestelden, zich een weg boorden naar zijn zenuwstelsel en zijn brein belegerden.

Honderden mannen die hij in het veldhospitaal had behandeld, leden aan dezelfde infectie, zelfs de Oostenrijkse officieren die met speciale orders van de legertop waren binnengebracht omdat ze hun eigen chirurgen niet vertrouwden. Geslachtsziektes kostten aan het front meer mankracht dan welke andere ziekte dan ook, met uitzondering van de longontsteking die in de wintermaanden de kop opstak. Maar de symptomen van het eerste en tweede stadium van de ziekte varieerden van patiënt tot patiënt en werden vaak voor andere, minder ernstige ziektes aangezien. Hoe dan ook, met zo veel mannen die aan hun verwondingen overleden, was de behandeling van ziektes die misschien pas over twintig jaar fataal zouden zijn geen militaire prioriteit. Zelfs gewonde soldaten met de kenmerkende open zweren van het tweede stadium, nattende etterwonden die wemelden van de bacteriën, werden doorgaans niet geïsoleerd of met speciale voorzorgsmaatregelen behandeld. Er was gewoon niet genoeg tijd voor. Kirsch had geen idee wanneer de ziekte zijn bloed was binnengedrongen, of welke patiënten ervoor verantwoordelijk waren geweest. In de operatiekamers kwamen snijwondjes door scalpels vaak voor, en de hygiëne werd vaak opgeofferd als er snel moest worden ingegrepen. Maar dat nam niet weg dat hij er vaak over nadacht. In zijn dromen zag hij zelfs het gezicht van de bacillendrager voor zich: hij was een van die mannen die een operatieve ingreep hadden overleefd en vervolgens aan het front waren omgekomen. Dat zag Kirsch aan zijn uniform en het bloed dat zijn gezicht bedekte.

Het zou kunnen dat hij de ziekte ergens anders had opgelopen, in meer traditionele omstandigheden, maar de venerische zweertjes – de medische term voor de bruine zwellinkjes, besefte hij later – hoorden te verschijnen in de buurt van de plek waar de besmetting had plaatsgevonden. Dat was de reden waarom ze doorgaans in de liezen of op de geslachtsdelen verschenen, maar in zijn geval waren ze op het zachte vlees van zijn handen opgekomen.

Bij het tweede stadium van de ziekte hoorden hoofdpijn en koorts. Die plaagden hem in aanvallen die een paar dagen duurden en vervolgens verdwenen, waarna hij weer normaal kon functioneren. Tegelijk met de koortsaanvallen kwamen de nachtmerries, visioenen die zo glashelder waren dat ze na afloop levensechter leken dan de herinneringen aan dingen die hij werkelijk had meegemaakt. In die dromen werd hij bij elke stap opgewacht door patiënten wier gezicht hij vergeten dacht te zijn, patiënten die waren leeggebloed, gapende wonden hadden of slechts gedeeltelijk waren gehecht. Ze keken naar hem als hij een patiënt opereerde en staarden hem vanaf de uiteinden van de gangen aan. 's Nachts en tegen de ochtend stonden ze als schildwachten op het terrein van het ziekenhuis. Hij hoefde alleen maar condens van een raam of scheerspiegel te vegen om het gezicht van een dode man te zien. Zelfs als hij wakker was, was hij bang voor hen. Hij meed verduisterde kamers en lege trappenhuizen. Hij bleef altijd in de buurt van het licht, en waar mogelijk in het gezelschap van anderen, al viel het iedereen op dat hij steeds sporadischer en geforceerder aan gesprekken deelnam.

Soms zag hij Max in zijn dromen. Hij stond dan aan de andere kant van de afwateringsgreppel die langs het terrein liep. In die tijd had hij nog een gezicht, al was het altijd lijkbleek. Eén keer was er een brancard binnengebracht met een man wiens benen eraf waren geschoten. Kirsch wist meteen dat hij hem niet kon redden, en in een flits was die man ook Max.

Zijn handen begonnen te trillen: eerst tijdens de maaltijden, daarna tijdens het scheren, als hij een scheermes in zijn hand had, en vervolgens in de operatiekamer. Hij wist nooit wanneer het kwam opzetten en wanneer het weer verdween. Hij wist ook niet of het bij de ziekte hoorde of dat het zijn zenuwen waren, of het trillen een neurologische of een psychische oorzaak had. Het feit dat hij zichzelf niet meer onder controle had, maakte hem nog banger dan de visioenen, omdat het een symptoom was dat hij niet kon verbergen. In die tijd begon hij medicatie te gebruiken. Hij haalde de benodigde spullen uit de apotheken in het ziekenhuis en maakte 's avonds, in de beslotenheid van zijn eigen kamer, zijn medicijnen klaar: smeersels met kalium, jodium, bismut, kwik en arseen.

Een paar maanden na de wapenstilstand van november 1918 namen de ergste symptomen van het tweede stadium af. Het kon zijn dat hij zichzelf had genezen, maar het was waarschijnlijker dat hij in een periode van 'latentie zonder klinische ziekteverschijnselen' was beland, zoals de boeken het noemden. Die periode kon drie weken duren, maar ook dertig jaar. Een op de vier patiënten kreeg dan te maken met het derde stadium, dat werd gekarakteriseerd door misvormende tumoren en zweren, wegterende inwendige organen, voortschrijdende verlamming, waanzin, blindheid en de dood. De behandeling tijdens het derde stadium was het ingrijpendst en bood het minst kans op succes.

Er was geen enkele manier om erachter te komen of hij besmettelijk was. De uitslagen van zijn onderzoeken waren wel eens positief geweest, maar ook wel eens negatief. Maar de laatste tijd begon hij zich steeds meer zorgen te maken. Zijn gewrichten waren weer stijf geworden, net als vroeger. Af en toe had hij korte koortsaanvallen, waardoor hij 's nachts soms badend in het zweet uit zijn nachtmerries ontwaakte. En rondom zijn middel en maag waren vage, roodbruine vlekken op zijn huid verschenen, die allemaal het formaat van een grote duimafdruk hadden.

In het groene schijnsel van de paraffinelamp streek hij met zijn vingers over de verkleurde plekken en bekeek hij zijn hele lichaam in de spiegel. Hij had weer meer vlekken dan vorige keer, vooral in zijn zij. Ze overlapten elkaar en werden steeds donkerder en roder. Sommige waren een beetje opgezwollen. Alleen zijn rug en schouders bleven onaangetast, al leken de contouren van zijn spieren en botten daar overdreven goed zichtbaar, alsof hij een anatomisch model was. Hij viel af, elke dag smolt er meer onderhuids vet weg.

Het was Alma die avond opgevallen. Toen het op het station van Berlijn tijd was geweest om afscheid te nemen, had ze haar armen om hem heen geslagen.

'Je werkt veel te hard,' had ze gezegd, terwijl ze met haar hand over de rug van zijn jas streelde. 'Zorg dat je jezelf niet uitput. Beloof je me dat?'

Hij had het beloofd.

'Wacht maar tot we getrouwd zijn. Ik ga je vetmesten alsof je een bekroond varken bent. Dan laat ik je twee keer per dag biefstuk en knoedels eten.'

Ze had hem met een onkarakteristieke hartstocht gekust en hem vastgehouden tot de laatste trein naar Oranienburg bijna het station uit reed. Het was alsof ze nog niet zeker wist of ze de trein wel wilde halen, of ze hem eigenlijk wilde missen en die nacht in de stad wilde stranden.

Dokter Bonhoeffer stond bij het raam en keek door de mist naar het met klimop begroeide hoofdgebouw van het ziekenhuis. De kant waarop hij uitkeek, de kant waar zijn tegenhangers in de traditionele geneeskunde hun werkkamers hadden, lag op het zuidwesten, en de welig tierende klimop had een roodachtig gouden tint gekregen. Omdat het gebouw hoger was dan de afdeling psychiatrie viel de avondzon erop, en dat was zo'n mooi schouwspel dat voorbijgangers regelmatig stilstonden om ernaar te kijken. Met diverse klimplanten had men pogingen gedaan om de strenge aanblik van de psychiatrische afdeling te verzachten, maar de ligging was ongunstig en de sprietige uitlopers die grip op de bakstenen wisten te krijgen, slaagden er nooit in om meer dan een onregelmatig patina van groene bladeren te creëren. Wat nog veel erger was, was dat de kozijnen door de aanhoudende vochtige noordenwind waren vervormd, waardoor het ondanks de dubbele beglazing altijd tochtte.

'Ik wilde u op tijd waarschuwen,' zei hij. 'Zodat u tijd hebt om naar een andere baan uit te kijken.' Fronsend keek hij naar zijn spiegelbeeld op het raam. Hij was vierenzestig, zijn hoge voorhoofd zat vol diepe rimpels en zijn immer keurige haar was spierwit. 'Het spijt me dat ik u niet meer tijd kan geven, maar ik heb nu eenmaal niet veel vrijheid van handelen in deze zaak.'

Ze gaven hem niet eens de kans om zijn versie van het verhaal te vertellen.

'Zullen we afspreken dat u met Kerstmis vertrekt? Dat lijkt me genoeg tijd om iets te regelen voor de patiënten die u op dit moment behandelt. Het lijkt me natuurlijk beter dat u geen nieuwe meer aanneemt.'

Kirsch begreep inmiddels dat hij naïef was geweest. Het afdelingshoofd had geen zin in formele disciplinaire maatregelen. Dergelijke dingen waren gênant voor iedereen. Daarnaast zouden ze hem in dat geval gelegenheid geven om zijn gedrag te verdedigen en het oordeel van zijn superieuren in twijfel te trekken. Misschien zouden er zelfs advocaten aan te pas moeten komen. Het was natuurlijk veel makkelijker als hij in ruil voor goede referenties en een ongeschonden reputatie uit zichzelf opstapte.

'Ik weet dat u een paar negatieve dingen over me hebt gehoord, dokter Bonhoeffer,' zei hij. 'Maar het zou fijn zijn als ik een kans kreeg om te reageren op de beschuldigingen die tegen me zijn geuit.'

'Beschuldigingen?'

'Volgens mij heb ik daar recht op.'

Bonhoeffer zuchtte. 'Het gaat hier niet om beschuldigingen, dokter Kirsch. Het gaat om de vraag of u hier past, en om de noodzaak op onze afdeling te bezuinigen.'

'Maar het incident met zuster Ritter... Het experiment van dokter Mehring...'

'Dat zouden we allemaal kunnen vergeten. Dat kúnnen we allemaal vergeten.'

'Als ik ontslag neem.'

'Als u ergens anders een baan zoekt en op het geschikte moment hier ontslag neemt. Als u dat doet, is het niet nodig dat we de zaak verder onderzoeken.' Bonhoeffer ging achter zijn bureau zitten en spreidde zijn handen op de slordige stapels papierwerk. 'Om u de waarheid te zeggen, verbaast het me dat u uw talenten wilt verspillen aan een vak waar u niet meer in gelooft. Ik heb uw artikel gelezen. In feite is dat al een soort ontslagbrief. Ik had het eerder moeten beseffen, maar ik had geen idee dat u van plan was om uw ideeën in praktijk te brengen.'

De uitgever van de *Annalen der Psychiatrie* had op het allerlaatste moment wat wijzigingen in het artikel aangebracht, waardoor het taalgebruik strenger en onverzettelijker was geworden dan Kirsch' bedoeling was geweest. Maar de centrale stelling was onveranderd gebleven: hij vond dat de classificatie van de psychiatrische ziektes niet wetenschappelijk was. De negentiende-eeuwse pioniers van de psychiatrie hadden een spiegelbeeld van de traditionele geneeskunde willen creëren. Ze waren van dezelfde veronderstellingen en methodes uitgegaan. Hun grondregel was dat er een duidelijke scheidslijn tussen psychisch zieke en psychisch gezonde mensen bestond, dat het aantal afzonderlijke geesteziektes beperkt was en dat deze ziektes door een rigoureuze afbakening van symptomen konden worden vastgesteld. Ze gingen er ook van uit dat de oorzaken van deze ziektes biologisch zouden blijken te zijn, en dat ze daarom alleen met medicatie of operatieve ingrepen behandeld konden worden.

Om die reden had men de eerste decennia van de moderne psychiatrie vooral besteed aan het uiterst zorgvuldig analyseren, categoriseren en kwalificeren van het gedrag van psychiatrische patiënten. Uit deze inspanningen kwam het moderne scala van geestelijke stoornissen voort: schizofrenie, schizotaxie, paranoia, hypomanie, persoonlijkheidsstoornis, stemmingsstoornis, neurotische depressie, psychotische depressie, involutieve depressie. Elk jaar werden er meer types en subtypes aan toegevoegd, tot het er tientallen waren. Als het gedrag van een patiënt niet precies in een bestaande categorie paste, werd er doorgaans gewoon een nieuwe categorie in het leven geroepen: een paranoïde subtype van depressie, bijvoorbeeld, of een depressief subtype van paranoia.

Het leek allemaal bijzonder rationeel, maar de werkelijkheid was anders. Kirsch had gemerkt dat de definities van de meest voorkomende psychoses niet altijd en overal hetzelfde waren. Voor de grote Emil Kraepelin was schizofrenie of dementia praecox een ziekte die het intellect aantastte, het vermogen om logisch te denken. De vooraanstaande Zwitserse psychiater Eugen Bleuler was ervan overtuigd dat het een cognitief en emotioneel probleem was, terwijl Kurt Schneider, een tijdgenoot wiens werk alom werd bewonderd, van mening was dat het een stoornis was die hallucinaties en waanbeelden teweegbracht – een op hol geslagen fantasie. Zelfs als student had Kirsch deze verschillen opgemerkt. Als arts kwam hij vaak net zulke opvallende inconsistenties in de psychiatrische dossiers van zijn patiënten tegen.

Daar ging het artikel over. Kirsch noemde vijftig patiënten uit Berlijnse instellingen die door verschillende psychiaters waren gediagnosticeerd. Van drieënveertig patiënten had hij de dossiers kunnen opsporen. Zoals hij al had verwacht, spraken de diagnoses elkaar vaak tegen, zelfs als ze door de meest vooraanstaande artsen waren gesteld. Volgens Kirsch was de onvermijdelijke conclusie dat het bouwwerk van de moderne psychiatrie op zand was gegrondvest. Hoe moest je verschillende ziektes onderscheiden als artsen het niet eens konden worden over de symptomen? Als het onmogelijk was om afzonderlijke ziektes te onderscheiden, was er toch ook geen hoop dat er afzonderlijke remedies konden worden ontwikkeld? Misschien werkte het brein wel heel anders dan het lichaam, dat keurig kon worden opgesplitst in functies en organen. Misschien moest abnormaal gedrag – op zich al een begrip dat zich maar moeilijk precies liet definiëren – niet worden gezien als een symptoom van iets anders, een code die alleen een ervaren arts kon ontcijferen. Gezien de complexiteit was Kirsch van mening dat de patiënt zelf de betrouwbaarste gids door zijn mentale landschap was. Hij kon zijn gedrag en ervaringen beter verklaren dan wie dan ook. Maar waar Kirsch ook kwam, de patiënt was wel de allerlaatste die werd geraadpleegd. Men dacht er gewoon niet aan – de patiënt was immers krankzinnig.

Deze constructievere suggesties waren uit het gepubliceerde artikel geknipt. Om een of andere reden had de uitgever alleen maar ruimte gehad voor Kirsch' kritiek op de bestaande psychiatrische methodologie. Destijds had hij niet geprotesteerd, omdat hij alleen zijn kritiek met bewijzen kon onderschrijven. Maar nu besefte hij hoe kwetsbaar hij daardoor was geworden.

'Het kan altijd voorkomen dat u het niet met de werkwijze van een collega eens bent,' zei Bonhoeffer. 'Maar het wordt een heel ander verhaal als u systematisch zijn werk verstoort.'

'Mijn inmenging was niet systematisch, dokter Bonhoeffer. Ik had reden om aan te nemen dat het leven van sergeant Stoehr gevaar liep.'

'Dokter Mehring zegt dat u dat ten onrechte aannam. Ik ben geneigd hem te geloven, gezien het feit dat hij met de methode vertrouwd is en u niet.'

'Ik heb alles gelezen over insulinekuren. Ik heb gegevens van het sanatorium in Lichterfelde, die ondubbelzinnig aantonen dat het een bijzonder gevaarlijke methode is.'

Bonhoeffer schoof zijn stoel naar achteren. 'Waarom neemt u de moeite om een methode te bestuderen die u tijdverspilling vindt?'

'Omdat ze werd uitgevoerd op een van mijn patiënten, wat bijzonder slecht was voor zijn gezondheid.'

'Misschien was de methode wel goed voor hem. Het lijkt me te vroeg om daar een oordeel over te vellen. Of houdt u niet eens meer rekening met de mogelijkheid dat u het mis zou kunnen hebben?'

Bonhoeffer maakte een gekwelde indruk, en zijn sarcasme leek daar een uitvloeisel van te zijn. Kirsch probeerde zijn agitatie te verbergen.

'Ik twijfel er niet aan dat sergeant Stoehr er meegaander van wordt. Dat is nu al te zien. Maar ik zie geen bewijzen dat dit bijdraagt aan een verbetering van zijn geestelijke gezondheid, of dat hij er op een andere manier de vruchten van plukt.'

'U schijnt te vergeten waarom patiënt Stoehr hierheen is gebracht. Hij vormde duidelijk een bedreiging voor zijn omgeving. Als die dreiging door de behandeling van dokter Mehring afneemt, lijkt me dat beslist een nuttige verbetering.'

'Voor de maatschappij misschien, maar niet voor de patiënt.'

'Juist... Dus u vindt de belangen van de maatschappij niet relevant?'

'Ze kunnen best relevant zijn, maar ze zijn mijn verantwoordelijkheid niet. Ik ben verantwoordelijk voor mijn patiënt.'

Bonhoeffer schudde zijn hoofd. Kirsch voelde zijn teleurstelling dat het met een veelbelovende carrière zo bergafwaarts ging.

'Tijdens de oorlog, voordat u psychiater werd, was u toch chirurg in het leger?'

Het dode vlees in Kirsch' arm begon te kloppen. Intuïtief bedekte hij de wond met zijn hand.

'Ja.'

'Ik neem aan dat u de jongemannen die werden binnengebracht oplapte.'

'Degenen die geluk hadden.'

'En daarna stuurde u hen weer terug naar het front, waar velen van hen ongetwijfeld de dood vonden. Waar of niet?' Kirsch gaf geen antwoord. 'Was dat soms in hun belang? Of was het in het belang van de oorlog, het vaderland, de maatschappij?'

'Ik heb die mannen niet gestuurd.'

De pijn werd nu erger, bonkend en branderig. Kirsch voelde hem in zijn aderen.

'Misschien was het beter voor hen geweest als u hun wonden een beetje had laten etteren, of uit voorzorg wat amputaties had uitgevoerd. Dan zouden ze nu nog leven.'

'Ik heb die mannen niet gestuurd.'

Bonhoeffer keek hem strak aan. 'Nee, u hebt toegestaan dat ze werden teruggestuurd. Dat was ook uw plicht.'

Kirsch stond op. In zijn dromen was de man die hem had besmet altijd een van de mensen die waren teruggestuurd. Het was wraak, natuurlijk. Het ene leven voor het andere. Quid pro quo.

Het kostte hem moeite om zijn evenwicht te bewaren. 'Als u mij wilt excuseren, dokter Bonhoeffer.'

'Zo is het nog steeds, dokter Kirsch. Er is niets veranderd. De hoogste prioriteit in ons vak – of we nu burgers of militairen zijn – is het beschermen van de gezondheid van de maatschappij. De belangen van gezonde mensen kunnen niet altijd ondergeschikt worden gemaakt aan die van de zieken. Dat zult u toch begrijpen.'

Zelfs nu vroeg Kirsch zich af of hij de zaak nog kon redden als hij zijn standpunt volledig introk. Bonhoeffers verklaringen klonken geforceerd, alsof hij ze zelf niet helemaal geloofde.

'Dokter Bonhoeffer, ik kan niet oordelen over de belangen van de maatschappij, de belangen van gezonde mensen. Ik kan me alleen bezighouden met wat ik zie, één patiënt tegelijk. De rest is…' Hij dacht even na omdat hij de juiste woorden wilde vinden, maar zijn kloppende slapen maakten het moeilijk om te denken. '… een abstractie.'

Toen hij weer alleen in zijn werkkamer was, begon hij aan zijn ontslagbrief. Het puntje van zijn vulpen bewoog bibberig over het papier. Het kraste, bleef hangen en droogde vervolgens volledig uit. Hij schudde hard met de pen, maar het reservoir was leeg.

In een van de recreatieruimtes speelde een grammofoon. Het geluid van snaarinstrumenten dreef over de binnenplaats naar hem omhoog, alsof het van de bodem van de zee kwam. Hij luisterde of hij de melodie herkende.

Hij sloot zijn ogen, maar Bonhoeffer was er nog en staarde hem over de rand van zijn bril aan. *U hebt toegestaan dat ze werden teruggestuurd.*

Wat moest hij nu tegen Alma zeggen? Hoe moest hij dit uitleggen? Het zou niet meevallen om een andere baan te vinden. Hij sloeg zijn handen voor zijn gezicht. Misschien moest hij weigeren ontslag te nemen, vechtend ten onder gaan en Heinrich Mehring in zijn val meesleuren. Dan deed hij misschien nog iets goeds.

Hij keek door de rouwsluier van verwarde takken naar de ramen aan de andere kant van de binnenplaats. Vanuit zijn ooghoek zag hij iets bewegen. Hij strekte zijn hals. Bij de keukens stond een man met een bruine vilten hoed, gedeeltelijk verstopt achter de brandtrap. Hij werkte niet in het ziekenhuis, maar iets aan hem – zijn slobberige, slechtzittende pak, de manier waarop hij zijn handen diep in de zakken van zijn jas had gestoken – kwam hem bekend voor. Opeens wist Kirsch het weer: hij had bij de verslaggevers gehoord die hun kamp bij het Charité hadden opgeslagen. Het was een zwaargebouwde man met rossig haar en een blos van gesprongen adertjes op zijn wangen. Hij was in gesprek met iemand die binnen stond. De onbekende man knikte, draaide zich om en liep weg. Op dat moment zag Kirsch dat Robert Eisner de deur achter hem dichtdeed.

Blijkbaar was het Einstein meisje nog steeds nieuws: goed voor een paar centimeter tekst in de kranten, misschien zelfs voor een foto. In zijn hoofd hoorde Kirsch de plof van een flitslicht, en hij zag het sterke contrast van de donkere pupillen, de bleke wangen en de mooie, beurse mond. Hij sloot zijn ogen en ging in gedachten weer terug naar de aanraking van haar lippen en de zoete geur van haar huid.

Hij was van plan geweest haar behandeling over te nemen, maar dat zou nu heel moeilijk worden. Zelfs vóór het incident met zuster Ritter zou Bonhoeffer er waarschijnlijk geen toestemming voor hebben gegeven. Hij ging ervan uit dat geheugenverlies een neurologische aandoening was, geen psychische.

Wat zou Max ervan hebben gezegd? Wat zou Max hebben gedáán? Kirsch leunde met zijn hoofd tegen het raam. Max zou gefascineerd zijn geweest door de connectie met Einstein, hoe onbelangrijk of denkbeeldig die ook was. En het meisje was zijn type: klein, donker, ernstig, maar met een directheid in woord en daad die dwars door de vermoeiende pretenties van het leven heen sneed. Dat zou Max heel aantrekkelijk hebben gevonden.

De muziek van de grammofoon klonk steeds harder, maar hield vervolgens abrupt op. Kirsch wist heel zeker dat hij niet meer alleen was. Hij voelde een bepaalde druk op de planken onder zijn voeten, hoorde een rustige ademhaling die niet van hemzelf was.

'Wat kan ik doen?' vroeg hij hardop.

Maar Max had hem al antwoord gegeven.

In de onderste la van zijn bureau vond hij een pot inkt, waarmee hij zijn vulpen vulde. Hij stak zijn hand uit naar het formulier dat hij had voorbereid, waarop stond dat het meisje naar de psychiatrische afdeling werd overgebracht en dat degenen die nu de zorg voor haar hadden van alle financiële verplichtingen werden ontslagen. Met behulp van een personeelsmemorandum dat in de gang hing, vervalste hij zorgvuldig Bonhoeffers handtekening, die hij onder aan de brief zette.

De volgende dag, twee weken nadat ze in het bos was aangetroffen, droeg dokter Brenner zijn nog altijd naamloze patiënte over aan de psychiatrische afdeling van het Charité-ziekenhuis. Op instructie van Kirsch had ze een eigen kamer op de tweede verdieping van de vrouwenvleugel gekregen, een smal vertrek met een wastafel, twee ijzeren bedden, een kleine kleerkast en een getralied raam dat op de tuin uitkeek. De vorige bewoonster, Frau Wassermann, die inmiddels was overgeplaatst naar een privégesticht buiten de stad, had last gehad van een hevige, irrationele angst voor bacteriën. Tijdens haar verblijf op de afdeling had ze schoonmaakmiddelen uit de voorraadkamers gestolen en was ze een paar keer betrapt terwijl ze de vloer schrobde of de muren van haar kamer met carbol en ontsmettingsmiddel besprenkelde. Hoewel de kamer grondig was gelucht, was de geur nog goed te ruiken. Er waren wel meer aparte kamers op de afdeling, maar die waren allemaal bezet. Kirsch liet de vloeren dweilen. In een poging de lucht wat minder verstikkend te maken, kocht hij zakjes lavendel, die hij achter de deur en boven de ijzeren bedden hing. Later stopte hij ook nog bij een stalletje in de Grenadierstraße om een potpourri van rozenblaadjes te kopen, die hij op de achterrand van de wastafel liet balanceren, tussen de kranen in.

De registratie van de patiënte werd bemoeilijkt door het feit dat ze geen naam had. Kirsch noteerde haar als 'patiënte E.', waarbij de E voor Elisabeth stond, de naam die ze hem in Café Tanguero had gegeven. Omdat hij zijn redenering helaas niet kon uitleggen, nam de rest van het personeel aan dat de E voor Einstein stond, als in 'het Einstein meisje', zoals ze nog steeds door diverse kranten werd genoemd. Het was een keuze die het belang van haar roem leek te onderstrepen. Dat was wel het laatste wat Kirsch wilde, maar hij kon niets doen tot hij een betere naam voor haar had.

'Hoe zullen we je noemen?' vroeg hij haar die eerste middag.

Er stonden leunstoelen aan de zijkanten van de behandelkamer, maar ze had ervoor gekozen om op een rechte stoel te gaan zitten, een van de twee stoelen die aan weerszijden van een tafeltje stonden. Kirsch was op de andere stoel gaan zitten.

'Noem maar een naam die je prettig vindt klinken,' zei hij. 'Je zult toch een naam moeten hebben.'

Ze keek naar haar handen. De verpleegsters hadden haar een grijze wollen jurk aangetrokken die minstens één maat te groot was. Haar slanke lichaam leek in het niet te verdwijnen tussen de zware plooien. Ze was nog bleker geworden: haar lippen hadden de kleur van koraal, haar bloedeloze wangen glommen als bruidssatijn. Een van haar ogen was nog opgezwollen, en aan de zijkant van haar nek zaten de paarsachtige resten van een schaafwond.

Hij wachtte, maar ze zei niets. 'Weet je, doorgaans krijgen we geen kans om onze eigen naam te kiezen. Andere mensen kiezen er een voor ons. Is er geen enkele naam die je mooi vindt?'

Voor het eerst die dag keek ze hem aan. 'Maria,' zei ze. Haar pupillen waren gitzwart. 'Is dat een goede naam?'

Maria. De moeder Gods. De heilige Maagd.

'Natuurlijk.'

In gedachten zag Kirsch dokter Brenner met samengeknepen ogen tussen haar gespreide dijen staan, zijn vingers druk aan het werk. *Ik heb geen aanwijzingen dat ze recentelijk seksuele betrekkingen heeft gehad.*

Hij schraapte zijn keel en merkte dat zijn mond naar ontsmettingsmiddel smaakte. Hij pakte zijn notitieboek en schreef 'Maria' boven aan een lege pagina. Op dat moment deden zijn gevoelens er niet toe. Waar het om ging, was dat hij moest vaststellen wat de patiënte zich herinnerde. Volgens de vakliteratuur gaf het patroon van het geheugenverlies sterke aanwijzingen over de oorzaak: hersenschudding, alcoholvergiftiging, tumor, dementie, psychisch trauma of – maar dat was omstreden – hypnose.

'Ik weet dat de politie je al heeft ondervraagd, maar het is belangrijk dat we dezelfde vragen doornemen.'

'Ben ik nu van jou?' Het meisje keek naar beneden en liet een been schommelen. Onder de tafel zag hij haar slanke witte enkels, die half schuilgingen onder een paar zwarte wollen sokken. 'Jouw patiënte, bedoel ik.'

'Ja.'

'Dus je bent van gedachten veranderd.'

'Ik merk dat je je ons gesprek nog herinnert. Dat is gunstig.'

'Waarom?'

'Anterograde amnesie wijst op hersenletsel. Het is doorgaans niet te behandelen.'

'Nee, ik bedoel waaróm.'

'Waarom het niet te behandelen is?'

'Waarom je van gedachten bent veranderd.'

Kirsch legde zijn potlood neer. 'Heb je liever een andere arts? Ik zou kunnen vragen of je een ander kunt krijgen.'

Het meisje fronste haar wenkbrauwen. 'Iemand h-heeft een foto van me genomen. Toen ik in het andere gebouw lag, in bed. Ik keek op en toen s-stond hij opeens naast me. De flits verblindde me. Dat is toch onbeleefd? Je h-hoort iemand toch om toestemming te vragen als je een foto van hem wilt maken?'

'Inderdaad, maar ik ben bang dat de kranten die moeite meestal niet nemen.'

'De kranten?'

'Ze vinden je verhaal erg boeiend. Ze denken dat je misschien een prinses of een spionne bent. Het lijkt mij het beste om geen aandacht aan hen te schenken.'

'Wat ben ik volgens jou?'

Kirsch glimlachte en maakte zijn aktetas open. 'Daar heb ik nog geen mening over,' antwoordde hij, maar tegelijkertijd vroeg hij zich af of dat ook werkelijk zo was. 'Ik heb hier een paar dingen die ik je wil laten zien.'

Hij pakte een stapeltje ansichtkaarten, dat hij tussen hen in op het tafeltje legde. Paleizen van het vorstengeslacht Hohenzollern, monumentaal en zwart van het roet, waren gevangen in sepiatinten. De enige uitzondering was het zomerpaleis Sanssouci, dat met geel, groen en een onnatuurlijk helder blauw was ingekleurd. Om ze te vinden had hij uitgebreid de kraampjes op de markt moeten uitkammen en een speciaal bezoekje aan Schropp moeten brengen, een winkel die aardrijkskundeboeken verkocht.

'Deze gebouwen liggen allemaal dicht bij de plaats waar je bent gevonden,' zei hij.

Op de eerste ansichtkaart stond een kerk met een vreemde, hoge cilindrische toren, die wat weg had van een bewerkte fabrieksschoorsteen. Op de tweede stond een robuust, barok landhuis met stenen trappen aan de voorkant, die werden geflankeerd door welig tierende klimop. Op de derde waren een meer, een botenhuis en een passerende roeiboot te zien.

'Het dichtstbijzijnde dorp heet Caputh. Daar gaan mensen vaak met een boot het water op. Misschien ben je er daarom naartoe gegaan.'

Hij schoof de foto's over de tafel naar haar toe. Op de derde ansichtkaart stond de naam van het dorp op een bord boven de steiger waar de passagiersstoomboten in de zomer aanlegden.

Maria pakte de kaart fronsend van de tafel. 'Caputh. Wat een malle naam. Klinkt als *kaput*.' Maar ze lachte er niet bij.

'Komt het je bekend voor? De kerk, misschien?'

Hij pakte de eerste foto. Het was een bijzondere toren, die ze zeker zou herkennen als ze hem wel eens had gezien, maar ze leek alleen maar belangstelling te hebben voor het botenhuis aan het meer.

'Ik had een kaartje.'

'Voor de boot?'

'Dat weet ik niet, ik… ik had een kaartje in mijn hand.'

Het botenhuis was een onopvallend gebouw dat overal had kunnen staan. Kirsch stelde Maria nog een aantal vragen, maar ze herinnerde zich verder niets meer. Navraag naar Berlijn, haar jeugd, de plaats waar ze was geboren, haar opvoeding en opleiding, haar familie en vroegere vriendjes leverde ook niets op. Soms deed ze haar mond open om iets te zeggen, alsof er iets op het puntje van haar tong lag, alsof er elk moment een doorbraak kon komen. Maar dan gleed er weer een schaduw over haar gezicht, vervaagde de gedachte die ze bijna had gevormd en bleef ze met lege handen achter.

Ze stotterde niet meer zo veel. Dat was de enige duidelijke verbetering, maar daartegenover stond dat ze nog minder met haar hoofd bij het heden leek te zijn dan in het begin, en dat ze nog sneller geneigd was om stil en in zichzelf gekeerd te worden. De verandering baarde Kirsch zorgen.

'Dat was wel weer genoeg voor vandaag,' zei hij uiteindelijk. 'We praten morgen verder. In de tussentijd wil ik dat je iets voor me doet.' Hij stak zijn hand weer in zijn aktetas en haalde er een schetsboek en een paar potloden uit. 'Ik wil dat je tekeningen maakt, wat je maar wilt, het maakt niet uit wat. Hoe meer, hoe beter. Als je te weinig papier hebt, haal ik nog een schetsboek voor je. Wil je dat voor me doen?'

Ze knikte en keek zwijgend naar hem terwijl hij opstond. Hij raapte de ansichtkaarten van Potsdam bij elkaar, maar bedacht zich en legde ze weer op de tafel. Op datzelfde moment stak ze haar hand uit naar het schetsboek. Even streken zijn vingers over de rug van haar hand voordat ze hem haastig terugtrok.

Toen hij door de gang wegliep, kon hij de aanraking van haar huid nog steeds op zijn vingers voelen, als statische elektriciteit.

Hij werkte door tot in de avond en liep met zijn armen vol boeken heen en weer tussen zijn kamer en de naslagbibliotheek. Tussen de anamneses trof hij een verhaal dat zijn aandacht trok. De patiënt, die bekend stond als Hans J., was doelloos rondzwervend over het marktplein in Neurenberg aangetroffen. Eerst dacht men dat hij een landloper was, maar toen hij werd ondervraagd, bleek hij niet te weten wie hij was of hoe hij daar was gekomen. Hij werd naar een plaatselijk ziekenhuis gebracht en op letsel onderzocht. Hij werd ook grondig ondervraagd door de politie en de artsen, waarna hij verklaarde dat hij Peter Kleist heette en dat hij als rechercheur bij de politie werkte. Hij zei dat hij van Berlijn naar Neurenberg was gekomen omdat hij jacht maakte op een crimineel, die hij Schwarz noemde. Hoewel er duidelijke tegenstrijdigheden in zijn verhaal zaten – en de politie in Berlijn geen rechercheur Kleist in dienst bleek te hebben – hield hij vol dat zijn verhaal klopte en zette hij zijn beweringen elke dag meer kracht bij. Hij hield de verpleegsters en patiënten in het ziekenhuis zelfs bezig met uitgebreide verhalen over zaken die hij had opgelost.

Een week later werd zijn ware identiteit bekend. Hans J. bleek een ongetrouwde bankmedewerker uit een stadje in Zwabenland te zijn, zo'n tweehonderdvijftig kilometer verderop. Blijkbaar was hij op een middag gewoon gaan lunchen en vervolgens verdwenen. Een tijdje had men gevreesd dat hij zich in een nabijgelegen rivier had verdronken – kennelijk was hij op de brug gesignaleerd – en de plaatselijke politie organiseerde stroomafwaarts zelfs een zoektocht. Uiteindelijk kon Hans J. terugkeren naar zijn oude leven, maar zijn geheugenverlies bleef hem van tijd tot tijd plagen en uiteindelijk werd hij door de bank ontslagen. Zijn herinneringen aan de gebeurtenissen in Neurenberg verdwenen ook opvallend snel, en toen hij een jaar later door een psychiater werd onderzocht, wist hij zich kennelijk niets meer van het incident te herinneren.

Volgens een artikel waren er elders soortgelijke zaken gemeld: twee in Frankrijk, een in Zwitserland, een paar in Engeland. De schrijver verwees naar de aandoening als 'psychogene fugue', een zeldzame vorm van geheugenverlies die werd gekenmerkt door plotselinge, onverwachte reizen die dagenlang konden duren. Daarnaast hadden de patiënten tijdens die aanvallen vaak geen idee wie ze waren en namen ze soms een nieuwe, verzonnen identiteit aan. In alle gevallen toonde onderzoek aan dat er vlak voor de aanval sprake was van een psychisch trauma was geweest. Zo had Hans J. die ochtend een brief gehad van een vrouw die hij al heel lang kende, waarin ze zijn huwelijksaanzoek afwees. Later werd hij er ook van beschuldigd dat hij in de maanden vóór zijn verdwijning geld van zijn werkgevers had verduisterd, maar het was nooit tot een veroordeling gekomen. Hoewel er niet veel gevallen bekend waren, waren er aanwijzingen dat de vlucht van de patienten niet alleen een manier was om aan pijnlijke of gênante omstandigheden te ontsnappen, maar dat er sprake was van een defensieve reactie, bedoeld om het individu te beschermen tegen zelfmoord- of moordneigingen. In verschillende gevallen had de terugkeer naar het normale leven tot zelfmoord of een poging daartoe geleid. Er was één geval bekend van een man die na het overspel van zijn vrouw geprobeerd had iemand te vermoorden, maar er werd bij gezegd dat dit een omstreden geval was. De autoriteiten geloofden namelijk niet dat deze man werkelijk aan geheugenverlies leed.

Bij de anamnese van Hans J. zat een lang addendum, waarin Kirsch nog verdiept was toen de telefoon ging. Het was adjudant Hagen, die benieuwd was of de toestand van de patiënte al verbeterd was.

'In wezen niet, nee.'

'In wezen?'

'Ze kan zich nog steeds niets herinneren, of bijna niets. Ze herinnert zich dat ze een kaartje voor een boot of een trein had.'

'In de buurt van Potsdam?'

'Ik denk het wel.'

'Dan moet het de trein zijn. De stoomboten varen in deze tijd van het jaar niet. Waar heeft ze dat kaartje gekocht?'

'Dat weet ze niet meer.'

Er kwam geen reactie, al hoorde Kirsch het geluid van gedempte stemmen. Hij besefte dat er méér mensen aan de andere kant van de lijn stonden.

'Denkt u dat ze krankzinnig is, dokter?'

'Misschien is dat een juridische term, adjudant. Het is geen medische term.'

Hagen zuchtte. 'U weet wel wat ik bedoel. Is ze normaal? Kan dit hele incident veroorzaakt zijn door een labiele geest?'

Kirsch herinnerde zich wat dokter Brenner had gezegd over de politie en hun favoriete theorie: het liefst gingen ze ervan uit dat de patiënte al die tijd al gestoord was geweest. Niemand had haar ontvoerd of aangevallen, dus de politie had niets meer te onderzoeken en de dagjesmensen in het gebied hadden niets te vrezen. Kirsch had geen problemen met die theorie als dat betekende dat ze hem met rust lieten.

'Er zou sprake kunnen zijn van een bepaald psychisch trauma. Het lijkt me zelfs erg waarschijnlijk.'

'Trauma?' Hagen was teleurgesteld. Hij wilde horen dat het meisje geesteziek was, niet meer en niet minder. Maar dat was een gevaarlijk pad, dat tot opsluiting in een gesticht leidde. 'En wie is er dan verantwoordelijk voor dat trauma? Als er al een verantwoordelijke kan worden aangewezen.'

'Zodra ik meer weet, neem ik contact met u op.'

Hagen was nog niet klaar. 'Kan het zijn dat ze zelfmoord wilde plegen? Hebt u daaraan gedacht? Misschien is ze van een brug gesprongen.'

'Waarom zou ze dat doen?'

'Ze heeft een kind, maar ze draagt geen ring. Voor veel mensen zou dat reden genoeg zijn.'

'Ze is minstens een jaar geleden bevallen, adjudant. Waarschijnlijk zelfs een paar jaar geleden.'

'Schuldgevoelens kunnen je besluipen.'

'We weten niet eens of het kind nog leeft.'

Kirsch voelde een scherpe pijnscheut in zijn arm. De linkerkant van zijn lichaam was koud en zwaar geworden, alsof hij langzaam versteende.

'Ik vind het prijzenswaardig dat u uw patiënte zo beschermt, dokter,' zei Hagen. 'Ik zeg alleen dat u niet te snel conclusies moet trekken. Als dit meisje werkelijk het slachtoffer van een misdaad is, is het de vreemdste misdaad die ik ooit heb meegemaakt.'

14

Frau Schirmann schoof de grendels op de voordeur toen hij die avond thuiskwam. De deur van haar eigen appartement stond open, en de geur van katten en vislijm dreef naar de hal.

'Ik maakte me zorgen om u, dokter Kirsch. Ik wilde de politie al bellen.'

Terwijl ze naar de donkere straat tuurde, legde ze een hand op de deurpost, waardoor er een zware zilveren armband om haar graatmagere pols zichtbaar werd. Kirsch wist niet precies hoe oud ze was – een jaar of vijfenzeventig, schatte hij. Ooit was er een Herr Schirmann geweest, maar die was jaren geleden overleden.

'U weet dat ik vaak lang doorwerk. U hoeft zich geen zorgen te maken.'

Hij hielp haar om de deur dicht te duwen.

'Herr Bronstein is naar het ziekenhuis gebracht. Er is ingebroken in zijn winkel.'

Kirsch had geen idee wie Herr Bronstein was, maar dat verbaasde hem niet. Frau Schirmann vergastte hem regelmatig op nieuws over mensen van wie hij nooit had gehoord, mensen van wie hij aannam dat het buurtgenoten waren met wie ze omging. Het ging bijna altijd om slecht nieuws, en dan voornamelijk om sterfgevallen en ziektes. Ooit had een zoon van Frau Schirmann in de loterij een mooi bedrag gewonnen, maar dat was ook slecht nieuws, want hij bleek een tragische voorliefde voor gokken te hebben.

'Wat vervelend,' zei hij, terwijl hij de trap naar zijn appartement op de tweede verdieping op liep. 'Laten we hopen dat hij snel herstelt.'

'Ze zeggen dat hij misschien helemaal niet meer herstelt,' zei Frau

Schirmann. 'En zijn vrouw kan de winkel niet drijven. Ze weet helemaal niets van muziek.'

Kirsch stond stil. 'Muziek?'

'Acht gebroken ribben en zo'n opgezwollen gezicht dat hij wel een ballon leek. Ze hebben een long doorboord.'

'Verkocht hij muziek?'

Frau Schirmann keek met haar troebele ogen naar hem omhoog. 'Dat winkeltje op de hoek van de Grenadierstraße. Met het rode fluweel in de etalage.'

Hij kende de winkel. Daar had hij een grammofoonplaat gekocht op de avond dat hij Maria voor het eerst had gezien. Hij probeerde zich het gezicht van de verkoper voor de geest te halen, maar hij herinnerde zich alleen diens rechthoekige bril.

'Natuurlijk. Wilt u mijn beste wensen aan Herr Bronstein overbrengen?'

Kirsch liep verder naar boven, maar Frau Schirmann bleef staan.

'O, dokter Kirsch, u hebt daarnet bezoek gehad. Bent u hem tegengekomen?'

'Bezoek?'

'Een man die Bucher heette. Hij zei dat hij in zijn auto op u zou wachten.'

Kirsch had buiten geen auto zien staan, en de naam Bucher zei hem niets. 'Wat kwam hij doen?'

'Hij zei dat hij iets moest afleveren, maar hij wilde het niet aan mij geven. Een grote man. Ik wilde hem liever niet binnenlaten. Had ik dat wel moeten doen?'

Hij herinnerde zich dat er op hun afdeling ooit een patiënt had gelegen die Bucher heette, een paranoïde schizofreen met een gewelddadig verleden. Of heette hij Buchner?

'Nee, Frau Schirmann,' zei hij. 'Het was heel verstandig dat u op uw hoede was.'

Kirsch had een smal rolbureau, dat hij tweedehands had gekocht van een handelaar op de Kurfürstendamm. Behalve de kleerkast was dat het enige meubel dat hij kon afsluiten, en hij wist zeker dat Frau Schirmann een sleutel van de kast had. In het bureau bewaarde hij de brieven van Alma, een oud plakboek, aandenkens en foto's uit het verleden die hij niet wilde zien, maar ook niet wilde weggooien. Het was ook de opbergplaats van de Salvarsan, de naalden en het boek dat hij op die laatste ochtend in Mecklenburg van Max had gekregen: *Over de speciale en algemene relativiteitstheorie.*

Hij pakte het boek – Max' Bijbel – en sloeg de bladzijden voorzichtig om. Hij was het gaan lezen nadat Max naar het front was vertrokken, maar hij had het al gauw weer weggelegd. Einstein had alles heel duidelijk uitgelegd, maar het boek vergde meer concentratie dan hij erin had willen steken. Daarnaast was hij niet bereid aandacht te schenken aan het werk van een pacifist, een man wiens loyaliteit aan het vaderland in het gunstigste geval onzichtbaar was en die de offers van zijn landgenoten met onverschilligheid bekeek.

Zijn negatieve mening over hem was vooral gevormd door één incident. Toen de oorlog twee maanden aan de gang was, hadden drieennegentig van Duitslands meest vooraanstaande geleerden en wetenschappers hun naam onder een open brief gezet, het zogenaamde 'Manifest der 93'. Die brief werd in alle grote kranten gepubliceerd en in tien talen vertaald. Het doel was om de Duitse zaak in het buitenland te bepleiten en de schending van de Belgische neutraliteit te verdedigen. Volgens de brief was er sprake van een zelfverdedigingsoorlog, die door vijandig gezinde landen aan Duitsland was opgedrongen. De meeste collega's van Einstein hadden getekend, onder wie zijn mentor, Max Planck.

Plancks onderzoek naar energiekwanta was essentieel geweest voor dat van Einstein. Planck was degene die Einstein had overgehaald om zijn obscure leven in Zwitserland achter zich te laten en terug naar Duitsland te komen. Hij was ook degene die de speciale relativiteitstheorie had gesteund en Einstein had geholpen er in de wetenschappelijke wereld erkenning voor te krijgen. Toch wilde Einstein de brief niet ondertekenen. Als zijn naam al ergens op verscheen, was het op progressieve oproepen om Europa te verenigen, en op traktaten die de schuld van de oorlog bij een abnormaal mannelijk denkpatroon legden. Voor Einstein leek oorlog nooit te rechtvaardigen en was er geen sprake van goed of fout. Hij zag alleen maar waanzin, een aangeboren, collectieve krankzinnigheid die zowel de eigen wil als het eigenbelang overschaduwde. Terwijl de oorlog zich jaar na jaar voortsleepte, kwam er zelfs een einde aan deze uitlatingen, alsof hij er zelf het nut niet meer van inzag. Duitsland – nee, heel Europa – was een krankzinnigengesticht. En krankzinnigheid was een aandoening die zelfs de wetenschap niet kon genezen.

Toch ging Einstein niet weg. Hij ging niet terug naar Zwitserland en nam ook geen baan in het neutrale Nederland, waar het leven makkelijker zou zijn geweest. Kennelijk had het krankzinnigengesticht toch ook aantrekkelijke kanten. Dit was de periode waarin hij de laatste hand legde aan de algemene relativiteitstheorie, zijn belangrijkste werk tot dan toe. Hij had onenigheid met zijn omgeving en was verstoken van niet-wetenschappelijke gesprekken, maar dat vertroebelde zijn visie niet en stompte zijn intelligentie niet af: sterker nog, ze leken er juist scherper door te worden.

De oorlog sidderde naar zijn einde. Kirsch was in de war en voelde zich verloren. Niemand had een verklaring voor de plotselinge onmacht aan het westelijke front, net zoals niemand de oorlog kon verklaren. De generaals legden in elk geval niets uit. Het woord 'nederlaag' kwam nooit over hun lippen. Er werd gesproken over verraad: van het leger, van de arbeidersklasse en vooral van de twee miljoen doden. De oorlog kon niet voorbij zijn, want ze hadden nog niet gewonnen. En ze waren er altijd van uitgegaan dat ze zouden winnen.

Het volk wilde antwoorden. Kirsch wilde antwoorden. Hij wilde weten wat het nut was geweest. Elk gevolg had een oorzaak, redeneerde hij, maar wat was de oorzaak van deze oorlog geweest? Hij was er altijd van uitgegaan dat de Europese beschaving de wereldwijde leider was op het gebied van industrie, kunst en wetenschap. Maar waar leidde hun beschaving de wereld naartoe? Op dat moment verscheen Albert Einstein op het toneel, een man die het bij het rechte eind had gehad toen de rest van de wereld verblind was. Een profeet, gerehabiliteerd.

Voor Kirsch begon het op 14 december 1919 met de *Berliner Illustrierte Zeitung*. De voorpagina, die nog steeds in zijn plakboek zat, was helemaal gewijd aan een foto van Einstein, die zijn ogen had neergeslagen en een hand peinzend onder zijn kin had gezet. Onder de foto stond: 'Een nieuwe reus in de wereldgeschiedenis: Albert Einstein, wiens wetenschappelijke werk onze opvattingen over de natuur volledig op hun kop zet en wiens onderzoek even belangrijk is als de ontdekkingen van Copernicus, Keppler en Newton.'

Einsteins theorieën over het licht waren eindelijk door waarnemingen gestaafd. Britse astronomen hadden de afbuiging van het sterrenlicht door de aantrekkingskracht van de zon geregistreerd, exact in de mate die Einstein had voorspeld. Elke krant in Berlijn maakte melding van het nieuws. Einsteins gezicht was overal te zien. De Duitse pers bleek niet eens de meeste artikelen te plaatsen. De Amerikaanse en Engelse kranten schreven er al dagen over. Het maakte niet uit dat de natuurkundige een Duitser was, of dat zijn ontdekkingen geen duidelijke praktische gevolgen hadden. Het deed er niet toe dat de theorie wiskundig en erg ingewikkeld was – de Amerikaanse pers meldde dat wereldwijd slechts twaalf mensen haar begrepen. Wat wél belangrijk was, was dat de theorie al het voorafgaande omverwierp. De oude zekerheden over het mechanische universum, het hoogtepunt van het Europese denken, waren ontmaskerd als fictie. In hun plaats was een universum gekomen waarvan de aard door het menselijk brein kon worden geaccepteerd, zoals je wiskundig bewijs kon accepteren, maar dat net als oneindigheid en goddelijkheid nooit echt kon worden begrepen, laat staan gevoeld – behalve door Einstein zelf, misschien, en door de twaalf niet nader genoemde verlichte personen die in *The New York Times* waren beschreven.

Kirsch bevond zich in de mensenmenigte die samendromde om een glimp van hem op te vangen. Hij hoorde bij de mensen die in groten getale naar zijn colleges aan de universiteit van Berlijn kwamen. Duizenden anderen deden hetzelfde. Iedereen had het over Einstein. In cafés en in rijen voor kassa's discussieerden mensen die nooit bij de eigenschappen van licht of zwaartekracht hadden stilgestaan over de betekenis van zijn werk. In de rokerige duisternis van de bioscoop keek Kirsch naar de filmjournaals: overal waar Einstein verscheen, kwamen massa's mensen naar hem kijken. Staatslieden, koningen en filmsterren stonden in de rij om met hem gezien te worden. Kirsch bekeek zijn triomfantelijke bezoeken aan Londen, Parijs en New York, gevolgd door bezoeken aan Scandinavië, Zuid-Amerika en Japan: Einstein op podia, Einstein die de loopplank van een oceaanstomer af liep, Einstein die uit een open auto stapte of diagrammen op een schoolbord tekende. Hij praatte, lachte of gaf anderen een hand, altijd aangestaard door een zee van gezichten, als zonnebaders die zich in het schijnsel van een heldere nieuwe zon koesterden. Einsteins vijanden, de nationalisten en antisemieten, begonnen hem 'de joodse heilige' te noemen. Tegen het einde van het jaar was er geen beroemder gezicht op aarde dan het zijne.

Kirsch was niet blij met Einsteins roem. Voor hem was het een inbreuk. Max was al die miljoenen mensen al vóór geweest. Hij had intuïtief aangevoeld dat Einsteins visie de waarheid was, had haar lang voordat ze de kranten haalde geabsorbeerd en begrepen. Hij had gezien wat er in het verschiet lag. De laatste dagen en weken van zijn leven had hij in Albert Einsteins universum geleefd.

In die periode sloeg Kirsch het boek eindelijk weer open. Het was duidelijk dat Max nooit terug zou komen. De enige gids die Kirsch had om hem door Einsteins vreemde nieuwe universum te leiden, was Einstein zelf. Als hij de geheimen van dat universum wilde leren kennen, als hij wilde zien wat Max had gezien, zou hij de reis in zijn eentje moeten maken.

In zijn jeugd, vertelde Einstein, vormden ruimte en tijd een universeel referentiesysteem, een onzichtbare doos waarin sterrenstelsels draaiden en planeten omwentelingen maakten. Een kilometer was altijd een kilometer, waar hij ook gemeten werd, en in het hele universum verliep de tijd in hetzelfde tempo. Elk voorwerp, elke positie en elke baan kon op deze absolute schaal gemeten worden. Als voorwerpen of waarnemers in beweging waren, veranderde dat niets, ongeacht hun snelheid. Deze visie was gebaseerd op de dagelijkse ervaringen van mensen wier leven werd beheerst door de constante regelmaat van dag en nacht, getijden en seizoenen, en de onveranderlijke indeling van de planeet aarde. Dit universum werd geregeerd door de wetten van Newton, een hemels mechanisme, uitgebalanceerd, exact en voorspelbaar. Het was een universum waarin niets zonder reden gebeurde, waarin elk gevolg een oorzaak had. Het was een universum waarin je met kennis van het verleden wist wat de toekomst zou brengen.

Maar tegen de tijd dat Einstein studeerde, waren er barsten in het onaantastbare idee van de absolute schaal gekomen. Waarnemingen op het gebied van elektromagnetisme, de wetenschap van lichtgolven en elektriciteit bleken niet goed verklaard te kunnen worden. Natuurkundigen hadden – eerst in Berlijn en daarna in Amerika – experimenten uitgevoerd om het effect van de beweging van de aarde op de lichtsnelheid te meten. Ze wisten dat de aarde met dertig kilometer per seconde rond de zon draaide en tegelijkertijd om zijn eigen as wentelde. Met behulp van goniometrische berekeningen vergeleken ze de snelheid van licht dat de aarde verliet en zich op dat moment in dezelfde richting als de aarde verplaatste met de snelheid van licht dat de tegengestelde richting op ging. Ze verwachtten dat de snelheid van de aarde de snelheid van de lichtstralen in de ene richting zou verhogen en de snelheid in de andere richting zou verlagen. In het mechanische universum, waarin tijd en ruimte vaste gegevens vormden, moesten snelheden met elkaar kloppen. De snelheid van een man die in een bewegende trein loopt, was voor de buitenwereld simpelweg de som van zijn wandelsnelheid en de snelheid van het bewegende voertuig. Maar de experimenten met licht leverden een ander resultaat op: welke snelheid en richting het licht ook had, het had altijd exact dezelfde snelheid als het bij de waarnemer kwam. Licht – en in feite het hele spectrum van elektromagnetische verschijnselen, van radiogolven tot röntgenstralen – gehoorzaamde niet aan de wetten van Newton. De snelheid kon niet worden verhoogd of verlaagd.

Albert Einstein, die in zijn eentje in Zwitserland werkte, waagde het om de vraag te stellen of het probleem misschien bij het absolute referentiesysteem lag. Per slot van rekening was het – net als de ether – uiteindelijk een abstract, door de mens bedacht concept waarvan het bestaan niet kon worden aangetoond. Er zat geen onzichtbare doos om het universum, en in het hart tikte geen klok. Deze begrippen hoorden thuis op het terrein van de metafysica. Maar licht was wél meetbaar en waarneembaar, en in een vacuüm was de lichtsnelheid altijd hetzelfde. Hoe zou een model van het universum eruitzien als de wetten ervan dáárop gebaseerd waren?

De afstand die een voorwerp aflegde, werd duidelijk als je zijn snelheid vermenigvuldigde met tijd. Een trein die een halfuur lang zestig kilometer per uur reed, legde dertig kilometer af. Maar licht trok zich niets aan van afstand of tijd. De lichtsnelheid bleef hetzelfde, zelfs als het voorwerp dat het licht verspreidde met enorme snelheid door de ruimte suisde. Waarop had deze toegevoegde beweging, de beweging van het voorwerp dat het licht uitzond, dan wel invloed? Als de beweging geen invloed had op de lichtsnelheid, dan bleven enerzijds tijd en anderzijds ruimte als enige elementen in de vergelijking over. Dat betekende dat deze elementen variabel moesten zijn, dat ze plaatselijk, flexibel, *relatief* waren. Einstein besefte dat beweging niet onafhankelijk was van tijd en ruimte, zoals je zou denken. Tijd en ruimte veranderen onder invloed van beweging.

De wiskunde van Einstein liet de principes van de wetenschappelijke waarneming zoals men die sinds Galilei kende op zijn grondvesten schudden. Dat vond Max er zo geweldig aan. Honderden jaren hadden astronomen zich ingespannen om hun meetapparatuur nog nauwkeuriger te maken. Ze hadden hun telescopen, hoekmeters en sextanten steeds weer verbeterd, maar kwamen er nu achter dat de afstand tussen twee punten gewoon niet objectief te meten was. Afstand was niet simpelweg een relatie tussen twee punten. Er was ook nog de rol van de waarnemer, wiens relatie tot die punten de uitkomst van de meting direct beïnvloedde. En tijdruimtes tussen twee momenten hadden ook geen absolute waarde, omdat de tijdstroom direct afhankelijk was van de relatie tussen object en waarnemer. De voorstelling die de mens zich van het universum had gemaakt, was in feite slechts een subjectieve interpretatie ervan, gezien vanuit één specifiek referentiekader.

Tijdens het avondeten had Max in ademloze monologen over deze ontdekking gepraat, en alleen hun vader had net gedaan of hij hem begreep. Voor de rest van de familie was het het product van een overactieve fantasie, een slaaptekort of een beginnende koortsaanval. Want in dit vreemde nieuwe universum liepen bewegende klokken langzamer dan klokken die stilstonden. De tijd verliep op de evenaar langzamer dan op de polen. Verschillende waarnemers konden twee gebeurtenissen in een verschillende volgorde zien, terwijl anderen ze misschien op hetzelfde moment zagen. Hun waarnemingen konden van elkaar verschillen, maar niemand had ongelijk. Als de dimensies van ruimte en tijd relatief waren, konden er net zo veel juiste antwoorden als waarnemers zijn.

De speciale relativiteitstheorie was gepubliceerd toen Kirsch nog een jongen was. Maar in die tijd werden er geen krantenkoppen aan gewijd en verdrongen mensen zich nog niet om een glimp van de visionair erachter op te vangen. Iedereen in zijn familie was sceptisch. Zelfs veel natuurkundigen namen aan dat Einstein zich alleen maar bezighield met de theoretische problemen van astronomische waarneming in plaats van met de aard van de werkelijkheid zelf. Pas toen hij de relativiteit van de wet van de zwaartekracht uitwerkte, de voornaamste kracht in het universum, drong het tot hen door dat hij een compleet nieuw model van het universum bouwde, met de lichtsnelheid als basisprincipe. Want al beïnvloedde beweging tijd en ruimte, iedereen kon waarnemen dat de zwaartekracht weer invloed had op beweging. Je hoefde alleen maar een appel los te laten om dat te zien.

Hij was elf jaar lang bezig om de nieuwe vergelijkingen op te stellen, waarbij hij zowel met de wetten van Newton als met de nieuwe geometrie van flexibele ruimte rekening moest houden. Hij rondde de algemene relativiteitstheorie af in 1916, het jaar van de grote offensieven aan het westelijk front. Terwijl er bij Verdun en de Somme slag werd geleverd door legers die een wanhopige poging waagden om de denkbeeldige grenzen op hun denkbeeldige Europese kaarten te verleggen, bleef Einstein rustig doorgaan met zijn werk en ontdeed hij ruimte en tijd van alle objectieve realiteit. In dit nieuwe scheppingsmodel vormen tijd en ruimte een continuüm, een structuur die overal in het universum aanwezig was en in verschillende vormen samenkwam, maar nooit werd onderbroken. De vorm van de ruimte werd bepaald door zwaartekracht, de zwaartekracht door massa. Alle vaste referentiepunten vervielen: dat moest wel, omdat tijd en ruimte niets anders dan theoretische constructies in het zwaartekrachtveld waren. Als de aarde rond de zon cirkelde, kwam dat niet door een mysterieuze, onzichtbare aantrekkingskracht. Het kwam doordat tijd en ruimte door de aanwezigheid van de ster uit hun vorm werden getrokken. De aarde reisde door een gebogen ruimte en een gebogen tijd, als een tram die over gebogen rails door een bocht van de Schönhauser Allee reed.

Dit was het werk dat Einstein in Berlijn afrondde, nadat hij jarenlang zijn best had gedaan om de grenzen van de wetenschappelijke kennis te verleggen. Terwijl hij een nieuwe wereld creëerde, marcheerde de oude naar de oorlog. Op het moment dat hij korte metten maakte met overbodige metafysische zekerheden werd de jeugd van Europa opgeofferd om ze te verdedigen. Besefte Max de ironie daarvan? Was dat de reden waarom hij zijn broer Einsteins boek had gegeven? Of zat er meer achter? Was het de bedoeling dat de schaal en het ontzagwekkende karakter van de beschreven ontdekkingen in het boek de menselijke verliezen minuscuul en onbelangrijk zouden laten lijken, en daardoor draaglijker zouden maken?

Kirsch bladerde nog steeds door het boek toen hij beneden iemand op de deur hoorde kloppen. Het was al halfelf geweest. Hij luisterde of hij Frau Schirmann uit haar kamer hoorde komen en door de gang hoorde schuifelen, maar er gebeurde niets. Er werd nog een keer geklopt, luider deze keer. Hij hoorde de grendels rammelen, maar Frau Schirmann kwam niet in beweging.

Hij liep naar het raam. Zijn zicht op de voorkant van het gebouw werd belemmerd door het stenen balkonnetje en de takken van een boom. Op straat stond een auto, waarvan de glanzende zwarte panelen met regendruppels bedekt waren. Hij legde het boek neer en liep naar de overloop.

'Frau Schirmann? Bent u van plan om open te doen?'

Er werd een derde keer geklopt. Terwijl Kirsch zich de trap af haastte, vroeg hij zich af waarom zijn hospita niet opendeed. Was ze bang geworden na wat er met Herr Bronstein was gebeurd? Of had ze haar make-up al van haar gezicht gehaald en durfde ze zich niet in haar natuurlijke staat te laten zien?

Zijn hand lag al op de grendel toen hij plotseling aarzelde. Het was al érg laat, zo laat dat mensen niet meer voor de gezelligheid langskwamen.

'Wie is daar?'

Hij hoorde het geknars van gruis op steen.

'Dokter Kirsch?' Een mannenstem.

'Wat wilt u?'

'Neemt u mij niet kwalijk dat ik u stoor. Mijn naam is Bucher. Ik ben al eerder aan de deur geweest.'

Bucher. Kirsch wist nog steeds niet zeker of dit de paranoïde schizofreen was of niet. Hij deed het licht aan. 'Kennen wij elkaar?'

De deur werd zachtjes tegen de sloten en grendels geduwd.

'Ik heb een uitnodiging van dokter Fischer. Hij wil dat ik op een antwoord wacht.'

'Dokter Fischer? Ik ken geen dokter Fischer.'

'Dokter Eugen Fischer, directeur van het Kaiser Wilhelm Instituut voor Antropologie.'

Kirsch had wel eens van deze Fischer gehoord en wist dat hij bekendstond als een eminent wetenschapper, maar hij herinnerde zich weinig van Fischers werk. Hij wist alleen dat de man zich had beziggehouden met de effecten van interraciale huwelijken in Zuid-Afrika.

'Hij weet anders heel goed wie u bent, dokter Kirsch.'

De onbekende man klonk gekwetst, maar Kirsch hoorde dat hij het niet meende.

Hij aarzelde, maar trok toen de deur open. De vreemdeling zette een stap naar achteren en nam zijn hoed af. Hij was jonger dan de Bucher die Kirsch zich herinnerde, en hij zag er een stuk netter uit.

'Dokter Fischer gaat morgenmiddag naar München en vroeg zich af of hij u voor die tijd kon spreken.' De onbekende man glimlachte, waardoor Kirsch kon zien dat zijn boventanden scheef over elkaar stonden. 'Hij verontschuldigt zich voor het feit dat hij het nu pas vraagt.'

Hij stak een enveloppe naar hem uit en ging op een afstandje staan terwijl Kirsch de inhoud las. Het was een uitnodiging om in het Adlon Hotel te komen lunchen. *Ik was diep onder de indruk van uw artikel en wil het vóór mijn vertrek heel graag met u bespreken.* Kirsch was verbaasd. Hij was ervan uitgegaan dat zijn onderzoek te klein en onbelangrijk was geweest om indruk op iemand te maken. Maar toen herinnerde hij zich Alma's opmerking dat haar vader het aan 'een paar mensen' had laten zien, en aan alle wetenschappelijke instituten die hij financieel steunde.

'Hebt u morgen tijd, dokter Kirsch?'

Kirsch vouwde de brief op. Het Adlon scheen het beste restaurant van heel Berlijn te hebben.

'Zeg maar tegen dokter Fischer dat ik het een eer vind te komen,' zei hij.

15

De keukendeuren zwaaiden open, waardoor het aroma van dichtge-
schroeid vlees naar buiten zweefde. Boven de crescendo's van de sis-
sende gerechten en het gekletter van potten en pannen uit klonken
stemmen die op vriendschappelijke toon naar elkaar riepen. Kirsch
wenste dat hij zich netter had aangekleed. Hij droeg zijn kraag al een
volle dag en hij had geen tijd gehad om zijn pak te laten persen. Op
zijn vest stond een patroon van evenwijdige kreukels, als een concer-
tina die te ver was uitgerekt. Wat nog veel erger was, was dat hij weer
een slechte nacht achter de rug had. Hij was ingedommeld, maar in
zijn slaap was hij geplaagd door misleidende dromen waarin hij geen
moment rust kreeg. Hij had moeten rennen om belangrijke taken te
volbrengen en had in sneltreinen gezeten die door tunnels en volle
stations denderden. Alles was vergezeld gegaan van het krijsende geluid van staal op staal.

De eerste kelner bracht hem naar het restaurant. Daar zag hij nog
meer kelners, die in jacquet tussen de tafels door liepen of kaarsrecht
naast het grote haardvuur op instructies wachtten. Kirsch voelde zijn
maag rammelen. Door de geur van de grill kreeg hij opeens trek. Dat
gebeurde in de kantine van het Charité nooit. Daar rook het altijd naar
ranzig vet en gekookte kool, een permanente, onuitwisbare stank die
door de jaren heen in de muren leek te zijn getrokken.

Hij werd naar een tafel bij het raam gebracht, waar hij uitzicht had
over het Pariser Platz. Buiten reed het verkeer in een gestaag tempo
door de laan en onder de bogen van de Brandenburger Tor door. Hij
sloeg een aperitief af en keek het restaurant rond. Het Adlon stond
bekend om zijn beroemde clientèle. Vóór de oorlog had het de keizer
en de tsaar van Rusland onder zijn gasten geteld, en meer recentelijk

Henry Ford, de familie Rockefeller, Marlene Dietrich en Albert Einstein. In het buitenland was het hotel zo beroemd dat Hollywood er een film over had gemaakt, met Greta Garbo in de hoofdrol. Het was ook het hotel waar Alma's vader tijdens zijn zeldzame bezoeken aan de hoofdstad logeerde. Daarom vroeg Kirsch zich af of men hem misschien bewust met de rijkere, chiquere kringen liet kennismaken omdat dat bij zijn status als Otto Siegels aanstaande schoonzoon paste.

Kirsch kende niemand in het restaurant, maar zijn blik bleef rusten op een lange man met een baard, die twintig jaar ouder was dan hij en met zijn ene hand in het zakje van zijn vest door het vertrek liep. Onderweg wisselde hij een paar vriendelijke woorden met de eerste kelner.

'De eminente dokter Kirsch. Het is me een waar genoegen u te ontmoeten.'

Kirsch stond op. 'Dokter Fischer.'

Ondanks zijn slungelige lichaam en enorme handen had zijn gastheer een jongensachtige uitstraling, met een hoog voorhoofd, uitstekende oren en een smalle kin, die werd geaccentueerd door een baard. Hij pakte de hand van Kirsch en schudde hem hartelijk, waarbij hij zijn andere hand naar Kirsch' elleboog bracht en hem vasthield alsof hij wilde onderstrepen dat dit gebaar méér dan beleefdheid was. 'Ik hoop dat dit restaurant u bevalt. Is het niet te ver van het ziekenhuis?'

'Hooguit tien minuten lopen.'

Ze gingen zitten, waarna Fischer zijn servet uitvouwde en een menukaart aannam. 'U bent komen lopen. Prima. Zelfs een intellectueel heeft lichaamsbeweging nodig. Er zijn er te veel die dat verzuimen. Hetzelfde geldt voor eten. Wetenschappers hebben de jammerlijke gewoonte zichzelf uit te hongeren.'

Kirsch sloeg de menukaart open en keek vol ongeloof naar de prijzen. 'Ik vrees dat sommige wetenschappers geen keuze hebben.'

Fischer lachte. 'Sta me toe om aan die betreurenswaardige stand van zaken iets te doen. Ik hoop dat u een gezonde eetlust hebt meegebracht.' Hij vroeg aan de eerste kelner, die hij als Konrad aansprak, wat de dagschotels waren.

Tien minuten lang werd er over eten en de persoonlijke gewoontes

van dokter Fischer gepraat. Kirsch voelde zich net een lievelingsneef-
je dat op de wijsheid van een oudere oom en een goede maaltijd werd
getrakteerd. Fischer was zo joviaal dat hij zich afvroeg of de man
misschien familie van de Siegels was en binnenkort dus ook familie
van hem zou worden. Pas toen er wildpaté werd geserveerd, begon hij
over het artikel.

'Ik vond het een dapper stuk,' zei hij. 'Er is moed voor nodig om
radicaal te zijn, vooral in een conservatief vak als geneeskunde.'

'Ik heb gewoon de aandacht gevestigd op een paar diagnostische
inconsistenties.'

'Inconsistenties die vraagtekens zetten bij de basis van de moderne
psychiatrie zoals die door uw superieuren wordt beoefend.' Fischer
brak een vers broodje in tweeën en gaf Kirsch het grootste stuk. 'Iemand die uit eigenbelang handelde, zou een onderzoeksterrein hebben gekozen dat niet zo gevoelig ligt. Net als alle anderen zou hij deze
inconsistenties negeren.'

De paté smaakte verrukkelijk. Het kostte Kirsch moeite om niet
met zijn mond vol te praten. 'Ik was verbaasd dat niemand de kwestie
eerder had onderzocht.'

Fischer liet een goedkeurend geluid horen. Bij alles wat hij deed –
eten, praten, gebaren – was hij zo geestdriftig dat hij bijna ongeduldig
overkwam. 'Status. Dat is de achilleshiel van het hele vak.' Hij maakte kringetjes met zijn botermes. 'De psychiatrie probeert halsoverkop
een goede naam te krijgen, dezelfde status als de traditionele geneeskunde. Maar de traditionele geneeskunde is gefundeerd op eeuwen-
lange anatomische studies. Hebben we ook zo'n basis als we naar de
werking van het brein kijken? Nee. En het zal nog heel lang duren
voordat dat wel het geval is.' Er verscheen nog een kelner, die wijn inschonk. 'Maar wie suggereert dat psychiaters zichzelf voorbijhollen,
of zelfs maar suggereert dat de basisveronderstellingen van het vak
onbetrouwbaar zijn, is een ketter, dokter Kirsch.'

Fischer had gelijk. Hoe had Bonhoeffer zijn artikel ook alweer om-
schreven? *In feite is dat al een soort ontslagbrief.*

Fischer hield zijn wijnglas onder zijn neus, liet de wijn even rond-
walsen en glimlachte. Het was alsof hij de dag ervoor in Bonhoeffers
werkkamer was geweest en het meningsverschil had gehoord. Ter-

wijl Kirsch met het steeltje van zijn glas speelde, vroeg hij zich af hoeveel Fischer wist.

'Was er iets in het bijzonder waardoor u... Ik had de indruk dat u me dringend...'

Even hield Fischer op met kauwen. Hij glimlachte weer, schoof zijn stoel achteruit en veegde de kruimels van zijn schoot. 'U hebt gelijk als u vermoedt dat ik een bijbedoeling had.' Zijn tong klakte tegen zijn gehemelte. 'Ik heb een voorstel. Ik hoop dat het u aanstaat.'

Tot nu toe waren Kirsch' bevindingen niet door voldoende bewijsmateriaal gestaafd, zei hij. De inconsistenties in de diagnoses zouden afwijkend en niet representatief kunnen worden genoemd. Dat gevaar zou niet meer bestaan als een nieuw onderzoek een groter gebied van de Duitssprekende wereld besloeg en langer zou duren.

'Een hoeveelheid bewijsmateriaal op die schaal kan niet genegeerd worden. Het zou de psychiatrie dwingen om haar kijk op geestelijke afwijkingen opnieuw onder de loep te nemen. Het zou een keerpunt kunnen zijn.'

Kirsch dacht aan sergeant Stoehr en de andere patiënten die aan Heinrich Mehrings experimentele behandelingen werden onderworpen – behandelingen voor ziektes die geclassificeerd en geschematiseerd waren zoals middeleeuwse theologen ooit verschillende types demonen hadden gecategoriseerd, en met ongeveer net zo veel aandacht voor waarneembare feiten. Hij dacht aan de 'verbeteringen' die ze volgens de behandelaars opleverden, ongetwijfeld gevolgd door halfbakken getheoretiseer over de aard van de ziektes zelf.

'Dat zou een enorme onderneming worden,' zei hij. 'Dan zou bijna iedereen moeten meewerken, veel verschillende instellingen.' Fischer keek hem verwachtingsvol aan. Hij stak zijn hand uit en schonk zijn wijnglas nog eens vol. 'U bedoelt toch niet dat ík het moet doen? Ik vrees dat dat onmogelijk is.'

'U zou er natuurlijk voor betaald worden. Het Kaiser Wilhelm zou u opdracht geven om het onderzoek uit te voeren. En het zou de resultaten publiceren.'

'Het antropologische instituut?'

'Of het medische. We hebben al heel veel onderzoek laten doen: familiegenealogie, schedelmeting, bloedgroepen. We werken steeds vaker buiten onze eigen tak van wetenschap, en ook steeds vaker over de grenzen. Het is beslist een internationale inspanning. Het wordt tijd dat wetenschappers hun intellectuele getto's verlaten en hun krachten bundelen voor het algemeen welzijn. Vindt u ook niet?'

'Jawel, maar...'

'Ik denk dat ik u het equivalent van een jaarsalaris kan beloven. Vooruitbetaald.'

Zorgvuldig begon Fischer weer een stukje brood met boter te besmeren, terwijl Kirsch zich afvroeg of dit achter de schermen allemaal door Otto Siegel was bekokstoofd.

'Neemt u me niet kwalijk, maar ik dacht dat uw vakterrein antropologie was.'

'Dat is ook zo. Maar ik heb een reden om de oorsprong van de mensheid te bestuderen. Net als u ben ik van mening dat men het ras eerst moet begrijpen als men het wil beschermen.'

'Het ras?'

Fischer sneed in zijn plak paté. 'Het Noord-Europese ras. Het ras waar we allemaal toe behoren. Wat de psychiatrie betreft: ik denk dat vele geestesziektes een erfelijke component hebben. Dat kun je verwachten. Per slot van rekening wordt intelligentie van ouders op kinderen doorgegeven, om nog maar te zwijgen over lichamelijke gebreken. Uw eigen onderzoek bevatte een aantal voorbeelden van geestesziektes die aan volgende generaties werden doorgegeven. Het ging vooral om schizofrene stoornissen.'

Kirsch fronste zijn wenkbrauwen. 'Incidenteel, misschien, maar niet vaak genoeg om...'

'O, dat ben ik volledig met u eens: incidenteel. Maar een veel groter onderzoek zou de kwestie voor eens en altijd kunnen vaststellen. Hoe meer informatie, hoe beter, vindt u niet?'

'Ik denk het wel, ja.'

Terwijl Kirsch een slokje van zijn wijn nam, bedacht hij even hoe goed een vooruitbetaald jaarsalaris van pas zou komen. Hij moest iets doen als hij het Charité verliet. Een opdracht zou een mooie dekmantel voor zijn vertrek zijn. Iedereen zou begrijpen dat hij een baan als psychiater opgaf om zich op een wetenschappelijk onderzoek te concentreren. Alma zou het begrijpen, haar familie en eventuele toekomstige werkgevers ook.

'Mag ik vragen of u Otto Siegel kent?' vroeg hij.

Er verscheen geen blik van herkenning in Fischers ogen.

'Mijn aanstaande schoonvader.'

Fischer schudde zijn hoofd. 'Ik wist niet dat u verloofd was. Gefeliciteerd, beste kerel.'

'Dank u. Ik dacht dat u misschien…'

Maar nog voordat Kirsch kon uitleggen wat hij dacht, verschenen de kelners weer, die een karretje voor zich uit duwden waarop een glanzende, goudbruine lamsbout lag.

Fischer nam de tijd voor het vlees, at er nauwelijks iets bij en merkte op dat het steeds belangrijker werd om je spijsvertering te beschermen als je ouder werd. 'De spijsvertering is een soort geweten,' zei hij. 'Als je er in je jeugd onbezonnen mee omgaat, krijg je er op je oude dag slapeloze nachten voor terug.'

Kirsch moest erkennen dat hij meestal gehaast at, vooral als hij op zijn werk was.

'Dat begrijp ik wel,' zei Fischer. 'Over sommige maaltijden kun je maar beter niet te lang nadenken, vooral als het om ziekenhuisvoedsel gaat. Een ziekenhuis is gewoon geen omgeving waar je trek van krijgt. En een man als u wil altijd snel terug naar zijn patiënten.'

'Ik kan hun nog niet de helft van de tijd geven die ze nodig hebben. Soms wordt het me gewoon te veel.'

Fischer legde zijn handen op elkaar, waarbij hij zijn vingers bewoog en liet buigen. 'Toch moet u wel eens in de verleiding komen om u te concentreren op de interessantere, ongewone gevallen. Ik neem aan dat u daar veel meer van leert.'

'Elk geval is ongewoon. Hoe beter ik ze bestudeer, hoe ongewoner ze in mijn ogen worden. Net als mensen.'

'Neem nu die zaak uit de kranten, dat meisje dat ze in het bos hebben gevonden. Dat is nog eens een interessant geval.'

'Zou kunnen.'

'Dat complete verlies van identiteit, de naaktheid. En toch geen tekenen die op seksueel misbruik wijzen. Alsof juist haar identiteit het doel was. Het lijkt wel iets uit een detectiveroman.'

Kirsch veegde met een stukje brood de jus van zijn bord. 'De kranten hebben er iets spannends van gemaakt. In feite is het een normaal geval van geheugenverlies.'

'Kom, kom. Een normaal geval? Hoe verklaart u het dan?'

'Dat kan ik niet. Nog niet.'

'U moet toch een theorie hebben. Iedereen die ik spreek heeft een theorie, zelfs mijn chauffeur.'

Het kon zijn dat Fischer het zich door alle speculaties in de kranten niet realiseerde, maar individuele ziektegeschiedenissen waren vertrouwelijk. Kirsch vroeg zich af hoe hij dat kon zeggen zonder onbeleefd te lijken, maar Fischer leek zijn gedachten te lezen.

'Ik begrijp het. U bent nog altijd haar arts, nietwaar? Zeg maar niets meer. Mijn nieuwsgierigheid is nutteloos en laakbaar.'

'Ik vind het logisch dat u nieuwsgierig bent.' Kirsch keek het restaurant rond. Er waren al mensen weggegaan, en de overgebleven gasten leunden ontspannen achterover met koffie, cognac of een sigaar. 'Misschien als u me belooft...'

'Natuurlijk, mijn beste, natuurlijk. Ik zwijg als het graf. Noem het collegiaal overleg. Dat kan toch geen kwaad, neem ik aan.'

'Ik denk het niet, nee.'

'Ik vertrouw niet graag op de heren van de pers. Je kunt ze nooit geloven.'

'In dat geval...' Kirsch was klaar met eten en zette zijn bord opzij. 'Ik denk dat het geheugenverlies is veroorzaakt door een trauma. Maar ik ben er niet van overtuigd dat ze dat trauma heeft opgelopen vlak voordat ze werd gevonden. Het zou kunnen dat ze een reis heeft gemaakt. In het verleden zijn er wel vaker zulke zaken geweest, patiënten bij wie geheugenverlies en een onverwachte vlucht samenvallen. De officiële term daarvoor is psychogene fugue. We weten dat de patiënte van oorsprong niet Duitstalig is.'

'Meent u dat?' Fischer leunde naar voren. 'Waar komt ze dan vandaan?'

'Moeilijk te zeggen. Ergens uit het oosten, denk ik, als ik haar accent zo hoor. Rusland, misschien, of de Balkan.'

Fischer knikte langzaam. 'Dus u bent het met de politie eens. Die adjudant – hoe heet hij ook alweer?'

'Hagen?'

'Ja. Hij denkt dat het meisje uit een gesticht is ontsnapt. Er is geen sprake van een misdaad of een maniak in de bossen.'

Kirsch haalde zijn schouders op. 'Ik kan er nog niets zinnigs over zeggen.'

Fischer leunde achterover, legde zijn mes en vork op zijn bord en stak zijn vingers in zijn vest. 'Ik heb ook een theorie, die u ongetwijfeld moeiteloos zult weerleggen.'

'En dat is?'

Fischer pakte een tandenstoker en stak hem tussen twee van zijn bovenste voortanden. 'Dat ze een bedriegster blijkt te zijn.'

Kirsch lachte, al was Fischers opmerking niet grappig. 'Hoe kan ze een bedriegster zijn als ze geen identiteit heeft?'

'Die komt nog wel. Bent u Anna Anderson vergeten? De vrouw die ze uit het Landwehrkanal hebben gehaald? Het duurde achttien maanden voordat ze verklaarde dat ze groothertogin Anastasia was.'

Kirsch kende het verhaal. Na een mislukte zelfmoordpoging was de vrouw naar het gesticht in Dalldorf gebracht, waar ze weigerde te zeggen wie ze was. Pas later verklaarde ze dat ze de dochter van tsaar Nicolaas II was en dat ze een paar jaar eerder de bolsjewistische moord op de Russische tsarenfamilie had overleefd. Hoewel ze geen Russisch of Frans leek te spreken – de taal van de Russische aristocratie – hadden diverse verbannen Russische aristocraten en hovelingen haar identiteit bevestigd en haar trouw gezworen. Het sensatieverhaal was een eigen leven gaan leiden. Er waren donaties losgepeuterd en financiële aanspraken gemaakt, zelfs nadat de Berlijnse kranten duidelijk hadden vastgesteld dat Anderson in werkelijkheid Franziska Schanzkowska was, een Poolse fabrieksarbeidster die al heel lang geestesziek was. Het scheen dat de roem haar en haar adviseurs rijk had gemaakt.

'U ziet de parallellen,' merkte Fischer op. 'Tegenwoordig hoef je alleen maar de aandacht van de pers te krijgen om geld te verdienen. En dat heeft uw patiënte al gedaan.'

Kirsch wist niet wat hij moest zeggen. Het kwam wel vaker voor dat mensen psychiatrische ziektes voorwendden om aandacht te krijgen, maar het was nooit bij hem opgekomen dat Maria misschien ook zo'n patiënte was.

Fischer keek een paar tellen naar hem en maakte een wegwuivend gebaar. 'Het is maar een losse gedachte. Trekt u zich er maar niets van aan.' Hij stak zijn hand in zijn jasje en haalde een gouden sigarettenkoker tevoorschijn. 'Rookt u, dokter Kirsch?'

16

De theorie van Eugen Fischer bleef nog lang door Kirsch' hoofd malen. Hij wist zeker dat Maria niet in staat was om zo'n diep coma te veinzen dat dokter Brenner had gedacht dat ze dood zou gaan. Afgezien daarvan waren de overeenkomsten met de zaak-Anderson onmiskenbaar: het geheugenverlies, de indruk dat ze bijna verdronken was, het feit dat niemand zich had gemeld om haar te identificeren. Er was zelfs een lichte gelijkenis tussen Anderson en zijn patiënte, en ze hadden ook ongeveer dezelfde leeftijd. De belangstelling van de pers – verslaggevers en fotografen hielden zich nog steeds buiten de kliniek op en hielden personeelsleden staande als ze naar binnen of naar buiten liepen – gaf de hele zaak ook iets theatraals, alsof het om vermaak voor de grote massa ging. Fischer had het gevoel dat de gebeurtenissen op een bepaalde manier gemanipuleerd werden, en dat gevoel had Kirsch nu ook. Was het werkelijk toeval geweest dat hij Maria in het ziekenhuis had aangetroffen? Tijdens zijn dagelijkse ronde, in de personeelskamer en achter zijn bureau bleef de vraag aan hem knagen. Was er een of ander complot gaande waarin hij een rol moest spelen? Hoe langer hij erover nadacht, hoe meer hij het gevoel kreeg dat er onzichtbare machten aan het werk waren, alsof er een kleine planeet naar de omloopbaan van een enorme, maar onzichtbare ster werd getrokken.

Hij observeerde Maria zo vaak als hij kon, tussen de lange therapiesessies en de eindeloze rapportages door, om te kijken of iemand contact met haar maakte. In theorie was de psychiatrische afdeling beveiligd, omdat het altijd kon gebeuren dat er patiënten wegliepen, maar het was geen gevangenis. Hij bekeek haar in de eetzaal, waar ze meestal in haar eentje at. Hij bekeek haar in de bibliotheek, waar ze na de lunch naartoe ging en in de boeken bladerde, maar nooit langer dan een paar tellen naar een pagina keek. Hij keek naar haar als ze een wandeling maakte over het driehoekje met gras en bomen dat voor een tuin moest doorgaan, of met het gefilterde licht van de winterzon op haar gezicht op een bankje zat. Door een raam op de tweede verdieping zag hij één keer een man naar haar toe lopen. Hij had een sigaret in zijn mond en droeg een bruine, vilten hoed, die hij laag over zijn ogen had getrokken. Kirsch ging op zijn tenen staan om hem beter te kunnen bekijken. Hij wist zeker dat het de verslaggever was die hij eerder bij de keukens met Robert Eisner had zien praten. Nou ja, eigenlijk wist hij het niet zeker, want hij kon het gezicht van de man niet zien. Hoe dan ook, de ontmoeting was binnen een paar tellen voorbij, waarna de man aan zijn hoed tikte en met kordate passen wegliep.

Kirsch vroeg de verpleegsters om zulke incidenten aan hem te melden en alle correspondentie aan haar eerst aan hem te laten zien. Vanaf dat moment lag er bijna elke ochtend wel iets voor Maria op zijn bureau, geadresseerd aan een van de bijnamen die de kranten haar hadden gegeven: 'De Potsdammer Patiënte', 'het Meisje uit het Meer' of 'het Einstein meisje'. Soms waren het liefdesbrieven, kennelijk geïnspireerd door haar foto in de krant.

Toen ik je gezicht zag, dacht ik dat mijn lieve Susanne naar me was teruggekeerd. Je lijkt zo veel op haar, het is gewoon een wonder. Ik zweer het je, je zou haar zuster kunnen zijn, al heeft ze voor zover ik weet nooit een zus gehad. Ze is dertien jaar geleden aan griep overleden en sindsdien ben ik alleen.

Een briefje in een onregelmatig handschrift informeerde of ze misschien Elsa Mühlhausen was, een kind dat zes maanden oud was geweest toen iemand haar in 1895 uit haar wieg had gestolen. Sindsdien was Elsa spoorloos, maar Maria was te jong om dat meisje te kunnen zijn. Een andere briefschrijver beweerde dat hij haar tijdens een seance had ontmoet. Kirsch dacht erover om die bewering te onderzoeken, tot hij besefte dat deze vermeende ontmoeting aan de andere kant van de oceaan had plaatsgevonden. Er zaten ook obscene brieven tussen, allemaal anoniem. Een briefschrijver bood Maria geld als ze een aantal seksuele handelingen wilde verrichten, en informeerde wat ze voor elke handeling wilde hebben (een lijst die kennelijk in prijs opliep). In een andere brief stond een tekening van een jonge vrouw, waarschijnlijk Maria, die copuleerde met een man in een nette jas die een davidster op zijn voorhoofd had. Anderen vroegen om een foto en sloten geld bij. Kirsch kreeg de indruk dat er geen enkele brief bij zat van een medeplichtige, of van iemand die wist wie Maria werkelijk was, tenzij de medeplichtige een bepaalde code gebruikte. Omdat hij niet wist wat hij met de correspondentie moest doen, stopte hij de brieven in een archiefdoos die hij onder zijn bureau zette.

Hij ging elke dag bij Maria langs. Wanneer hij maar kon, nam hij ansichtkaarten mee, die hij op de lambrisering in haar kamer zette. Binnen de kortste keren sliep ze tussen de herkenningspunten van Berlijn. Hij sorteerde ze op locatie, met het bed als denkbeeldig centrum van de stad: de Tiergarten bij het raam aan de ene kant van de kamer, de voorgevel en zuilenrij van de Nationalgalerie onder het lichtknopje aan de andere kant. Daartussenin zette hij de Brandenburger Tor, het operagebouw, kathedralen en kerken. Hij dacht dat ze zich misschien zou herinneren wanneer ze was gearriveerd en wat ze in Berlijn kwam doen als hij haar weer vertrouwd maakte met de plaatselijke topografie. Hij zocht ook naar ansichtkaarten van de Grenadierstraße en Café Tanguero, maar die kon hij niet vinden.

Aanvankelijk ontving Maria deze toevoegingen aan het decor met verbazing of onverschilligheid, maar later leken ze haar te amuseren. Daardoor aangemoedigd breidde Kirsch het assortiment uit met andere dingen: rozen, oceaanschepen, stoommachines, honden, katten en paarden. Maar de dagen verstreken en er trad geen verbetering op, in elk geval niet wat het geheugenverlies betrof. Maria probeerde zich dingen te herinneren en antwoord te geven op de vragen die hij achteloos stelde (Was ze wel eens naar zee geweest? Had ze wel eens een hond gehad? Wat vond ze het leukste ras?), maar hoe harder ze haar best deed, hoe verwarder en angstiger ze werd. Dan begon ze te stotteren en wrong ze haar handen op haar schoot. Hij zag dat ze tranen in haar ogen kreeg, dat ze in paniek raakte als ze wanhopig naar een antwoord zocht, een fragment van een tastbare waarheid die haar zou vertellen dat ze leefde en echt bestond. Als hij een glimp van de kolkende duisternis onder haar voeten opving, wist hij dat hij moest stoppen, een ander onderwerp moest aansnijden en haar weer naar het heden moest halen. Hoewel hij wist dat het irrationeel was, bleef hij het gevoel houden dat ze langzaam doodging, alsof ze een fatale infectie had. Zonder verleden had ze moeite om in haar eigen bestaan te geloven, om te geloven dat ze méér was dan een ongebreidelde fantasie, een geest of een herinnering die bij het ontwaken zou verdwijnen.

De verpleegsters vertelden dat ze nog steeds nachtmerries had. Ze zeiden dat ze in haar slaap praatte, soms in een andere taal, soms in het Duits. Ze hadden geen idee wat ze zei. Eén keer ging Kirsch midden in de nacht terug naar het ziekenhuis en ging hij bij Maria's kamerdeur zitten om te luisteren. Hij hoorde dat ze in haar slaap mompelde, opstond en een paar minuten door de kamer ijsbeerde voordat ze weer in bed stapte. Hij hoorde haar nooit schreeuwen, al verzekerden de verpleegsters hem dat ze dat wel degelijk deed, vooral in de uren voor zonsopgang. Ze wilden haar kalmerende middelen toedienen, maar dat stond hij niet toe. Hij sloot niet uit dat ze in haar nachtmerries in elk geval wist wie ze was.

Op een dag begon ze te tekenen. Op blote voeten en met haar schetsboek op haar knieën zat ze voor het raam van de recreatieruimte van de vrouwen. Door het raam keek ze uit over het kanaal en het gewelfde dak van station Lehrter. Als de wind uit het westen waaide, hoorden ze de treinen over de wissels denderen, waarbij de stoomfluiten door de stad weergalmden alsof ze de aanhangers van een schelle, gemechaniseerde religie opriepen tot het gebed. Ze droeg tegenwoordig een dikke wollen sjaal, waarin ze helemaal wegdook en waarin haar mond en kin schuilgingen. Andere patiënten stoorden haar zelden, misschien door die sjaal, of anders misschien omdat ze zo opging in haar werk.

Vooral 's ochtends zat ze te tekenen. Als ze klaar was, sloeg ze haar schetsboek dicht. Dan trok ze haar schoenen aan, legde ze een keurige strik in de veters en ging ze terug naar haar kamer. Daar legde ze allereerst het schetsboek en de potloden weer op hun plaats: de bovenste plank van de gammele kast in de hoek.

Ze tekende gezichten. Ze bedekten elke bladzijde, gezichten die door wolken van arcering naar het licht dreven. Ze kon redelijk tekenen. Dunne lijntjes schetsten de contouren van het vlees: gezichten die naar boven keken, van opzij waren afgebeeld, door ouderdom en zorgen waren getekend of juist nog jong en verwachtingsvol waren. Allemaal hadden ze iets aarzelends, iets ongrijpbaars, alsof ze beseften dat ze incompleet waren of niet zeker wisten hoe ze in hun vreemde, tweedimensionale wereld verzeild waren geraakt.

Sommige gezichten kwamen steeds terug: een kind – een meisje, dacht Kirsch – dat een sjaal om haar hoofd had, en twee mannen. De eerste zag er jong genoeg uit om haar vrijer of haar broer te zijn. Hij had smalle ogen, een breed voorhoofd en een mooie, gevoelige mond, waarvan de lippen licht getuit waren, alsof hij ergens diep over nadacht. Ze had hem een paar keer getekend, vanuit verschillende hoeken en met verschillende gelaatsuitdrukkingen, maar hij zag er altijd bezorgd uit. Kirsch vroeg zich af of dit de onbekende man was die hij op het terrein had gezien.

'Hoe zullen we hem noemen?' vroeg hij haar op een dag. 'Welke naam past bij hem?'

Maar ze kon hem geen naam geven. 'Hij is schrijver,' was alles wat ze kon zeggen.

De andere man was oud. Hij had donkere ogen, dezelfde volle lippen en piekend wit haar, als een profeet uit het Oude Testament of een afbeelding van God op een schilderij uit de renaissance. Ze wist ook niet wie hij was.

Terwijl Kirsch door het schetsboek bladerde, drong het tot hem door dat Maria niets van haar huidige leven tekende. Hij zag geen patiënten, geen personeel. Dit waren beelden die ze met haar innerlijke oog zag, zielen die een rol in haar verleden speelden. De mensen die Maria in het ziekenhuis omringden, hadden er net zo goed niet kunnen zijn. Dat had hij graag anders gezien.

'Wat vind je ervan om een zelfportret te tekenen?' stelde hij voor.

'Waarom?'

'Ik zou er graag een willen hebben.'

Misschien kregen ze door een zelfportret een beter idee wie ze was. Misschien onthulde ze wel hoe ze zichzelf zag.

Maria schudde haar hoofd. 'Er zijn geen spiegels.'

Dat was waar: om veiligheidsredenen waren spiegels niet toegestaan. Door de jaren heen was er een aantal stukgeslagen door patiënten die door hun spiegelbeeld van streek raakten. De glassplinters hadden mensen verwond of waren zelfs gebruikt als wapen. In de douches van de vrouwen hingen nog twee spiegels, maar die waren klein, en stevig aan de muur vastgemaakt.

'Zal ik er een voor je meebrengen?' In de lucht tekende Kirsch een vierkant, een omlijsting van haar gezicht. 'Zo groot. Ik weet wel waar ik er een kan vinden.'

'Als je dat wilt,' zei Maria, terwijl ze afwezig met een lokje haar speelde.

'Ja, dat wil ik,' zei hij.

Om het te bewijzen, glipte hij in de lunchpauze het ziekenhuis uit en kocht hij bij een meubelhandelaar op de Kurfürstendamm een spiegel in een vergulde lijst.

Na hun gezamenlijke lunch hoorde hij een week lang niets van dokter Fischer. Er kwam geen bevestiging van de voorgestelde opdracht, die destijds zo dringend had geleken, en ook geen informatie over de wijze waarop Kirsch het onderzoek moest aanpakken. Hij vroeg zich af of de antropoloog had gemeend wat hij zei, en of hij echt de benodigde middelen tot zijn beschikking had. Hij begon te vermoeden dat Fischer gewoon een eenzame, zij het rijke excentriekeling was, die zijn dagen vulde met oppervlakkige interesses die hij weer liet vallen als er iets intrigerenders op zijn pad kwam. In Kirsch' artikel had hij een weerklank van een van zijn eigen intellectuele schrikbeelden gevonden, en daarom had hij contact met de auteur gezocht, met al het ongeduld van iemand die te veel tijd heeft en niets nuttigs weet om zijn dagen te vullen. Kirsch had nu al spijt dat hij zo openlijk over zijn werk en Maria had gepraat.

Toen hij uiteindelijk ging zitten om zijn ontslagbrief te schrijven, wandelde Robert Eisner binnen met de ochtendpost. Kirsch had hem nog steeds niets verteld over Bonhoeffers beslissing, in de hoop dat het afdelingshoofd zijn woorden na een poosje zou intrekken, maar er waren twee weken verstreken en het zag er niet naar uit dat er zoiets ging gebeuren.

'Een brief van het Keizer Wilhelm Instituut voor Antropologie, Eugenese en Menselijke Erfelijkheidsleer,' kondigde Eisner aan, terwijl hij de achterkant van een dikke witte enveloppe las en hem in zijn bakje met ingekomen post gooide.

De enveloppe was verzegeld met was. Kirsch legde zijn pen neer en pakte een mes.

'Schrijf je weer een artikel?' Eisner bleef nog even naast zijn bureau staan. 'Ik wist niet dat menselijke erfelijkheidsleer jouw vakgebied was.'

'Dat is ook niet zo.' Kirsch tuurde naar de inhoud zonder de brief eruit te halen. Hij keek op zijn horloge. 'Ik moet weg.'

Hij stopte de enveloppe in zijn binnenzak en liep de kamer uit.

Fischer stuurde niet alleen geld, hij had ook een lijstje van het Keizer Wilhelm Instituut voor Psychiatrie bijgesloten, waarop alle psychiatrische ziekenhuizen en artsen in Duitsland, Zwitserland en Oostenrijk stonden die volgens hem wel wilden helpen om diagnostische verslagen te verzamelen. *Mijn instituut is niet geïnteresseerd in individuele ziektegevallen, dus ze hoeven zich geen zorgen te maken over het feit dat ze vertrouwelijke informatie verstrekken*, schreef hij in zijn brief.

In het Adlon had Kirsch met opzet nog niets toegezegd, maar Fischer leek ervan uit te gaan dat hij dat wel had gedaan. Hij wilde dat Kirsch de instituten meteen zou benaderen en zijn doelen en methodes uiteen zou zetten. *Ik vind dit onderzoek buitengewoon belangrijk en weet zeker dat het tot een invloedrijk artikel zal leiden. Ik ga ervan uit dat u de benodigde tijd kunt vrijmaken van uw dagelijkse werk.*

Twee dagen lang deed Kirsch niets. Dokter Bonhoeffer had duidelijk gezegd wat hij van het eerste artikel dacht. Als Kirsch nu aankondigde dat hij op het punt stond om aan een soortgelijk onderzoek te beginnen, maar dan op grotere schaal, zou dat een klap in Bonhoeffers gezicht zijn. Dan was er geen enkele hoop meer op rehabilitatie. Het was alsof Kirsch werd gedwongen partij te kiezen – of te kiezen wie hij wilde dienen. Anderzijds was die beslissing al voor hem genomen, dankzij Heinrich Mehring en zuster Honig.

Op de derde dag bracht hij de cheque naar de bank.

17

Later die dag werd Kirsch plotseling geveld door een koortsaanval. Het begon in de propvolle tram die van het Alexanderplatz wegreed. Hij hing vermoeid aan een van de polsriemen boven zijn hoofd en had het warm in zijn dikke winterjas, maar verder leek er niets aan de hand te zijn. Plotseling trapte de chauffeur op de rem. Mensen hielden geschrokken hun adem in. Een jampotje viel uit een boodschappentas van een vrouw en rolde door het gangpad. Daarna ging iedereen weer rechtop staan, en de tram reed verder. Kirsch bukte zich om het jampotje te pakken, dat nog steeds in zijn richting rolde. Het belandde keurig in zijn hand, waardoor hij het etiket kon zien. Er stonden een paar rode, glanzende kersen op, wat hij gezien zijn naam wel grappig, maar ook een beetje vreemd vond. Hij had het gevoel dat er vanaf grote hoogte iemand naar hem keek, die met hem speelde en hem uit-lachte, als een van de goden uit de oudheid. Voordat hij besefte wat er gebeurde, was het donker om hem heen.

Er klonk geschreeuw en het oorverdovende gebulder van gewe-ren. Hij bedacht opeens dat hij zijn chirurgische instrumenten moest zoeken. Er zouden gewonde mannen worden binnengebracht, met wonden vol viezigheid en aarde. Geen tijd om ergens te schuilen. Hij schreeuwde om licht en zag in het schemerdonker lantaarns dansen, die dichterbij kwamen. Bleke gezichten haastten zich langs hem heen. Daarna werd zijn beeld weer helder en merkte hij dat hij op zijn rug op de geribbelde vloer van de tram lag, omringd door passagiers die naar hem staarden.

Niemand hielp hem overeind. Waarschijnlijk dachten ze dat hij dronken was. Hij baande zich een weg naar de deuren en stapte bij de volgende halte uit. Hij was zijn aktetas vergeten, maar een jongeman gooide de tas naar hem toe terwijl de tram wegreed. De tas raakte de trottoirband en barstte open, waardoor er papieren, kranten en ansichtkaarten over de kasseien dwarrelden.

Tegen de tijd dat hij thuiskwam, liep hij te rillen. Frau Schirmann zag hem op de trap en bood aan een dokter te laten halen, maar dat vond hij niet nodig. Hij was gewoon een beetje grieperig, iets wat hij had opgelopen in het ziekenhuis, zei hij. Hij zou binnen de kortste keren weer beter zijn.

Omdat Frau Schirmann zwakke longen had, was ze bang voor griep. Ze had verder geen aanmoediging nodig om uit zijn buurt te blijven. Kirsch sloot zich op in zijn kamer en liet zich op het bed vallen. De koortsaanval duurde de hele nacht. Tegen de ochtend maakte hij weer een dosis Salvarsan klaar, maar zijn handen trilden zo hevig dat hij de naald niet durfde te hanteren. Als hij de spuit niet goed in zijn arm stak, kon hij een arsenicumvergiftiging oplopen.

Hij hield zichzelf voor dat hij de Salvarsan sowieso niet nodig had. Waarschijnlijk had hij écht griep en was hij verzwakt door de lange werkdagen in het ziekenhuis en de spanningen rond zijn werksituatie. Het hoofdgebouw van het Charité lag vol zieke mensen en stond slechts een paar meter van de psychiatrische afdeling af. Hulppersoneel en bezorgers bezochten beide gebouwen en namen over en weer bacteriën mee. Zijn koorts had niets te maken met syfilis of met de vage bruine plekken die zich over zijn ribben verbreidden.

Rond de middag bracht Frau Schirmann hem brood en groentesoep, die ze voor de deur neerzette. Halverwege de middag was de koorts afgenomen. Het was als een aandenken aan een oude ziekte, een herinnering aan lijden dat achter de rug was. Het was geen voorteken van lijden dat hem te wachten stond.

Toch wenste Kirsch dat hij dat zeker kon weten. Hij wenste dat hij iemand in vertrouwen kon nemen, iemand die zag wat er werkelijk met hem aan de hand was en zijn mond wist te houden. Maar al dacht hij nog zo lang en hard na, er wilde hem niemand te binnen schieten.

Die woensdag ging hij terug naar het ziekenhuis. Tijdens zijn korte afwezigheid waren Maria's tekeningen veranderd. Kirsch ging met haar in de gebruikelijke behandelkamer zitten en bekeek haar schetsboek. Voor het eerst doemden er medepatiënten en verplegend personeel tussen het vezelige netwerk van arceringen op: zuster Honig, met haar gebruikelijke rode wangen, maar ook met een enorm verdriet in de lijnen van haar voorhoofd, dat hij nog nooit eerder had opgemerkt. Zuster Auerbach, mooi maar verwachtingsvol, met ongeduldig samengeperste lippen. Dokter Mehring, zijn kale hoofd glad als een ei en met een stijve, afstandelijke houding, alsof hij wist hoe makkelijk hij kon breken. In haar zoektocht naar nieuwe onderwerpen was Maria eindelijk haar omgeving gaan tekenen. Haar bladzijden werden niet meer bevolkt door geesten, maar door levende mensen.

Kirsch glimlachte tevreden. Dit moest op een bepaalde manier toch wel vooruitgang zijn. Er was nog steeds geen duidelijkheid over Maria's verleden, maar ze maakte in elk geval weer contact met het heden. Ze verzette zich tegen de aantrekkingskracht van de innerlijke wereld en raakte weer betrokken bij de échte. Zijn grootste angst was geweest dat ze haar greep op de werkelijkheid zou verliezen en in een psychose zou wegzinken als de last van haar toestand te zwaar werd.

'Deze tekening van dokter Eisner is erg goed.' Hij hield het schetsboek omhoog. Robert Eisner was afgebeeld met een aarzelende, talmende blik op zijn gezicht, als iemand die naar een gesprek luisterde en nog niet wist of hij zich erin zou mengen. Zijn ogen waren spookachtig bleek, met uitzondering van de harde, zwarte punten van zijn pupillen.

'Is hij arts?'

'Heeft hij dat niet gezegd?'

Maria schudde haar hoofd. 'Soms draagt hij een witte jas, zoals jij. Andere keren niet.'

Kirsch vroeg zich af hoe vaak hij bij haar was geweest.

'Ik wist niet dat hij jou had gesproken.'

Maria hield haar hoofd een beetje schuin. Een straal licht viel door het raam op haar wang. Haar haar, dat inmiddels zo lang was dat ze het in een staartje bijeen kon binden, had een koperrode glans, een vleugje vuur in het donker. 'O ja,' zei ze. 'Hij doet of hij toevallig langskomt, maar hij speelt slecht toneel. Hij is erg nieuwsgierig.'

Kirsch glimlachte. 'Dat geloof ik meteen.'

'Dat was jij in het begin ook.'

'Ik?'

'Dat heb je zelf gezegd. Toen je naar het ziekenhuis kwam. Je was nieuwsgierig.'

'Dat is waar ook.' Kirsch bloosde. Hij wilde dat hij haar duidelijk kon maken dat ze méér dan een interessant geval was, meer dan een potentiële sleutel naar een promotie, iets wat zaken die de publieke aandacht hadden vaak waren. Maar hij kon geen enkele manier bedenken om het haar uit te leggen.

Hij sloeg nog een bladzijde van het schetsboek om. 'Dus je hebt nog steeds geen zelfportret?'

'Ik heb het geprobeerd, maar het valt niet mee. Ik kijk naar mezelf, maar het beeld blijft niet goed in mijn hoofd hangen.' Ze haalde haar schouders op. 'Het zegt me niets. Ik schets de eerste lijn en dan is het weer weg.'

Hij sloeg nog een bladzijde om, de laatste. Hierop stond maar één gezicht, en dat was het zijne. Ze had hem en profil getekend, terwijl hij naar beneden keek. De arcering was hier slordiger en krachtiger dan op de andere tekeningen. Het was alsof ze hem haastig had getekend, alsof ze zijn beeltenis had willen vastleggen voordat die verloren ging – alsof ze vreesde dat hij binnenkort weg zou zijn. Het was alsof hij in de spiegel keek, maar dan zonder de uitdrukkingsloze nabootsing die een weerspiegeling nu eenmaal was. Kirsch staarde naar de bladzijde, verbaasd door de kracht van de tekening: de lijntjes op zijn voorhoofd, de bezorgde blik.

'Mijn hemel.' Hij dwong zichzelf te lachen. 'Zie ik er echt zo ongelukkig uit?'

Maria knikte. Daarna stak ze haar hand uit om zijn gezicht aan te raken.

Er schuurde iets langs de buitenkant van de deur, dat met een zachte bonk tegen de deurpost stootte. In de gang klonk het zachte getik van voetstappen.

De bel voor de lunch ging. Maria haalde haar hand van zijn gezicht. 'Ik moet gaan,' zei ze.

Ze stond op en liep haastig het vertrek uit. Pas na een paar tellen drong het tot Kirsch door dat ze haar schetsboek had laten liggen.

Die avond begon het te sneeuwen. Kirsch verliet de afdeling eerder dan anders, waardoor hij het staartje van het avondspitsuur meepakte. Het rijtuig van de S-Bahn zat helemaal vol. Hij stond tegen de deur gedrukt, waar andere passagiers voortdurend tegen hem aan stootten, en hij ademde de stank van tabak en nat leer in. Zijn hoofd tolde en hij kreeg bijna geen lucht. Drommen mensen stroomden zwijgend en ineengedoken over het Alexanderplatz. De details van hun gezichten werden even duidelijk zichtbaar als ze onder de straatlantaarns door liepen en verdwenen daarna weer in de duisternis.

Tot die dag had hij het idee gehad dat hij een spel speelde, ook al werd dat spel verhuld door de ernst van wetenschappelijk en medisch onderzoek. Nu was het geen spel meer.

Ten oosten van de Schönhauser Allee was het rustiger. Er lag inmiddels een laagje sneeuw toen hij zich door de Grenadierstraße haastte. Hij minderde alleen even vaart voor een blik op de dichtgetimmerde etalage van Herr Bronsteins platenwinkel en de glassplinters, die als rijp op de kasseien glinsterden. Een paar minuten later kwam hij bij het joodse kerkhof, waar hij naar het pension staarde, net als twee maanden geleden.

Het duurde even voordat hij de ingang had gevonden. Die bevond zich achter een paar trapjes aan de zijkant van het gebouw en ging voor een deel schuil achter een roestige, spiraalvormige brandtrap. Omdat er geen reactie kwam toen hij aan de bel trok, bonsde hij met zijn vuist op de deur.

'Hallo?'

Zijn stem weergalmde tussen de muren van het steegje en werd samengedrukt tot een enkele toon. In de etagewoning tegenover hem ging een licht uit, waardoor hij opeens in het donker stond.

'Wat wilt u?'

Vanuit een raam op de eerste verdieping keek een man naar beneden. Zijn hoofd was kaalgeschoren, en hij droeg een bril.

'Het gaat om een kamer. Ik wil er een huren.'

'Ik verhuur alleen maar aan dames.'

'Het is niet voor mij.'

'Kom morgen maar terug.'

De man trok het raam dicht.

'Ik betaal vooruit,' riep Kirsch. 'Als ik nu een kamer kan zien. Ik kan niet wachten tot morgen.'

De huurbaas heette Sebastian Mettler en sprak met een schorre Zwitserse intonatie. Hij kon nauwelijks ouder dan veertig zijn, maar hij bewoog zich als een oude man. Voorovergebogen en met een arm in zijn zij sleepte hij zich de kale houten trap op. Frau Mettler, zijn moeder, een zwaarlijvige vrouw met een pince-nez op haar neus, keek hem door de openstaande deur van hun appartement na, alsof ze bang was dat de inspanning te veel voor hem zou zijn.

'Ik heb maar één lege kamer, achterin. Geen fraai uitzicht.'

Ze stonden op de tweede verdieping van het pension, de verdieping waar Kirsch Maria had gezien. Een elektrische tafellamp wierp schaduwen over het verschoten, gebloemde behang op de muren. Aan het plafond hing een weelderige glazen kroonluchter.

Herr Mettler deed een deur open waarop een koperen '2' was gespijkerd. 'Voor wie is het?' Hij deed het licht aan en stapte achteruit om Kirsch binnen te laten. 'Want ik zei al, ik verhuur alleen aan…'

'Het is voor een studente van mij.'

'Een studente?' Herr Mettler schoof zijn bril wat verder omhoog. 'Nou ja, als u maar voor haar garant kunt staan.'

Het vertrek was eenvoudig ingericht, maar netjes. De gietijzeren haard en gipsen kroonlijst gaven het een sobere elegantie. Kirsch keek naar de tafel met het kanten kleed, de forse kleerkast, het kruisbeeld boven het ledikant. Het raam keek uit over een binnenplaats waarop waslijnen en sneeuwvlokken door de duisternis zigzagden.

'Uitzicht op straat. Daar was ik naar op zoek.'

Herr Mettler schudde zijn hoofd. 'Ik heb maar één kamer vrij.'

Kirsch wees naar de deur aan de andere kant van de gang, waarop een '3' hing. De deur was donkerrood, maar de verf was zo dun aangebracht dat de nerf van het hout zichtbaar was. 'En die kamer?'

'Bezet. Nu nog wel, tenminste.'

'Nu nog wel?'

'De huur is betaald tot het einde van de maand.'

'Vandaag is het de negenentwintigste.'

'Dan is er betaald tot donderdag.'

'Is de bewoner thuis?'

Herr Mettler tuurde met samengeknepen ogen naar de andere kant van de overloop. 'Geen idee. Dat hou ik niet bij.'

'Mag ik even kijken?'

'Waarom? Die kamer is niet vrij, dat zei ik al.'

'Nog niet.' Kirsch opende zijn portefeuille. 'Ik wil u met alle plezier betalen voor uw moeite. Omdat het al zo laat is.'

Herr Mettler ging langzaam rechtop staan, waarbij zijn rug onheilspellend kraakte. Het puntje van zijn tong tekende een cirkeltje om zijn lippen. 'Dan moet ik de sleutel halen.'

Kirsch haalde een briefje van vijf Reichsmark uit zijn portefeuille. 'Ik loop wel met u mee naar beneden. Dan hoeft u niet helemaal meer naar boven.'

Twee minuten later stond hij in zijn eentje bij Maria's deur. De ijzeren sleutel voelde koud en zwaar aan in zijn hand. Hij probeerde zich een voorstelling van de kamer te maken. Zou hij net zo kaal zijn als de kamer aan de andere kant van de overloop? Was het er netjes, of was het er rommelig? Zouden er tekenen zijn die op een misdaad wezen, op het bedrog waar dokter Fischer het over had gehad? Of op afglijden naar waanzin? Dergelijke kamers had hij wel eens gezien, en die wilde hij nooit meer betreden.

Het drong tot hem door dat dat de reden was waarom hij hier niet eerder was gekomen. Het zou lastig zijn geweest om uit te leggen dat hij wist waar Maria woonde. Het had tot allerlei ongemakkelijke vragen kunnen leiden – nog steeds, trouwens. Maar dat was niet de reden: hij was bang geweest voor wat hij kon aantreffen.

Hij was duizelig van de inspanning. De donkerrode deur dreef voor zijn ogen, kneep samen en strekte zich uit, alsof hij een levend wezen was. Hij greep de sleutel stevig beet, hield het koude metaal even tegen zijn gezicht en stopte hem toen onhandig in het slot.

Waanzin

18

Hoe ben ik hier na al die tijd beland? Het is logisch dat je dat wilt weten, en al heb ik genoeg tijd gehad om een antwoord voor te bereiden, ik weet nog steeds niet hoe ik dit het beste kan uitleggen. Het zou het eenvoudigst zijn om het je persoonlijk te vertellen, maar dat idee vervult me met angst. Ik ben geen begenadigd causeur, en weet vaak pas achteraf wat ik had moeten zeggen. Daarom schrijf ik het allemaal op, zodat ik in elk geval nog over mijn woorden kan nadenken voordat ik ze prijsgeef.

Allereerst wil ik je geruststellen: in materieel opzicht heeft het me tijdens mijn opvoeding aan niets ontbroken. In het dorp Orlovat had de familie bij wie ik ben opgegroeid veel aanzien. De vader van het gezin, Zoltán Draganović, had een van de grootste en deftigste huizen, dat in tegenstelling tot de meeste andere een stuk van de weg lag. Aan de voorkant had het een binnenplaats, om ons tegen het zomerse stof en de inkijk van voorbijgangers te beschermen. Aan de achterkant lagen een witgeschilderde veranda, omheinde stukjes grond voor kippen en ganzen, een boomgaard met appel- en kersenbomen en diverse bijgebouwen voor de paarden en een oud rijtuig – zo noemde mijn vader het tenminste, al was het in werkelijkheid nauwelijks meer dan een blikslagerswagen. We hadden ook land dat anderen van ons pachtten.

Het huis zelf was breed en geel, met groen geschilderde kozijnen en gipsen wapenschilden boven de ramen. De heraldische motieven, waarvan de meeste inmiddels waren afgebrokkeld, kwamen uit Oostenrijk. Dat kwam doordat de familie Draganović van moederszijde Oostenrijks bloed had, zoals mijn vader vaak vertelde. Ik begreep al heel vroeg dat dat belangrijk voor hem was, en daardoor ook voor mij, maar ik ontdekte al gauw dat het niet altijd verstandig was om erover te praten. Ik was pas zeven toen de juf op school beschuldigend zei dat ik verwaand was, en de jongens begonnen

me uit te schelden en steentjes te gooien als niemand het zag. Een tijdje was
ik zo bang om naar school te gaan dat ik flauwviel of deed of ik ziek was.
Dan besprenkelde ik mijn gezicht met water en mompelde ik alsof ik
koorts had. Ik werd heel goed in veinzen, en soms joeg ik mijn moeder zo de
stuipen op het lijf dat ik spijt kreeg en net deed of ik heel snel herstelde. Ik
vertelde mijn vader niet over de problemen die hij me had bezorgd of over
de jongens die steentjes gooiden, want ik was bang dat hij dan naar school
zou stappen en hun de nek zou omdraaien. Dat dreigde hij altijd te doen
met iedereen die de eer van onze familie beledigde. Ik had niet zoveel moei-
te met het idee dat de jongens zouden worden gewurgd, maar ik wilde niet
dat mijn vader voor de misdaad werd gestraft. In die tijd gaf ik namelijk
nog om hem.

In die tijd benijdde ik mijn zus. Senka was een jaar jonger dan ik en zat
al op school, maar ze kreeg al heel snel toestemming om thuis te blijven,
waar ze onderricht kreeg van onze moeder. Maar haar lessen waren heel
anders dan de lessen op school, waar we urenlang woorden moesten over-
schrijven en dingen uit ons hoofd moesten leren. Die van haar speelden zich
buiten af, tenzij het slecht weer was. Ze moest leren hoe ze voor de dieren
moest zorgen en hoe bepaalde planten en insecten heetten. Als het regende,
kreeg ze bij de haard in de keuken naai- en borduurles. Ik had mijn koude
schoolbank en de eindeloze taal- en rekentaken er graag voor willen verrui-
len. Ik kreeg thuis alleen maar lessen Duits. Om redenen die ook nu weer
verband hielden met de familie van moederszijde, stond mijn vader erop
dat ik die taal zou leren.

In die tijd had hij een betrekking bij de keizerlijke douanedienst en was
hij vaak in Novi Sad. Ik wilde dat hij trots op me zou zijn en deed tijdens
zijn afwezigheid erg mijn best om Duits te leren, zodat hij onder de indruk
zou zijn van mijn vooruitgang. Ik was nooit zo trots als op die momenten
dat hij me optilde en me zijn schlaue kleine Dame *noemde. Het was het*
eerste compliment dat ik ooit van hem had gekregen, want het was in onze
familie geen geheim dat een zoon het allerbelangrijkste was wat een vrouw
haar echtgenoot kon geven. Dochters waren een luxe, een kostbare luxe
zelfs, tot die zoon was geboren. Maar omdat ik met mijn goede Duits een
complimentje van mijn vader had gekregen, besloot ik bij alle vakken hard
mijn best te doen, zodat hij zou zien dat hij wel degelijk iets aan me had en
dat de familie misschien zelfs trots op me kon zijn. Dat maakte me ook niet

geliefder bij de andere kinderen, maar daardoor wist ik in elk geval uit de buurt van het speelplein en buiten bereik van hun steentjes te blijven.

Wat Senka betrof, ik dacht dat zij er als jongste kind op werd voorbereid om het huishouden te bestieren en dat ze daarom niet naar school hoefde. De ware reden hoorde ik pas toen een van de jongens op school in plaats van stenen beledigingen naar mijn hoofd besloot te slingeren. Mijn zus was een idioot, schreeuwde hij, en hij trok een heel raar, lelijk gezicht dat helemaal niet op Senka leek, maar ik besefte dat het op een wrede manier wel aangaf hoe ze was. Tegen de tijd dat ik die dag thuiskwam, begreep ik alles en had mijn jaloezie plaatsgemaakt voor schaamte.

Daarna werd mijn band met Senka hechter. In het Servisch betekent haar naam 'schaduw', en dat geeft precies weer hoe hecht onze relatie was. Als ik niet met mijn huiswerk bezig was, waren we altijd samen. Af en toe gaf ik haar zelfs les. Mijn moeder vond dat fijn, maar mijn vader niet, hij vond dat ik mijn tijd verspilde. Ik leerde haar een beetje lezen en rekenen — niet veel, want na een poosje kon ze haar aandacht er niet meer bij houden en kreeg ik haar met geen mogelijkheid meer bij de les. Maar ze leerde wél, en ik probeerde van haar te leren, vooral van de manier waarop ze met de dieren omging. De ganzen liepen achter haar aan en trokken met hun oranje snavels zachtjes aan haar mouwen en de zoom van haar rokken. Ze vonden het ook goed dat Senka hun lange, donzige halzen streelde, een voorrecht dat aan niemand anders werd verleend. Als ik in hun buurt kwam, begonnen ze te blazen en zetten ze hun veren op. Als ze slechtgehumeurd waren, joegen ze me soms zelfs letterlijk de tuin uit.

Ik zei dat Senka mijn enige zus was, maar een paar jaar later hoorde ik dat ik er nog een had gehad. In de zomer hadden we een keer gasten en aan tafel kwam het gesprek op roodvonk, een ziekte die weer was opgedoken in een paar naburige dorpen. Aan de manier waarop mijn moeder opeens haar mond hield en mijn vader naar haar keek, zag ik dat het een pijnlijk onderwerp voor haar was. Ik wist dat roodvonk een gevreesde ziekte was, die in het verleden veel kinderlevens had geëist. Daarom vroeg ik later aan mijn grootmoeder of we er een familielid aan hadden verloren.

Eerst reageerde ze geschokt en zei ze dat een jongedame zoiets niet hoorde te vragen, waardoor het voor mij natuurlijk al bijna vaststond dat er iemand was gestorven. Ik zei dat ik goed geheimen kon bewaren en erover zou zwijgen als ze het me vertelde, en daar leek ze mee akkoord te gaan. Ze

vertelde dat de ziekte het leven van mijn moeders oudste kind had geëist,
een zuigeling nog, maar dat ik er nooit over mocht praten, omdat de rood-
vonk anders zeker weer bij ons zou opduiken. Destijds klonk me dat heel re-
delijk in de oren. Je praatte niet over de duivel uit angst dat je hem daar-
mee ontbood, en ik nam aan dat deze voorzorgsmaatregel op hetzelfde
principe was gebaseerd. Jaren later begon ik me pas af te vragen waarom
mijn familie ervoor had gekozen om de last van het verdriet te verzwaren
met de last van het stilzwijgen.

Nadat mijn grootmoeder me het geheim had verteld, was ze bezorgd dat
ik erover zou piekeren. Om me te troosten, vertelde ze dat God met zijn ene
hand teruggaf wat hij met de andere hand had weggenomen. Dat idee
sprak me zeer aan, want het suggereerde dat het universum rechtvaardig
was en op een bepaalde manier een plezierige symmetrie bezat – net als de
algebra waarmee ik op school was begonnen, waar een som alleen maar
kon worden opgelost als er aan beide kanten iets gelijkwaardigs stond. In
het geval van mijn moeder had God de vergelijking in balans gebracht
door haar mij te schenken. Het bewijs daarvan was dat het dode kind en ik
dezelfde naam hadden. Het deed me verdriet dat mijn zus Senka geen rol
in de vergelijking speelde, maar ik begreep het wel: zij ging niet naar
school, zoals ik, en wist daardoor helemaal niets van algebra of God.

Inmiddels was vastgesteld dat ik een veelbelovende leerlinge was. Mijn
schoolresultaten waren enorm verbeterd na de komst van een nieuwe leraar
uit Zagreb, een man die Bošković heette. Hij had aan de universiteit ge-
studeerd en kwam met vele nieuwe theorieën over ons leerplan. Op een re-
genachtige dag stond hij opeens in zijn zondagse jas voor de deur, met de
vraag of hij mijn vader mocht spreken. Ik was nog geen elf jaar. Ik wist
niet wat ik ervan moest denken en was doodsbang dat ik iets stouts had ge-
daan, waardoor ik misschien wel straf kreeg of van school werd gestuurd.
Ik probeerde bij de deur van mijn vaders werkkamer te luisteren, maar
werd weggestuurd door mijn moeder, die me streng opdroeg naar mijn ka-
mer te gaan en daar te blijven tot ik werd geroepen. Vechtend tegen mijn
tranen zat ik in mijn kamer, terwijl Senka in de hoek in haar eentje zat te
zingen en te tekenen, wat ze behoorlijk goed kon. Toen ze zag dat ik van
streek was, bood ze aan een portret van mij te maken. Dat leidde gelukkig
af, vooral omdat ze me mooi en volwassen tekende, wat ik heel plezierig
vond.

Toen ik door het raam meneer Bošković eindelijk ʒag vertrekken, rende ik naar beneden, al was ik nog niet geroepen. Mijn ouders waren weer naar de werkkamer gegaan, en ik kon duidelijk horen dat ʒe een ernstige discussie voerden: mijn moeder praatte op enthousiaste, smekende toon en mijn vader klonk agressief. Zo ging dat altijd tijdens hun discussies, ongeacht het onderwerp. Er werd een paar keer naar geld verweʒen en naar de vraag of ʒe genoeg bij elkaar konden krijgen. Dat verbaasde me ook niet, want in mijn ervaring was dat het enige onderwerp waarover ʒe samen langer dan een minuut konden praten – tenʒij het onderwerp de overduidelijke tekortkomingen van mijn moeders familie was, een thema dat mijn vader altijd weer oprakelde.

Ik bleek helemaal niet stout te ʒijn geweest. Mijn moeder vertelde dat de meester had geadviseerd om me voor het vervolg van mijn opleiding naar het gymnasium in Bečkerek te sturen, waarvan de rector toevallig een kennis van hem was. Dat ʒou veel geld gaan kosten, want er moest schoolgeld worden betaald, om nog maar te ʒwijgen over de kosten van de dagelijkse treinreis, want Bečkerek lag bijna vijfentwintig kilometer van ons vandaan. Om die reden, voegde mijn vader eraan toe, was de kans klein dat ʒe de aanbeveling ʒouden overnemen. Dat was een enorme teleurstelling voor me. Ik had genoeg van de dorpsschool, het gepest van de jongens en de lessen, die veel te makkelijk voor me waren, vooral de wiskundelessen. En al was Bečkerek bepaald geen metropool, of een flinke stad ʒelfs, voor een meisje van bijna elf was het een enorm deftige, indrukwekkende plaats. In tranen rende ik weer naar mijn kamer, waar ik mijn hoofd in mijn armen verborg. Ik draaide mijn hoofd ʒelfs niet naar het licht voor Senka, die me in die houding tekende, met donkere arceringen eromheen die net ʒo somber waren als mijn stemming.

Mijn teleurstelling bleek niet nodig te ʒijn geweest. Ik weet niet precies hoe ʒe het geld voor het gymnasium bij elkaar kregen, maar ʒe vonden een oplossing. Ik weet dat mijn moeder een brief aan mijn tante Helene in Belgrado schreef, en na een maandje kreeg ʒe een brief terug waar ʒe heel blij mee was. De aankomst van die brief viel samen met het feit dat mijn vader onverwachts van mening veranderde. Hoewel niemand me er iets over vertelde, begreep ik meteen dat die twee dingen verband met elkaar hielden. Ik vroeg ʒelfs of tante Helene geld had gestuurd voor mijn opleiding, maar kreeg bits te horen dat ik geen onʒin *moest uitkramen. Daarom liet ik de zaak rusten en dacht ik er niet meer over na.*

Vanaf die tijd kon ik nog maar zelden zelf bepalen hoe mijn leven eruitzag. De lessen op het gymnasium vergden veel meer van me dan de lessen die ik tot dan toe had gevolgd, vooral omdat ik een paar maanden jonger was dan de rest van mijn klas. De overige uren van de dag gingen bijna allemaal op aan de dagelijkse treinreizen, waardoor ik geen tijd of energie meer had om te spelen. En dan was er mijn vader nog, die nu veel meer belangstelling voor mijn schoolwerk had, kritisch mijn huiswerk doornam (ook al kon hij een groot deel daarvan, vooral op wiskundig gebied, al gauw niet meer volgen) en bij mijn leraren voortdurend om rapporten over mijn vooruitgang zeurde. Het allerergste was nog wel dat hij over mijn prestaties begon op te scheppen en tegen iedereen zei dat ik een wonderkind was, dat er in de wijde omgeving nog nooit een meisje als ik was geweest. Dat dat niet waar was, hoef ik jou natuurlijk niet uit te leggen.

Kortom, de aandacht die ik ooit graag had willen hebben, werd algauw een last voor me. Toch had ik die last met plezier willen dragen als mijn vader mijn zus niet zo had verwaarloosd. Naarmate ik meer aandacht kreeg, kreeg zij steeds minder. Het was alsof hij slechts een zeer beperkte voorraad vaderliefde had, als ik het al zo kan noemen, en had besloten die allemaal aan mij te schenken. Hij was nors tegen haar, maakte pesterige grapjes over haar trage verstand en klaagde dat ze te veel at voor een kind dat de hele dag niets deed – wat een onterecht verwijt was, want ze werkte heel hard om de dieren gezond te houden, en de ganzen en kippen legden zo veel eieren voor haar dat het onze dorpsgenoten opviel. Vroeger zou mijn moeder die kleineringen niet van hem hebben genomen, maar haar gezondheid was in die tijd niet zo best, en als ik thuiskwam, lag ze vaak in bed.

Ik wist heel goed waarom hij zo boos was. Senka was een Draganović, en het feit dat ze achterlijk was en waarschijnlijk geen goede man kon krijgen, áls ze al een man kon krijgen, was niet goed voor de naam van de familie. Het was weer een teken dat de familielijn in verval raakte en teloorging, net als de wapenschilden boven de ramen en het land dat we niet meer bezaten (al hadden we nog genoeg over, en bezaten we meer dan de meeste anderen). Telkens wanneer hij naar haar keek, dacht hij daaraan en aan het feit dat hij geen zoon had om de familie weer rijk te maken. De kans op een zoon zou hij ook nooit meer krijgen zolang mijn moeder leefde. Als laatste uitweg had hij die last op mijn schouders gelegd, maar ik besefte heel goed dat ik net zo slecht behandeld zou worden als mijn zus als ik hem teleurstelde.

Tijdens de oorlog drong de ware aard van mijn vader eindelijk tot me door. Tot die tijd hadden we de ganzen aangehouden voor hun eieren, maar een paar dagen voor Kerstmis kondigde hij aan dat we er eentje zouden slachten en opeten. Hij zei tegen Senka dat ze de dikste gans moest uitzoeken en moest zorgen dat het dier de nek werd omgedraaid, zodat onze moeder het kon ontweien en bereiden. Die arme Senka zweeg, want ze was heel bang voor hem. Ik wist dat zijn woorden haar met afschuw vervulden, want de ganzen waren haar vrienden en ze had ze allemaal een naam gegeven. Maar ik wist niet wat ze van plan was: die nacht sloop ze het huis uit en leidde ze de ganzen weg over de velden, zo ver dat ze zelf pas tegen de ochtend terug was. Ik denk dat ze bang was dat de dieren anders weer naar huis zouden komen, want ze hadden nog nooit de neiging gehad om weg te lopen en zaten alleen voor hun eigen bescherming achter een hek.

Ik ging die ochtend vroeg naar school en ontdekte pas bij thuiskomst wat er was gebeurd. De ganzen waren weg en Senka was nergens te bekennen. Mijn vader was niet thuis en mijn moeder lag weer in bed. Uiteindelijk vond ik Senka in het deel van de stallen dat we niet gebruikten omdat we in die tijd nog maar één paard hadden. Ze zat huiverend in een hoekje, half bedekt met stro om een beetje warm te blijven. Ze durfde niet meer naar binnen, en toen ik haar overeind probeerde te helpen, zag ik waarom. Haar lip was kapot en ze had striemen en blauwe plekken op haar schouders, armen en benen. Ik durfde niet eens naar haar rug te kijken. Tot dat moment had onze vader ons eigenlijk nooit geslagen. Hij vond dat het mijn moeders taak was om ons in de hand te houden. Nu leek het wel alsof hij al die verloren tijd in één keer goed had willen maken.

Tijdens de dagen daarna kwam een deel van de ganzen terug naar het dorp. Ze werden bij elkaar gedreven en naar ons teruggebracht, al beweerde vader dat er veel waren gestolen. Die kerst aten we gans, zoals hij van plan was geweest, maar Senka at er geen hap van. Sterker nog, vanaf die dag at ze nooit meer samen met ons, tenzij onze vader weg was, want hij zei dat de eetlust hem verging als hij haar zag.

Ik bleef harder dan ooit mijn best doen, al kon ik vaak niet naar school *omdat de oorlog de treindienstregeling verstoorde. Inmiddels maakte ik mijn huiswerk niet meer om mijn vader te behagen, maar vooral om te kunnen ontsnappen, als de tijd daar rijp voor was. Ik wist niet waar ik naartoe wilde, ik wist alleen dat het ergens ver weg moest zijn en dat ik Senka moest meenemen. Ik wist alleen niet hoe we moesten ontsnappen als haar ganzen achter ons aan kwamen, want zoals uit de Romeinse legende al bleek, zijn ganzen lawaaierige vogels die snel alarm slaan, of ze dat nu met opzet doen of niet.*

Ondanks alles wat er was gebeurd, had ik niet echt een hekel aan mijn vader, al zouden sommige mensen kunnen zeggen dat hij mijn haat had verdiend. Het was meer zo dat ik tot diep in mijn hart besefte dat we in alle opzichten verschillend waren – zo verschillend dat het weinig te betekenen had dat wij familie van elkaar waren en hetzelfde bloed in onze aderen hadden, in elk geval minder dan over het algemeen werd aangenomen. Want vanaf die dag had ik er geen moeite meer mee, vond ik het geen tegennatuurlijk idee meer om de familie Draganović voor altijd te verlaten. Ik wilde weg van alle familielijnen, maar vooral van die van moederszijde, omdat ik geen enkele reden zag om daarover op te scheppen, en dat ook nooit meer zou doen.

19

Het eerste wat hij zag toen hij de deur opendeed, waren takjes lavendel in een bewerkt glazen vaasje en een stapeltje keurig opgevouwen onderrokken op de rieten stoel. Boven op het ladekastje lag een stapeltje ansichtkaarten, dat nog niet gebruikt bleek te zijn: plekjes in Berlijn, net als de kaarten die hij voor Maria had gekocht. Daarnaast lagen een bij elkaar passende handspiegel en haarborstel. In de borstel zaten nog een paar donkere haren. Op het bed zat een antieke pop met een porseleinen gezicht en oriëntaalse ogen, gekleed in een Chinees kostuum met rode en groene tinten. Een paar zwarte rijgschoenen, de schoenen die hij Maria op de stoep voor Herr Bronsteins muziekhandel had zien dragen, stonden keurig naast elkaar achter de deur, met de tenen naar buiten.

Alles op de juiste plaats. Alles normaal. Niets aan flarden gescheurd. Nergens iets op de muren gekrabbeld. Geen bloed. Het stapeltje onderrokken rook nog steeds frisgewassen.

Ze had haar bezittingen zo neergezet dat ze de beschikbare ruimte op de beste manier benutte en het handjevol waardevolle spullen zo mooi mogelijk etaleerde – de pop, het kanten tafelkleed, de handspiegel met de paarlemoeren inleg. Ze was niet overhaast vertrokken. De netheid wees erop dat ze terug had willen komen. De inrichting was bedoeld om indruk te maken. Maar op wie?

Afgezien van de antieke pop zag Kirsch nergens tekenen die op een kind wezen, zelfs geen foto of een broche met een lokje haar. Hij liep naar het raam en keek naar de straat. In gedachten zag hij zichzelf daar met zijn hoed in zijn hand staan, een onbekende die de weg vroeg. Er lag sneeuw op de lantaarnpalen en op de bovenkant van de muur van het kerkhof. Op de trottoirs bleef de sneeuw ook liggen.

Een paar ineengedoken figuren haastten zich langs de hekken met voetstappen die geen enkel geluid maakten.

Hij deed de deur dicht en liep naar de ladekast, waarvan hij alle laden een voor een opende. Er zaten voornamelijk kleren in, niet veel, maar allemaal schoon en opgevouwen, en een naaidoos, met klosjes garen in diverse kleuren. Sommige kledingstukken waren versteld. Ze had diverse paren katoenen kousen, allemaal zwart en zo grof gebreid dat de meisjes in Café Tanguero er hun neus voor zouden optrekken. Hij zocht naar wasnummers, maar vond geen spoor van haar identiteit.

In de kleerkast hingen drie jurken, eenvoudige opdrukken op donkere stoffen, eentje met een geplooide rok. Nergens zaten etiketten in. Aan één kant lag de bruine fluwelen cloche die hij haar op straat had zien dragen. Op het etiket stond *Hermann Gerson, Werderscher Markt, BERLIJN*, maar de hoed kwam niet uit een recente collectie. Of ze had jaren eerder in de stad gewinkeld, of ze had de hoed tweedehands gekocht, misschien bij een van de stalletjes in de Grenadierstraße. De jas hing er ook, net als de jurk die ze in Café Tanguero had gedragen.

Op het moment dat hij de deur van de kleerkast dichtdeed, zag hij zijn fronsende spiegelbeeld in het rookglas. Wat had ze dan tijdens haar uitstapje naar Potsdam aangehad? Een andere hoed, een andere jas, een andere jurk, andere schoenen – zei Alma niet altijd dat dergelijke dingen voor een vrouw een wereld van verschil maakten? Hij keek de kamer rond en zag nu met een lichte paniek hoe onpersoonlijk die was. Niets wees op haar persoonlijke geschiedenis, er was niets van haar verleden te bespeuren. Een paar voorwerpen, doelmatig neergezet, alsof ze waren geplaatst door iemand die op een nieuw leven wachtte. Een leeg podium dat de komst van de toneelspelers afwachtte.

Hij ging op het bed zitten. Mocht hij afgaan op zijn indrukken? Er waren ook andere interpretaties van deze omgeving mogelijk. Misschien had Maria maar zo weinig persoonlijke bezittingen meegenomen omdat ze er niet meer had. Of misschien was ze nooit van plan geweest lang te blijven. Het kussensloop en de lakens zagen er kraakhelder uit. Toen hij het kussen omdraaide, zag hij een paar vage vouwtjes in het katoen. Hij legde zijn hoofd erop en rook een vleugje van een muskusachtige geur.

Zijn hak stootte tegen iets hards onder het bed. Het was een oude hutkoffer, gelakt geel canvas dat over hout was gespannen, met een voorkant waarop in het rood de initialen z m d waren gesjabloneerd. Hij trok de koffer uit het donker. Op een verschoten etiket op het deksel stond: *Hotel Sacher, Wenen.* Beneden klonk de klap van een dichtvallende deur. Hij luisterde even en schoof toen de sluitingen open.

Het deksel vloog met een scherpe klik open, en hij rook een muffe geur die hij maar al te goed kende. Zittend op zijn knieën haalde hij de boeken uit de koffer. Hij pakte er twee tegelijk en hield hun ruggen in het licht. Het waren studieboeken: wiskunde, natuurkunde, scheikunde – allemaal Duitse edities, waarvan er niet één recent was. In een vertaling van John F. Herschels *Synopsis der Astronomie* waren met potlood vele aantekeningen gemaakt. Een eerste editie van *Das Relativitätsprinzip* door Lorentz, Einstein, Minkowski en Sommerfeld uit 1913 had een gebroken rug, waardoor de katernen loskwamen toen hij het opensloeg. Wat moest Maria met zulke boeken?

Er zat ook een aantekenboek met een harde kaft in de koffer, dat vol wiskundige berekeningen stond – regel na regel, bladzijde na bladzijde vol vergelijkingen en symbolen waarvan er veel verbeterd of doorgestreept waren. Kirsch zag aan de tekens dat het om differentiaalrekening ging, dezelfde wiskundige raadsels waarmee Max ooit bezoekers aan Reinsdorf in de war had gebracht. Opeens schoot hem iets te binnen wat hij in de krant had gelezen: in de bossen van Potsdam, vlak bij de plaats waar Maria was gevonden, had de politie een programma of een strooibiljet aangetroffen, gedrukt ter gelegenheid van een openbare lezing door professor Albert Einstein. Die lezing zou in het concertgebouw plaatsvinden en was getiteld 'De huidige staat van de kwantumtheorie.'

'Nou, wat zei ik je?' vroeg Max, even duidelijk alsof hij naast Kirsch stond.

'Je hebt helemaal niets gezegd,' antwoordde Kirsch.

In de hal beneden hoorde hij een kuchje, andere stemmen: de huisbaas en zijn moeder, die op gedempte toon een meningsverschil hadden. Kirsch stopte het aantekenboek in zijn jas en boog zich weer over de koffer. Helemaal onderin, onder de studieboeken, lag een groot voorwerp dat in een witte doek was gewikkeld.

Herr Mettler riep naar boven: 'Dokter Kirsch?' Blijkbaar leverde vijf Reichsmark slechts beperkte privileges op. 'Bent u klaar?'

Haastig haalde Kirsch het voorwerp uit de doek. Het bleek een oud, leren fotoalbum met reliëfversiering te zijn. In zijn grootvaders huis had ook zo'n album gelegen, een dik, robuust boek dat net als de familiebijbel op een speciale plek werd bewaard, waar het niet door zonlicht of nieuwsgierige handen kon worden beschadigd.

Aan de zijkant zag hij een koperen klem, die duidelijk beschadigd was. Om hem te openen moest hij met beide handen kracht zetten.

Beneden slaakte Herr Mettler een hoorbare zucht. Hij begon aan de klim naar boven, waarbij hij om de paar stappen een geërgerd gebrom liet horen. Kirsch sloeg het album open.

De foto's waren op hun plaats gehouden door hoekjes van zilverpapier. Ze zaten op elke bladzijde en omlijstten grote en kleine rechthoeken, maar de foto's zelf waren verdwenen. Alles wat er van ze was overgebleven, waren vage schaduwen en kleine krasjes in het karton, die door een mes leken te zijn gemaakt.

Halverwege het album had iemand van de familie een camera gekocht. Kleine afdrukken, een paar vierkante centimeter groot, waren met gelijke tussenruimtes over de bladzijden verdeeld en werden met dezelfde fotohoekjes op hun plaats gehouden, maar ook hier ontbraken er een paar.

Onder aan de laatste bladzijde trof Kirsch nog een foto aan. Twee meisjes met sjaals om hun hoofd, tien of elf jaar oud, voerden een koppel ganzen. Het ene hield wat afstand en had een stukje brood in haar handen. Het andere zat op haar hurken een gans te strelen en gaf het dier brood. Ze keken allebei lachend naar de camera. Een van die meisjes kon Maria zijn, maar Kirsch wist het niet zeker.

Herr Mettler kwam door de gang aanlopen en kuchte om zijn aanwezigheid kenbaar te maken. 'Is dit wat u in gedachten had?'

Door zijn dikke brillenglazen bestudeerde hij het tafereel. Hij wist duidelijk niet of hij bezwaar moest maken nu Kirsch aan andermans spullen zat.

Kirsch sloeg het album dicht. 'Vergeef me, Herr Mettler, maar ik krijg de indruk dat u geen kranten leest,' zei hij.

Herr Mettler zette zijn bril beter op zijn neus. 'Kranten?'
'Ja. Ik denk dat u een heel beroemde huurster hebt.'

Ze heette Mariya, zoals ze al had gezegd, maar haar naam werd op de Slavische manier gespeld: Mariya Draganović. Tenminste, dat was de naam die ze bij aankomst had opgegeven. Herr Mettler erkende dat hij nooit naar haar paspoort had gevraagd. Ze was begin oktober uit Zürich gekomen, waar ze naar eigen zeggen had gestudeerd. Daar had iemand haar dit pension aanbevolen, omdat het schoon was en gunstig lag. Ze had niet verteld waarom ze naar Berlijn was gekomen. Ze had zes weken huur vooruitbetaald, was een rustige huurster en had zelden bezoek. Meer wist hij niet van haar.

Mariya: ze had zich de goede naam herinnerd. Dat moest een goed teken zijn, een hoopvol teken – tenzij het een vergissing was, een verspreking in een verder onberispelijk gespeelde toneelrol.

Als we met alle mogelijkheden rekening houden, dokter Kirsch.

Terwijl Kirsch over besneeuwde, lichtgevende straten naar de tramhalte wandelde, liep hij alle feiten nog eens na. Zijn patiënte was een studente wiskunde uit Zürich, al suggereerde haar accent dat ze daar niet was geboren. Mariya Draganović. De achternaam maakte haar weer een stapje werkelijker. Daardoor kreeg ze weer een plaats in de wereld, de wereld buiten het Charité – wat natuurlijk heel gunstig was, hielp hij zichzelf herinneren, want het doel van een psychiatrische behandeling was een terugkeer in de maatschappij. Anderzijds was het volgens zijn vakliteratuur kenmerkend voor psychogene fugue dat de patiënt een nieuwe identiteit aannam. Hans J., de bankbediende uit Neurenberg, had met kracht beweerd dat hij Peter Kleist was, een rechercheur uit Berlijn. Totdat Kirsch de naam Mariya Draganović op een officieel document zag staan, zou hij nooit zeker weten of ze echt zo heette.

Mariya Draganović. Waarom had ze in Café Tanguero een andere naam genoemd? Waarom had ze gelogen? Om haar Slavische afkomst te verbergen, misschien, zoals de prostituees deden? Of had ze gedacht dat het veiliger was als ze haar ware identiteit verzweeg?

Het antwoord was heel eenvoudig: ze had hem gewoon niet vertrouwd.

Hij speelde met de gedachte om meteen terug naar de psychiatrische afdeling te gaan en haar alles te vertellen wat hij had ontdekt. Maar wat zou al die informatie met haar doen? In het geval van psychogene fugue waren de ziektegeschiedenissen niet bemoedigend. Nadat de identiteit van Hans J. bekend was geworden, was hij naar zijn huis in Neurenberg en zijn oude baan teruggekeerd, maar daarna was het met zijn leven en verstand langzaam bergafwaarts gegaan. Hetzelfde was gebeurd bij een achtentwintigjarige Engelse vrouw die Ethel heette. Ethel had haar geheugen ook teruggekregen en was teruggegaan naar Manchester, maar tijdens vraaggesprekken daarna beweerden familieleden dat ze een heel andere vrouw was geworden, dat ze gesloten was en om onduidelijke redenen vaak urenlang verdween. Een tante beweerde zelfs dat de nieuwe Ethel een bedriegster was en had bij de politie aangifte gedaan.

De kern van deze kwaal lag niet in het feit dat er informatie verloren was gegaan, maar in de beslissing van het brein om dingen te vergeten en herinneringen uit te wissen die het leven van de patiënt gevaarlijk of onmogelijk maakten. In Mariya's geval zou het brein weer dezelfde beslissing kunnen nemen. En deze keer zou Kirsch ook vergeten worden.

In zijn appartement liet hij zijn zware winterjas van zijn schouders glijden. Het aantekenboek viel met een klap op de grond en er vielen een paar vodjes papier uit. Hij knielde om ze bij elkaar te rapen. Eén ervan bleek een oude brief te zijn. Het papier was vergeeld van ouderdom en het adres was er met een keurig, vrouwelijk handschrift op geschreven. Er stond: *Fr. Mileva Einstein-Marić, Tillierstrasse 18, Bern, Zwitserland.*

Belgrado, 21 april 1903

Lieve Mileva,

Ik maak snel van de gelegenheid gebruik om je te schrijven nu de kinderen slapen, Milivoj er niet is en het even rustig in huis is. Ik had graag eerder willen reageren op je brief en al je warme wensen, maar ons jongste kind vroeg zo veel aandacht dat ik moeite had om mijn andere taken af te krijgen – en ik moest natuurlijk ook kleine Julka de aandacht geven die ze verdient.

Met enige verbazing las ik je vraag of er hier in Belgrado werk te vinden is. Heb je dit werkelijk met je echtgenoot besproken? Het is natuurlijk spijtig als zijn huidige baan hem niet bevalt, maar het soort academische aanstellingen dat hij in het verleden zocht, zijn hier niet te vinden, zelfs niet aan de universiteit, die, zoals je weet, geen eersteklas natuurkundefaculteit bezit. Je schrijft dat jij hier Duitse les wilt geven, maar dat lijkt me een verspilling van je talenten op wiskundig gebied en dergelijke, want dat was aanvankelijk toch de reden waarom je in Zwitserland ging studeren.

Ik weet dat je aan Lieserl denkt als je zulke dingen vraagt. Maar ik verzoek je dringend om in deze kwestie voorzichtig te werk te gaan en zo veel mogelijk rekening te houden met de gemaakte afspraken. We hebben geluk gehad dat we mensen hebben gevonden die bereid waren ons te helpen, en het zou uiterst ongelukkig zijn, zowel voor het kind als voor alle anderen, als alles nu aan het licht kwam. Ik hoop dat ik je voorlopig gerust kan stellen met nieuws uit Orlovat, afkomstig van mijn vriendin Irena, die er vorige week is geweest. Ze zei dat het kind er heel gezond uitziet, een goede eetlust heeft en goed wordt verzorgd. Verder blijkt ze binnenkort een broertje of zusje te krijgen, want Frau D. is weer in verwachting en is over een week of zes uitgerekend. De laatste tijd gaat het echter niet goed met haar gezondheid, en ze zijn enigszins bezorgd om de gezondheid van dit kind, net als om het vorige.

Nu je getrouwd bent en Albert een baan heeft gevonden om jullie beiden te onderhouden, hoop ik met heel mijn hart dat jullie gezegend worden met een eigen gezin en dat jullie deze zorgen achter je kunnen laten. Milivoj en ik vinden het natuurlijk heerlijk dat jullie van plan zijn later dit jaar naar ons toe te komen, maar ik hoop dat je je verblijf hier niet wilt gebruiken om de getroffen regeling – die volgens jouw wensen is verlopen en voor iedereen de beste oplossing is – ongedaan te maken.

Ik zal je over een paar dagen een langere brief schrijven. Tot die tijd stuur ik jullie beiden mijn hartelijke groeten.

Je toegenegen vriendin,
Helene Savić

Kirsch ging op zijn bed zitten. De namen zeiden hem niets. De brief was trouwens ook al dertig jaar oud. Dit waren beslommeringen van onbekenden, die inmiddels allang door de loop van de geschiedenis waren ingehaald – hooguit nog herinneringen zonder waarde.

Waarom had Mariya deze oude brief? Had iemand hem aan haar gegeven? Of was dit net zoiets als een van die persoonlijke briefjes die hij soms tussen de bladzijden van een tweedehands boek aantrof, briefjes die net zo onbelangrijk waren als een boekenlegger?

Hij ging liggen. Hij was uitgeput, maar bezorgd, zonder zelf te weten waarom. De aanblik van Mariya's kamer – de orde, de netheid – zou hem moeten geruststellen, maar dat was niet het geval. Hij vond dat de kamer iets spookachtigs had, iets naargeestigs, als een graftombe die op een dood lichaam wacht.

Hij keek weer naar de brief. Lente 1903. Een wereld van vóór de oorlog, een wereld die hij zich nauwelijks kon herinneren. Een wereld die beslist dood was.

20

De volgende dag kreeg Kirsch een brief van zijn voormalige commandant. Hij had al ruim twaalf jaar niets meer van Gustav Schad gehoord, maar de kolonel had zijn naam in de krant zien staan en had dat een mooie aanleiding gevonden om te schrijven.

Ik ving ergens op dat je psychiater bent geworden. Het doet me genoegen om te lezen dat je zeer succesvol bent, maar het verbaast me niet.

Nadat Schad jarenlang in een ziekenhuis in Essen had gewerkt, was hij onlangs naar de hoofdstad verhuisd om een eigen praktijk op te zetten.

Ik had er meer dan genoeg van om rook in te ademen en besloot dat het tijd werd om de beroemde lucht op te snuiven waar jullie Berlijners altijd zo lyrisch over zijn. Ik heb nog maar weinig kennissen en zou het erg leuk vinden om met een strijdmakker over de slechte oude tijd te mijmeren.

Kirsch noteerde het adres. Het was in Charlottenburg, in het westen van de stad, een vrij chique wijk die werd bevolkt door oude dames met reuma en knorrige hondjes. Hij had altijd respect voor Schad gehad, maar hij betwijfelde of hij tijd kon vinden om bij hem langs te gaan. Ondanks alle jovialiteit en hartelijkheid riepen dergelijke reünies altijd herinneringen op waar hij liever niet meer aan dacht, voor zover dat mogelijk was. De wetenschap dat de anderen er ook zo over dachten, maakten ze niet aangenamer. Sommige oude strijdmakkers zou hij graag hebben teruggezien, maar voor zover hij wist, waren ze allemaal dood.

De rest van de ochtend probeerde hij zijn administratie bij te werken. De achterstand in ongeschreven rapporten en anamneses werd steeds groter, en er kwamen elke dag nieuwe patiënten binnen. Hij was ook nog niet aan het project van dokter Fischer begonnen, hoewel de antropoloog snel resultaten wilde. Hij ging meteen aan de slag en hamerde gestaag en in hoog tempo op de toetsen van zijn oude Adler. Hij stopte niet om fouten te corrigeren, omdat hij het lawaai en het ritme niet wilde onderbreken.

Hij rondde één rapport af, borg het op in het archief en begon aan het volgende: 'Voorlopige beoordeling van patiënt Joseph Grossman'. Grossman was musicus, een violist van een van de symfonieorkesten in de stad. Hij was zevenenveertig, klein en kalend. Hij begon in zijn spel steeds meer fouten te maken, tot het zo erg werd dat hij de repetities verstoorde. Pas op dat moment begonnen ook andere vreemde dingen op te vallen: de afstandelijke, ongestructureerde manier waarop hij sprak (en, zo bleek later, schreef), zijn gewoonte op straat en in de trein onbekenden aan te spreken, en de ongerijmde muziek die hij in zijn appartement had geschreven, niet alleen op stapels bladmuziek, maar ook op de muren, de deur, de lampenkap en het meubilair. Toen zijn hospita een poging had gewaagd om alles schoon te schrobben, had hij gedreigd haar oren af te snijden.

Grossmans abnormale gedrag was een schoolvoorbeeld van schizofrenie. De symptomen waren duidelijk herkenbaar, maar Kirsch begreep niet waarom het zo lang had geduurd voordat iemand ze had opgemerkt. Hoewel Grossman voor zijn werk veel met andere mensen omging, leek hij praktisch geen vrienden te hebben, een situatie die pas was verbeterd toen hij op de psychiatrische afdeling was opgenomen. Hier was hij door zijn spel bijzonder geliefd bij de andere patiënten, vooral bij Mariya. Zelfs als hij buiten viool speelde, kwam ze naar hem luisteren. Dan keek ze aandachtig naar de bewegingen van de stok en zijn vingers, die met hun afgebeten nagels als krabben van de ene snaar naar de andere schuifelden en in de kou langzaam blauw werden.

Even dacht Kirsch dat hij Grossman nu in de verte hoorde spelen, een cadens die op de binnenplaats weergalmde, maar het was slechts de wind, die om de hoek van het gebouw heen floot.

Hij ging door met typen, maar slaagde er alleen nog maar in de naam van de patiënt te tikken voordat hij ophield. Zijn vingers waren verlamd. Zijn hersenen wilden de juiste woorden niet meer vormen. Het was gewoon een rapport, een routineverslag van eerste bevindingen, een voorlopige conclusie, maar hij kon het niet schrijven. Hij bladerde door zijn aantekeningen in de hoop dat hij daar iets zinnigs tegenkwam, een opmerking waar hij iets aan had. Het was hopeloos. Alles wat hij las, elke zin, elke vakmatig geschetste waarneming, voelde als bedrog.

Hij pakte het aantekenboek dat hij uit Mariya's hutkoffer had gehaald en staarde naar de regels vol exotische symbolen en getallen. Ze hadden iets poëtisch. Dergelijke wiskundige berekeningen waren een poging om de wereld in balans te brengen, een uitdrukking van de gelijkheid van ogenschijnlijk onvergelijkbare eenheden – versnelling en zwaartekracht, energie en massa. Ze waren bedoeld om de werkelijkheid te laten balanceren op één enkel steunpunt, vertegenwoordigd door de twee parallelle streepjes die het 'is gelijk aan'-symbool vormden. Bij theoretische natuurkunde was deze taak delicaat en kolossaal, heroïsch zelfs: een reis naar een wereld waarin niets, zelfs niet de elementaire zaken, onomstotelijk vaststond, een wereld waarin menselijke waarnemingen en de menselijke taal evengoed vijanden als vrienden konden blijken te zijn.

Maar wat was het doel van Mariya's berekeningen? Welk probleem probeerde ze op te lossen?

Misschien was er geen probleem. Misschien zat hij nu wel naar klinkklare onzin te kijken, net als de muziek die Grossman door zijn hele huurkamer had gekrabbeld.

Max zou het hebben geweten. Voor hem zou het glashelder zijn geweest, net als veel andere dingen die zijn oudere broer niet doorzag. Maar Max leefde alleen nog maar in zijn dromen.

Op Unter den Linden waren groepen arbeiders aan het werk, ineengedoken, afgetobde mannen die waren gerekruteerd in de goedkope logementen en gaarkeukens en die voor een paar pfennig per uur grind op de gladde trottoirs schepten. In tegenstelling tot arbeids-kracht was het grind schaars. Bij de kleine bergjes grind die met tus-senruimtes langs de weg waren gestort, stonden de mannen in de rij om hun spades te vullen. Met gebogen rug stonden ze te wachten tot er rijke voetgangers voorbijkwamen. Als er eentje kwam, gooiden ze wat van hun lading voor zijn voeten en renden ze met hem mee alsof ze bladeren voor een zegevierende held uitstrooiden, in de hoop dat hun betoonde eerbied hun een fooi zou opleveren.

De zakken van Kirsch waren leeg tegen de tijd dat de roetige zuilen van het operagebouw voor hem opdoemden. Glibberend over de gladde brij haastte hij zich naar de Academie van Wetenschappen aan de andere kant van de weg, waarbij hij een hele rij taxi's moest omzei-len. Een gure oostenwind trok aan zijn kleren en dreigde de hoed van zijn hoofd te rukken. Hij had zijn evenwicht makkelijker kunnen be-waren als hij zijn armen had kunnen uitstrekken, maar onder zijn jas klemde hij het aantekenboek tegen zich aan.

Op de hoek van het Franz-Joseph Platz hoorde hij het schorre, dwingende geluid van een claxon. Toen hij opkeek, zag hij nog net een groene Mercedes om een vrachtwagen heen rijden en met hoge snelheid op hem afkomen. Hij sprong naar het trottoir, glipte weg en viel hard op zijn knie. Het aantekenboek viel open en belandde met de beschreven pagina's op de grond. Hij raapte het haastig op, maar het was al te laat. De inkt was over de bladzijden uitgesmeerd, de cijfers en symbolen waren vervaagd en uitgelopen. Het was een slechte kwaliteit papier, die als een oude doek water opzoog en de bladzijden in een pappige massa veranderde. De Mercedes scheurde hem voorbij en besproeide hem met half gesmolten sneeuw. Hij vloekte hardop en draaide zich nog net op tijd om om het gezicht van de bestuurder te zien, dat werd omlijst door het openstaande raampje. Het was een man, minstens vijftig, met een hangsnor en de treurige ogen van een bloedhond. Hij had een schaapachtige uitdrukking op zijn gezicht, alsof hij wist dat hij zich zou moeten verontschuldigen, maar eigen-lijk te veel haast had om te stoppen. De Mercedes remde, sloeg met een scherpe bocht af naar het plein en verdween, een rookpluim ach-terlatend.

De portier van de Academie van Wetenschappen bekeek hem van

top tot teen en bestudeerde de bemodderde broek en het water dat nog van zijn regenjas drupte. 'Wat was uw naam, zei u?'

'Dokter Martin Kirsch, van de psychiatrische afdeling van het Charité-ziekenhuis.'

De portier zuchtte en liep zijn kantoortje in, waardoor Kirsch in zijn eentje in de hal achterbleef. Een deftige marmeren trap leidde naar de eerste verdieping, waar een andere portier – een potige man met een glimmend kaal hoofd – op hem neerkeek. Uit de gang klonk het geluid van een college dat aan de gang was. De docent zei iets grappigs. Even werd de ruimte gevuld met beleefd gelach.

Misschien was die docent Albert Einstein wel. Het zou kunnen. Hier had hij veel van zijn belangrijkste artikelen gepresenteerd. De gedachte dat hij in dit gebouw zou kunnen zijn, elk moment van de trap zou kunnen komen, liet Kirsch' hart sneller slaan.

'Dokter Kirsch?'

Er stond een man met een pince-nez en een puntboord voor hem. Hij bleek Klepper te heten en had een administratieve functie bij de academie.

Kirsch haalde het aantekenboek tevoorschijn en legde uit dat het vol leek te staan met berekeningen, of pogingen daartoe, van een van zijn patiënten. 'In het ziekenhuis heeft niemand er genoeg verstand van om te beoordelen of het zinnige aantekeningen zijn. De wiskunde is te complex. Maar een van uw gerenommeerde leden zou het meteen kunnen zien.'

Klepper staarde naar het aantekenboek, naar de gerimpelde bladzijden en de uitgelopen inkt. 'Ik weet niet of ik u wel goed begrijp. Hebt u het over een psychiatrische patiënt?'

'Ja.'

'Is die patiënt wiskundige?'

'Wiskundestudent. Of anders misschien natuurkundestudent.'

'Dus u wilt…' Klepper fronste zijn wenkbrauwen. Hij was hooguit dertig, maar alles aan zijn kleding en houding verraadde dat hij naar de plechtstatigheid van de middelbare leeftijd verlangde. 'U wilt dat hij les krijgt?'

'Ik wil graag weten of deze berekeningen aantonen dat de maker geesteszíek is. Ik wil weten of ze wiskundig kloppen.'

'Als uw patiënt student is, moet u zijn docenten raadplegen.'

'Ik vrees dat dat niet mogelijk is.'

Herr Klepper haalde zijn schouders op. 'Dat kan best zijn, dokter...'

Kirsch voelde een koude vlaag wind langs zijn rug glijden. Er kwam iemand door de voordeur. 'Mijn naam is Kirsch.'

'Onze leden geven doorgaans geen gratis adviezen aan...' Kleppers blik bleef op zijn modderige schoenen rusten, '... de eerste de beste.'

'Het duurt maar een paar minuten. Voor een natuurkundige...'

'Onmogelijk, ben ik bang. Deze heren hebben het bijzonder druk. U zult vast begrijpen dat hun tijd kostbaar is.' Klepper gebaarde vaag in de richting van de straat. 'Probeert u het maar eens op de universiteit.'

Kirsch draaide zich om en keek opeens in het gezicht van een man van middelbare leeftijd met een hoog voorhoofd en een witte snor.

'Goedemorgen, professor,' zei Herr Klepper. 'Kan ik u van dienst zijn?'

Pas op het moment dat de hoogleraar Kirsch met een berouwvolle blik aankeek, herinnerde Kirsch zich de hard rijdende Mercedes die hem bijna had overreden en het gezicht van de bestuurder, dat door het raam was omlijst.

De hoogleraar trok een paar zware leren handschoenen uit en stak zijn hand naar hem uit. 'Max von Laue. U was op zoek naar een natuurkundige, zei u?'

Von Laue. Vlak voor de oorlog had hij de Nobelprijs gewonnen voor zijn onderzoek naar röntgenstraling. Hij had een boek over de relativiteitstheorie geschreven.

Kirsch stelde zich voor en legde uit wat hij kwam doen. De hoogleraar knikte ernstig, nam het aantekenboek van hem aan en sloeg een paar vochtige bladzijden om, maar er was niet veel licht in de hal en aan de manier waarop hij met zijn ogen kneep, was te zien dat hij nauwelijks iets kon lezen.

'Misschien kunt u het bij me achterlaten,' zei hij. 'Ik beloof u dat ik er goed voor zal zorgen.'

Boven was het college ten einde. De eerbiedige, kalme sfeer werd even onderbroken door applaus. Dit was de wereld van Max, een wereld van ideeën, van het zuivere denken. Hij was voor deze wereld geboren, maar had niet lang genoeg geleefd om er deel van te kunnen uitmaken.

Kirsch gaf hem zijn kaartje en liep na een laatste blik op de marmeren trap het gebouw uit.

In de personeelskamer had iedereen het over generaal Von Schleicher en zijn promotie van minister van Oorlog tot rijkskanselier. De meeste mensen waren van mening dat het slechts een kwestie van tijd was voordat de krijgswet werd afgekondigd, omdat de kans klein was dat hij in staat zou zijn om een werkbare meerderheid in de Reichstag te krijgen. Anderen dachten dat er een coalitie met de meer pragmatische vleugel van de nazipartij in elkaar zou worden geflanst, waardoor Adolf Hitler buitenspel zou komen te staan. De economie leek zich te herstellen, en de uitgebreide steun aan de nationalisten begon af te nemen. Misschien zouden de nazi's nooit meer aan de macht kunnen komen.

Kirsch keerde terug naar zijn kantoor en ging verder met het achterstallige papierwerk, maar na een paar uur deden zijn ogen pijn en kon hij niet meer schrijven. Zijn arm was koud en zwaar, alsof het vlees langzaam versteende. Hij had er al dagen niet meer naar gekeken. Hij liep naar de gang en stak een sigaret op. In het schemerlicht zag de sneeuw er blauw uit. Aan de andere kant van het kanaal werd iets verbrand. Het zag eruit als een stapel vuilnis, en het rusteloze gele licht kleurde de nevelige lucht.

In de sneeuw stonden voetstappen, zowel van mensen als van dieren. 's Nachts, vooral als het koud was, snuffelden er zwerfhonden rond, die werden aangetrokken door de geur van de keukens. Het was al een paar keer voorgekomen dat ze de vuilnisbakken hadden omgestoten en schillen en slachtafval over de binnenplaats hadden verspreid. Kirsch volgde hun bochtige sporen tot het te donker werd.

Hij verliet het ziekenhuis rond acht uur. Buiten was het vochtig en guur. De sneeuwbrij op de trottoirs veranderde in ijs, dat als gebroken glas onder zijn voeten knarste. Hij dook diep weg in zijn jas en begroef zijn kin onder de revers.

Bij het hoofdgebouw van het ziekenhuis was een auto aan het keren. Kirsch zag zijn eigen schaduw over de bakstenen muren glijden. Hij keek met samengeknepen ogen naar de koplampen toen de auto heel langzaam langs het trottoir ging rijden.

'Dokter Kirsch?'

Het achterportier aan de passagierskant zwaaide open. Door de dikke rookwolken uit de uitlaat kon hij niet naar binnen kijken, tot hij opeens het bebaarde gezicht, de verweerde zeebonkenhuid en het hoekige lijf naar voren zag hellen.

'Dokter Fischer?'

'Wat een geluk! Stap in, stap in. Bucher en ik staan volledig tot uw dienst.' De chauffeur van Fischer stapte uit en hield het portier open. 'Kom vlug, het wordt koud.'

Kirsch stapte in. 'Ik had u hier niet verwacht, dokter Fischer. Hadden we afgesproken om...'

'Ik ben net terug uit München. Ik dacht, ik rij even langs voor het geval ik u zie. Ik had vanaf het station gebeld, maar niemand scheen te weten waar u was.'

Ze sloegen rechts af, reden de hoofdweg op en vervolgden hun tocht in oostelijke richting. Aan weerskanten van hen staken de hoge flatgebouwen zwart af tegen de sombere stadshemel. Ondanks de weersomstandigheden reed Bucher flink door.

'Hebt u de cheque ontvangen?' vroeg Fischer.

'Ja, die heb ik gekregen, dank u.'

'Ik hoop dat het bedrag toereikend is om een start te maken met de kwestie waarover we hebben gesproken.'

'Meer dan toereikend. Ik ben begonnen aan een lijst met instituten en artsen die ik wil benaderen.'

Dat was het enige wat hij kon bedenken, want in werkelijkheid had hij nog niets gedaan.

'Maar ik dacht dat ik zo'n lijst naar u toe had gestuurd.'

'Als uitgangspunt was uw lijst heel nuttig, maar ik vond dat ik zo veel mogelijk mensen moest benaderen.'

Fischer stak zijn hand in zijn zak en haalde zijn sigarettenkoker eruit. 'Ik denk dat ik wel weet wie bereid is aan uw onderzoek mee te werken.' Hij bood Kirsch een sigaret aan. 'Houdt u zich maar aan mijn lijst. U zult merken dat dat u heel veel tijd bespaart.'

Kirsch sloeg de sigaret af en vroeg zich af waarom Fischer de Duitse psychiaters zo goed kende, en met welke criteria zijn lijst was opgesteld.

Fischer stak zijn sigaret aan, waarbij hij een hand als een kommetje om de vlam hield. 'Niet dat ik u wil opjagen. Integendeel. Neem alle tijd die u nodig hebt.'

Ten noorden van het Luisenplatz kwamen ze naast een tram te rijden. Strepen geel licht rolden voorbij, met de donkere contouren van hoofden en gezichten die door de beslagen ramen naar buiten staarden. Kirsch had wel degelijk het gevoel dat hij werd opgejaagd, maar misschien was dat gewoon Fischers manier van doen.

Fischer leunde achterover op de bank en plukte wat tabak van zijn tong. 'Hoe gaat het met uw bijzondere patiënte? Hebt u al vooruitgang geboekt?'

'Een beetje,' antwoordde Kirsch.

Fischer draaide zich naar hem toe en blies met kracht zijn longen leeg. 'En?'

Via de achteruitkijkspiegel keek Bucher ook naar zijn gezicht. In het licht van de koplampen van hun tegenliggers kon Kirsch zijn ogen zien.

Hij haalde zijn schouders op. 'Ze is studente, op bezoek uit Zürich.'

'Heeft zij u dat verteld?'

'Nee, haar huurbaas heeft zich gemeld. Hij had haar foto in de krant zien staan. Ze heet Draganović. Mariya Draganović. Het leek mij het beste om het stil te houden.'

'Heel verstandig.' Het leer kraakte toen Fischer op de bank ging verzitten. 'Maar kan ze zich nog steeds niets herinneren? Is haar geheugenverlies niet verminderd?'

'Nee.'

Fischer draaide zich weer naar het raam, waarbij hij nauwelijks in de gaten leek te hebben dat er een ambulance met gillende sirene langs hen heen naar het ziekenhuis scheurde. Hij nam een trek van zijn sigaret en glimlachte. 'Betekent dat dat mijn theorie in uw ogen aan gruzelementen is gevallen?'

'Ik heb geen enkele reden om aan te nemen dat ze een bedriegster is, als u dat bedoelt. Ik begrijp niet wat iemand daarmee opschiet.'

Fischer lachte. 'Er is altijd iemand die er iets mee opschiet, dokter Kirsch. Misschien schiet ú er wel iets mee op, als de hele zaak op de juiste manier wordt aangepakt. Als de pers er geen circus van maakt.'

Ze reden nu op een bredere, drukkere verkeersweg die langs een oude stadsgrens liep. Bucher gaf weer gas, liet de tram achter zich en reed hotsend en botsend over een wissel.

'Het is een interessant geval,' zei Kirsch, die niet helemaal zeker wist of Fischer dat bedoelde.

'Heel interessant. Uw carrière zou er een hoge vlucht door kunnen nemen.'

In gedachten zag hij Mariya bij het raam zitten en fronsend in haar schetsboek tekenen. Als hij zijn ogen dichtdeed, kon hij de geur van haar hoofdkussen oproepen.

'Het hangt er natuurlijk van af of ze mijn patiënte blijft. Op dit moment lijkt me dat onwaarschijnlijk.'

'Onwaarschijnlijk? Waarom?'

Kirsch besloot hem de waarheid te vertellen. Die zou hij toch niet lang meer kunnen verbergen. 'Omdat dokter Bonhoeffer een ontslagbrief van me verwacht.'

Hij vertelde Fischer over het meningsverschil met dokter Mehring, de behandelmethode waarbij patiënten met insuline in coma werden gebracht en de verwonding van zuster Ritter. Hij zei niet veel over sergeant Stoehr, dat het lijden van de man hem had geraakt en herinneringen aan de oorlog had opgeroepen. Hij was bang dat Fischer hem sentimenteel zou vinden.

Fischer luisterde zwijgend. Hij was te oud om in de oorlog te hebben gediend. Waarschijnlijk had hij veilig op een of andere universiteit gezeten, waar hij het vast wel erg had gevonden dat er aan het front zo veel werd geleden, waar hij zich er misschien zelfs een voorstelling van had gemaakt, maar nooit te maken had gehad met de verlammende shock en de beelden die nooit vervaagden.

'Dus u begrijpt dat ik mijn langste tijd in het Charité heb gehad,' besloot Kirsch zijn verhaal, terwijl ze voor een kruispunt wachtten. 'En als ik het Charité verlaat, moet ik de patiënte overdragen.'

Op de hoek stapte een groep politiemannen uit een vrachtwagen.

Twee van hen droegen geweren. Fischers vingers streken over de contouren van zijn kaak.

'Dokter Mehring is een jood, nietwaar?' vroeg hij.

'Dat weet ik niet.'

'Heinrich Mehring? U zult zien dat ik gelijk heb. Uw vak zit vol joden. Al sinds dokter Freud.'

'Dokter Mehring is geen freudiaan, dat weet ik wel.'

'Niet dat ik daar iets tegen heb, begrijp me goed. Veel Israëlieten hebben uitstekende, analytische hersenen, al hebben ze een ongezonde voorkeur voor het abstracte.' Terwijl ze wegreden, gleed een van de politiemannen uit op het ijs. De anderen lachten. 'Maar er zijn veel mensen die een minder internationalistische mening hebben. En ik vrees dat het niet verstandig is om hen te provoceren.'

'Ik geloof dat ik u niet begrijp.'

Fischer trok het raampje omlaag en gooide zijn sigarettenpeuk naar buiten. 'Dat maakt niet uit.' Hij boog zich naar Kirsch toe en tikte hem zachtjes op de onderarm. 'Een man met uw talenten kan niet zomaar opzij worden geschoven. Ik zal mijn invloed aanwenden, en die is niet onaanzienlijk.'

'Het is de bedoeling dat ik met Kerstmis weg ben. Het is allemaal al rond.'

Fischer liet een sussend geluid horen. 'Trek nog geen overhaaste conclusies. Ik zal kijken wat ik kan doen. Misschien waait het allemaal toch nog over.'

Ze reden langs de enorme stenen toren van de Zionskirche. Achter de glas-in-loodramen brandde licht, maar de grote deuren waren dicht. Een paar minuten later reden ze de Schönhauser Allee op.

Kirsch wachtte niet tot Bucher het portier voor hem openhield en stapte uit. Terwijl Fischer met een volgende sigaret tegen zijn koker tikte, keek hij met een bedenkelijke blik naar het huis van Frau Schirmann. Kirsch bedankte hem voor het feit dat hij had mogen meerijden.

'Graag gedaan,' zei Fischer. 'Ik kijk uit naar uw onderzoeksresultaten. Ik ben echt heel benieuwd. Geloof me, het is belangrijker dan u denkt.'

Hij stak de sigaret op en doofde de lucifer door drie keer hard met zijn pols te schudden.

21

Toen Kirsch een paar jaar eerder op een zondag het huis in Reinsdorf verliet, had hij zijn jas van de kapstok gepakt en was hij er te laat achter gekomen dat het zijn jas helemaal niet was. Max had bijna precies dezelfde jas gehad als hij – donkergrijs, met twee rijen knopen en zwart vilt rond de kraag – maar terwijl Kirsch er op het perron van het treinstation mee worstelde, kwam hij tot de ontdekking dat die van zijn broer een paar maten kleiner was. Sindsdien hing de jas onaangeraakt en ongedragen in zijn appartement in Berlijn. Kirsch had er zelf niets aan, maar hij had hem ook nooit teruggebracht naar Reinsdorf. Hij had zich al vaak voorgenomen om hem mee te nemen, maar uiteindelijk vergat hij het altijd, of leek het het verkeerde moment. In werkelijkheid wilde hij niet dat een bezoek zou beginnen met een herinnering aan Max. Ook vond hij het geen prettig vooruitzicht om uit te moeten leggen hoe hij aan de jas kwam, of waarom hij hem niet eerder had teruggebracht. Want dat zou – in elk geval stilzwijgend – een andere vraag oproepen: waarom er eigenlijk nog zo veel spullen van Max in huis te vinden waren, spullen die nooit meer gebruikt zouden worden. Dat was een onderwerp dat niemand onder ogen wilde zien, laat staan wilde bespreken, alsof Max' dood niet domweg een onpersoonlijk, noodlottig bijverschijnsel van de oorlog was geweest, maar een duister, beschamend geheim, een misdaad waarbij ze allemaal betrokken waren.

Er kwam een muffe kamfergeur van de jas af, vermengd met een aroma dat Kirsch deed denken aan de zuurtjes die hun vader hun gaf toen ze nog klein waren. Voor zover hij wist, was de jas niet meer gereinigd sinds Max hem had gedragen. Maar zelfs daar wilde Kirsch niets aan veranderen. Stel dat de jas in de wasserij beschadigd werd.

Stel dat de zwarte verf van de kraag uitliep, of dat er een knoop zoek-raakte. Daar wilde hij niet voor verantwoordelijk zijn. En zou er in al het waspoeder en water ook niet iets van Max worden weggewassen?

Daarom was de jas aan een kleerhanger achter de deur blijven han-gen, waar niemand er iets aan had, waar hij niemand tegen regen of wind beschermde. Bij de aanblik werd Kirsch er alleen maar aan her-innerd dat hij zo dom was geweest hem van zijn plaats aan de kapstok te halen, iets wat hij nooit meer kon terugdraaien.

Nu, op een vrijdag aan het begin van december, haalde hij hem ein-delijk van de kleerhanger. Hij borstelde hem voorzichtig af en hing hem over zijn arm toen hij naar zijn werk ging.

Hij trof Mariya in haar kamer aan. 'Hier,' zei hij, terwijl hij de jas aan de schouders vasthield. 'Het is koud buiten.'

Mariya tekende een van de andere patiënten. Ze poseerden tegen-woordig gewillig voor haar, al liepen ze vaak na een tijdje weer weg. Die ochtend was Frau Becker aan de beurt, een weduwe van tussen de vijftig en zestig. In haar hoogtijdagen was ze een schoonheid geweest, maar de helderrode lippenstift die ze zo mooi vond, stond haar niet meer. Met haar handen tussen haar knieën zat ze geduldig op een krukje naar de schetsende tekenares te kijken. Er was geen spoor te bekennen van de verwarde geest die had gezorgd dat ze op een och-tend naakt op straat had gelopen en had beweerd dat ze te laat was voor de kerk.

Mariya keek op van haar schetsboek. 'Waar gaan we naartoe?'

'Op pad.' Kirsch bleef de jas voor haar omhooghouden. De geur van oude mottenballen vermengde zich met de overheersende stank van ontsmettingsmiddel.

'Ik moet hier blijven tot ik klaar ben,' zei ze.

'Ik wil alleen dat je de jas even past. We kunnen straks ook gaan.'

'Ik moet híér blijven.' Met haar potlood gebaarde ze naar de vloer. 'Als ik me verplaats, verandert het. En dan moet ik opnieuw begin-nen.'

Ze had het over de tekening. Of was ze om een of andere reden boos op hem?

'Het duurt maar heel even.'

Ze staarde naar haar model en ging door met tekenen. Misschien was ze bang om haar perspectief kwijt te raken, de lichtinval, de hoek, of haar gevoel voor alle drie. Misschien maakte haar geheugenverlies zulke kortstondige dingen kostbaarder en had ze een grotere behoefte om ze vast te houden.

Hij keek nog een paar tellen naar haar voordat hij de jas op het bed legde en de vouwen eruit streek. 'Ik kom je om drie uur ophalen,' zei hij.

Toen hij terugkwam, zat ze met de jas aan op haar bed. Zodra ze hem zag binnenkomen, stond ze op en ging ze met haar handen langs haar lichaam in het midden van de kamer staan. Kirsch huiverde. Het was alsof Max hem door de ogen van het meisje aankeek, alsof er plotseling een zweempje van hem werd belicht, als een beeld dat gevangen zit in een prisma. Maar de jas paste minder goed dan hij had gedacht. Zelfs als jongeman was Max langer en breder geweest dan Mariya. De jas zag er geleend uit, net als haar zware hoge schoenen en haar vormeloze wollen jurk.

Buiten hielden ze een taxi aan en staken ze de rivier over naar het centrum van de stad. Zonlicht brak door de wolken heen en werd gereflecteerd door natte daken en kasseien, waardoor Kirsch zijn ogen moest afschermen. Ze staken Unter den Linden over en reden stapvoets door de Wilhelmstraße, waarbij ze de massieve, statige banken en regeringsgebouwen passeerden. Zwijgend staarde Mariya naar de voetgangers. Soms, als ze mensen zag die ze erg interessant vond, ging ze op haar knieën op de bank zitten om hen door het achterraam na te kijken. Zodra ze uit haar gezichtsveld verdwenen waren, draaide ze zich om en richtte ze haar blik op iemand anders, alsof elk gezicht een schilderij in een galerie was, uniek en boeiend. Toen ze op de Leipziger Straße stopten om een tram voorrang te geven, tikte een bedelaar tegen het raampje en rammelde hij met zijn tinnen beker. Zijn gezicht was bedekt met littekens van brandwonden, en op de plaats waar zijn linkeroog had gezeten, zat alleen nog maar een diepliggende rode spleet. Ze deinsde niet terug, maar bleef naar hem kijken, met haar handen tegen het raam.

Bij station Anhalt stapten ze uit. Hier kwamen reizigers uit Zürich in Berlijn aan. Het was halverwege de middag, maar op de trottoirs waren al talloze kantoormedewerkers en ambtenaren op weg naar huis. Terwijl Kirsch de taxichauffeur betaalde, keek Mariya omhoog naar het gebouw, naar zijn imposante zuilengang en enorme bakstenen gewelven. Kirsch zag haar slikken. Hij had beter zijn best moeten doen om haar netjes aan te kleden. Ze had bijvoorbeeld een sjaal nodig. Het was geen gezicht zoals haar onbedekte keel uit de zware stof van de jas stak.

'Laat je me hier achter?' vroeg ze.

'Hoe kom je daarbij?'

Ze stopte haar handen in haar zakken. 'Stuur je me niet weg, dan?'

Hij zette haar revers omhoog en bedekte het v-vormige stuk bleke huid onder haar keel. 'Hoe kan ik je nu ergens naartoe sturen als ik niet weet waar je vandaan komt?'

Haar haar was inmiddels zover aangegroeid dat hij het van de kraag moest tillen. Terwijl het over de rug van zijn hand streelde, rook hij een vertrouwd vleugje van haar geur, verhuld, maar niet verdwenen door de chemische cocktail van kamfer en bleekmiddel, als een bloem die in een veld vol steengruis in bloei stond.

Vanaf de trap keken twee vrouwen op hen neer. Een van hen had een teckel onder haar arm. De teckel hapte naar hem en ontblootte zijn gele tanden. Ze hadden ongetwijfeld het idee dat hier iets onbehoorlijks aan de gang was. Mariya was beslist niet gekleed als een dame, en als ze geen dame was, wat was ze dan wel?

Kirsch draaide zich weer naar de taxi. 'Ik ben van gedachten veranderd. Breng ons naar Karstadt.'

Warenhuis Karstadt was het grootste gebouw van heel Berlijn, een enorm fort van cement en steen met aan de zuidkant logge, vierkante torens van vijfentwintig verdiepingen hoog. Omdat er zo strak aan loodrechte lijnen was vastgehouden – nergens was een kromming of diagonale lijn te bekennen – deed het gebouw Kirsch aan een krachtcentrale denken, maar Alma bezwoer dat er voor doordeweekse kleding en huishoudelijke artikelen geen betere winkel te vinden was. 'Je moet er niet naartoe als je avondkleding zoekt,' zei ze, 'maar het kost altijd zo veel tijd als je alleen maar een paar handschoenen nodig hebt en allerlei kleine winkeltjes af moet.' Vorig jaar zomer had ze hem twee keer meegesleept naar het dakterras. Daar speelde een strijkorkest voor de clientèle, die zich met koffie en taart volpropte. De eerste keer had ze een das voor hem gekocht, die hij op haar verzoek droeg als ze bij haar familie in Oranienburg op bezoek gingen. De tweede keer had ze een leren etui met een set nagelschaartjes voor hem gekocht.

Mariya had kennelijk geen ervaring met roltrappen. De eerste keer stond ze wankel op haar benen en hield ze de leuning met beide handen vast, terwijl ze blikken wierp op de glanzende ruimtes boven haar hoofd. Kirsch moest zijn lachen inhouden toen ze verschrikt naar de treden staarde die boven haar een voor een onder de stalen tanden van de kamplaat verdwenen. Uiteindelijk liet ze de leuning helemaal los. Ze strekte haar handen als een koorddanser uit en sprong minstens een meter over de drempel.

'We kunnen ook de trap nemen, als je wilt,' zei Kirsch.

'Nee.' Ze rechtte haar schouders. 'Ik wil nog een keer. Hoe moet je naar beneden?'

Maar er was geen reden om naar beneden te gaan, want de damesafdeling lag nog een verdieping hoger. Op de tweede roltrap slaagde Mariya erin om zich maar met één hand vast te houden, al greep ze af en toe, als de roltrap schudde, de arm van Kirsch beet om haar evenwicht te bewaren. Ze ging er zo in op dat ze niet in de gaten had dat andere mensen naar haar omkeken en fronsten. Kirsch wist niet wat ze nu zo verontrustend aan haar vonden – dat ze geen hoed droeg en niet netjes gekapt was, dat ze arbeidersschoenen droeg, dat haar gezicht onopgemaakt was, of simpelweg dat ze veel mooier was dan ze eigenlijk zou mogen zijn. Terwijl ze in het grote warenhuis van de ene verdieping naar de andere stegen, merkte Kirsch dat hij het leuk vond dat de mensen zich niet op hun gemak voelden.

Hij koos een pakje in bruin kamgaren. Alma droeg tegenwoordig vaak pakjes, en zelfs af en toe een broekpak, zoals Marlene Dietrich. Maar Mariya vond het niet mooi. Ze koos een eenvoudige blauwe jurk met een patroon, pofmouwtjes en een gepaspelde rok. Ze hield hem voor haar lichaam en bekeek zich in de spiegel van alle kanten.

'Pas hem maar eens,' zei Kirsch.

Het kledingstuk leek op de jurken in haar kast bij Herr Mettler, maar dan vrolijker, nieuwer.

'Waarom? Ik heb geen geld om iets te kopen.'

'Trek hem toch maar aan. Doktersvoorschrift.'

Hij nam haar mee naar de paskamers en bleef daar op haar wachten, luisterend naar de ruisende stof en de zachte klik van drukknoopjes achter het gordijn. Hij hoorde stemmen, een geschokt gegiechel: twee vrouwen stonden samen in het volgende hokje. Vrouwen met diverse kledingstukken over hun arm liepen langs hem heen. Hij bedacht dat hij waarschijnlijk de enige man op de afdeling was.

Ze kwam op haar blote voeten achter het gordijn vandaan. Na haar ziekenhuiskleding zag de jurk er mooi en vrouwelijk uit. Ze draaide een rondje voor hem, waardoor de rok uitwaaierde en hij vage blauwe plekken op haar kuiten zag staan. Hij zag nu dat ze was afgevallen sinds ze samen hadden gedanst. Haar middel was zo slank als dat van een meisje van dertien.

'Je hebt kousen nodig,' zei hij, en hij riep een van de verkoopsters.

Twee paar zijden kousen, een jarretellengordel, de jurk, een paar zwarte, hooggehakte damesschoenen met veters: het duurde bijna een uur voordat ze al haar kleding bij elkaar hadden. Daarna gingen ze nog een verdieping hoger, waar Mariya een paar hoeden paste: een roomkleurige gleufhoed met een bruin lint, een zwarte, kegelvormige hoed met omgevouwen randen die volgens de verkoopsters 'het Zwitserse model' had, en een voorgevormde vilten hoed die Kirsch door de glanzende zwarte veren aan de zijkanten aan de helm van de gevleugelde boodschapper Mercurius deed denken. Hij zette ze een voor een op het hoofd van Mariya, die met een peinzende blik voor de spiegel stond. Het viel niet mee om er een te kiezen. Bij elke hoed leek ze er anders uit te zien: de gleufhoed was wereldwijs en zwierig, de kegelvormige hoed speels, en met de voorgevormde hoed zag ze er evenwichtig en verfijnd uit, als een danseres. Haar onschuld gaf elke aanblik intensiteit, elke nuance glans.

'Kies jij maar,' zei hij.

'Stel je me op de proef? Hoort dit bij mijn behandeling?'

Hij had haar nog steeds niet verteld waar ze naartoe gingen, en blijkbaar had ze besloten er niet naar te vragen.

'Nee, ik stel je niet op de proef. Maar je moet kleren hebben, anders zie je eruit alsof je uit de gevangenis komt.'

Ze zette de gleufhoed af en gaf hem aan hem. 'Ik kan niet kiezen. Ik vind ze allemaal mooi.'

'Het is de laatste mode.'

Ze draaide zich weer naar de spiegel, hees zonder enige gêne haar rok op en draaide de naad van haar kous recht. Kirsch zag het spiegelbeeld van twee verkoopsters, die achter de kassa met elkaar fluisterden.

'Deze kousen zijn ook heel bijzonder,' zei ze.

'Ze zijn van zijde.'

'Ik heb nog nooit eerder zijde gedragen.'

'Misschien kon je dat niet betalen.'

Ze liet haar rok weer zakken en veegde een pluisje weg dat aan de stof kleefde. 'Mijn vader was niet arm. Hij werkte voor de regering en droeg op feestdagen een uniform.'

Kirsch vroeg zich af of dit duidelijke herinneringen waren of dat ze weer had gedroomd.

'Waar is je vader nu?'

'Dood.' Ze liep naar een ander rek met hoeden en streek werktuiglijk over de randen. 'Mijn hele familie is dood.' Ze pakte een zwart vilten dophoed. 'Wat vind je van deze? Is dit model geschikt?'

'Voor een dag bij de paardenrennen misschien wel, ja. Waarom denk je dat je hele familie dood is?'

Ze trok de dophoed laag over haar voorhoofd, waardoor haar ogen niet meer te zien waren.

'Gisteren was ik buiten, op het terrein. Er is een bankje waar ik graag op zit.'

'Dat weet ik. Daar heb ik je gezien.'

'O.' Ze bracht een hand naar haar wang.

'En?'

'Ik herinner me dat ik mijn vaders graf had gevonden. De sneeuw en de verse aarde. Die geur van natte grond. Ik denk dat hij in dat uniform is begraven.'

'Is dat alles wat je nog weet?'

'Ik weet nog hoe ik me voelde.'

'Hoe voelde je je dan? Verdrietig, neem ik aan.'

'Nee, ik herinner het me nog heel goed.' Ze verwisselde de dop-hoed voor een blauwe strooien cloche, waarvan de voorkant was om-gevouwen op een manier die volgens Alma passé was. 'Ik voelde me bevrijd.'

Na het bezoek aan Karstadt reisden ze in propvolle trams naar het Alexanderplatz, waar ze te voet Kirsch' gebruikelijke route vervolg-den: langs de kraampjes in de Grenadierstraße, al waren het er min-der dan anders, langs de dichtgetimmerde muziekwinkel van Herr Bronstein, langs het tankstation en de synagoge aan de Rykestraße, waar een eenzame politieman kalm de gelovigen bekeek die naar bin-nen liepen. Als Mariya de omgeving herkende, liet ze dat niet merken. Ze zei helemaal niets. Ze liep rustig door, zonder om zich heen te kij-ken of stil te staan om zich te oriënteren. Af en toe bleef Kirsch op straathoeken opzettelijk een stukje achter haar lopen om te kijken of ze verward of gedesoriënteerd raakte, maar elke keer liep ze gewoon door, zonder zelfs maar naar hem om te kijken.

Bij het kerkhof stond ze stil. De hekken stonden open. In het schemerdonker zag Kirsch een handjevol mensen rondlopen – toe-zichthouders, misschien, die dode bloemen weghaalden of nieuwe graven voorbereidden. Het licht van hun sigaretten dreef in de ne-vel.

'Ik ken deze weg,' zei ze, terwijl haar adem een rookpluimpje in de koude lucht vormde.

Het duurde heel lang voordat Herr Mettler opendeed, en toen hij kwam, leek hij de deur niet verder dan een paar centimeter open te willen doen.

'Wat komt u doen? Ik dacht…' Zijn blik viel op Mariya, die op het trottoir stond te wachten. Hij ging fluisteren. 'Wat doet zij hier?'

'Ik wil dat u me die kamer nogmaals laat zien. Nummer drie.'

Binnen stond een radio aan: krassende stemmen en krakend ap-plaus. Herr Mettler stapte achteruit. Kirsch nam Mariya bij de arm en leidde haar de gang in. Ze was een beetje buiten adem.

'Als u ons de sleutel geeft, vinden we het zelf wel,' zei Kirsch.

Herr Mettler bromde en liep terug naar zijn appartement. Zo te horen, werd er even overlegd voordat hij weer naar de gang kwam en Kirsch wenkte.

'Er is iemand die belangstelling voor die kamer heeft,' zei hij. Hij ademde op zijn bril en poetste de glazen op zijn mouw schoon. 'Dus als ze haar spullen wil hebben, moet u ze nu meenemen.'

Ze stonden in een smalle zitkamer, waar haakjes met sleutels hingen. Bij de muur stond een rijtje oude schoenen. Vanuit de keuken dreef de geur van gekookte aardappelen naar binnen.

Kirsch stak zijn hand in zijn jasje. 'En als ik haar huur voor de komende week nu eens betaal?'

Herr Mettler schudde zijn hoofd. Hij had een hoge dunk van de huurster die hij op het oog had, zei hij. Ze was het soort vrouw dat lange tijd zou blijven. Sterker nog, ze was aristocrate, het soort huurster dat je niet kwijt wilde. Hoe meer hij uitlegde, hoe meer Kirsch ervan overtuigd raakte dat hij loog.

'En als ik nu eens voor twee weken betaal, gewoon haar huurcontract nog even verleng? Het lijkt me goed voor Mariya hier weer te wonen, in plaats van op de afdeling psychiatrie.'

'Hier? Permanent, bedoelt u?'

'In elk geval voor een paar maanden.'

'Nee, nee, onmogelijk.'

'Waarom? U zei zelf dat u nooit last van haar had.'

'Dat was voorheen.' Mettler keek over zijn schouder naar de keuken. 'Niemand wil haar soort in huis.'

'Ik weet niet wat u bedoelt.'

'Andere mensen voelen zich niet veilig.' Herr Mettler wees met zijn wijsvinger naar zijn voorhoofd. 'Je weet nooit waar ze toe in staat zijn. Daar hebben we toch juist gestichten voor?'

Kirsch klapte zijn portefeuille open. 'Dertig dagen, contant vooruitbetaald. Ik kan nu al een aanbetaling doen.'

Herr Mettler keek langs hem heen naar de gang. 'Waar is zij nu naartoe?'

Kirsch draaide zich om. Mariya was weg, en de sleutel van haar kamer ook. 'Ik denk dat ze...' Hij liep naar de trap. 'Mariya?'

Buiten spatte een fles op de kasseien kapot. Een hond begon te blaffen. Herr Mettler haastte zich naar de voordeur en schoof de grendels erop.

In het steegje klonken gehaaste voetstappen.

'Mariya?'

Er kwam geen antwoord. Hij had willen voorkomen dat ze in haar eentje naar boven ging. Hij had alles stapje voor stapje willen doen. Als ze zich opeens alles herinnerde, kon dat onvoorziene gevolgen hebben. Het kon gevaarlijk zijn.

Kan het zijn dat ze zelfmoord wilde plegen? Hebt u daaraan gedacht? Misschien is ze van een brug gesprongen.

In een van de kamers op de eerste verdieping ging een lamp aan. Kirsch haastte zich naar de tweede verdieping. Op het moment dat hij bij kamer 3 kwam, klikte de deur dicht.

Ze wilde alleen zijn. Nou ja, het was háár kamer, of dat was hij in elk geval geweest. Al haar spullen lagen er nog: kleren, boeken, het fotoalbum. Hij klopte zachtjes.

Er dreef een koude stroom lucht langs zijn enkels. Hij klopte nog een keer.

'Mariya?' Hij luisterde: niets. Hij legde zijn hand op de klink. De deur zat niet op slot.

Binnen brandde nog steeds geen licht. Een streep geel licht van een straatlantaarn voor het huis strekte zich uit over het plafond. Het was er verrassend koud.

Hij zette het lichtknopje om, maar de gloeilamp was verdwenen. Hij tuurde in het donker en zette een paar stappen naar voren. Mariya was er niet.

Geluidloos zwaaide het raam open. De gordijnen bolden op. Het lawaai van de stad in de verte zwol aan.

Hij rende naar het raam, gooide het nog verder open en keek op het gietijzeren balkonnetje. De gaslampen op straat waren ongewoon fel. Kirsch moest zijn ogen afschermen. Maar er lag geen verpletterd lichaam op het trottoir, er verzamelde zich geen groepje toeschouwers. Een man stak een sigaret op. Hij keek omhoog naar Kirsch terwijl hij de lucifer weggooide.

'Wat is er?'

Mariya stond naast hem.

'Wat doe je daarbuiten?'

Ze dook weg in haar jas. 'Ik zag je daar beneden. Kan dat? Ik dacht dat ik me herinnerde dat ik jou had gezien.'

Hij sloeg zijn armen om haar heen en hield haar dicht tegen zich aan. Ze leek bijna niets te wegen. Hij tilde haar op, droeg haar naar binnen en zette haar op de vloer.

'Ik dacht dat ik je kwijt was.'

Haar armen lagen nog om zijn nek en ze verborg haar gezicht in de plooien van zijn jas. Hij merkte dat hij weer een stap naar haar toe zette, een korte gewichtloosheid als op het moment vóór een val.

Terwijl hij haar kuste, hield ze haar ogen stevig dicht, alsof ze een wens deed. Daarna nam ze zijn gezicht in haar handen en kuste ze hém. Haar oogleden knipperden en gingen weer dicht terwijl hun lichamen zich langzaam ontspanden. Zo bleven ze lange tijd staan, in de koude duisternis, met krakende vloerplanken onder hun voeten. Kirsch dacht er niet aan om haar te vragen wat ze zich nog meer herinnerde. Voor deze keer leek het er niet toe te doen.

Hij bedacht dat deze liefde uiteindelijk toch geen droom, verzetje of vlaag van verstandsverbijstering was. Het was een geschenk, een redding.

Hij huiverde. Er was een kleine haard in het vertrek, die klaar was om aangestoken te worden, maar het zou lang duren voordat de kamer warm was.

'Ik rammel van de honger,' zei Mariya. 'Kunnen we iets gaan eten? Ik heb tussen de middag niets gegeten.'

'Waarom niet?'

'Ik was nerveus. Heb je dat niet gemerkt?'

'Eerlijk gezegd niet, nee.'

Wat ben ik nu voor een psychiater? Die gedachte flitste door zijn hoofd en hij kreeg antwoord op zijn vraag: *een psychiater die affaires met zijn patiëntes begint.*

'Ik weet wel waar we naartoe kunnen,' zei hij.

22

Zijn gezicht vertrok toen Alma haar armen om hem heen sloeg. Door het koude weer was de wond in zijn arm ontstoken geraakt. Onder zijn jas was het vlees vuurrood en opgezwollen.

'Wat is er? Wat is er aan de hand?'

'Niets. Ik ben gevallen. IJs.'

Het was zondagochtend. Stralen verblindend zonlicht priemden door de overkapping van het station en spikkelden de holle, donkere ruimte binnenin.

'Je liegt.'

Kirsch wreef over de plek. 'Waarom zeg je dat?'

'Ik weet wat er is gebeurd,' zei Alma. 'Een van hen heeft je aangevallen, hè? Papa heeft me erover verteld. Hij zei dat mensen die in gestichten werken altijd worden aangevallen.'

'Dat is onzin. En het is trouwens een psychiatrische afdeling, geen gesticht.'

De machinist blies op zijn fluit. Kirsch maakte de deur van het treinstel open en bood Alma zijn goede arm aan.

'Dat is nog erger,' zei ze. 'In gestichten hebben ze tenminste nog bewakers. Ik weet niet wat ik moet doen als er iets met jou gebeurt.'

Haar vermanende woorden klonken opgewekt, maar de ondertoon was ernstig. Het was ook niet voor het eerst dat Kirsch dit hoorde: Alma wilde dat haar aanstaande echtgenoot het ziekenhuis verliet en in een wat heilzamere tak van geneeskunde ging werken, een die minder doordrenkt was met ellende en aftakeling. In theorie was er niets op de psychiatrie aan te merken, maar de geesteszieken zelf waren besmet, en die smet gaf af op iedereen die zijn tijd tussen hen doorbracht.

Kirsch bedacht dat dit het perfecte moment zou zijn geweest om haar te vertellen dat hij het Charité waarschijnlijk ging verlaten en aan een nieuw onderzoek voor dokter Fischer ging beginnen, maar hij wist dat dat geen zin meer had. Hij had zich voorgenomen haar te vertellen dat hun verloving voorbij was. Nu hij zijn ogen niet meer voor de waarheid sloot, moest hij de hare ook openen. Hij moest alleen nog bedenken wat hij zou zeggen, en wanneer.

Hij had voorgesteld om de dag in Potsdam door te brengen, bij het meer. Hij zei dat hij even uit de stad weg wilde. Ze had enthousiast ingestemd, maar Kirsch ontdekte pas in de trein waarom: ze konden even uitstappen in Zehlendorf en een bezoekje brengen aan de villa waar ze met hem wilde gaan wonen.

'Het is nuttig om een idee van de buurt te krijgen,' zei ze. 'Ze zeggen dat het binnenkort de populairste wijk van heel Berlijn wordt. Er wonen veel beroemde mensen. Straks geven we feestjes en verschijnen er foto's in de pers.'

'Alleen als we de pers uitnodigen,' zei Kirsch. 'En dat doen we niet.'

Alma haalde een speld uit haar hoed. Haar blonde, dansende haar zag eruit alsof het net in de krul was gezet en rook vaag naar alcohol.

'Je lijkt papa wel.'

'O ja?'

'Je weet hoe hij over de kranten denkt.' Ze haalde haar schouders op. 'Hij is erg...'

'Reactionair?'

'Ouderwets.'

'Dat vind ik een milde term voor hem.'

Ze zuchtte en gaf hem een kneepje in zijn arm terwijl de trein onder de S-Bahn door dook. Grijze stoom stroomde langs de ramen. 'Hij wil gewoon dat alles weer net als vroeger wordt. Dat begrijp je toch wel? Voor zijn generatie betekent "verandering" altijd iets kwijtraken waaraan ze gehecht waren.'

Kirsch dacht aan zijn moeder, die nog steeds in haar eentje in Max' kamer huilde, en aan zijn zus Emilie, die er vanuit haar kleine kamertje beneden naar luisterde.

'Het is te laat,' zei hij. Ze reden over een goederenemplacement.

De torens en schoorstenen van de stad werden in de verte steeds kleiner en staken scherp af tegen een wolkenveld. 'Het kan nooit meer zoals vroeger worden. Tijd is misschien niet rechtlijnig, maar beslist ook niet cirkelvormig.'

Alma trok haar neus op en nestelde zich tegen hem aan, waarbij haar hoofd zwaar op zijn schouder leunde. 'Nou ja, het doet er niet toe. Wij gaan straks in Zehlendorf wonen en dan doen we precies waar we zin in hebben.'

Ze ging rechtop zitten toen de conducteur verscheen. Een paar minuten later reden ze door een landschap met een wirwar van hekken en modderige stukken grond met voren waarin nog sneeuw en ijs lag. Alma had het over de voorbereidingen van hun huwelijk. De belangrijke beslissingen waren al genomen, maar er bleven talloze details over waarover nagedacht moest worden: de bruidsboeketten, de jurken van de bruidsmeisjes, de volgorde van de dienst, de muzikale omlijsting en de tafelschikking voor het diner, die bijna dagelijks werd veranderd, ook al zou het nog maanden duren voordat de uitnodigingen werden verstuurd.

'Denk je dat we je zus Emilie kunnen overhalen om bloemenmeisje te worden?' Alma had haar handen om de zijne gelegd. 'Ik weet dat ze veel ouder is dan de anderen, maar het zou zo leuk zijn om haar bij de ceremonie te betrekken. Vind je ook niet?'

'Een bloemenmeisje?' Het idee leek een beetje lachwekkend.

'Natuurlijk zouden wij de jurk voor haar maken,' voegde Alma eraan toe.

Kirsch vroeg zich af of het daar wellicht om ging, dat Alma niet wilde dat Emilie haar teleurstelde met een van haar saaie leraressenjurken. 'Nou, ze is nogal verlegen. Ik weet niet of ze al die aandacht wel wil.'

'Maar ze is lerares. En ze speelt toch piano? De allereerste keer dat ik op bezoek was, heb ik haar horen spelen – heel vurig, vond ik.'

Kirsch herinnerde zich die keer nog, de trance waarin zijn zus leek te raken, de manier waarop haar lichaam heen en weer wiegde, net als de patiënten die hij op zijn afdeling had gezien en die in meer of mindere mate het contact met de wereld hadden verloren.

'Dat is anders. Als ze speelt, is ze... er volgens mij niet helemaal bij.'

'Wat bedoel je?'

'In haar hoofd.' Hij keek naar Alma. Boven haar wenkbrauwen waren twee piepkleine verticale rimpeltjes verschenen. 'Maar ik kan het haar wel vragen, als je wilt.'

Door de bewegingen van de trein wiegden ze heen en weer en stootten ze zachtjes tegen elkaar aan. Alma zat heel dicht bij hem, met haar dij tegen de zijne, wat niet vaak voorkwam in het openbaar.

'Als ze zo verlegen is als jij zegt, hoeft dat niet,' zei ze. 'Ik moet bekennen dat ik soms de indruk kreeg dat ze me niet aardig vond als ze zo stil was.'

In het restaurant bij het meer was het zo rumoerig dat ze moesten schreeuwen om een gesprek te voeren. De meeste gelegenheden rond Potsdam waren in de winter gesloten, maar het goede weer had een late stroom dagjesmensen uit de stad gelokt en elke tafel was bezet. Een paar jongens met bolle wangen speelden buiten terwijl hun ouders hun maaltijd afrondden. Omdat ze zonder toezicht speelden, begonnen ze elkaar al gauw te stompen en te schoppen, waarbij de kleinste onbekommerd gilde.

Steeds weer dwaalde de blik van Kirsch af naar het meer. In de verte veranderde een zeilboot in de oostelijke wind van koers.

'Wat is het licht hier fel. Ik moet een zonnebril kopen.'

'Je hebt te lang met je neus in de boeken gezeten,' zei Alma. 'Je ogen zijn niet aan de lucht gewend.'

Kirsch zag dat de boot overstag ging, dat de witte zeilen opbolden en de boeg een schuimige boog door het water sneed. Een paar jaar eerder had Albert Einstein aan een krant verteld dat hij sinds kort dol op zeilen was. In zijn jeugd was dat heel anders geweest, zei hij. In die tijd vond hij het leuker om bergwandelingen te maken. Hij had een deel van zijn beste denkwerk in de hoge passen van de Alpen verricht, tijdens lange wandelingen met vrienden. Maar de laatste tijd had hij genoeg van de hooglanden. Bergen belemmerden zijn uitzicht. In plaats daarvan had hij van de verlaten plekken op aarde leren houden, zoals de zee en de prairie. Hij hield van alle plaatsen die onmetelijk waren en waar je oneindig ver kon kijken. Aanvankelijk had Kirsch deze berichten verwarrend gevonden. In zijn ogen was de grootsheid van de natuur nergens beter te zien dan in de bergen, tussen de gletsjers en de oprijzende bergtoppen. Talloze kunstenaars en dichters hadden daar hun inspiratie gevonden. Maar hoe meer hij van Einsteins werk las, hoe beter hij het begreep: wie aan duizend jaar algemeen aanvaarde ideeën wilde ontsnappen, had moed en een onafhankelijke geest nodig. De natuurkundige had geen behoefte aan grootsheid of inspiratie, maar aan leegheid, *afstand* – een plaats om te bedenken wat voor het merendeel van de mensheid ondenkbaar was. Op het water kwam Einstein het dichtst bij de perfecte objectiviteit waar hij naar hunkerde. Was Mariya hier misschien naartoe gereisd omdat ze dezelfde haarscherpe helderheid zocht? Misschien was ze daarom naar Berlijn gekomen. Misschien had ze oude banden willen verbreken en zich in plaats daarvan aan waarheid en kennis willen wijden. Kirsch merkte dat hij hoopte dat dat niet het geval was. Want als Mariya alles helder zag, zou ze hem ook helder zien.

'Ik vroeg me alleen af of je misschien behoefte aan rust had.'

Alma had het over hun huwelijksreis.

'Rust?'

'In plaats van de hele dag door basilieken slenteren. Maar goed, dat hoeven we niet te doen. We kunnen op het Lido liggen en de hele dag lekkere dingen eten.' Ze schoof haar hand over de tafel, waardoor hun vingers zich met elkaar verstrengelden. 'Je ziet er de laatste tijd gespannen uit. Je werkt te hard, dat zegt iedereen.'

'Wie is iedereen?'

Alma keek naar haar bord en verschoof met haar vork wat groente. 'Ik sprak Robert laatst.'

'Ach, dokter Eisner.'

'Doe niet zo onaardig.'

'Wat doe ik dan?'

'Ik begrijp niet waarom je zo lelijk doet over Robert. Hij heeft je nooit iets aangedaan.'

'Wat heb ik dan gezegd?'

Alma schudde haar hoofd. Dit was blijkbaar iets wat haar al lang dwarszat. 'Ik weet dat hij zich soms dwaas gedraagt, maar in wezen is hij heel aardig. Ik ken hem al jaren. En ben je vergeten dat we elkaar door hem hebben leren kennen?'

Kirsch gaf geen antwoord, maar hij dacht terug aan vrijdagavond. In het ziekenhuis had hij Eisner in de gang zien rondhangen toen hij Mariya terug naar haar kamer bracht. Het was niets voor hem om langer te blijven dan nodig was. 'Je boekt vooruitgang, zo te zien,' had hij met een flauwe grijns opgemerkt. Kirsch was niet blijven staan om met hem te praten. Hij was rechtstreeks naar de wc's gelopen en had in de spiegel gekeken of hij lippenstiftvlekken op zijn gezicht had. Pas op dat moment herinnerde hij zich dat Mariya geen lippenstift droeg.

'Wat zei hij precies?'

Alma zuchtte. 'Hij zei dat je te veel moeilijke patiënten hebt aangenomen. Dat je je over de kop werkt. Hij maakt zich zorgen om je.' Alma nam een slokje ijswater. 'Dat meisje, bijvoorbeeld, het meisje uit de kranten. Je besteedt wel erg veel tijd aan haar.'

Kirsch pakte zijn vork en prikte lusteloos in zijn eten. 'Logisch. Ik wil natuurlijk niet dat de kranten zeggen dat de "eminente" dokter Kirsch niet tegen zijn taak is opgewassen.'

'Sinds wanneer interesseert het jou wat de kranten schrijven? Ik weet wel beter, schat.'

Alma zette haar glas neer. Het ijs tinkelde tegen de rand.

'Het is een ingewikkeld ziektegeval,' zei Kirsch. 'Maar ik denk dat ik vooruitgang boek.'

Aan de andere kant van het vertrek klonk opeens gelach. *Vertel het haar nu*, dacht hij.

'Alma...'

'Het Einstein meisje. Waarom noemen ze haar zo? Is dat een grap?'

'Een grap?'

'Omdat ze heel erg dom is, of zoiets?'

'Ze is niet dom. Ze wordt zo genoemd omdat ze werd aangetroffen met...'

'Hoe noem jij haar, trouwens?'

Kirsch stak zijn hand uit naar zijn glas. 'Doet dat ertoe?'

'Is het een geheim?'

'We hebben voorlopig een naam verzonnen.'

'Hoe noem je haar?'

Hij wilde geen antwoord geven. Het was alsof Alma iets pakte wat hij haar niet wilde geven. Maar ja, ze hoefde het alleen maar aan Robert Eisner te vragen.

'Mariya. Zij heeft de naam gekozen. We weten niet hoe ze werkelijk heet.'

Alma zweeg even. Toen glimlachte ze verzoenend naar haar verloofde en stak ze haar hand naar hem uit. 'Ik vind het fantastisch, zoals jij je patiënten met hart en ziel behandelt.' Ze hield haar hoofd schuin en tekende met haar vingers over de pezen van zijn rechterhand. 'Maar je moet zorgen dat je niet te ver gaat. Er zijn grenzen aan wat ze van je mogen verwachten. Je moet je niet opofferen. Dat zou niet eerlijk zijn.'

Kirsch wierp weer een blik op de zeilboot. Die voer inmiddels in zuidelijke richting naar Caputh, een helderwitte splinter in de verte. In gedachten zag hij Mariya aan boord zitten, met het zonlicht op haar gezicht, zeilend naar een horizon die hij nooit zou kunnen bereiken.

'Maak je maar geen zorgen,' zei hij. 'Ik ben niet zo opofferingsgezind.'

Na de lunch betrok de lucht. Terwijl ze terug naar het station renden, werden ze overvallen door een regenbui. De trein naar Berlijn was erg vol, omdat alle dagjesmensen tegelijk vertrokken. Hun druipende regenjassen en paraplu's veroorzaakten plasjes op de vloer. Kirsch stond zijn plaats af aan een oudere vrouw en stond in het gangpad naar het glanzende water van de Havel te kijken, dat tussen de bomen verdween. Pas toen ze het station hadden verlaten, sprak hij Alma weer.

'Heb je tijd voor een kop koffie?' vroeg hij.

Het was nog zo vroeg dat de danszalen niet open waren, in elk geval niet de respectabele gelegenheden waaraan Alma gewend was. Maar ze drong aan: ze wilde muziek en iets om warm te worden.

'Neem me maar mee naar je favoriete kroeg,' zei ze.

'Ik heb geen favoriet. Sommige kroegen liggen alleen wat gunstiger dan andere.'

'Neem me dan mee naar de gunstigste.'

'Goed,' zei hij.

Overdag zag Café Tanguero er extra sjofel uit: de schilderijen aan de muur waren verschoten en bruin geworden, het glas was troebel van het stof en het schilderwerk bladderde af en zat vol nicotinevlekken. Er waren niet veel klanten: in de hoek zat een stel te roken en een oude man zat in zijn eentje een krant te lezen. Er klonk geen muziek en er was niemand aan het dansen. Op dit tijdstip hadden alleen de prostituees belangstelling.

Ze gingen aan een tafeltje zitten, Kirsch met zijn rug naar de dansvloer. Alma bestelde limonade en een glaasje kümmel. Kirsch hield het bij bier.

'Je wilde een echte kroeg,' zei hij.

Alma's wangen waren rood, en er parelden piepkleine zweetdruppeltjes onder haar haarlijn en in haar nek. 'Ik moet zeggen dat ik iets heel anders had verwacht.'

'Wat had je dan verwacht?'

Ze haalde haar schouders op. 'Ik weet het niet, iets meer... Ik begrijp gewoon niet dat je je hier thuis voelt, Martin. Het is zo smerig.' Ze keek omhoog naar het gebarsten, vergeelde plafond. 'Het hele vertrek ziet eruit alsof het een flinke schoonmaakbeurt nodig heeft.'

Kirsch haalde zijn schouders op. In deze vuile, vervallen kroeg had hij zich altijd meer op zijn gemak gevoeld dan in de keurige wereld die zij bewoonde. Maar hoe kon hij van haar verwachten dat ze dat begreep?

'We hadden naar een net café moeten gaan,' zei hij.

'Het geeft niet.' Alma nam een slok kümmel. Het was de eerste keer dat Kirsch haar sterkedrank zag drinken. Haar gezicht vertrok toen ze de drank doorslikte. 'Nu weet ik in elk geval waar je naartoe gaat als ik er niet ben.'

Druppelsgewijs kwamen er klanten binnen. Boven het smalle podium achter de dansvloer gingen elektrische lampen aan. De pianist begon een beetje onbeholpen 'Die schönsten Beine von Berlin' te spelen. Er kwamen een paar prostituees binnen. Carmen was een van hen. Ze werd op de voet gevolgd door een van haar vaste klanten. Aan de wezenloze, voldane blik op zijn gezicht te zien was dit bezoekje postcoïtaal.

Alma bestelde nog een kümmel en nam een flinke slok. 'Kom, we gaan dansen,' zei ze.

'Hier?'

'Waarom niet?'

'Dit is geen plaats om te dansen.'

'Waarom niet? Het is toch een danszaal?'

'Het is een kroeg met een dansvloer. Dat is iets heel anders. Hier wordt niet echt gedanst.'

'Hoe noem je dat dan?'

Carmen had haar klant mee naar de vloer gesleept. Hun lichamen zaten al aan elkaar geplakt, en de man was duidelijk aangeschoten. Carmen legde haar met haarlak bespoten hoofd tegen zijn nek.

'Als jij niet wilt dansen, vraag ik iemand anders.'

'Dat lijkt me geen goed idee.'

Alma sloeg de rest van haar kümmel achterover en stond op. Ze wees op een agressief uitziende man aan de bar. 'Ik neem hem wel.'

Kirsch pakte haar bij de pols. 'Goed dan, jij wint. We gaan dansen.'

Met tegenzin nam hij haar mee naar de vloer. Alle aanwezigen in het café bekeken haar van top tot teen. Het was duidelijk dat ze hier niet thuishoorde. Ze was te netjes gekleed, te jong, te schoon. De oude man liet zijn krant zakken, staarde naar haar en liet zijn tong over zijn voortanden glijden.

Ze speelden een langzame wals. De manier waarop Alma danste, was al net zo opvallend als zijzelf. De vaste clientèle van Café Tanguero liet de schouders hangen en strompelde over de vloer, omdat lichaamscontact met de danspartner eigenlijk het enige doel van de dans was. Maar Alma danste met de kaarsrechte houding van iemand die vaak in een echte danszaal kwam. Toen ze over een kapotte vloerplank struikelde, klonk er vanuit de schaduw een rauw gelach.

Kirsch zag haar blozen. 'Misschien kunnen we beter...'

'Het geeft niet.'

Ze hield hem nog dichter tegen zich aan. Ze dansten een paar nummers tot het scherpe, geurige zweet over hun gezichten druppelde. Hij had wel vaker met haar gedanst, in de chique hotels rond Unter den Linden en de Friedrichstraße, maar nog nooit eerder zo intiem, hij had de rondingen van haar borsten nog nooit langs zijn lichaam voelen strijken. De muziek werd langzamer en ze klemde zich aan hem vast, haar lichaam gespannen en hard als een wapen. Toen hij opkeek, zag hij Carmen met een brede, gele grijns op haar gezicht vanaf de hoek van de bar naar hem staren. In Café Tanguero stond dansen bijna altijd gelijk aan voorspel – net als in al die andere cafés waar hij naartoe ging om te drinken en naar anderen te kijken.

'We moeten gaan,' zei hij uiteindelijk. 'Anders mis je je trein.'

'Stel je voor,' zei ze met haar hoofd tegen zijn revers. Haar adem rook naar alcohol. 'Waar zou ik dan naartoe moeten?'

Kirsch probeerde zich uit haar omhelzing los te maken. Alma was aangeschoten en in een vreemde, roekeloze bui.

'Niet naar mijn kamer,' zei hij. 'Frau Schirmann heeft strenge regels over damesbezoek. Trouwens, de mensen zouden over je kunnen gaan praten.'

'Ze praten nu al,' zei Alma, terwijl ze met haar vinger naar hem zwaaide. 'Over jou. Misschien wordt het tijd dat ze het ook over mij gaan hebben.'

'Ik weet niet of je vader het daar wel mee eens is.'

Kirsch nam haar bij de hand en leidde haar de dansvloer af. Gelukkig hield de band net pauze.

'Je maakt je te veel zorgen over papa,' zei Alma. 'Papa doet precies wat ik hem opdraag. Altijd.'

23

Dokter Mehring was met het idee gekomen om gymnastiekoefeningen in het wekelijkse regime op te nemen, maar vanaf het begin had hij het lesgeven aan andere personeelsleden overgelaten. De patiënten werden meegenomen naar het terrein achter het gebouw. Daar werden ze in drie of vier rijen opgesteld en door twee verpleegsters door alle oefeningen heen geloodst. Als het niet te hard waaide, werd er een grote opwindbare grammofoon gebruikt, die een uiteenlopende reeks van vrolijke nummers speelde. De schrille klanken weergalmden over de vlakbij gelegen binnenplaats, waardoor het binnen klonk alsof het orkest onder water speelde.

Op maandagochtend waren de vrouwelijke patiënten aan de beurt. Door een raam in de eetzaal zag Kirsch hen in een rij uit de achterdeur komen. Zoals hij had gehoopt, liep Mariya er ook tussen, gekleed in haar oude hoge schoenen en de grijze overjas van Max. Kirsch duwde het raam open, waarbij hij zo veel mogelijk lawaai maakte. Mariya hoorde hem en keek omhoog. Een paar andere vrouwen keken ook naar boven. Aarzelend zwaaide Kirsch naar haar. Mariya glimlachte en wendde haar blik af.

De vrouwen namen hun positie in, waarbij ze op armlengte afstand van elkaar gingen staan. De grammofoon werd opgewonden. Een vlaag wind blies Mariya's haar voor haar gezicht, en Kirsch zag dat ze het achter haar oor veegde. Hoe lang zou hij moeten wachten voordat ze weer zijn kant op keek? Hoe lang zou het duren voordat hij weer naar haar kon glimlachen, zwaaien of knikken, haar een teken kon geven dat hij nog steeds aan haar dacht en dat ze niet meer alleen was? Ze stond nog geen twintig meter van hem af, maar die korte afstand was al voldoende om haar te missen, een reden voor ontevredenheid. Zo had hij zich het hele weekend al gevoeld: verspilde tijd, verloren liefde. Hij leunde tegen het raamkozijn. Zijn verlangen haar weer vast te houden en dicht tegen zich aan te trekken, maakte hem duizelig.

Er stond iemand naast hem.

'Fijn weekend gehad?'

Het was Robert Eisner, die een krant onder zijn arm had.

Kirsch ging rechtop staan. 'Ja, dank je.'

'Hoe gaat het met Alma?'

Ik begrijp niet waarom je zo lelijk doet over Robert. Hij heeft je nooit iets aangedaan.

'Naar omstandigheden uitstekend.'

Eisner knikte meelevend. 'Natuurlijk. Tja, het is nu eenmaal de belangrijkste dag in het leven van een meisje.'

Voordat Kirsch het raam kon sluiten, legde Eisner zijn hand op de vensterbank en bekeek hij het tafereeltje buiten. 'Het zal ook niet meevallen: jij hier en zij daar.'

'Wat bedoel je?'

'Daar. In Oranienburg. Met al die voorbereidingen voor de bruiloft.' Hij draaide zich om. 'Waarom vraag je dat? Wat dacht je dan dat ik bedoelde?'

'Niets.' Kirsch hoopte dat hij niet bloosde. 'Hoe dan ook, de familie Siegel heeft alles onder controle.'

Op het terrein speelde de grammofoon een scheepslied. De verpleegsters stonden in de houding en wipten op de maat van de muziek op de bal van hun voet op en neer. De vrouwelijke patiënten deden mee, sommigen op de maat, anderen niet. Weer anderen waggelden in hun eigen unieke ritme rond.

'Hoe gaat het met patiënte E.? Al enige vooruitgang?'

'Moeilijk te zeggen.'

'Ik hoorde iets over een identificatie.'

Kirsch stopte zijn handen in de zakken van zijn jas. Hij had niet verwacht dat het nieuws als een lopend vuurtje zou gaan. 'Dat klopt.'

'Sinds wanneer?'

'Vrijdag. Ik wilde er niet te veel drukte over maken. De pers, begrijp je.'

Eisner kwam dichterbij. Kirsch rook een vleugje reukwater. 'Wie is ze dan?'

Kirsch vertelde hem hoe ze heette. Mariya's huurbaas had haar foto herkend en naar het ziekenhuis gebeld, vertelde hij. Ze was onlangs uit Zwitserland aangekomen en had een kamer gehuurd in een damespension in een zijstraat van de Wörtherstraße. Verder waren er nog geen details bekend.

'Heb je het al aan de politie verteld?'

'Daar kan ik waarschijnlijk niet onderuit. Niet dat de politie er veel mee opschiet, trouwens. Ze weet nog steeds niet wat er met haar gebeurd is.'

De verpleegsters staken hun armen in de lucht en zwaaiden ze van links naar rechts. De patiënten volgden hun voorbeeld. Zelfs in haar zware jas en logge schoenen slaagde Mariya erin elegant te zijn. Kirsch zag dat haar uitgestrekte vingers enthousiast en zonder enige verlegenheid naar de hemel reikten.

'Waarom is ze naar Berlijn gekomen? Die huurbaas van haar zal toch wel enig idee hebben?'

'Om te werken, waarschijnlijk.'

'Werken? Op dit moment is er niet veel werk te krijgen. En heb je trouwens naar haar handen gekeken? Dat zijn niet de handen van een dienstmeid.'

Kirsch deed het raam dicht. 'Ik vermoed dat ze een kantoorbaan zocht.'

Hij wilde zich omdraaien en weglopen, maar Eisner tikte hem met de krant op zijn arm. 'Ik weet wel hoe we erachter kunnen komen. Kijk maar.'

Hij gaf de krant aan Kirsch. Een klein kopje op pagina vier luidde: AMERIKANEN ONTDEKKEN WAARHEIDSSERUM. Het bijbehorende artikeltje was slechts twee alinea's lang. Scheikundigen van een farmaceutisch bedrijf in Chicago hadden experimenten gedaan met een nieuw type kalmeringsmiddelen, samengesteld uit barbituurzuur. Toevallig waren ze op een paar onverwachte eigenschappen gestuit: patiënten die na een injectie met deze nieuwe samenstellingen erg duf waren geworden, schenen bij een ondervraging geen leugens meer te kunnen vertellen. Men was van plan om daar verder onderzoek naar te doen.

Kirsch gaf hem de krant terug. 'Dat meen je niet.'

'Waarom niet?'

'Het is gewoon een krantenartikel.'

Eisner schudde zijn hoofd. 'Ik heb het een en ander gecontroleerd. Ze hebben een kortwerkend barbituraat gebruikt, een soort die ze al jaren als verdovingsmiddel gebruiken.'

'Mariya liegt niet. Ze heeft geheugenverlies.'

'Hoe weet je dat zo zeker? En misschien helpt dit medicijn daar ook wel tegen. Stel je eens voor: een directe weg naar het onderbewustzijn. Geen hogere hersenfuncties die roet in het eten gooien. Dit zou wel eens een grote doorbraak kunnen zijn.'

'Je bent nog erger dan Mehring.'

'We doen het natuurlijk rustig aan. We beginnen met kleine doses.'

Kirsch liep weg.

'Ik weet hoe we eraan kunnen komen,' riep Eisner hem na. 'Sodium pentobarbital. Ik ken iemand die het kan leveren. We zouden geschiedenis kunnen schrijven.'

Bij de deur bleef Kirsch stilstaan. 'Vraag dokter Bonhoeffer maar wat hij ervan vindt. Misschien wil hij je wel toestemming geven voor je experiment. Het enige obstakel dat je dan nog op je weg vindt, is mijn lichaam, want het gebeurt alleen over mijn lijk.'

Later die dag vond Kirsch een brief van dokter Bonhoeffer in zijn postvakje. De strenge toon verbaasde hem niet, de inhoud wel. Dokter Mehring, zo schreef hij, had de gebeurtenissen rond de verwonding van zuster Ritter nog eens goed overdacht en trok zijn volledige aanklacht in. Zuster Honigs beschuldigingen dat Kirsch haar had aangevallen waren ook ingetrokken. Zuster Ritter had ontslag genomen, een nieuwe baan in het openbaar ziekenhuis in Friedrichshain aangenomen en te kennen gegeven dat ze geen behoefte had om werk van de zaak te maken. Daarom was er geen reden meer om Kirsch te vragen ontslag te nemen. Als hij wilde, mocht hij de zaak als gesloten beschouwen.

Kirsch ging meteen naar Bonhoeffer toe om hem om opheldering te vragen. Het afdelingshoofd gaf geen toelichting op de brief. Het leek erop dat dokter Mehring simpelweg van gedachten was veranderd. 'Misschien heeft hij eindelijk ingezien dat u deed wat in uw ogen het beste voor de patiënt was,' was de enige verklaring die hij wilde geven.

24

De praktijk van kolonel Schad lag aan een zijstraat van de Bismarck Straße. Het was een straat met drukke tramlijnen en statige rijen bomen, maar de directe omgeving was niet zo chic als Kirsch had verwacht. Schad werkte op de eerste verdieping van een met roet besmeurd flatgebouw. Het gele pleisterwerk had hier en daar losgelaten, waardoor de onderliggende kale bakstenen zichtbaar waren. Een hoek van het gebouw stond in de steigers. Hij had een receptioniste, maar werkte verder in zijn eentje.

'Het was de bedoeling dat ik een associé zou nemen,' vertelde hij, terwijl hij Kirsch rondleidde. 'Een man met wie ik jaren geleden ben opgeleid. Maar dat is op niets uitgelopen.'

Sinds hun laatste ontmoeting was Schad duidelijk ouder geworden. In tegenstelling tot de meeste mannen van boven de vijftig was hij afgevallen in plaats van aangekomen, en zijn mollige, krijgshaftige gezicht was strak en bijna uitgemergeld geworden. Zijn snor was verdwenen, en zijn haar was korter en witter dan het in zijn legertijd ooit was geweest.

'U hebt toch wel genoeg patiënten, hoop ik?' informeerde Kirsch.

'Tot nu toe voornamelijk oude dames en kinderen met ademhalingsproblemen. Ik vrees dat de lucht in Berlijn niet zo schoon is als wordt beweerd.'

Schad nam Kirsch mee naar zijn spreekkamer, een groot, maar spaarzaam gemeubileerd vertrek. Eén muur ging bijna volledig schuil achter boeken, een andere achter anatomische kaarten. Om het vertrek voor de patiënten wat gezelliger te maken, hingen tegenover het raam vier symmetrisch geplaatste aquarellen: rustieke taferelen met graslanden, boerderijdieren en goed onderhouden schuren.

Tijdens de koffie, die bitter smaakte, praatten ze over hun vak: Schads jaren in het ziekenhuis in Essen, Kirsch' werk in de psychiatrie en diverse aspecten van het wonen in de hoofdstad. Het enige waar ze het niet over hadden, was de oorlog. Kirsch probeerde erover te beginnen – het voelde onnatuurlijk om erover te zwijgen – maar toen de gelegenheid zich voordeed, wist hij niet wat hij moest zeggen. Hij had het gevoel dat zijn oude commandant precies hetzelfde had. Misschien kon er in die stilte een bepaalde sombere gemeenschappelijkheid worden gevonden.

Uiteindelijk keek Schad op zijn zakhorloge. 'Tegenover het Schiller Theater zit een redelijk restaurant,' zei hij. 'Ik zou het een eer vinden als ik je op een middagmaaltijd mag trakteren. Over een kwartier komt er een patiënte, maar ik denk niet dat ik veel tijd met haar nodig heb. Frau Von Hassell. Een chronische simulante, zoals de meesten.'

'Dit is niet alleen een gezelligheidsbezoek, kolonel. Ik wil u...'

'Toe, geen militaire formaliteiten. Ik ben geen kolonel meer.'

'Ik wil u als patiënt om advies vragen.'

Schad keek Kirsch rustig aan. Daarna knikte hij. Kirsch besefte dat hij meteen had geraden wat er aan de hand was. De omstandigheden maakten dat maar al te duidelijk.

'Je kunt op mijn discretie rekenen,' zei Schad.

Hij trok een scherm van dik wit papier naar beneden terwijl Kirsch zich uitkleedde. Het onderzoek duurde maar een paar minuten. De wond op zijn arm begon te genezen, het dode vlees verhardde tot een lijmachtig propje onder zijn huid. Maar de vlekken op zijn borst en in zijn zij waren donkerder geworden. Hier en daar was het vlees verdikt en waren er piepkleine donkerrode vlekjes zichtbaar, alsof hij onderhuidse bloedingen had.

'Ben je bang dat deze symptomen het begin van het derde stadium betekenen?' vroeg Schad, die achter hem kwam staan.

Kirsch bleef naar de muur kijken. 'Moet ik daar bang voor zijn?'

'Volgens mij niet. Granulomen kunnen op vele plaatsen en in vele vormen op het lichaam terugkomen, maar niet zo. Het is vreemd dat je rug helemaal niet is aangetast.' Hij streek met zijn vingers over de ribben van Kirsch. 'Doen die plekken pijn?'

'Soms, een beetje. Vooral 's ochtends. Ze voelen aan als bloeduit-stortingen.'

'Misschien zijn het wel bloeduitstortingen.'

'Hoe kan dat?'

Schad wreef over zijn kin. 'Gewoon, een losse gedachte. Kleed je maar weer aan.'

Hij ging achter zijn bureau zitten terwijl Kirsch zijn kleren weer aantrok. Kirsch wist dat hij opgelucht zou moeten zijn, maar toch zat hem iets dwars – niet in de laatste plaats de suggestie dat hij de plek-ken op zijn lichaam aan zichzelf te danken had. Hij voelde dat de kolo-nel hem aandachtig bestudeerde terwijl hij aan zijn manchetten pruts-te.

'Zo.' Schad liet zijn kin op zijn vingertoppen rusten. 'Wat heb je nog meer geconstateerd?'

'Nog meer?'

'Symptomen. Mogelijke symptomen.'

Kirsch had zijn das te snel afgedaan, waardoor de strop nu in een strakke knoop zat. Het kostte hem moeite om de knoop eruit te krij-gen. Zijn vingernagels waren te kort om greep op de stof te krijgen.

'Niet veel. Slaapgebrek. Soms nachtmerries. Niets opmerkelijks.'

'Geen stekende pijnen?'

Kirsch schudde zijn hoofd.

'Geen gevoelloosheid? In de ledematen, bijvoorbeeld?'

'Niet echt.'

'Dat is gunstig.' Schad pakte een potlood van zijn bureau. 'Dus je hebt geen problemen met je reactievermogen? Geen reflexbewegin-gen, dat soort dingen?'

Kirsch herinnerde zich dat hij de avond ervoor een glas had gebro-ken. Maar wat bewees dat? Iedereen was wel eens onhandig.

'Nee.'

'En hallucinaties?'

De das glipte door Kirsch' vingers. 'Nee. Niet dat ik weet. Al ver-moed ik dat je het nooit helemaal zeker kunt weten.'

Schad glimlachte gespannen. 'Nee, daar heb je waarschijnlijk wel gelijk in. Kijk eens naar mijn hand. Kom maar wat dichterbij.'

Kirsch deed wat hem werd gevraagd. Tegelijkertijd trok Schad vlug de zonneschermen omhoog. Hoewel het buiten bewolkt was, was het licht te fel. Kirsch moest zijn blik afwenden.

'Het spijt me. Ik moest het controleren.' Schad liet de schermen weer zakken.

'Controleren?'

'Je ogen. Ik heb de indruk dat ze zich niet aanpassen aan het licht. Niet zo snel als je zou verwachten.'

Dat was waar. Tegenwoordig schermde Kirsch bijna voortdurend zijn ogen af. Hoewel het december was, had hij er vaak over gedacht om een zonnebril te kopen.

'Wat wil dat zeggen?'

'Ga even zitten, Martin.'

Kirsch liet zich op een stoel zakken.

'Het is een sterke aanwijzing dat je neurosyfilis hebt. Het suggereert dat het micro-organisme je hersenen heeft bereikt, waarschijnlijk via het zenuwstelsel. In mijn ervaring gebeurt dat bij ongeveer drie op de tien patiënten. Dat betekent niet dat de ziekte het derde stadium heeft bereikt, of dat dat ooit zal gebeuren. Maar de kans is groot dat je toestand in bepaalde opzichten achteruitgaat.'

Tijdens de oorlog, toen de secundaire symptomen zich hadden geopenbaard, had Kirsch de pathogenese van neurosyfilis grondig bestudeerd. De symptomen leken wel een catalogus van Bijbelse straffen, variërend van hoofdpijn, duizeligheid en gevoelloosheid in de eerste stadia tot beroertes, verlamming, dementie en de dood. Daartussenin zaten zorgwekkende karakterveranderingen, geheugenverlies, hallucinaties en afbraak van geestelijke vermogens.

'Hoe lang duurt het nog voordat...' Hij aarzelde, omdat hij niet wist hoe hij de vraag moest formuleren. 'Hoe lang kan ik nog blijven werken?'

'Daar kan ik onmogelijk een uitspraak over doen. Een paar maanden, een paar jaar, misschien zelfs nog langer. Je zult begrijpen dat er van alles mogelijk is.'

De kolonel stond op om met een injectienaald wat bloed af te nemen. Serologische onderzoeken waren niet altijd betrouwbaar, zei hij, maar misschien waren ze nuttig om een idee te krijgen hoe talrijk de bacteriën waren geworden. Hij zou het bloed naar een plaatselijk ziekenhuis sturen zonder de naam van Kirsch te gebruiken. Hij verwachtte de resultaten na de kerst.

'In de tussentijd lijkt het me verstandig ervan uit te gaan dat je besmettelijk bent. Je zei dat je ongetrouwd was, nietwaar?'

Kirsch trok zijn schoenen aan. Zijn handen trilden niet meer, maar toch kostte het wat wilskracht om de veters te strikken, om de lussen te maken en ze strak aan te trekken.

'Klopt. Ik ben niet getrouwd.'

'In deze omstandigheden is dat misschien maar goed ook.' Schad deed het bloed voorzichtig over in een afsluitbaar medicijnflesje. 'Het valt niet mee om zulke dingen aan geliefden uit te leggen. Ze gaan altijd van het ergste uit. Jij hebt in elk geval de luxe dat je je mond erover kunt houden.'

Schad had gelijk. In deze omstandigheden was een huwelijk onmogelijk, de verloving met Alma waanzin, of in elk geval overoptimistisch. Toch had hij dat allemaal pas begrepen toen Mariya zijn pad kruiste. Pas op dat moment was het tot hem doorgedrongen.

Schad sloot het flesje af en trok zijn rubberen handschoenen uit. Achter de gesloten deur hoorden ze Frau von Hassell binnenkomen.

Kirsch pakte zijn jas. 'Is er nog hoop op herstel?'

Schad knikte langzaam. Er was een lichte blos op zijn wangen verschenen, maar verder verraadde zijn gezicht niets. 'Er is altijd hoop,' zei hij.

Die avond belde Kirsch Alma in Oranienburg. Hij moest een afspraak met haar maken, en daar wilde hij niet te lang mee wachten. Als hij de verloving verbrak, was het beter als hij haar recht in de ogen kon kijken.

'Wat lief dat je belt,' zei ze voordat hij de kans kreeg om iets uit te leggen. 'Je hebt het zeker al gehoord.'

'Wat bedoel je?'

'Over papa. Het komt wel weer goed met hem, dat weet ik zeker. Hij is zo sterk als een os. Dat zegt iedereen.'

Otto Siegel was met hartklachten naar het ziekenhuis gebracht en de dokters zeiden dat hij een hartritmestoornis had. Het was niet duidelijk hoe lang ze hem in het ziekenhuis wilden houden. Toch had bijna de hele familie zich naar het ziekbed van de oude man gehaast.

'Mijn moeder is buiten zichzelf van bezorgdheid,' zei Alma. 'Maar ik zeg steeds dat alles goed komt. Ik heb hem vanochtend gezien, en toen zat hij rechtop in bed de krant te lezen en op de verpleegsters te schelden omdat hij niet naar huis mocht. Hij popelt om weer uit dat bed te stappen.'

Kirsch was ervan overtuigd dat Alma zich nog veel meer zorgen maakte dan haar moeder. Dat haar vader werkelijk zou kunnen sterven, dat haar iets dierbaars en onvervangbaars kon worden afgepakt, was een mogelijkheid die haar wereld op zijn grondvesten liet schudden.

'Dan heb je voorlopig zeker geen tijd om op bezoek te komen,' zei Kirsch.

'Je weet dat ik het dolgraag zou willen, maar moeder heeft me hier echt nodig. Dat begrijp je toch wel?'

'Natuurlijk,' zei Kirsch. 'Natuurlijk. Je moet op de plaats zijn waar ze je nodig hebben.'

25

De volgende ochtend kwam er via de buispost een handgeschreven briefje van de Pruisische Academie van Wetenschappen:

Geachte dokter Kirsch,

Vorige week was u zo vriendelijk om een aantekenboek bij me achter te laten. Ik heb het inmiddels bekeken, en zodra het u schikt, zou ik er graag met u over willen praten. Het lijkt mij het beste om dat niet over de telefoon te doen. Deze week geef ik elke middag les aan de universiteit. Komt u maar langs wanneer u wilt.

Hoogachtend,
Max von Laue

Er werden die dag een paar nieuwe patiënten op de afdeling opgenomen, en Kirsch had pas om vier uur die middag tijd om naar de universiteit te gaan. Nadat hij op de faculteit natuurkunde een kwartier naar Von Laue had gezocht, kreeg hij te horen dat de hoogleraar college gaf en dat hij in een ander deel van het gebouw moest zijn. Op het moment dat hij aankwam, stroomden de gangen net vol met studenten die op weg naar buiten waren. Hij liep van zaal naar zaal en zag oplopende rijen zitplaatsen, schoolborden vol diagrammen en wiskundige notaties, en docenten die hun papieren bij elkaar raapten of met collega's praatten. Uiteindelijk trof hij Von Laue in zijn eentje aan. Hij stond naast een van de grote schuiframen een sigaret te roken en leek diep in gedachten verzonken te zijn.

'Herr Professor.' Kirsch stak zijn hand uit. 'Ik hoop dat ik niet ongelegen kom.'

'Integendeel,' zei Von Laue. 'Fijn dat u bent gekomen. Ik had ook wel naar het Charité willen komen, maar ik wist niet of...'

'Ik begrijp het.'

'Het aantekenboek ligt in mijn werkkamer. Loopt u mee?'

Von Laue bezat een ouderwetse hoffelijkheid. Dat was Kirsch zelfs tijdens hun eerste, korte ontmoeting opgevallen. Hij deed niet neerbuigend, hij gaf Kirsch niet het gevoel dat zijn tijd waardevoller was dan die van een ander.

'U zei dat u ernaar had gekeken.'

'Inderdaad.' De hoogleraar pakte zijn overjas en aktetas en leidde Kirsch mee door de gang. 'Had ik u goed begrepen? Waren de berekeningen gemaakt door een psychiatrische patiënt?'

'Daar ga ik wel van uit. Het aantekenboek zat tussen haar bezittingen.'

Von Laue stond stil. 'Háár bezittingen? Is uw patiënt een vrouw?'

'Vindt u dat zo onwaarschijnlijk?'

'Laten we zeggen dat ik het niet had verwacht.'

'Het zijn dus wel berekeningen? Er zit wiskundige logica in?'

'Tja...' Von Laue haalde zijn schouders op, alsof het om een delicate zaak ging. 'Er zijn mensen die zouden zeggen dat het onzin is. Het idee dat een vijfde dimensie iets meer dan een wiskundige constructie zou zijn, wordt in elk geval niet algemeen geaccepteerd. Maar de uitvoering zou ik zeer zorgvuldig willen noemen.'

Ze wandelden door de ontvangsthal naar de binnenplaats, waar kasseien lagen. Het begon donker te worden. Overal deden studenten hun broekklemmen om hun enkels en liepen ze met hun fiets naar de straat.

'Dus mijn patiënte zou een bètastudente moeten zijn.'

'Dat denk ik wel,' antwoordde Von Laue. 'En dan ook nog eens een zeldzaam deskundige studente. Doorgaans zijn dit geen problemen die je aan een student voorlegt. Ze zijn te experimenteel, te... eigentijds. Daarom ben ik heel benieuwd wie deze studente is.'

'Ik wou dat ik het u kon vertellen, maar het is een ongewoon ziektegeval. Er is sprake van geheugenverlies.'

'Geheugenverlies, zegt u?'

Kirsch zag aan Von Laues ogen dat er een lampje begon te branden. De hoogleraar fronste en nam een laatste trek van zijn sigaret voordat hij de peuk in de goot gooide. Ondanks de gure decemberwind leek hij geen last van de kou te hebben.

'Het probleem is het tijdstip, begrijpt u,' zei hij na een paar seconden. 'Dat zit me dwars.'

'Het tijdstip? Ik ben bang dat ik u niet...'

'Ik zal het u uitleggen. De berekeningen die u me hebt laten zien, horen bij een poging om een aantal vergelijkingen – vergelijkingen waarmee natuurkundige wetten beschreven worden – terug te brengen naar één vergelijking: een wet waarvan de andere zijn afgeleid. De eerste groep vergelijkingen is van toepassing op de beweging van objecten in een gravitatieveld: sterren, planeten, asteroïden enzovoort. De andere groep is van toepassing op objecten in een elektromagnetisch veld: atomen, elektronen. Deze groepen wetten lijken tegenstrijdig, dat is nu net het probleem. We hebben een groep wetten voor de beweging van grote objecten en een andere groep voor de beweging van kleine objecten. Voor de meeste denkers is dat niet erg bevredigend, of zelfs maar aannemelijk. Het is een belangrijk probleem, misschien wel het belangrijkste probleem in de natuurkunde.'

Von Laue kon niet weten dat Kirsch al eens over dit probleem had gelezen. Hij wist dat Max het ook zou hebben gelezen, en met dezelfde gretigheid. Toen Albert Einstein had bewezen dat licht, net als alle andere vormen van pure energie, een stroom van deeltjes was en dat die deeltjes massa hadden, had hij de deur naar een wereld vol onzekerheid opengezet. Waarnemingen en experimenten hadden bewezen dat hij gelijk had. Licht was samengesteld uit kwanta, energiepakketjes als piepkleine zandkorreltjes, die zich met een ongelooflijke snelheid verplaatsten. Er was maar één probleem: de oude experimenten, de experimenten die hadden aangetoond dat licht een golfverschijnsel was, vergelijkbaar met een rimpeling die over water glijdt, bleven even verdedigbaar als altijd. De interferentiepatronen bleven bewijzen dat licht wel degelijk een golfverschijnsel was, en Einstein erkende dat ook. De theorie was onweerlegbaar.

Op welke manier ze het probleem ook onderzochten, welke experimenten ze ook deden, natuurkundigen moesten iets erkennen wat volgens de logica en de ervaring onmogelijk was: een lichtstraal kon op twee totaal verschillende manieren worden opgevat, afhankelijk van de manier waarop hij werd waargenomen. De twee mogelijkheden co-existeerden in een eeuwigdurende staat van ambiguïteit, tot interactie met een waarnemer tot een keuze voor een van de twee leidde. De implicaties waren op zijn minst verwarrend te noemen. Als de aard van een verschijnsel werd bepaald door de waarneming en de daarbij gebruikte methode, hoe kon de wetenschapper dan ooit definitieve conclusies trekken? Het was alsof de beginselen van de relativiteit tijd en ruimte achter zich hadden gelaten om aan het weefsel van de kennis te tornen.

En dat was nog niet alles. Het oude planetaire model van het atoom, waarin elektronen rond een kern draaien zoals planeten rond de zon cirkelen en aan dezelfde natuurwetten onderworpen zijn, was al gauw dood en begraven. Einsteins jonge leerlingen – Niels Bohr, Werner Heisenberg, Erwin Schrödinger – toonden al gauw aan dat de bewegingswetten niet van toepassing waren in de subatomaire sfeer. De klassieke meetkunde ook niet. Elektronen en lichtkwanta hadden geen vaste positie, zoals voorwerpen in de grotere wereld – als het al voorwerpen genoemd konden worden. Hun positie was afhankelijk van de manier waarop ze werden geobserveerd. Het leek erop dat ze een aantal mogelijke posities hadden, die allemaal tegelijkertijd konden bestaan. Hun individuele gedrag kon niet voorspeld worden, alleen statistisch en *en masse*.

De klassieke natuurkunde zei dat alles, zelfs de kleinste beweging van het kleinste deeltje, een oorzaak had. Als het ene elektron zich anders gedroeg dan het andere, kwam dat doordat er andere krachten op werden uitgeoefend. Als er maar genoeg informatie beschikbaar was, kon alles worden voorspeld, in elk geval in theorie. Het klassieke universum was een mechanisch universum, dat in het begin der tijden in beweging was gezet en waarin elke beweging was voorbeschikt. De jonge apostelen van de kwantummechanica maakten dat idee belachelijk. In de essentie van energie en massa, zo redeneerden zij, bestond geen verband tussen oorzaak en gevolg. Een universum dat op het kwantummechanisch perspectief was gebaseerd, was een universum waarin individuele gebeurtenissen zonder enige reden plaats-vonden. Voor het eerst was het gedrag van materie niet alleen maar onbekend, maar onkenbaar. De waarheid was niet gebaseerd op het in steen uitgehouwen principe van actie en reactie, maar op het drijfzand van het toeval. Einstein had de wereld laten zien dat de kern van alle materie immaterieel was, en nu lieten zijn dierbare kwanta hem zien dat de kern van alle logica het gebrek daaraan was.

Maar voor de grote natuurkundige ging dat een stap te ver. Tot ontzetting van Bohr en de anderen was hij vastbesloten om de kwan-tummechanica klein te krijgen. Zijn wapen zou een nieuw wiskundig model zijn, een dat de verwaande kwantumfysica zou onderwerpen aan de strenge causaliteit van de kosmische sfeer. Een unificatietheo-rie zou aantonen dat er verborgen wetten waren die de kwantumwe-reld dicteerden, net zoals ze alle andere werelden dicteerden. Einstein zou bewijzen dat alles wél kenbaar was, en dat de willekeur van de kwantumrealiteit een illusie was.

Vier jaar vóórdat Mariya's aantekenboek Kirsch naar de Pruisische Academie had geleid, had de Berlijnse pers daar voor de deur gekam-peerd, wachtend op nieuws over Einsteins beslissende zege. Het plak-boek van Kirsch puilde nog steeds uit van hun bizarre artikelen over wat er daarna zou komen: een toekomst met een onbeperkte hoeveel-heid energie, een bliksemsnelle verplaatsing van materie, zelfs reizen door de tijd. Zelf had hij in de rij voor de kantoren van de *Berliner Morgenpost* gestaan omdat het gerucht ging dat er in hun eerste editie een geautoriseerd verslag stond. Dat gerucht bleek onwaar te zijn, maar tot nu toe was de doorbraak uitgebleven.

Bij het lezen van de kranten en tijdschriften had Kirsch zich vaak afgevraagd welke kant Max zou hebben gekozen in de enorme strijd tussen twee werkelijkheden. Zou hij hebben gewild dat Einstein, zijn held, als triomfantelijke overwinnaar uit de strijd kwam? Of zouden de vreemde eigenschappen van de kwantumwereld zo verleidelijk zijn geweest dat ze onweerstaanbaar werden? In Kirsch' dromen draaide hij altijd om het onderwerp heen, alsof hij wel een mening had, maar er nog niet aan toe was om die met Kirsch te delen.

Von Laue ging hem voor over een binnenplaats vol studenten. Het was koud.

'U zei dat het tijdstip van deze aantekeningen u dwarszat,' zei Kirsch. 'Wat bedoelde u daarmee?'

'Neemt u me niet kwalijk,' zei Von Laue. 'Ik vermoed dat ik me niet erg duidelijk heb uitgedrukt. Ik bedoelde dit: de laatste keer dat ik heb meegemaakt dat dát deel van de wiskunde – een vijfdimensionale geometrie – werd toegepast op dít specifieke probleem, luisterde ik naar professor Einstein, die een lezing gaf voor de leden van de Pruisische Academie. Dat was in april. De tekst van de voordracht is pas een paar maanden geleden gepubliceerd.' Ze waren bij een andere, kleinere ingang gekomen. Von Laue hield de deur open. 'Begrijpt u? Die aantekeningen die u bij me hebt achtergelaten, moeten het werk van een vooraanstaande natuurkundige zijn, of van iemand die heel intensief met een vooraanstaande natuurkundige heeft samengewerkt. Tenminste, dat vermoed ik.'

Von Laue bracht Kirsch naar zijn werkkamer en knipte het licht aan. Het vertrek was kleiner dan Kirsch had verwacht, al was het wel knus ingericht, met boekenplanken aan de muren, een mahoniehouten bureau, een verschoten Perzisch kleed en een oud, van ivoor en koper vervaardigd model van het zonnestelsel op een dossierkast. Met een sleutel die hij uit een vestzakje haalde, maakte Von Laue de la van zijn bureau open. Hij haalde het aantekenboek van Mariya eruit. Voorzichtig sloeg Kirsch het open. De regels vol letters en symbolen staarden hem aan, vervaagd en onbegrijpelijk, bewijs van de waterschade die het aantekenboek op weg naar de Academie had opgelopen.

'Zijn die berekeningen compleet? Bewijzen ze iets?'

Glimlachend liep Von Laue naar de andere kant van zijn bureau. 'In de theoretische natuurkunde worden dingen zelden bewezen, dokter Kirsch, in elk geval in de zin dat hun waarheid wordt aangetoond. We kunnen nog geen individuele atomen waarnemen, net zomin als we tussen de sterren kunnen reizen.' Hij trok een paar houten luiken open en keek over de laan uit naar het Franz-Joseph Platz. 'Ik zeg het ook vaak tegen mijn studenten: het perspectief van de mens plaatst bijna net zoveel beperkingen op ons vermogen waar te nemen als op ons vermogen dingen te begrijpen. Het is erg ingewikkeld een stap verder te gaan. Ware objectiviteit vereist toewijding en een enorme opoffering.'

Kirsch sloeg een bladzijde om. Die was stijf en kromgetrokken, maar het handschrift was hier duidelijker. Iemand had zorgvuldig een vel vloeipapier tussen de bladzijden gelegd. Een paar bladzijden verder vond hij er nog een.

'Als er niets wordt bewezen, hoe weet u dan dat u het bij het rechte eind hebt?'

Von Laue staarde naar de straatlantaarns, die flikkerden tegen de achtergrond van een kobaltblauwe hemel. 'Het is een kwestie van schoonheid vinden. We zoeken naar elegantie, eenvoud, efficiëntie. Dat zijn de oplossingen die de natuur het liefst ziet. De mens heeft natuurlijk een heel bijzondere vorm van intuïtie nodig om te weten waar die oplossingen te vinden zijn. De meesten van ons kunnen niet verder kijken dan de mist van onze eigen veronderstellingen.' Hij draaide zich om. 'In het geval van uw patiënte is het werk helaas incompleet. De laatste bladzijden ontbreken.'

Het was Kirsch nog niet eerder opgevallen, maar het laatste katern van het aantekenboek was eruit gescheurd – twintig bladzijden of meer. Hij trok de losse draadjes uit de band.

'U weet zeker niet toevallig waar die bladzijden zijn?' vroeg Von Laue.

'Helaas niet.' Na een korte stilte zette Kirsch een stap naar voren en stak hij zijn hand uit. 'U bent heel behulpzaam geweest, professor. Ik ben u nu lang genoeg tot last geweest.'

Er gleed een berustende blik over Von Laues gezicht. 'Als uw patiente herstelt, zou ik haar heel graag willen ontmoeten. Vergist u zich niet: ze is uitzonderlijk intelligent – ervan uitgaand, natuurlijk, dat het werkelijk haar berekeningen zijn.'

'Ik heb geen reden om daaraan te twijfelen. Het lijkt haar handschrift te zijn.'

Von Laue bracht hem naar de deur. 'Ik wil niet neerbuigend klinken over het schone geslacht, dat zult u begrijpen. Maar in al mijn jaren als natuurkundige heb ik maar twee vrouwen gekend die Albert Einsteins werk zo vlug konden doorgronden. De ene was Marie Curie, en zij heeft een Nobelprijs.'

'En de andere?'

Von Laue aarzelde. 'De andere was zijn vrouw.'

'Elsa Einstein?'

Von Laue lachte. 'Nee. Elsa heeft al moeite met het huishoudboekje. Ik bedoel zijn eerste vrouw.'

'Ik wist niet dat hij eerder getrouwd was geweest.'

'Er zijn niet veel mensen die dat weten. Het was in Zwitserland, een aantal jaren geleden. Zij en Albert studeerden er aan de Technische Universiteit.' Von Laue deed de deur open. 'Ik denk trouwens dat ze daar nog steeds lesgeeft.'

'In Zwitserland?'

'In Zürich. Alleen privéleerlingen, voornamelijk jonge vrouwen. Een heksenkring, noemt Albert het.' Von Laue glimlachte even. 'Er is een groot tekort aan vrouwelijke docenten, met name natuurkundedocenten. Helaas mogen vrouwen op veel universiteiten nog steeds geen natuurwetenschappen studeren.'

'Kunt u me vertellen hoe ze heet? Als het niet...'

Von Laue haalde zijn schouders op. 'Mileva. Mileva Marić.'

Het duurde een paar tellen voordat Kirsch de naam kon thuisbrengen.

'Het is een Servische naam,' zei Von Laue. 'Daar komt Mileva namelijk vandaan. Uit een plaatsje dat ver van de bewoonde wereld af ligt.'

Kirsch haastte zich terug naar het Charité. Het was etenstijd en in het gebouw was het bijna overal rustig. Hij liep naar zijn werkkamer, deed de deur dicht en viste in zijn zak naar de sleutel van de dossierkast. Hij schoof de Adler opzij, pakte Mariya's dossier en keerde het om op het bureau. De brief zat erbij, tussen een tekening van Mariya en de foto uit *Die Berliner Woche* die Alma hem had gegeven: *Fr. Mileva Einstein-Marić, Tillierstrasse 18, Bern, Zwitserland.*

De eerste keer dat hij die naam had gezien, had hij zich afgevraagd of het een grapje was geweest. Robert Eisner zou hem in een van zijn sarcastische buien best eens 'dokter Einstein-Kirsch' kunnen noemen. Maar nu was er geen twijfel meer mogelijk: de brief was geadresseerd aan Albert Einsteins eerste vrouw.

Hij las hem nogmaals door. April 1903. Het echtpaar Einstein dacht erover om naar Servië te verhuizen. Mileva maakte zich zorgen om Lieserl, een jong kind dat daar verbleef. Haar vriendin Helene verzekerde haar dat het goed met het kind ging en waarschuwde dat ze de gemaakte afspraken niet moest terugdraaien, omdat dat 'voor iedereen de beste oplossing' was.

Het kind was van Mileva. Dat was de enige aannemelijke verklaring. Lieserl was ter adoptie afgestaan – in stilte en in het geheim, naar de toon van de brief te oordelen. Er was geen aanwijzing waarom of op welke manier Mariya negenentwintig jaar later in het bezit van die brief was gekomen. Het was nog minder duidelijk waarom ze hem mee naar Berlijn had genomen.

Er kwam een onaangename gedachte bij hem op. Als de brief een bewijs van onzedelijk gedrag was, kon hij worden gebruikt om iemand af te persen. Misschien was het de bedoeling geweest om het echtpaar Einstein met een schandaal te dreigen.

Eugen Fischer dacht aan oplichting, en hij was niet de enige. Zelfs de politie beschouwde Mariya liever niet als slachtoffer. In de ogen van buitenstaanders was er iets vreemds en berekenends aan de manier waarop ze in de openbaarheid was gekomen, alsof ze haar uiterste best deed om aandacht en daardoor ook invloed te krijgen.

Kirsch keek naar de tekeningen op zijn bureau. De jongeman en de oude man, daar waren ze weer, opdoemend uit de verfijnde arcering. Was de jongeman haar medeplichtige? Zo ja, waar was hij dan nu? Kirsch keek naar het brede voorhoofd en de mooie, gevoelige mond. Misschien had hij minder geluk gehad dan Mariya: misschien was hij niet gevonden. In gedachten zag Kirsch hen samen op het meer, in een roeiboot: een ruzie, een worsteling. Misschien had ze hem gedood en zijn lichaam uit de boot gegooid. Misschien lag hij op een onontdekte plaats, met stenen in zijn zakken om hem zwaarder te maken.

Kirsch dacht aan de gymnastiekoefeningen op het terrein, haar bleke armen, de manier waarop ze naar beneden had gekeken toen ze haar haren achter haar oren had geveegd. Ze was geen moordenares. Ze was niet in staat om iemand af te persen of te bedriegen.

Maar wacht eens, ze had hem wél bedrogen. In Café Tanguero. Toen hij naar haar naam had gevraagd, had ze gezegd dat ze Elisabeth heette.

Hij pakte de brief weer op. *Ik weet dat je aan Lieserl denkt als je zulke dingen vraagt.*

Lieserl. Geen echte naam, geen naam voor op een geboortebewijs of een paspoort. Het was een ouderwets Duits verkleinwoord, een koosnaampje dat je aan een klein kind zou geven.

Hij stond op en stootte een lege koffiebeker om, die van het bureau rolde en op de vloer kapotviel. Terwijl hij naar de scherven staarde, dacht hij alleen maar aan Mariya, aan hun vluchtige gesprekje in Café Tanguero, de manier waarop ze had geaarzeld voordat ze hem antwoord gaf, haar flauwe glimlachje.

Een klein kind dat Lieserl heette, groeide uit tot een vrouw die Lisa of Elsbeth heette – of *Elisabeth.*

Hij had gedacht dat ze hem voor de gek hield, dat ze ter plekke een naam bedacht om hem te misleiden. Maar hij had zich vergist. Het was helemaal niet haar bedoeling geweest om hem te bedriegen. Ze had hem een geheim toevertrouwd. Ze was het meisje in de brief. Ze was Lieserl.

De jongeman en de oude man. Hij sloot het dossier en stopte het weer achter slot en grendel in de kast. Hij had zich al die tijd afgevraagd wie de oude man was. Nu wist hij het.

De volgende ochtend belde hij meteen naar de universiteit, maar pas na een paar pogingen was iemand bereid om een boodschap door te geven. Tegen de middag belde Von Laue eindelijk terug.

'Ik moet in contact treden met professor Einstein,' zei Kirsch. 'Het gaat over die patiënte van mij, de studente.'

'Albert Einstein? Meent u dat?'

'Ik weet dat het veel gevraagd is.'

Kirsch hoorde voetstappen, de bons van een deur die dichtging. Na een slechte nacht – een caleidoscoop van herinneringen, dromen en speculaties – was hij moe en gespannen. 'Professor Von Laue?'

'Wilt u hem het aantekenboek laten zien?'

De toon van Von Laue was behoedzaam. Nu hij over Einstein was begonnen en had gezegd dat hij een afspraak met hem wilde maken, was alles veranderd.

'Nee. Het gaat niet echt om een wetenschappelijke kwestie.'

'Waarom denkt u dan dat hij er belangstelling voor heeft? Professor Einstein is natuurwetenschapper. Hij heeft geen verstand van psychiatrie.'

'Als professor Einstein mijn hele verhaal hoort, denk ik dat hij wél belangstelling heeft voor patiënte Mariya Draganović. Maar voordat ik zo brutaal ben om hem rechtstreeks te benaderen, wil ik eerst met u overleggen.'

Het was verleidelijk om Von Laue te vertellen over de brief aan Savić en wat die inhield – verleidelijk, maar ook gevaarlijk. Stel dat de brief gestolen was. Het was duidelijk een persoonlijke briefwisseling geweest. En objectief gezien bewees de inhoud trouwens niets.

'Draganović, zegt u?'

'Het is een Servische naam. Ik denk dat ze uit Servië komt. Net als de eerste echtgenote van professor Einstein.'

Er viel een stilte. Even dacht hij dat Von Laue zou ophangen.

'Ga door.'

Kirsch ging zitten. 'Ik denk dat er een grote kans bestaat dat professor Einstein deze patiënte ooit heeft gekend. Misschien is er een verband tussen hen dat haar aanwezigheid in Berlijn verklaart.'

'Neem me niet kwalijk, maar ik begrijp niet…'

'Misschien is hij de enige die haar kan helpen.'

Von Laue zuchtte, alsof hij dit allemaal al eens eerder had gehoord. 'Dokter Kirsch, we hebben het over de beroemdste man op aarde. Bent u dat vergeten?'

'Ik besef…'

'Albert Einstein wordt in alle uithoeken van de beschaafde wereld herkend. Hij wordt dag en nacht gevolgd door bioscoopjournaals, en ik denk niet dat er een krant bestaat waarin nog nooit een foto van hem heeft gestaan. Als psychiater weet u vast wel dat al die publiciteit ertoe leidt dat veel mensen – of ze nu normaal of krankzinnig zijn – het gevoel hebben dat ze een band met Einstein hebben, een relatie zelfs. Gelooft u mij, er gaat nauwelijks een week voorbij zonder een verwarde ziel die ergens aanspraak op denkt te kunnen maken.'

'Toch denk ik dat professor Einstein in dit geval wil horen wat ik heb ontdekt. De zaak zou natuurlijk strikt vertrouwelijk blijven.'

Het duurde lang voordat Von Laue daarop reageerde. 'Ik zou u graag helpen, dokter Kirsch, maar ik ben bang dat het onmogelijk is. Professor Einstein en zijn vrouw vertrekken vanmiddag naar Bremerhaven.'

'Bremerhaven? Blijven ze lang weg?'

'Ik hoop dat u begrijpt dat hun reisplannen om veiligheidsredenen zelfs nu niet rondgebazuind mogen worden. Albert is niet alleen de beroemdste wetenschapper ter wereld, hij is ook de bekendste jood. Om nog maar te zwijgen over het feit dat hij een zeer felle tegenstander van het nationaalsocialisme is.'

'Ik begrijp het.'

'Goed dan. Ze varen over een paar dagen naar Amerika. Ze worden pas eind maart terugverwacht, maar met het oog op de huidige situatie zou ik er maar niet op rekenen dat ze terugkomen.'

Kirsch bedacht dat dit misschien wel een leugen was, een manier om zijn verzoek af te slaan zonder hem te beledigen. Maar Von Laue had bewezen dat hij er de man niet naar was om te liegen.

'Het spijt me dat ik niet méér voor u of uw patiënte kan doen, dokter Kirsch. Maar ik wil beslist niet dat professor Einstein zijn vertrek uitstelt. Zijn vijanden hier worden elke dag brutaler en gevaarlijker. Ik weet niet wat die "band" inhoudt, maar die mag hem niet van zijn werk afhouden, laat staan in gevaar brengen.'

'Het punt is...'

'Het spijt me, maar ik ben bang dat ik het hierbij moet laten.'

'Ik denk dat ze zijn dochter zou kunnen zijn. Einsteins dochter, Elisabeth. Zou dat niet alles veranderen?'

Het bleef weer even stil aan de andere kant van de lijn.

'Tot ziens, dokter Kirsch.'

26

Mariya had dokter Kirsch al een paar dagen niet meer gezien. Toen hij over het terrein naar haar toe wandelde, zag ze dat er iets mis was. Hij had zijn handen diep in de zakken van zijn jas gestoken, waardoor de knokkels door de stof heen drukten, en hij straalde een bepaalde terughoudendheid uit die ze nog niet eerder had opgemerkt.

'Je gaat me toch niet vertellen dat je onze afdeling tekent?' vroeg hij.

Mariya zat op haar vaste bankje. Met het schetsboek op schoot keek ze naar het gebouw, alsof ze nog moest beginnen. De middagzon brak door de wolken heen. 'Wat is daarop tegen?'

Kirsch tuurde met samengeknepen ogen naar de getraliede ramen en grimmige bakstenen, die alleen maar werden verdoezeld door de skeletachtige overblijfselen van dode klimplanten. 'Er moet toch een mooier uitzicht te bedenken zijn.'

Ze schoof een stukje op om plaats voor hem te maken, maar hij ging op de armleuning zitten. Mariya keek naar haar papier, tekende een gebogen lijn en wachtte tot Kirsch iets zou zeggen. De lijn werd een jukbeen. Onder het jukbeen tekende ze een kaak.

'Is het slecht nieuws?' vroeg ze.

'Nee,' antwoordde hij. 'Nee, vooruitgang. Beslist vooruitgang. Met een beetje geluk kun je hier binnenkort weg. Dan kun je de draad van je leven weer oppakken.'

Ze tekende de boog van een wenkbrauw. Was die van een man of van een vrouw? Ze wist het niet. Haar maag kneep samen.

'Waar stuur je me naartoe?'

'Alleen naar de plaats waar je thuishoort.' Voor het eerst keek hij naar haar, maar ze hield haar blik op de bladzijde gericht. 'Het Charité is maar een tijdelijk toevluchtsoord. Binnenkort heb je het niet meer nodig.'

Ze maakte de ogen donker en indringend. 'En jij dan?'

Op de bovenste verdieping van het gebouw liep een figuur in het wit langs een raam. Mariya vroeg zich af hoeveel andere mensen hen in de gaten hielden. Het was gênant voor dokter Kirsch bekeken te worden. Of was dit juist zijn opzet? Wilde hij dat anderen hen dwongen afstand te bewaren?

'Mariya, wat er bij Herr Mettler is gebeurd…' Ze hield haar potlood stil. 'Dat had ik niet mogen doen. Dat was verkeerd.'

'Vind je? Waarom?'

'Ik ben arts. Mijn rol… mijn taak is om jou te genezen. Al het andere kan je herstel alleen maar bemoeilijken.'

Ze kreeg tranen in haar ogen. Ze klemde haar tanden op elkaar. Ze was bang dat de tranen over haar wangen zouden rollen als ze haar mond opendeed om iets te zeggen. Wat dom, dacht ze. Wat abnormaal. Ze dwong zichzelf om zich op haar tekening te concentreren en vulde de pupillen en oogleden met harde streken van haar potlood in.

'Het is belangrijk dat je het begrijpt,' zei Kirsch. 'Je voelt je op dit moment geïsoleerd, dat kan niet anders. Als je bepaalde gevoelens koestert, komt dat daardoor. Als je eenmaal beter bent, wordt alles anders. Dan wordt je horizon verbreed en kun je dit ziekenhuis vergeten.'

'En iedereen in dat ziekenhuis. Bedoel je dat?'

'Ja.'

'Ik ben goed in vergeten.'

Ze hoorde hem een zucht slaken. Haar wangen gloeiden, omdat ze nu wist dat ze een zware last was geworden.

'Afgezien daarvan…' Hij legde een hand op zijn borst. 'Ik ben verloofd, dus je zult begrijpen…'

Ze huiverde. Ze wilde wegrennen, maar waar moest ze naartoe? Buiten het terrein van het Charité was de wereld een mist van halfvergeten beelden, afschrikwekkend en eenzaam.

Ze stond op. 'Ik begrijp het, dokter. Dank u.'

Ze zette een paar stappen in de richting van het gebouw, maar

Kirsch legde een hand op haar arm. Ze durfde zich niet om te draaien en hem aan te kijken.

'Ik ben iets te weten gekomen.' Hij was zachter gaan praten, al was er niemand in de buurt die hen kon horen. 'Als het klopt, verandert dat alles. Al die tijd heb ik me namelijk gericht op de gedachte dat je je verleden terug moest krijgen. Ik dacht dat dat de enige manier was om je geheugenverlies aan te pakken. Maar in jouw geval is de toekomst volgens mij heel belangrijk. We moeten proberen je toekomst terug te krijgen. Misschien wel een briljante toekomst.'

Ze stak haar hand uit en schoof zijn hand voorzichtig van haar arm. 'Hoe dan?'

'Gun me wat tijd.' Zijn stem klonk nu weer normaal, de stem van een arts: neutraal, geruststellend, afstandelijk. 'Ik moet een poosje weg. Ik heb met toestemming van het afdelingshoofd verlof genomen. Ik moet namelijk nog een paar dingen uitzoeken, en dat kan niet in Berlijn. Als ik weg ben…' Hij stak iets naar haar uit, een boek. 'Als ik weg ben wil ik graag dat je dit leest.'

Ze wierp een blik op de titel op de rug: *Over de speciale en algemene relativiteitstheorie*. Wat een vreemd cadeau, dacht ze. Een cadeau dat vreemden aan elkaar zouden geven. Allesbehalve een cadeau aan een geliefde.

'Beschouw het maar als een nieuw begin,' zei Kirsch.

Omdat ze niet onbeleefd wilde lijken, nam ze het boek aan. 'Natuurlijk, dokter. Wat u het beste lijkt.'

De schrijver

27

Sindsdien maakte ik mijn huiswerk niet meer om complimenten of waardering van anderen te krijgen, maar omdat ik dacht dat ik er onafhankelijk door zou kunnen worden. Al gauw was mijn schoolwerk mijn leven. Het gaf me zowel een toevluchtsoord als een bezigheid, want als ik me in mijn boeken verdiepte, voelde ik me niet alleen. Dan had ik gezelschap van verlichte zielen wier passie de verlichting van anderen was. Ik voelde me bevoorrecht dat ik de dialoog van deze grote denkers mocht afluisteren, en soms voelden de dagelijkse beslommeringen daarbij als een inbreuk. Aan jou kan ik dit wel bekennen, want ik weet dat jij de aantrekkingskracht van een leven als wetenschapper begrijpt. Soms denk ik dat ik onder een chaos van emoties bedolven had kunnen worden als ik deze weg niet had gekozen. Boosheid, verdriet en eenzaamheid lagen aan alle kanten op de loer. Ik hoefde maar een paar passen van het pad af te wijken om reddeloos aan deze drie ten prooi te vallen. Ook wanhoop zou zich van me meester hebben gemaakt. Want wat kunnen de tranen van een paar zachtaardige zielen tegen de wreedheid van zo velen uitrichten?

Toch was ik niet gelukkig. Ik was trots op mijn prestaties, vooral omdat ze heel bijzonder waren voor een jong meisje, maar ik hechtte niet aan beloningen. Ik wilde dat mijn kennis mij en de mensen om wie ik gaf gelukkiger zou maken, en ik wilde dat dat geluk blijvend zou zijn. Tot dat moment hadden mijn successen me alleen maar geïsoleerd. De meisjes op school vonden me jongensachtig en vreemd omdat ik me met wiskunde en natuurwetenschappen bezighield, en de jongens vonden me verwaand. Ik denk dat ik daardoor openstond voor het idee dat het vergaren van kennis me in elk geval dichter bij God zou kunnen brengen.

Niet dat ik dat idee in de kerk kreeg. Ik had de indruk dat geestelijken een overvloed aan kennis juist met achterdocht bekeken, vooral als het om kennis ging die met de natuur te maken had. God en zijn Grote Plan waren mysteries die het menselijk brein niet konden begrijpen, zeiden ze. Het was aanmatigend als stervelingen natuurwetten aandroegen. Geloof was waar het om draaide – blind of anderszins, dat maakte niet uit. Ze herinnerden me er herhaaldelijk aan dat een ziel met alle kennis van de wereld nog geen stap dichter bij het koninkrijk der hemelen kwam, tenzij het om kennis van de Heilige Schrift ging.

Gelukkig waren er op het gymnasium leraren die heel anders over natuurwetenschappen dachten. Mijn laatste natuurkundeleraar, meneer Stanić, suggereerde dat God en de natuurwetten een en dezelfde waren, omdat de aard van het universum geformuleerd kon worden als een natuurwet waaraan alles onderworpen was. Dus als we de natuurwetten beter begrepen, zouden we God ook beter begrijpen. Daarmee gaf hij me iets nieuws en kostbaars. Ik zag in dat de weg naar kennis en onderzoek niet alleen tot begrip leidde, maar naar de bron van alle goedheid en liefde.

Deze woorden waren een grote troost en een stimulans voor me. Mijn vader had nooit reden om me te verwijten dat zijn financiële bijdragen aan mijn opleiding een verspilling waren, al belette hem dat niet om me eraan te herinneren dat hij er offers voor moest brengen. Dit deed hij zo vaak dat ik bang werd dat hij me van school zou halen, al had ik inmiddels een beurs gekregen, waardoor we het grootste gedeelte van mijn schoolgeld niet hoefden te betalen. Als ik op dat moment had geweten dat hij in het district over zijn kundigheid opschepte, dat hij beweerde dat hij me zelf les had gegeven en dat er in vroegere generaties veel van zulke wonderkinderen in zijn familie waren geboren, zou ik me minder zorgen hebben gemaakt.

Ik vermoed dat hij op dat moment weinig andere dingen had om over op te scheppen, want het einde van de oorlog had ook het einde van zijn baan bij de douane betekend. In opdracht van de hogere machten was de grens verdwenen, en daarmee verdwenen ook de douaneposten. Wat ik prettiger nieuws vond, was dat het nieuwe koninkrijk Joegoslavië al zijn universiteiten zou openstellen voor vrouwelijke studenten, ook de faculteiten geneeskunde en natuurwetenschappen. Meneer Stanić zei dat de universiteiten van Zagreb en Belgrado geen van beide eersteklas bètafaculteiten hadden, en dat ik in het buitenland moest gaan studeren als ik de mogelijkheid daartoe had. Maar ik wist dat mijn vader dat nooit zou betalen, want sinds hij zijn baan was kwijtgeraakt, hadden hij en mijn moeder vaker dan ooit ruzie over geld.

Meestal ging ik van tafel als deze ruzies begonnen, want ik was ervan overtuigd dat mijn aanwezigheid geen aanleiding zou zijn om de discussie in mijn voordeel te laten uitvallen. Ik was nog steeds bang dat mijn vader van gedachten zou veranderen over mijn opleiding (die, voor zover ik wist, nog geen cent had opgeleverd) en zou besluiten dat ik thuis moest komen om te werken. Zelf bracht hij zijn tijd inmiddels door met vissen bij de rivier of drinken in het gezelschap van andere luie mannen. Hij zocht niet naar werk – het handjevol beschikbare banen vond hij beneden zijn waardigheid – maar in plaats daarvan had hij het steeds vaker over allerlei geweldige plannen waarmee we geld konden verdienen. Een van die plannen was dat hij op zolder en in de bijgebouwen zijdewormen wilde kweken. Op een dag kwam hij uit Novi Sad met een paar manden vol glanzende bruine cocons, die geen van alle uitkwamen. Een ander plan was om wijndruiven te gaan verbouwen. Daarvoor ploegde hij een goed stuk grasland om, dat hij in een waardeloos terrein vol onkruid veranderde. Maar ook als hij niet hardnekkig aan zijn plannen vasthield (wat gelukkig niet het geval was), konden ze thuis altijd een extra paar handen gebruiken, vooral omdat mijn moeder een slechte gezondheid had. Dus als er weer over geld werd gepraat, stond ik meestal op om de tafel af te ruimen en verdween ik naar de bijkeuken, vooral als vader weer begon te zeuren dat onze moeder te veel geld uitgaf, wat niet het geval was, en dat haar familie hem niet de bruidsschat had gegeven die hem was beloofd. Daarnaast had hij nog talloze andere kleinerende opmerkingen en grieven.

Maar op een avond bleef ik binnen gehoorsafstand. Ik was die dag thuisgekomen met een rapport van het gymnasium, en ik wist dat het een van mijn laatste zou zijn. Als ik mijn diploma had, moest ik immers van school af, omdat mijn opleiding dan was afgerond. De vraag of ik nog verder mocht leren, kon niet lang meer worden uitgesteld. Mijn moeder en vader praatten op gedempte toon, wat erg ongewoon was en me alleen maar nieuwsgieriger maakte. Ik moet bekennen dat ik hen bij de deur afluisterde, waarbij ik nauwelijks adem durfde te halen omdat ik bang was dat de vloerplanken in de gang onder mijn voeten zouden kraken.

Ze hadden het over geld, zoals ik al had verwacht, en ze vroegen zich af of ze méér moesten vragen – al kon ik niet horen aan wie. Mijn moeder was er fel op tegen omdat ze iets hadden beloofd, maar mijn vader bleef aandringen. 'We hebben nooit beloofd dat we zo'n last zouden dragen,' hoorde ik hem duidelijk zeggen. 'Dat kunnen ze niet van ons verwachten. Ze zitten tegenwoordig trouwens goed in de slappe was. En wij hebben bijna niets.'

De moed zonk me in de schoenen, want ik wist maar al te goed over welke last hij het had. Toch wilde ik graag weten wie ons geld had gegeven. Toen hoorde ik mijn vader zeggen dat ze Helene moesten overhalen om weer een goed woordje voor ons te doen, omdat het ook voor een deel haar verantwoordelijkheid was. Ook daar was mijn moeder het niet mee eens, maar ze protesteerde niet meer zo heftig. Ik vroeg me af of ze het over mijn tante Helene hadden, die ik zeker al een jaar niet meer had gezien.

Mijn moeder noemde haar tante Helene, maar dat was uit genegenheid, niet omdat ze een bloedverwant was. Haar echtgenoot Milivoj was een oude schoolvriend van mijn vader en werkte op een ministerie, al weerhield dat vader er niet van om hem achter zijn rug een aansteller en een enorme stommeling te noemen. Zo noemde hij hem vaak, vooral vanwege zijn radicale politieke ideeën. Ze woonden in Belgrado en kwamen af en toe op bezoek. Soms kwam Helene in haar eentje, omdat ze in de buurt van Novi Sad familie had. Vooral mijn moeder behandelde haar met veel respect. Tante Helene was een hoogopgeleide vrouw, klein en met een verfijnde kledingsmaak, al had ze één misvormd been waardoor ze mank liep. Ik was vooral diep onder de indruk van het feit dat ze vóór haar huwelijk aan een universiteit in Zwitserland had gestudeerd. Ze vertelde me over de hoge bergen en gletsjers in dat land. Zulke dingen had ik alleen nog maar in boeken gezien – zoals je weet, is het land waar ik ben opgegroeid zo plat als de zwemvliezen van een eend. Eén keer voegde ze er fluisterend aan toe, alsof het een geheimpje tussen ons tweeën was, dat ik misschien ook aan zo'n universiteit zou kunnen studeren als ik op school bleef uitblinken. Het kwam wel vaker voor dat slimme Servische meisjes in Zürich van harte welkom waren. Sterker nog, zei ze, sommige meisjes waren weggegaan om een bul te behalen en waren ook nog eens terugkomen met een echtgenoot.

Ik bloosde toen ik dat hoorde, want ik was nog te jong om aan jongens te denken. Het andere geslacht bestond voor mij uit leraren en plaaggeesten met kapotte knieën, om wie ik met een boogje heen liep. En ik vroeg me af of het tweede glas appelbrandewijn misschien naar haar hoofd was gestegen.

Toen ik nog heel klein was, kwam tante Helene minstens twee keer in het gezelschap van een andere vrouw: een donkere, rustige dame, erg sober gekleed, maar wel knap. Eerst dacht ik dat ze een gezelschapsdame of een dienstmeisje was, want ze zat meestal zwijgend in de hoek. Dan keek ze naar ons terwijl wij, de kinderen, aan het spelen waren en glimlachte ze warm als onze blikken elkaar kruisten. Als haar melancholieke aanwezigheid de stemming van mijn moeder en vader niet zo had gedrukt, was ik haar waarschijnlijk allang vergeten. Meestal gingen de bezoeken van tante Helene gepaard met een stortvloed van gesprekken — over wederzijdse vrienden, het nieuws uit Belgrado, zelfs politiek. Maar als tante Helenes metgezellin erbij was, viel het gesprek steeds stil, alsof iedereen in de kamer met zijn gedachten ergens anders was. Als ze wegging, waren ze overduidelijk opgelucht, alsof er op het laatste moment een ramp was afgewend. Als ik deze vrouw zag, vroeg ik me altijd af welk enorm verdriet ze in haar hart bewaarde en waarom niemand erover wilde praten.

Als ze weg was, droomde ik altijd over haar. Ik droomde dat ik haar mijn kamer in zag lopen en over mijn slapende hoofd zag strelen, en dat ze vanuit de deuropening naar me keek, scherp afgetekend tegen het licht. Ik raakte ervan overtuigd dat ze ooit een dochter moest hebben gehad die ze was kwijtgeraakt, misschien wel aan de roodvonk die zo veel kinderen van mijn leeftijd had weggenomen. Ik dacht dat haar hart daardoor was gebroken.

Ik herinnerde me dat de metgezellin Mileva heette. Zij en tante Helene hadden elkaar ontmoet toen ze in Zürich studeerden. Ze woonde nog steeds in Zwitserland, maar ze had familie in de dorpen Kać en Titel, die allebei minder dan een dag reizen van ons huis lagen. Pas een paar jaar later hoorde ik van mijn leraar, meneer Bošković, dat ze in Servië ooit beroemd was geweest. Ze was de briljantste vrouwelijke natuurkundige die ons land ooit had voortgebracht, en niemand minder dan de vrouw van de grote professor Einstein.

28

Mileva Einstein-Marić woonde in een dure woonwijk op de hellingen van de Zürichberg, net boven de Technische Universiteit waar zij en Albert Einstein elkaar dertig jaar geleden hadden ontmoet. Kirsch ging te voet naar boven. Hij beklom moeizaam de lange trappen die de zigzaggende wegen doorsneden en bleef alleen af en toe stilstaan om op adem te komen. Er rolde laaghangende bewolking over het grijze water van de Zürichsee, die af en toe uit elkaar schoof en dicht beboste heuvels op de andere oever onthulde. Het sneeuwde. Onder hem rolden trams voorbij op pas gedempte rails.

Einsteins eerste vrouw was de enige die van alle feiten op de hoogte was. Niemand anders – zelfs Einstein zelf niet – was een volledig betrouwbare bron als het om Lieserl ging. Per slot van rekening was het kind vóór haar huwelijk met Einstein geboren, in omstandigheden die allesbehalve duidelijk waren. Mileva was de enige die met zekerheid kon zeggen wie de vader was. Om diezelfde reden wist niemand beter wat er met het kind was gebeurd en waar het nu was. Het waren vooral Mileva's geheimen, en het was aan haar of ze die met anderen wilde delen.

Huttenstrasse 62 was een log appartementencomplex van drie verdiepingen hoog, met een massieve stenen fundering en een ruwe cementen bepleistering. Het was afgewerkt met een sombere variant van de jugendstil: glas-in-loodramen boven de deuren en ramen, en verfijnd ijzerwerk op de balustrades van de balkons. Kirsch had geen afspraak. Hij had besloten zijn komst niet aan te kondigen. Brieven konden makkelijk worden genegeerd, en de telefoon was niet geschikt voor discussies over delicate onderwerpen. Hij liep de trap op naar de derde verdieping en belde aan.

Een dienstmeisje deed open en nam zijn kaartje aan. Nadat ze kort had overlegd, ging ze hem voor naar een zitkamer. 'U wacht hier, alstublieft,' zei ze. 'Frau professor Einstein zo komt.'

Mileva gebruikte nog steeds de naam en titel van haar echtgenoot, ook al waren ze al dertien jaar gescheiden. Deed ze dat omdat ze nog steeds warme gevoelens voor hem koesterde? Of maakte ze aanspraak op een deel van de roem van haar ex-man? Als dat zo was, had haar trucje niets uitgehaald. Buiten de grenzen van Zwitserland wist bijna niemand van haar bestaan of van dat van haar zoons. Voor de kranten was Elsa de enige vrouw die Albert Einstein ooit had gehad. Erger nog, ze gingen er meestal van uit dat Elsa's dochters uit haar eerste huwelijk ook de dochters van Albert waren. Het feit dat Einstein dat nooit had rechtgezet, was misschien wel het bewijs dat het hem niet kon schelen wat anderen van hem dachten. Het zou ook kunnen dat Mileva de echtscheiding nooit echt had geaccepteerd. Als ze religieus of gewoon ouderwets was, was ze er misschien wel van overtuigd dat een huwelijk voor het leven was. Misschien was het een erekwestie voor haar, en vond ze dat ze er recht op had om haar mans naam te blijven dragen.

Het was een fris vertrek, met hoge plafonds en witte muren. De meubels waren van donker, glanzend hout. In een hoek was een kleine vleugel geplaatst, en in het midden stond een grote tafel waarop keurige stapels boeken en papieren lagen. Aan de muren hing een eclectisch assortiment van etsen en aquarellen. Op een zijtafel, boven een radiator, stond een rij kleine cactussen in aardewerken potjes. Openslaande deuren leidden naar een balkon. Buiten zag hij een groot terrein met gras en fruitbomen, en daarachter de met sneeuw bedekte daken van de stad.

Op een wandtafel stonden foto's van Mileva's familie. Vrouwen met hoge kragen stonden in keurig poserende groepjes rond patriarchen met baarden. Peuters met mollige wangen en matrozenpakjes staarden dommig in de lens. Op één foto – de oudste, aan het vlekkerige uiterlijk te zien – waren drie generaties in rijen opgesteld, allemaal met hun gezicht naar de camera. De mannen droegen geen jasjes, alleen vesten, en de vrouwen hadden sjaals om hun hoofd gebonden. Net als hun kleding suggereerden hun verweerde gezichten een leven vol zware lichamelijke landarbeid. De scherpere, nieuwere foto's waren minder formeel: een zuigeling in een doopjurk die paardjereed op de knie van een vrouw, twee jongens die in wandelkleding glimlachend op een bospad stonden en een knappe jongeman in een zonovergoten tuin, geflankeerd door vrouwen. Kirsch zocht naar een foto van Albert Einstein, maar kon er geen vinden.

Iets aan de jongeman kwam hem bekend voor: het brede voorhoofd, de verfijnde mond, de behoedzame blik. Hij deed Kirsch denken aan een Amerikaanse filmster, een man die volgens Alma de nieuwe Valentino was. Maar opeens wist hij het: hij had het gezicht niet op het witte doek gezien, maar in Mariya's schetsboek.

Hij is schrijver.

Hij pakte de foto op en draaide hem om. Er stond niets op de achterkant. Was het dezelfde man? Nu hij hem beter bestudeerde, wist hij het niet zeker meer.

In de gang sloeg een staand horloge het halve uur. In de hele stad deden kerkklokken hetzelfde. Kirsch was nog nooit ergens geweest waar het verstrijken van de tijd zo vlijtig werd bijgehouden. Hier hoefde je geen horloge te hebben.

'Ik zie dat u Eduard hebt gevonden.'

In de deuropening stond een vrouw in een zwarte jurk. Ze was klein en droeg twee rijen parels om haar hals. Haar fijne donkere haar, dat zilvergrijze strepen had, was losjes in haar nek bijeengebonden. Haar pupillen leken wel van zwart glas. Hij had de indruk dat die ogen haar misschien ooit mooi hadden gemaakt, maar met haar prominente mond en krachtige kaak had ze ook bijna iets aapachtigs.

Mileva Marić, de vrouw met wie Einstein zestien jaar getrouwd was geweest. Misschien wel Mariya's moeder. Kirsch zocht naar een gelijkenis en dacht dat hij wat overeenkomsten zag in de jukbeenderen, ogen en de kromming van de wenkbrauwen. Hij zette de foto neer en stamelde een begroeting, maar ze leek geen haast te hebben om zich voor te stellen.

'Die foto is drie jaar geleden gemaakt.' Ze deed de deur achter zich dicht. Ze had hetzelfde accent als Mariya, al was dat van haar niet zo uitgesproken. 'Vlak voordat we hem moesten laten opnemen. Sindsdien is hij wat aangekomen. In het Burghölzli geven ze hem alleen maar aardappelen en knoedels te eten.'

Het Burghölzli was een psychiatrisch ziekenhuis, het beroemdste in Zwitserland. Karl Jung had er vele jaren gewerkt.

'Is dit uw zoon?'

Mileva gebaarde naar een bank en ging zelf in een leunstoel zitten. Het was alsof ze hem had verwacht. 'Ze zeggen dat hij een schizoaffectieve stoornis heeft. Is schizofrenie een specialisme van u, dokter Kirsch?'

Kirsch dacht dat professor Von Laue dit bezoek had zien aankomen en Mileva had gewaarschuwd. Hoe kon hij anders verklaren dat ze zo snel ter zake kwam? Tenzij ze gewoon zo in elkaar zat: intelligent, excentriek, met een nadrukkelijke belangstelling voor psychiatrie, maar zonder geduld voor beleefdheidspraatjes.

'Het is een studiegebied waarnaar ik onderzoek heb gedaan,' zei hij. 'Al moet ik zeggen dat ik betwijfel of dergelijke etiketten werkelijk zinvol zijn. Ik ben er niet van overtuigd dat ze een wetenschappelijke basis hebben.'

'Kijk aan. En strekt die twijfel zich uit tot dokter Freud en zijn ideeën?'

'Ik ben van mening dat we aan alles wat niet onomstotelijk vaststaat moeten twijfelen. En als het daarbij over geestesziektes gaat...'

Even verscheen er een ondeugend glimlachje rond Mileva's lippen. 'Een twijfelende psychiater? Ik begrijp waarom mijn man u heeft gebeld.'

Kirsch wilde dat hij wist waar ze het over had.

'Albert heeft geen geduld met moderne psychiatrische theorieën. Hij denkt dat krankzinnigheid in het bloed zit, dat het een familietrekje is, net als...' Ze zweeg even, en het glimlachje werd weer zichtbaar, '... een heupontwrichting. Het enige wat je er volgens hem aan kunt doen, is geen kinderen meer krijgen.'

'Frau Einstein...'

'Eduard is wél een enthousiaste volgeling. Sterker nog, hij weet meer over Freud dan de mensen die hem behandelen. Ze vertelden me dat psychoanalyse bij hem geen zin heeft: hij leidt hen elke keer om de tuin.' Mileva's blik dwaalde even naar de foto van de twee wandelende jongens in het bos. Kirsch herkende Eduard als de jongste van de twee. 'Hij heeft altijd al een opmerkelijke fantasie gehad. Op school zeiden zijn leraren dat hij schrijver moest worden. Zijn opstellen waren altijd uitstekend. Het schoolhoofd zei dat hij degene was die Einsteins genialiteit had geërfd.'

In zijn plakboek bewaarde Kirsch een interview met Albert Einstein, dat drie jaar eerder in een tijdschrift had gestaan. *Verbeeldingskracht is belangrijker dan kennis*, had hij gezegd. *Kennis is beperkt. Verbeeldingskracht omringt de wereld.*

'En u zou hem piano moeten horen spelen.' Mileva keek naar hem. 'Maar ik neem aan dat zijn vader u dat allemaal al heeft verteld.'

Eindelijk begreep hij het: Eduard Einstein verbleef al drie jaar in een psychiatrisch ziekenhuis. Om een of andere reden was zijn vader niet tevreden met de behandeling en had hij erop gestaan een Berlijnse psychiater te sturen, die hijzelf had uitgekozen. Mileva was er simpelweg van uitgegaan dat hij, Martin Kirsch, die bewuste psychiater was. Het was de enige verklaring.

'Ik ben bang dat er sprake is van een misverstand,' zei hij. 'Ik heb niet de eer gehad om professor Einstein te ontmoeten.'

Mileva staarde hem aan. 'Heeft hij u niet gestuurd?'

'Ik vrees van niet.'

Ze zweeg even. 'Dan werkt u zeker sinds kort in het Burghölzli en is Eduard uw patiënt.'

Kirsch schudde zijn hoofd. 'Mijn patiënte, de patiënte om wie het mij gaat, bevindt zich in Berlijn, op de psychiatrische afdeling van het Charité-ziekenhuis. Ze heet Mariya Draganović.'

Hij liet de naam in de lucht hangen om het effect ervan te bestuderen. Hij hoopte dat Mileva een teken van affectie of bezorgdheid zou laten zien. Vlak voordat hij naar Zürich was gegaan, had hij de gegevens over het eerste huwelijk van Einstein opgezocht, die ten tijde van de echtscheiding tot in detail in het stadhuis van Berlijn waren opgetekend. Einstein en Mileva Marić hadden op 6 januari 1903 een burgerlijk huwelijk gesloten in het Zwitserse Bern. Dat was vijf maanden na de geboorte van Mariya Draganović, volgens de papieren die ze bij de vreemdelingenpolitie had laten zien.

Achter Mileva's ogen zag hij iets oplichten, maar haar gezicht gaf geen emotie prijs.

'Een studente wiskunde,' voegde hij eraan toe. 'Kent u haar?'

Mileva gaf geen antwoord. Zonder iets te zeggen, stond ze op en liep ze naar de deur. Voor het eerst viel het Kirsch op dat ze mank liep, dat een van haar schoenen een verhoogde zool had. *Een familietrekje, net als een heupontwrichting.*

Het zag ernaar uit dat het onderhoud ten einde was.

'Frau Einstein, ik kan u verzekeren dat het niet mijn bedoeling is om me met uw privézaken te bemoeien. Maar ik denk...'

'Biljana!' riep Mileva door de gang. Ze vroeg iets in een taal die Kirsch niet begreep en keek over haar schouder naar haar bezoeker. 'U wilt zeker wel een kop koffie, dokter Kirsch?' vroeg ze. Nog voordat hij kon antwoorden, knikte ze en verdween ze door de gang.

Toen ze even later terugkwam, was haar houding veranderd. Het was alsof ze haar indiscretie wilde goedmaken. Kirsch bespeurde een bepaalde afstandelijkheid die niet veel goeds voorspelde. Wat zijn vraag over Mariya betrof, het was alsof hij die nooit had gesteld.

Terwijl het dienstmeisje de koffie inschonk, vertelde hij over zijn patiënte, waarbij hij slechts twee belangrijke details achterwege liet: de hevige belangstelling van de pers en de brief die hij tussen Mariya's bezittingen had gevonden. Mileva luisterde zonder hem te onderbreken.

'Ze is duidelijk afkomstig uit Servië,' zei hij, terwijl hij een kopje met beide handen aannam. 'En omdat ze hier in Zürich wiskunde heeft gestudeerd, dacht ik dat u haar misschien had ontmoet.'

'Dank je, Biljana,' zei Mileva. Het dienstmeisje verliet de kamer. 'Gebruikt u suiker, dokter Kirsch? Melk?'

'Nee, dank u. Ik heb wat van haar werk aan professor Von Laue van de Pruisische Academie laten zien. Hij was diep onder de indruk. Sterker nog, hij was benieuwd van wie ze les had gehad.'

Mileva's gelaatsuitdrukking werd zachter. 'Von Laue is een fatsoenlijke man. Eervol. Dat kan ik van de rest niet zeggen.'

'Heb ik me vergist, Frau Einstein? Hebt u nog nooit van Mariya Draganović gehoord?'

Haar donkere ogen keken hem aan. Even zag hij een jongere vrouw: gevoelig, intelligent, maar onhandig – een onhandigheid die misschien uit een isolement was voortgekomen. Een wonderkind dat niet kon dansen.

'U hebt zich niet vergist, dokter Kirsch,' zei ze. 'Mejuffrouw Draganović was mijn leerlinge. Ik heb haar afgelopen herfst een paar maanden lesgegeven. Privéles.' Ze knikte naar de tafel in het midden van de kamer. Hier had ze lesgegeven, leerlinge en lerares naast elkaar tegenover het raam. 'Het spijt me om te horen dat ze ziek is. Ik hoop dat het niet al te ernstig is.'

'Het zou ernstig kunnen zijn. Ze lijdt aan een acute vorm van geheugenverlies, die volgens mij een psychische oorzaak heeft. Als ik niet meer over haar verleden kan ontdekken, vrees ik dat haar toestand permanent kan worden. Ik heb ook het gevoel dat er haast bij is.'

Kirsch was ervan overtuigd dat deze onthulling alle terughoudendheid bij Mileva zou wegnemen. Geen enkele biologische moeder zou werkeloos toekijken terwijl haar kind moest lijden, hoe groot de afstand tussen hen ook was.

Mileva zweeg even. Toen zei ze: 'Ik had geen idee dat ze in Berlijn was. Ik dacht dat ze naar huis was gegaan.' Ze draaide haar kopje rond op het schoteltje. 'Volgens mij kwam ze ergens uit de buurt van Novi Sad. Ze heeft me nooit haar adres gegeven. Maar ik denk dat ze uit die regio kwam.'

'Novi Sad?'

'Dat ligt in Joegoslavië. In de provincie Vojvodina, die vóór de oorlog bij het keizerrijk hoorde, het Oostenrijkse keizerrijk. Maar goed, daar is niets meer van over.'

'Daar komt u toch ook vandaan?'

Mileva bestudeerde hem. Dergelijke details kon een onbekende alleen maar weten als hij er moeite voor had gedaan. 'Nee. Ik ben geboren in Titel. Heel wat kilometers verderop.'

'Maar wel in Vojvodina?'

'Ja.'

Mileva was uiterst kalm. Op haar gezicht of in haar stem kon Kirsch geen enkel spoor van verdriet ontdekken. Dat was een tegenvaller.

'Dan had u vast veel om over te praten,' zei hij, omdat hij niets anders kon bedenken.

Mileva schudde haar hoofd. 'Mejuffrouw Draganović kwam hier om te studeren, niet om te kletsen. We hadden het over fysica.'

'Kwantumfysica?'

'Ze wilde dolgraag tot de universiteit worden toegelaten. Ze had wat geld geërfd, begrijpt u. Haar vader was kort daarvoor gestorven.'

Ik weet nog dat ik zijn graf vond. De sneeuw en de verse aarde.

'Kwam ze in haar eentje naar Zwitserland?'

Ik herinner me het gevoel nog heel goed.

'O ja, helemaal in haar eentje.'

Ik voelde me vrij.

Kirsch haalde zijn zakdoek tevoorschijn en depte zijn voorhoofd. De wandeling naar boven had hem uitgeput. De gedachte dat hij zich misschien had vergist, dat Mileva hem niets waardevols kon vertellen, putte hem nog verder uit.

'Voelt u zich wel goed, dokter Kirsch?'

'Ja, ja, dank u. Wanneer hebt u Mariya voor het laatst gezien?'

'Een paar maanden geleden. September of oktober.'

'Waar verbleef ze toen?'

Mileva's tong maakte een zuigend geluid achter haar tanden. 'Ze had in de stad iets gehuurd. Ik weet het adres niet meer. Het was in de buurt van het Baschigplatz.'

Kirsch stak zijn hand in zijn jasje en haalde een enveloppe met de foto van Mariya uit *Die Berliner Woche* tevoorschijn. Het was nog steeds de enige foto die hij had.

'Is dit Mariya?'

Mileva bestudeerde de foto. 'Wat is ze mager.'

Het papier trilde zachtjes in haar hand.

'Het is belangrijk dat ik contact met haar familie opneem. Kunt u me daarbij helpen? Het blijft allemaal uiterst vertrouwelijk, natuurlijk.'

Mileva bleef naar de foto kijken. 'Ik heb u alles verteld wat ik weet.'

'Kunt u zich verder niets herinneren?'

Ze gaf hem de foto terug. 'Ik ben bang van niet.'

Kirsch stopte het knipsel weer in de enveloppe. Hij had jarenlang het menselijk brein bestudeerd, maar toch wist hij niet of ze loog. 'Frau professor Einstein, heeft Mariya ooit iets gezegd over... Heeft ze het wel eens over een kind gehad?'

'Een kind? Waar hebt u het over?'

'Het is gewoon een mogelijkheid.'

'Mariya was niet getrouwd. Waarom zegt u dat?'

Haar verontwaardiging leek oprecht. Kirsch was blij dat hij erin geslaagd was om een reactie los te krijgen, een teken dat ze gekwetst was. Maar hoe moest hij er gebruik van maken?

'Het was ons niet duidelijk of ze getrouwd was geweest,' zei hij. 'Ze is beslist oud genoeg om weduwe te kunnen zijn, of een gescheiden vrouw. Ze zou dus kinderen kunnen hebben.'

'O.' Mileva ontspande zich zichtbaar. 'Daarmee kan ik u wel helpen. Ze heeft me heel stellig verzekerd dat ze nooit getrouwd is geweest.'

'Het is me nog steeds niet duidelijk hoe ze uw studente is geworden.'

'Mijn studentes zijn bijna allemaal jonge vrouwen uit dat deel van de wereld, de Balkan.'

'Dus iemand had u aanbevolen.'

'Ik heb nooit reclame hoeven maken voor mijn diensten. Je zou kunnen zeggen dat ik in bepaalde academische kringen bekend ben.'

Kirsch stopte de enveloppe in zijn jasje. Mileva vertrouwde hem niet. Waarom zou ze ook? Ze kon op geen enkele manier achter zijn motieven komen of zijn integriteit beoordelen. Misschien zou ze hem mettertijd gaan vertrouwen, maar tijd was nu net het enige wat hij niet had.

'Heeft Mariya het met u over Berlijn gehad?'

'Niet dat ik me kan herinneren.'

'Waarom is ze daarnaartoe gegaan?'

'Wat hebt u veel vragen, dokter Kirsch.'

'Ze moet toch iets hebben gezegd.'

'Niet tegen mij.'

'Kan het zijn dat ze professor Einstein wilde spreken? Zou dat haar plan zijn geweest?'

Mileva pakte haar koffiekopje weer en begon er weloverwogen in te roeren. 'Het is een lange reis voor een openbare lezing, dokter Kirsch, ervan uitgaand dat je al een kaartje zou kunnen krijgen.'

'Misschien hoopte ze dat ze hem onder vier ogen kon spreken.'

Ze hield haar lepeltje stil. 'Als dat zo is, was dat wel heel arrogant van haar. Professor Einsteins tijd is kostbaar. Kostbaarder dan u denkt.'

'Misschien dacht ze dat ze iets met elkaar gemeen hadden.'

Mileva zat doodstil op het puntje van haar stoel, alsof ze bang was dat ze zou vallen als ze zich bewoog. Kirsch wenste dat ze zou vallen.

'Dat zou ook arrogant zijn,' zei ze. 'Ik kan u vertellen dat ik Mariya nooit arrogant heb gevonden.'

'Wat vond u wel van haar?'

'Ze was een goede studente. Getalenteerd. Zulke mensen zijn vaak... anders. Wat de Heer met de ene hand geeft, neemt hij met de andere weg.'

Kirsch schoof een stukje naar voren. 'In welk opzicht was ze anders?'

Mileva zuchtte en keek uit het raam. Het sneeuwde niet meer, maar de wind wakkerde aan. Hij duwde tegen de ramen en liet het glas rammelen.

'Mariya is beïnvloedbaar, dokter Kirsch. Een droomster. Je zou haar zelfs een fantaste kunnen noemen. Als je het zaadje van een idee in haar brein plant...' Ze stak een vuist omhoog en opende haar hand, alsof ze een vogeltje vrijliet. 'In haar studie begrijpt ze het belang van een logisch bewijs, op andere gebieden niet.'

Kirsch verschoof op zijn plaats.

'Waar fantaseerde ze dan over?'

'O, over allerlei onwaarschijnlijke manieren waarop ze gelukkig zou worden. Over een nieuw leven. Liefde, zou ik zelfs zeggen. Ze was eenzaam. Ja, eenzaam. Tijdens hun ontwikkeling vinden mensen zoals zij op een ongezonde manier gezelschap bij hun fantasie. Hun levens kabbelen misschien wel voort, maar hun dromen kennen geen grenzen. U moet zulke dingen in uw werk zijn tegengekomen.' Mileva keek naar de tikkende klok op de schouw. 'Ik ben bang dat ik een afspraak met een studente heb. Wilt u verder nog iets weten?'

Hij had haar de brief kunnen laten zien. Daar was niets aan verzonnen. Hij had hem in de zak van zijn jasje. Hij had haar kunnen vragen wat de brief betekende en hoe hij volgens haar in Mariya's bezit was gekomen. Hij had haar naar Lieserl kunnen vragen. Maar wat had dat voor zin? Inmiddels had ze haar antwoorden en ontwijkende opmerkingen al klaar.

'Nog één ding. Heeft uw zoon Eduard Mariya ook leren kennen?'

Mileva keek hem weer recht in de ogen. 'Heeft zij dat gezegd?'

Het viel niet mee om haar aan te blijven kijken. 'Ze kan zich hem heel goed herinneren. Goed genoeg om tekeningen van hem te maken.'

Mileva schudde ongeduldig haar hoofd. 'Mijn zoon is ziek. Dat moet u begrijpen. Hij is niet in staat om een normale relatie met een vrouw op te bouwen. Het kwam juist door zo'n affaire dat hij zijn eerste terugval kreeg.'

'En Mariya?'

'Ik zei dat ze uit zijn buurt moest blijven, maar ze luisterde niet. Ze ging naar hem toe zonder dat ik het wist.'

'In het Burghölzli?'

'Daar verbleef hij in die tijd. We hoopten dat hij aan de beterende hand was. Er waren al een poos geen problemen meer geweest. Maar daarna ging het slechter met hem dan ooit.' Ze bracht een hand naar haar keel. 'Het zou best kunnen dat het Mariya's schuld was. Ik weet het niet. Tegen die tijd gaf ik haar al geen les meer.'

'Bedoelt u dat ze een verhouding hadden?'

De vraag rolde botter uit zijn mond dan zijn bedoeling was geweest.

'Nee, dokter Kirsch, dat zeg ik helemaal niet. Ik weet alleen dat Eduard haar op zijn manier erg aardig vond. En zij…'

'Wat wilde u zeggen?'

'Ze deed niets om hem te ontmoedigen. Zelfs niet toen ik had uitgelegd hoe hij er geestelijk aan toe was.' Bedroefd schudde Mileva haar hoofd. 'Ze bedoelde er vast niets kwaads mee. Misschien was hij haar wel dierbaar geworden. Maar voor hem was het niet goed, naast alle problemen die er al waren. Helemaal niet goed.'

'Alle problemen?'

Mileva deed geen poging om hem iets uit te leggen. 'U begrijpt dus dat ik liever had... dat ik nog steeds wil dat ze elkaar niet meer zien. De gezondheid van mijn zoon is het voornaamste.'

'Dat begrijp ik.'

'Dat hoop ik, dokter Kirsch. Ik hoop dat u de ene patiënt niet behandelt ten koste van de andere.'

In de gang sloeg de klok vier uur. Mileva zette haar kopje neer en stond op. Haar studente kon elk moment arriveren. Ze liep met hem mee naar de deur.

'Gaat u meteen terug naar Berlijn? Of moet u hier nog meer zaken afhandelen?'

Hij antwoordde dat hij de volgende ochtend waarschijnlijk al vroeg zou vertrekken. Dat was duidelijk wat ze wilde horen.

'Ik hoop dat uw behandeling slaagt,' zei ze, terwijl ze hem een hand gaf. 'En dat mejuffrouw Draganović naar huis kan terugkeren.'

'Zal ik haar op een geschikt moment de hartelijke groeten van u doen?'

Mileva aarzelde. 'Welbeschouwd lijkt het me beter als ze haar verblijf hier vergeet, dokter Kirsch. Dat lijkt me voor iedereen het beste.'

Op de trap, in de entreehal en op straat wees niets op de komst van een studente. Mileva had alles gehoord wat ze wilde horen en gezegd wat ze wilde zeggen. Kirsch was ervan overtuigd dat ze hem meer had kunnen vertellen, maar ze was Mariya's aanwezigheid in Zürich als een inbreuk gaan zien, misschien wel als een dreiging, en zo zag ze hem nu ook al. Wilde ze werkelijk zo graag de gemoedsrust van haar zoon beschermen? Ging het haar om haar eigen familie-eer? Of ging het om iets heel anders? Misschien moest ze Albert Einstein beschermen, zijn reputatie, zijn onaantastbare naam.

Natuurlijk had Kirsch nog een keer bij Mileva op bezoek kunnen gaan, om te kijken of ze de tweede keer wel wilde meewerken. Maar hij was ervan overtuigd dat ze bij zijn terugkeer helaas geen tijd voor hem zou hebben, op welke dag of op welk tijdstip hij ook kwam.

Terwijl hij de straat overstak, keek hij om naar het appartement. Het duurde een paar tellen voordat het tot hem doordrong dat ze voor een van de ramen stond, een kleine, donkere verschijning, die deels aan het zicht onttrokken werd door de gereflecteerde lucht. Hij knikte naar haar, maar ze bleef hem nakijken, omlijst als een schilderij.

Hij at in het Hotel St. Gotthard en bracht de avond door in een bouwvallige bioscoop die vlak bij het treinstation lag. Terwijl de beelden over het opgelapte, vergeelde scherm dansten, dacht hij in de rokerige duisternis aan Mariya en Mileva.

Hoe hadden Mileva en Einstein ooit met elkaar kunnen trouwen? Zij was conventioneel, hij een vrijdenker. Zij was achterdochtig en afstandelijk, terwijl hij open, warm en vriendelijk was. Maar bovenal was ze geheimzinnig, terwijl hij zijn leven had gewijd aan het ontwarren van geheimen. Max von Laue zei dat Mileva Einsteins werk begreep, dat ze er ooit in had gedeeld. Mariya's aantekenboek suggereerde dat ze nog steeds haar best deed om het te volgen.

Na de voorfilm kwam het bioscoopjournaal. Kirsch ging rechtop zitten toen generaal Von Schleicher opeens in beeld verscheen. Hij had een diepe frons op zijn gezicht en stapte haastig achter in een auto. Volgens het commentaar was hij er niet in geslaagd om een meerderheid in de Reichstag te krijgen en had hij zich teruggetrokken uit de regering. In zijn plaats was Adolf Hitler kanselier geworden. Kirsch herkende het Kaiserhof Hotel. Kleine figuren met lange jassen baanden zich een weg door een samengedromde menigte, waarin aan alle kanten armen werden uitgestrekt. De volgende scène liet een zegetocht van bruinhemden en legerveteranen zien, duizenden mensen die vanuit de Tiergarten over de Charlottenburger Chaussee in de richting van de Brandenburger Tor marcheerden. Kirsch herkende de stad nauwelijks. Het was alsof Berlijn tijdens zijn afwezigheid door een buitenlandse horde was overgenomen. Er werden fanfares geformeerd die Pruisische marsen speelden. Bij de Franse ambassade stonden ze stil en zongen ze het oude krijgslied '*Siegreich wollen wir Frankreich schlagen*', waarbij hun stemmen aanzwollen als een dronken oceaan. Daarna marcheerden ze met hun vlammende toortsen verder – bankbediendes en hulpkelners, nog altijd gebrand op de opwinding van de strijd en het herstel van de Duitse eer. In de tussentijd zouden de bruinhemden op straat gewoon hun gang kunnen gaan en met hun vijanden kunnen afrekenen zoals zij dat wilden. Niemand zou hen tegenhouden.

Kirsch bedacht dat hij het voor zich moest houden als Mariya echt een Einstein zou blijken te zijn. Niemand mocht de waarheid weten, misschien zelfs Mariya niet. Er mochten geen artikelen in de medische pers verschijnen, geen verslagen in de kranten, hoe nuttig die ook zouden kunnen zijn. Het zou een geheim moeten blijven, misschien wel voor altijd.

Ondanks de gevaren hoopte hij nog steeds dat het waar was. Meer dan ooit hoopte hij dat het zo was.

29

Het psychiatrische ziekenhuis Burghölzli lag in de zuidelijke buitenwijken van de stad, met de Zürichsee aan de ene kant en de Zürichberg aan de andere. Het was een chiquer gebouw dan het Charité, met een imposante, met natuursteen beklede buitenkant die aan een Engels landhuis deed denken. In Berlijn stond nergens een pand te koop dat zo veel bijbehorende grond had, en het indrukwekkende uitzicht vanaf de bovenste verdiepingen werd slechts ontsierd door de drukke spoorbaan die langs de oever van het meer liep.

Er waren nog meer verschillen. Het Burghölzli kon bogen op een speciale eersteklasafdeling, als een passagiersboot waarop patiënten voor een toeslag een suite met volledig ingerichte zitkamer en eetkamer konden krijgen. Eersteklaspatiënten hoefden ook niet aan de slag op het terrein of in de werkplaatsen, waar andere patiënten als onderdeel van hun revalidatie werkten. De regelingen werden discreet getroffen. Het scheen dat de meeste tweede- en derdeklaspatiënten niet eens wisten dat er een eersteklasafdeling bestond. Waarschijnlijk vindt men het schadelijk voor hun behandeling als ze weten dat ze als inferieuren worden beschouwd, dacht Kirsch, terwijl hij uit de taxi stapte.

De jongste zoon van Albert Einstein verbleef op de eersteklasafdeling. Kirsch gaf zijn kaartje aan een verpleegster achter de balie en werd door een reeks gangen naar de zuidkant van het gebouw gebracht. De luchtkwaliteit leek tijdens de wandeling steeds beter te worden. De stank van gekookt voedsel en ontsmettingsmiddel werd geleidelijk aan vervangen door subtielere, aangenamere geuren: gordijnen, boenwas, bloemen. Dit leek meer op de exclusieve privéklinieken en sanatoria waarover hij had gehoord. Ze waren overal in de

Zwitserse Alpen te vinden en hadden rijke longpatiënten vroeger schone lucht, rust en lichte lichaamsbeweging in een heilzame omgeving beloofd. Veel van die instellingen waren inmiddels op psychiatrische zorg overgegaan en boden een combinatie van waterbehandelingen, de nieuwste geneeswijzen en een overvloedige hoeveelheid rust aan – al hing daar wel een prijskaartje aan. Voor de Zwitsers was waanzin een belangrijke winstbron geworden, net als de oorlogen van hun buren.

Ze kwamen bij een afgesloten deur. Aan de andere kant nam een tweede verpleegster de plaats van de eerste in. Ze was lang en had rood haar en een bleke huid met lichte sproetjes. Ze liepen een trap op en toen verdween zij ook uit het zicht. Kirsch moest op de overloop blijven wachten. Daar bleef hij een paar minuten door het raam naar het besneeuwde terrein kijken. Hij had geen idee of Eduard Einstein hem wilde ontvangen, maar in zijn ervaring lieten mensen in instellingen zelden een gelegenheid voorbijgaan om aan de monotone routine van hun dagelijkse leven te ontsnappen. Als alternatief kon hij Einsteins artsen benaderen, maar die zouden ongetwijfeld Mileva raadplegen, iets wat hij tegen elke prijs wilde voorkomen. Eduard was zijn laatste kans, de enige overgebleven persoon die Mariya in Zürich had gekend en misschien de waarheid over haar afkomst wist.

In een kamer vlakbij begon iemand piano te spelen: een snelle toonladder, stijgend, dalend. Daarna akkoorden, zwaar en dramatisch. Kirsch spitste zijn oren, maar de muziek hield abrupt op. Hij hoorde drie of vier maten van een wals, die plotseling ophield op één toets, een toets die steeds opnieuw werd aangeslagen alsof de pianist niet tevreden was met de manier waarop de piano was gestemd.

De roodharige verpleegster kwam terug. 'Loopt u maar mee,' zei ze.

Eduard Einstein zat met zijn rug naar de deur aan de piano. Hij was gekleed in een wit overhemd en een wijdvallende geruite broek, die omhoog werd gehouden door bretels en een stevige riem. Zijn haar was donker en achterovergekamd. Het was een pianino waarvan het hoge register dubieus gestemd was, maar hij speelde goed, foutloos en subtiel gefraseerd.

De kamer was mooi ingericht, maar rommelig. Een prullenbak was zo vol dat de inhoud er bijna uit viel. Stapels kranten, waarvan een aantal uit Berlijn, lagen slordig verspreid over een schrijftafel, waarop ook tijdschriften lagen. Een asbak zat propvol met sigarettenpeuken. Een zijden ochtendjas was over de rugleuning van een leunstoel gegooid. Kirsch vond het er onaangenaam warm. Er stond een grote ijzeren radiator te borrelen onder het raam met dubbel glas, waarvoor een paar ijzeren tralies waren bevestigd. Het rook er sterk naar oude tabak vermengd met een dure eau de cologne.

Na afloop van het stuk stond Eduard op. Hij haalde diep adem en liet zijn schouders langzaam rijzen en weer dalen voordat hij zich eindelijk naar zijn bezoeker omdraaide. Zijn moeder had gelijk: hij was zwaarder geworden sinds de foto in de tuin. Zijn wangen en halskwabben waren voller geworden. Zijn bovenlip stak een stukje uit, waardoor het even leek of hij een snor had. Maar hij was nog steeds knap: lang, net zo donker als zijn moeder, met dezelfde krachtige mond en glanzende ogen.

'Bravo,' zei Kirsch.

De jongeman glimlachte, maar keek hem niet aan. 'De partita in d-klein.' Zijn stem klonk zacht, aarzelend. 'Niet iedereen houdt van Bach. Ze vinden hem droog.'

'In de verkeerde handen kan hij wat mechanisch klinken.'

Eduard sloeg zijn ogen neer naar het patroon op het vloerkleed. 'Mijn vader houdt van Bach. Hij speelt viool. Niet zo goed. Lang niet zo goed als hij zelf denkt, maar dat zegt niemand tegen hem. Ze willen kunnen zeggen: "Ik heb met de grote professor Einstein gespeeld." Het interesseert ze niet hoe onverfijnd het is. Het enige waar ze aan denken, is dat ze het aan hun vrienden kunnen vertellen.'

Hij legde de vingers van zijn rechterhand om zijn linkerhand en kneep zo hard dat de knokkels kraakten. Daarna ging hij abrupt op het puntje van een bank zitten die vlak bij hem stond.

Kirsch trok zijn jas uit en ging tegenover hem zitten. Mensen die een band met Albert Einstein hadden, leken zijn naam te noemen zodra ze de kans kregen. Zelfs Max von Laue was binnen een paar minuten over hem begonnen. Maar dat was geen kwestie van opschepperij – Eduard en Von Laue hadden het niet nodig om over hem op te scheppen. Het was alsof de man voortdurend in hun gedachten was, een lens waardoor ze alles bekeken.

'Af en toe speelt hij ook Mozart,' zei Eduard. 'We spelen samen altijd Mozart. Maar aan recenter werk begint hij niet. Daarvan raakt hij van streek. Beethoven of Brahms – vooral Brahms.'

'Is het te moeilijk?'

'Nee, er zit te veel emotie in. Te veel gevoel. Daar houdt hij niet van.'

Kirsch bestudeerde de jongeman aandachtig. Hij was overduidelijk begaafd, maar hij was zich ook bewust van zijn geestesziekte, van het feit dat hij anders was dan anderen. Deze mengeling zorgde voor een combinatie van verlegenheid en spraakwater die zeer kenmerkend was. Hij had haar wel vaker gezien bij zeer getalenteerde patiënten, en had zich vaak afgevraagd of hun talent had bijgedragen aan hun afwijking of dat hun afwijking had bijgedragen aan hun talent.

'Om die reden wil hij ook niet naar de bioscoop,' zei Eduard. 'Hij raakt van streek door droevige scènes. In dat opzicht is hij net een kind.'

'Een kind?'

Eduard knikte. De manier waarop hij naar de vloer bleef kijken, deed Kirsch aan een blinde denken.

'Voor hem maakt het niet uit dat het verhaal niet echt is. Dat wil ik ermee zeggen. Hij voelt het alsof het echt is. Niet meer en niet minder. Daarom gaat hij er niet heen. Hij heeft liever kalmte. Hij denkt dat hij die nodig heeft om te zien.' Eduard legde zijn handen tussen zijn knieën. 'Bent u aangetrokken om een eerder gestelde diagnose te bevestigen of te ontkrachten, dokter Kirsch?'

'Zo zou je het kunnen zeggen.'

Eduard wachtte niet op verdere uitleg. 'Ik heb de diagnose schizo-affectieve stoornis gekregen, maar dat komt doordat de psychiaters in dit ziekenhuis het niet met elkaar eens zijn. Eerst stelde dokter Zimmermann de diagnose schizofrenie, omdat mijn gedachten verward waren. Het verband tussen mijn vrije associaties was zoek, waardoor ik incoherent werd.' Hij keek even op naar Kirsch, alsof hij het met dat oordeel helemaal niet eens was. 'Daarnaast was hij van mening dat andere mensen tegenstrijdige gevoelens en reacties bij me opriepen. Ik neem aan dat hij het over mijn moeder had.'

'Uw moeder?'

'Ik heb haar aangevallen. Hebben ze dat niet verteld? Ik wilde haar alleen maar bang maken. Ik was boos. Mijn vader zit ook zo in elkaar. Hij kan zijn woede niet beheersen. Net een kind, dat zei ik al. Moeder dacht dat ik haar van het balkon zou gooien. Sindsdien houdt ze de openslaande deuren altijd op slot.'

'Ik begrijp het.'

'Verlies van samenhang bij associaties en emotionele ambivalentie zijn twee van de criteria om schizofrenie vast te stellen, volgens dokter Bleuler.'

Er verscheen een nerveus glimlachje om Eduards lippen. Voor het eerst viel het Kirsch op dat zijn tanden een beetje scheef stonden en dat er nicotinevlekken op zaten.

'Dokter Zimmermann is een volgeling van dokter Bleuler,' zei Eduard. 'Maar dokter Schuler niet. Volgens hem ontbreken bij mij de kenmerkende hallucinaties, die hij noodzakelijk vindt om de diagnose schizofrenie te stellen. Hij zegt dat ik aan een stemmingsstoornis lijd, een depressieve manie die wellicht een erfelijke component heeft. Misschien heeft hij daar wel gelijk in. Mijn moeder is vaak depressief. Dat is ze al sinds ik klein was.' Hij snoof luid. 'Hebt u mijn moeder ontmoet?'

'Ja.'

'Sommige mensen zeggen dat ze vroeger anders was. Voordat mijn vader naar Berlijn ging. Toen was ze zelfs gelukkig.'

Hij staarde even voor zich uit en keek toen plotseling fronsend op. 'Ja, ja, ze konden het niet eens worden. Maar toen hoorden ze over een nieuwe ziekte uit Amerika: de schizoaffectieve stoornis. En dat leek wel een goed compromis te zijn, omdat het schizofrenie met manische periodes is.'

'Hebben ze dat allemaal aan u uitgelegd?'

Eduard praatte zo vlug dat Kirsch moeite had hem te volgen.

'O nee. Het was andersom. Ik heb het aan hen uitgelegd.'

'Neem me niet kwalijk, ik begrijp niet...'

'Ik heb de diagnose te berde gebracht.' Eduards handen glipten tussen zijn benen vandaan en bleven op zijn knieën rusten. 'Ik heb meer tijd voor de psychiatrische vakbladen dan zij.' Hij knikte in de richting van zijn overvolle schrijftafel. 'Ik heb niets anders te doen dan lezen. Ik lees de hele dag.'

Eduard vertoonde alle tekenen van een man die naar conversatie snakte. Dat was niet zo vreemd. Psychiatrische verpleegsters waren vaak wel met de patiënten begaan, maar ze zouden niet snel gaan zitten om een praatje te maken, zeker niet over de erudietere onderwerpen die Eduard interesseerden. Als het klopte dat hij zijn vaders genialiteit had geërfd, was het een genialiteit die niet dezelfde oogmerken had, een rusteloze, stuurloze kracht die hem buiten zijn omgeving plaatste en geen compenserende voordelen bood. Als hij al een doel had, was het dat hij de aandacht van zijn illustere vader wilde trekken en die zo lang mogelijk wilde vasthouden.

'Ik ben niet gekomen om de zoveelste diagnose te stellen, Herr Einstein.'

'Op uw kaartje staat dat u psychiater bent.'

'Dat ben ik ook.'

'Dan kunt u dus een mening over iemands diagnose geven. Of andermans mening over een diagnose beoordelen.'

'Aan wie zou ik mijn mening moeten geven?'

Eduard keek verbluft. 'Aan mij. Je kunt niet genoeg meningen verzamelen. Hoe meer je er hebt, hoe groter de kans is dat je er een vindt die je aanstaat.'

'Ik weet niet of mijn mening waardevol zou zijn. Bovendien…'

Eduard hield zijn hoofd schuin. 'Hoe denkt men in Berlijn over dokter Jung? Volgens hem is datgene wat wij geesteziekte noemen doorgaans een product van het onderbewustzijn – een crisis die ons dwingt om obstakels in onze persoonlijke ontwikkeling te erkennen. Hij zegt dat we haar zouden moeten omarmen.'

'Dat heb ik gelezen.'

'Wat anderen geesteziekte noemen, is gewoon een nieuwe manier om dingen te bekijken. Een manier die de anderen niet aanstaat. Het is een opbeurende gedachte dat er nog enige logica in waanzin zit, vindt u niet? Een reden voor redeloosheid.'

Eduard begon weer aarzelend te glimlachen. Kirsch had de indruk dat hij alles aarzelend deed, behalve pianospelen. Hij sprak snel en haastte zich van de ene gedachte naar de andere, alsof hij wilde voorkomen dat er te lang bij een idee werd stilgestaan. Kirsch merkte dat hij transpireerde. De verwarming in de kamer stond veel te hoog.

Hij haalde een zakdoek tevoorschijn. 'Volgens mij is er in Berlijn geen consensus over dokter Jungs ideeën,' zei hij.

Eduard glimlachte. 'Ik neem aan dat Freuds invloed dominanter is, omdat zijn reputatie daar al gevestigd is. Ik vind zijn werken heel overtuigend, vooral zijn analyse van het gezin. Hebt u *Totem en taboe* gelezen?' Hij wreef de muizen van zijn handen over elkaar, alsof hij de woorden uit zijn huid moest persen. 'Freud zegt dat elke zoon instinctief zijn vader wil doden om hem te vervangen, maar natuurlijk voelt hij zich daar wel schuldig over. Het is de taak van de vader om het instinct van de zoon te temmen, om hem te begeleiden zodat hij in staat is om zijn blik naar buiten te richten, verder dan het gezin — verder dan de macht van de moeder, met name. Hij moet zorgen dat de zoon het vertrouwen krijgt om zijn eigen weg te gaan. Maar ja, als er geen vader is...'

Kirsch depte zijn voorhoofd. Het lag niet alleen aan de temperatuur in de kamer: hij begon koorts te krijgen. Hij merkte het aan zijn hoofdhuid, die strakker leek te staan, en aan de doffe pijn in zijn gewrichten. De manier waarop Eduard praatte en voortdurend ideeën en meningen uit zijn mond liet rollen, was ook koortsachtig.

'Herr Einstein,' zei hij, 'de reden voor mijn bezoek... Ik wilde u wat vragen over Mariya Draganović.'

Opeens zat Eduard doodstil. Hij was verbaasd, of anders veinsde hij verbazing. Er verscheen een glimlach op zijn gezicht. 'Mariya? Ik heb al maanden niets meer van haar gehoord.'

'Kunt u iets preciezer zijn?'

'Ze heeft me een kaart uit Berlijn gestuurd. In oktober. Alleen maar een ansichtkaart, daarna niets meer.' Eduard fronste zijn wenkbrauwen. 'Mag ik vragen hoe u haar kent?'

'Ze is een patiënte.'

'Een patiënte?' De gewrichten van zijn vingers knakten.

'Ze heeft een soort zenuwinzinking gehad. Ik probeer te achterhalen in welke omstandigheden die is ontstaan.'

Eduard stond op en liep naar het raam. Op de vensterbank stonden twee kleine cactussen, die op cactussen in de woonkamer van Frau Einstein leken. Ze waren bolvormig en het vlees onder de naalden had een spookachtige groene tint. Stond de verwarming daarom zo hoog? Omdat de cactussen dan goed gedijden?

'Wat zijn de symptomen?' vroeg hij.

'Voornamelijk geheugenverlies. In het begin had ze geen idee wie ze was. Er is wat vooruitgang te zien, maar over de oorzaak van haar toestand is nog niets bekend. Het zou kunnen dat ze is aangevallen, maar dat weet de politie niet zeker.'

Eduard ging op zijn hurken naast de grote ijzeren radiator zitten.

'Aangevallen? Waar?'

'In de bossen bij Berlijn.'

'Waar precies?'

'Ergens in de buurt van Potsdam. Waarom vraagt u dat?'

Eduard gaf geen antwoord, maar draaide langzaam aan de knop.

'Maar weet ze nog wel wie ik ben?'

'Voor zover ik kan nagaan, hadden jullie een hechte band.'

Eduard glimlachte weer. 'Ze is heel intelligent, wist u dat? Net als mijn moeder toen ze jong was. Mama wilde haar eerst niet als leerlinge. Ze was heel boos dat tante Helene haar had gestuurd, maar bij het zien van haar werk ging ze door de knieën. Zo'n goed verstand mag niet verloren gaan, zei ze. We dragen een verantwoordelijkheid.'

'Een verantwoordelijkheid? Heeft ze dat letterlijk gezegd?'

Eduard knikte. 'Ik hoorde haar aan de telefoon.'

Kirsch herinnerde zich de brief. *Maar ik verzoek je dringend om in deze kwestie voorzichtig te werk te gaan en zo veel mogelijk rekening te houden met de gemaakte afspraken.*

'Is deze tante Helene toevallig Helene Savić?'

'Ze is geen echte tante, gewoon een oude vriendin uit mijn moeders studententijd. Ze komt uit Oostenrijk, maar ze is getrouwd met een Serviër. Mama deed het andersom: zij is Servische en is met een Duitser getrouwd. Tante Helene is een lieve, intelligente vrouw. Mama heeft alleen maar intelligente vriendinnen. Ze woont in Belgrado. Bent u wel eens in Belgrado geweest, dokter?'

Kirsch schudde zijn hoofd.

'De naam betekent "witte stad". Klinkt heel mooi, vindt u niet?'

'Uw moeder zegt dat ze Mariya een paar maanden les heeft gegeven, maar dat ze ermee is gestopt. Waarom was dat?'

Eduard veegde wat vuil van zijn handpalmen. 'Omdat mama haar niets meer kon leren. U moest eens weten waar ze aan werkte.'

Dat wist Kirsch, want dat had professor Von Laue hem verteld.

'Ik dacht dat ze aan de unificatietheorie werkte,' zei hij. 'In het bijzonder aan een vijfdimensionale geometrie die onlangs door uw vader is voorgelegd.'

Eduard bloosde. 'Een idee van mijn moeder.' Hij stond abrupt op en liep naar de piano. 'Ze volgt nog steeds alles wat mijn vader doet. Kritiekloos, natuurlijk. Hebt u zich wel eens in de kwantumfysica verdiept, dokter Kirsch?'

Kirsch had totaal geen behoefte aan de zoveelste academische uitweiding van Eduard, tot hij zich herinnerde dat Mariya's aantekenboek vol kwantumfysica had gestaan, berekeningen die zo bijzonder en complex waren dat zelfs Max von Laue erdoor geïntrigeerd was.

'Ik heb wel eens wat gelezen,' antwoordde hij.

'Mijn vader heeft de kwantumfysica op de wereld gezet. Hij heeft haar leven gegeven, maar nu wil hij haar onterven. Hij wou dat ze nooit geboren was. Hij zegt dat de wereld krankzinnig is als de kwantumfysica klopt.' Eduard keek omhoog naar een lichtbruine vlek op het plafond. 'En niets vervult hem zo met afschuw als krankzinnigheid.'

'Daarin is hij niet de enige,' zei Kirsch.

'Weet u waarom mijn vader de kwantumtheorie zo bedreigend vindt?' vroeg Eduard. 'De ware reden?'

'Ik denk dat ik er daarvoor te weinig van begrijp.'

'O, de reden heeft evenveel met instinct als met intellect te maken, geloof me. Bohr en de anderen hebben een wereld gecreëerd die hij onverdraaglijk vindt.' Eduard stak een vinger uit en sloeg een hoge toon aan op de piano. 'De kwantumtheorie zegt dat alle waarneming interactie is. De natuurkundige kan niet buiten de werkelijkheid treden en haar objectief observeren, net zomin als hij met een chronometer en een meetlat buiten het universum kan treden. In de kwantumwereld is het zo dat dingen vorm krijgen als je ze waarneemt, maar tot die tijd blijft hun aard voortdurend veranderen: potentieel, maar niet feitelijk. Bohr zegt dat het er bij natuurkunde niet om draait dat je de werkelijkheid definieert, het gaat erom dat je de menselijke *perceptie* van de werkelijkheid ordent. Dat is iets heel anders – sommige mensen zouden zeggen dat het minder belangrijk is.' Hij speelde de eerste tonen van een melodie en hield toen op. 'De kwantumfysica berooft de wetenschapper van zijn afstandelijkheid, begrijpt u? Hij kan niet ontsnappen aan zijn eigen menselijkheid. Hij is onderdeel van wat hij ontleedt, of hij dat nu leuk vindt of niet.'

'Het klinkt alsof u wilt dat uw vader faalt,' zei Kirsch.

Eduard zat nog steeds met zijn rug naar hem toe. 'Natuurlijk, maar daar heb ik belang bij.'

'Dat begrijp ik niet.'

'Als de wereld krankzinnig is, heeft dat voor mij geen nadeel. Dan wijken júllie allemaal af van de norm.'

Het bleef even stil. Eduard leek ergens op te wachten, of anders was hij misschien vergeten dat hij niet alleen was. Van tijd tot tijd voelde Kirsch de intelligentie van de jongeman als een last op zich drukken. Misschien ervaarde Eduard het zelf ook zo en was zijn verstand voor hem geen voordeel, geen manier om succesvol of gelukkig te worden, maar de reden voor zijn eenzaamheid, een last die hij nooit van zich af kon zetten.

'Is Mariya daarom naar Berlijn gegaan?' vroeg Kirsch uiteindelijk. 'Om haar studie te vervolgen?'

'Misschien.'

'Of hoopte ze haar vader te vinden?'

Eduard bleef doodstil zitten. 'Ik dacht dat haar vader dood was.'

'Dat hangt ervan af wie haar vader is, of was.'

Eduard zuchtte. 'Weet u, u kunt haar zo niet helpen. U verspilt uw tijd.'

'Waarom zegt u dat?'

'Omdat Mariya niet gek is.'

'Dat heb ik ook niet gezegd. En trouwens, "gek" is geen officiële psychiatrische term, zoals u ongetwijfeld weet.'

'Ziek, dan. *Geestelijk onvolwaardig*. Mariya maakt een verandering door. Het is een proces, begrijpt u, een voorbereiding. Tante Helene begreep dat. Ze begrijpt alles.'

'Een voorbereiding? Waarop?'

Als antwoord haalde Eduard zijn schouders op, alsof hij Kirsch wel meer kon vertellen, maar geen reden zag om het te doen.

'Waarom is Mariya naar Berlijn gegaan?' vroeg Kirsch nogmaals.

'Ik wist pas dat ze daar was toen ik de kaart kreeg.'

'Heeft ze u niet in vertrouwen genomen?'

Eduard sloeg weer één enkele toon aan, vrij hard, waarna hij zijn vingers over de toetsen liet glijden om weer een stukje van een melodie te spelen. 'Het is onverstandig psychiatrische patiënten in vertrouwen te nemen. Je kunt er niet op vertrouwen dat ze het geheim bewaren.'

'Welk geheim?'

'Elk geheim. Ik had het over een kwestie van principe en voorzichtigheid.' De melodie werd een wals, dezelfde wals die Kirsch had gehoord toen hij op de overloop wachtte. 'Wilt u mij excuseren, dokter? Ik moet oefenen voor mijn vader, al doet hij zelf helemaal niets. Hij kan nu elke dag op bezoek komen.'

Kirsch stond op. Volgens professor Von Laue was Einstein in Amerika en duurde het nog meer dan een maand voordat hij terugkwam.

'Bedankt voor uw tijd, Herr Einstein,' zei hij, maar Eduard bleef spelen en knikte ten afscheid – of bewoog hij zijn hoofd gewoon op de maat van de muziek?

In de gang zat de roodharige verpleegster te wachten. Terwijl ze samen de trap af liepen, hield de wals abrupt op.

30

Tegen de tijd dat ik oud genoeg was om naar de universiteit van Zagreb te gaan, was ik de vriendin van tante Helene vergeten. Ik wist alleen dat er middelen waren gevonden om mijn collegegeld en een bescheiden onderhoudstoelage te betalen en dat ik dat mede te danken had aan tante Helene. Uit angst dat mijn fortuin me zou worden afgepakt, vroeg ik niet hoe de vork in de steel zat. Want al bleef mijn vader beweren dat ik mijn succes aan hem te danken had en schepte hij erover op als hij de kans kreeg, ik had beslist niet het gevoel dat ik op zijn steun kon rekenen. Hij was bijvoorbeeld veel gaan drinken, niet alleen 's avonds, maar van tijd tot tijd ook overdag. Hij was steeds minder vaak nuchter en had last van abrupte, hevige stemmingswisselingen. Zelfs als hij me rechtstreeks complimenteerde, wat hij af en toe deed, vooral als hij net een beetje aangeschoten begon te raken, was ik niet gerustgesteld. Hij nodigde me uit om een glas wijn met hem te drinken en deed net of het iets geweldigs was dat hij me achter mijn moeders rug om trakteerde. Vervolgens zei hij dat ik een mooie meid begon te worden, en dat ik goed op mezelf moest passen om te voorkomen dat een jonge kerel me op het slechte pad zou brengen. Ik vond het niet prettig als hij zulke dingen zei en verzon altijd een smoesje om aan zijn gezelschap te ontsnappen.

Laat op de avond, als hij zo dronken was dat hij niet meer in staat was om schertsende opmerkingen te maken, hoorde ik hem de trap op komen. Als zijn voetstappen zwaar klonken, bleef ik in bed. Maar soms hoorde ik dat hij zijn best deed om zo zachtjes mogelijk te lopen. Dan sprong ik uit bed en sloot ik me op in de wc of verborg ik me op zolder. Want ik wist dat hij me goedenacht wilde wensen als hij zo zachtjes deed, en die gedachte bezorgde me een heel ongemakkelijk gevoel. In die jaren gedroeg ik me als een kat – tenminste, zo moet het op hem zijn overgekomen. Want als ik niet zeker wist dat ik kon ontsnappen, maakte ik me net als een kat liever uit de voeten dan dat ik samen met hem opgesloten zat. Tegelijkertijd deed ik mijn best om hem nooit tegen de haren in te strijken, want ik was ervan overtuigd dat ik tot een levenslange gevangenschap onder zijn dak veroordeeld zou zijn als hij me van de universiteit haalde. Je moet niet vergeten dat ik zelf geen enkele bron van inkomsten had.

Ik denk dat de meeste meisjes in mijn situatie het huwelijk zouden hebben gezien als een manier om een nieuw leven te beginnen. Maar de waarheid is dat het bepaald niet makkelijk voor mij zou zijn geweest om in Orlovat een echtgenoot te vinden. Onze vader ontving niet vaak bezoek, omdat hij op de meeste buren neerkeek, en zelf gingen we alleen af en toe op bezoek bij familieleden. Via school had ik ook niet veel vrienden gekregen, met uitzondering van een paar meisjes uit Bečkerek. Het idee van een huwelijk stond me trouwens ook niet aan. De mannen in mijn buurt waren bijna allemaal boerenkinkels, die geen opleiding hadden genoten en al helemaal geen respect voor kennis hadden. Ze leken op de jongens die ooit steentjes naar me hadden gegooid, maar dan groter en zelfverzekerder. Voor hen was een jonge vrouw die in haar eentje naar de stad ging een kurva, en als ze er geen was, kon het nooit lang duren voordat ze er een werd. Het laatste wat ik wilde, was dat mijn vader zoiets zou horen, want ik wist dat er geen grotere schande bestond dan een kurva in je familie. Dat werd me al bijgebracht toen ik nog een klein meisje was, zelfs nog voordat ik wist wat een kurva was. (Toen ik het mijn grootmoeder vroeg, wilde ze alleen maar zeggen dat het een jezabel was, wat mij ook niet veel verder bracht omdat Jezabel voor mij een prinses uit de Bijbel was die Baäl vereerde en uit een raam werd gegooid.)

Maar ik ging naar Zagreb om me in te schrijven aan de bètafaculteit. Er zaten slechts drie vrouwen in mijn jaar, en ik was de enige die wiskunde ging studeren.

Als mijn zusje er niet was geweest, zou ik heel blij zijn geweest dat ik kon vertrekken. Ik vond het naar dat ik haar moest achterlaten, en ik voelde me ook een beetje schuldig. In ons huis leidde Senka inmiddels het leven van een dienstmeid. Ze trok zich terug als er bezoek was en had alleen maar gezelschap van mij, de dieren, en soms van de vrouwen die in de boomgaarden kwamen werken. Ik was bang dat ze eenzaam zou zijn zonder mij. Ik was minder bang dat onze vader haar zou mishandelen, zoals vroeger.

Haar aanwezigheid leek hem niet meer boos te maken. Hij zorgde nu beter voor haar dan tijdens de oorlog. Ze at zeer regelmatig mee aan tafel en kreeg soms nieuwe jurken en laarzen en kousen in de winter. Ik nam aan dat mijn moeder hem aan zijn verplichtingen had herinnerd en dat hij zich naar haar wensen schikte om haar tevreden te stellen. Maar Senka zag deze povere dingen als bewijs van zijn vaderliefde. Dat zag ik maar al te duidelijk aan de tientallen kleine dingetjes die ze deed om hem te plezieren. Ze bewaarde de allergrootste, verste eieren voor hem, maakte zijn pijp schoon en klopte de kussens van zijn stoel op. Misschien had ik moeten aanvoelen dat er andere redenen voor zijn veranderde gedrag waren, maar Senka nam me niet in vertrouwen. Ik moest zo veel tijd aan mijn schoolwerk besteden dat we steeds minder tijd met elkaar doorbrachten. Ik denk dat ik niet wilde zien wat er vlak voor mijn neus gebeurde. Als ik het had gezien of verondersteld, had ik er iets van moeten zeggen – en daarbij al mijn verwachtingen in rook moeten zien opgaan.

Ik zat ongeveer anderhalf jaar in Zagreb toen mijn moeder me liet weten dat Senka ziek was en koorts had. Ze vroeg me niet om naar huis te komen, maar uit haar brief begreep ik dat ze bang was, want ze schreef dat ze inmiddels in de kamer van mijn zus sliep. Daar kon ze Senka de hele nacht in de gaten houden en kalmeren als ze ijlde. Daarom reisde ik de volgende dag met een klein koffertje en een hutkoffer vol boeken naar huis, want zes weken later had ik wiskundetentamens en ik had geen idee hoe lang ik weg zou blijven. Eerlijk gezegd was ik om allerlei redenen doodsbang dat ik slecht zou presteren. Een daarvan, beslist niet de minst belangrijke, was dat ik zeker wist dat andere mensen mijn slechte cijfers zouden zien als bewijs dat ik in die onverbiddelijke omgeving de grenzen van mijn vrouwelijke intellect had bereikt. Ik was ervan overtuigd dat ze dat nu al zeiden, zonder dat daar aanleiding voor was.

Toen ik thuiskwam, was alles anders dan ik had verwacht. Senka was weer bijna helemaal beter, maar nu was mijn moeder ziek. De dokter, die mijn vader nu pas had laten komen, zei dat ze longontsteking had. Onze vader wilde dat ze werd overgebracht naar een ziekenhuis, maar de dokter, die elke dag helemaal vanuit Novi Sad naar ons toe kwam, zei dat ze alleen maar zieker zou worden van de reis (want het was februari en erg koud). Hoe dan ook, in het ziekenhuis konden ze niet meer voor haar doen dan we nu al deden. En hij zei dat het heel onverstandig van mijn moeder was geweest om in Senka's buurt te blijven, omdat je bij infecties altijd zo veel mogelijk afstand hoorde te houden. Rond die tijd gingen er ook een paar dieren van ons dood. We wisten niet precies waaraan, maar de dokter zei — een beetje scherp, vond ik — dat de problemen daar hoogstwaarschijnlijk mee begonnen waren. Het verbaasde me dat hij er zomaar een slag naar sloeg en ik wilde dat hij zijn meningen voor zich hield. In mijn ogen was het niet verstandig en ook niet eerlijk om in zulke omstandigheden met een beschuldigende vinger te wijzen, vooral omdat niemand wist of hij zijn woorden nog eens zou moeten terugnemen.

Op de derde dag bracht ik een kom bouillon naar mijn moeder toen ze mijn mouw pakte en me vroeg naast haar bed plaats te nemen. Ze was bleek, haar gezicht was mager en voor het eerst zag ik door haar ingevallen vlees duidelijk de vormen van haar schedel, de ronde oogkassen en de rijen tanden die door haar dunne lippen nauwelijks bedekt werden. Ik ging met de kom soep en het dienblad op mijn schoot zitten en dacht: zo komt de dood, niet met een klop op de deur, maar van binnenuit. Hij bevindt zich binnen in ons en wacht tot het tijd is om naar buiten te komen. Daarna wilde ik niet meer naar mijn moeder kijken, uit angst dat ik alleen nog maar de dood zou zien in plaats van haar.

Ze pakte mijn hand, zei dat ze ergens over piekerde en vroeg of ik haar gerust wilde stellen. Ik zei dat ik dat met heel mijn hart wilde. Ze zei dat ze heel bang was voor de toekomst, en dan vooral voor die van Senka. Ik moest beloven dat ik mijn best zou doen om altijd voor haar te zorgen. Mijn moeder wilde dat het Senka aan niets zou ontbreken. 'Jij vindt wel een man,' zei ze. 'Maar die arme Senka is op een dag helemaal alleen, en dan heeft ze alleen jou nog maar.'

Haar bezorgdheid leek me wat eenzijdig. Zoals ik al zei, kon ik me niet voorstellen dat ik in de toekomst een goede partij zou vinden. Ik was bijna net zo alleen op de wereld als mijn zus, en beslist even afhankelijk van de welwillendheid van onze vader. Maar ik slikte mijn woorden in en beloofde dat ik zou doen wat ze had gevraagd. Alsof mijn moeder me probeerde te troosten, tikte ze zachtjes op mijn hand en zei ze dat ze zich geen zorgen over mij maakte, omdat ze in mijn toekomst altijd een paar heldere sterren had gezien die voor me zouden zorgen. Ik herinnerde me dat ik erg had geboft met mijn opleiding en het geld dat daarvoor bij elkaar was gebracht, en vroeg me af of iemand die toekomst misschien een handje had geholpen.

De volgende dag leek mijn moeder wat op te knappen. Ze had wat kleur op haar gezicht, had weer wat trek gekregen en was in het algemeen een beetje levendiger. Daarom dachten we dat het ergste voorbij was, maar twee nachten later kwam de koorts nog heviger terug. Ze ijlde en maakte ons allemaal wakker met haar kreten. Daarna werd ze opeens weer stil en viel ze in slaap. Tegen de ochtend was ze dood.

Ik had nooit gedacht dat er tussen haar en onze vader sprake was geweest van innige liefde, vooral niet van zijn kant, want hij mopperde altijd op haar. In gedachten kon ik me hen nooit als stapelverliefd, zorgzaam stelletje voorstellen. Maar toen mijn moeder doodging, was het alsof onze vader alles verloor waar hij om gaf, alsof er een tragisch einde was gekomen aan de grootste liefde die er bestond. Hij huilde en jammerde en ging zo tekeer dat ik het niet kon verdragen om in zijn buurt te zijn. In plaats daarvan verliet ik het huis met mijn verdriet en deelde ik het met die arme Senka. Ik was bang dat ze niet zou begrijpen wat er was gebeurd, of waarom. We zaten ineengedoken in een hoek van de stal en klemden ons huilend aan elkaar vast, terwijl ons oude paard toekeek en zijn gewicht van zijn ene hoef op de andere verplaatste. Toen het uiteindelijk tijd werd om weer naar binnen te gaan, verzamelden de ganzen zich om ons heen en liepen ze als een rouwstoet achter ons aan. Geen enkele gans blies naar me. Ze waren geen van alle vijandig, en daar was ik ondanks mijn verdriet blij mee.

Ik hoef die periode verder niet te beschrijven. Ik kan alleen zeggen dat ik werd belast met het regelen van de begrafenis en dat ik blij was dat ik iets omhanden had. Ik merkte ook dat het me veel troost gaf om me bezig te houden met mijn zusters verdriet en mijn best te doen haar te troosten. De beste manier om een last te verlichten is de last van een ander overnemen, zoals je ongetwijfeld hebt gemerkt.

Ik was bezorgd dat mijn vader alles zou laten verslonzen nu hij geen vrouw meer had om te koken en schoon te maken. Daarom regelde ik dat een vrouw uit het dorp, een respectabele weduwe die Maja Lukić heette, bij hem het huishouden kwam doen. Ze had al eens voor mijn moeder gewerkt, als kindermeisje en hulp in de huishouding, en had altijd een goede indruk gemaakt. Vader werd geleidelijk aan weer wat rustiger, en een week na mijn moeders begrafenis vroeg hij zelfs of ik niet naar Zagreb moest om colleges te volgen.

Korte tijd later nam ik afscheid van Senka en reisde ik terug naar die stad, dankbaar voor de kans om me aan mijn werk te wijden, maar met een akelig voorgevoel dat ik zelf niet helemaal begreep. Vader was stil, stiller dan hij ooit was geweest, en Senka was volledig hersteld van haar ziekte. Toch had ik het gevoel dat deze kalme toestand broos was, als een dun laagje ijs op een schaatsvijver dat elk moment kan barsten.

31

Met een schroevendraaier en de hak van zijn schoen forceerde Robert Eisner de la open. Meestal zat de dossierkast niet op slot. Hij was er wel eens eerder in gedoken en had toen niet zulke drastische maatregelen hoeven nemen. Soms was hij benieuwd hoe Kirsch zijn patiënten behandelde, want Kirsch was er veel beter in om de laatste ontwikkelingen op hun vakgebied bij te houden dan hij. Maar meestal was hij op zoek naar kantoorbenodigdheden of officiële formulieren, omdat de werkkamer van Kirsch dichter bij zijn kamer lag dan de voorraadkast, twee verdiepingen lager. Deze keer had hij financiële motieven, maar het feit dat Kirsch de kast op slot had gedaan voordat hij naar Zwitserland was vertrokken, was opvallend, om niet te zeggen uitdagend. Na alle diensten die Eisner hem had bewezen, had Kirsch het recht niet om geheimen te hebben.

De bovenste la kwam met een ruk los. Hij schoot uit de rails en sloeg met veel kabaal tegen de la eronder. Eisner stond doodstil en luisterde. Het zou gênant zijn om in de werkkamer van Kirsch betrapt te worden met een schroevendraaier en een opengebroken dossierkast, maar het was halfzeven en de meeste patiënten en personeelsleden zaten aan tafel. Hij deed de plafondlamp in de werkkamer uit. In het licht van de bureaulamp hees hij de la weer op zijn plaats en ging hij verder met dossiermappen doorzoeken.

Het eerste wat hem opviel, was de brief van dokter Eugen Fischer van het Kaiser Wilhelm Instituut. Zo te zien had Kirsch een lucratieve opdracht verworven. *Ik vind dit werk buitengewoon belangrijk, en ik ben ervan overtuigd dat het tot een invloedrijk artikel zal leiden.* Eisner snoof. Daar ging het dus om: een dikke cheque én een invloedrijk artikel. Hij vroeg zich af wat Kirsch had gedaan om zo'n promotie te maken. Alma's vader zou wel een goed woordje voor hem hebben gedaan. Een andere verklaring was er toch niet? Tenzij Fischer Kirsch' naam in de kranten had zien staan: *de eminente psychiater die de patiënte behandelt*. Wat een lachertje. *De eminente dokter Kirsch*. Het was onuitstaanbaar dat de man zo veel geluk had.

Er klonken stemmen aan de andere kant van de deur. Verpleegsters. Eisner schoof de la dicht, pakte een boek en nam alvast een nonchalante houding aan. De verpleegsters lachten en het geluid van hun klakkende schoenen werd harder voordat het in de gang wegstierf.

Eisner liep terug naar de kast. In het begin was De Vries tevreden geweest met mondelinge informatie over de zaak en had hij voor die indrukken, waarnemingen en roddels verbazend goed betaald. Eisner had hem zo veel mogelijk verteld, maar hij had niet veel informatie, omdat Kirsch zich de laatste tijd zo geheimzinnig en achterdochtig gedroeg. Maar sinds kort was de verslaggever veeleisender geworden. Hij wilde feiten, anamneses, details.

'Moet ik ze soms stelen?' had Eisner geprotesteerd.

'Natuurlijk niet,' had De Vries geantwoord. 'Ik wil dat je ze tegen een vergoeding leent.'

Het dossier van patiënte E. was het dikste in de la. Eisner spreidde de inhoud uit op het bureau: kranten, kaarten van Berlijn, tekeningen in potlood en houtskool. Uit een donkere arcering doemden gezichten op, als geesten uit het graf: een vriendelijke oude man met wit haar, een jongeman met een peinzende frons die wel wat van een filmster weg had. En daar was de glanzende schedel van Heinrich Mehring, en daar zuster Auerbach met haar glanzende gestifte lippen, lippen die hij voornemens was te kussen als er niets beters op zijn pad kwam. En daar stond Kirsch zelf. Zijn portret was groter dan de andere, zijn gelaatstrekken krachtiger getekend. Hij keek verdrietig. Maar waar moest hij nu verdrietig om zijn? Eisner kende niemand die zo veel geluk had gehad als hij.

Maar er ontbrak iets. Waar waren de aantekeningen? De verslagen van vraaggesprekken, diagnoses, formeel en informeel? Waar waren de rapporten over medicatie en behandeling? Het dossier van patiënte E. was geen medisch dossier. Het was een verzameling aandenkens. Alsof patiënte E. niet echt een patiënte was.

Maar als ze geen patiënte was, wat was ze dan wel?

De telefoon ging. Eisner sprong overeind. Waarschijnlijk had iemand hem aan het bureau van Kirsch zien zitten – misschien Kirsch zelf wel. Eisner keek over zijn schouder naar het smalle raam. Het was zo vuil dat niemand naar binnen kon kijken. Of vergiste hij zich?

De telefoon bleef een hele poos rinkelen, tot het geluid abrupt ophield. Met een hand op zijn bonkende hart liet Eisner zich weer op de stoel zakken.

Bijna helemaal onder in de dossiermap lag een of andere kwitantie, die een week voor Kerstmis was uitgeschreven. Het bleek de vooruitbetaling van een maand huur te zijn, maar de naam onderaan was niet die van Kirsch' hospita, Frau Schirmann. Deze huurbaas heette Mettler en zijn pand bevond zich in de Wörtherstraße.

In de bovenste la van zijn bureau bewaarde Kirsch een plattegrond van de stad. Eisner liet zijn vinger over de straatnamenlijst glijden. Wörtherstraße. Hij had de naam eerder gehoord. De coördinaten op de kaart vertelden hem dat de straat ergens ten noorden van het Alexanderplatz lag – vlak bij de straat waar Kirsch woonde. Waarom huurde Kirsch twee appartementen die vlak bij elkaar lagen?

Op dat moment herinnerde hij het zich.

Kirsch had het een pension voor dames genoemd. Daar had het Einstein meisje gewoond voordat ze haar geheugen was kwijtgeraakt. Maar waarom betaalde Kirsch haar huur? En hoe lang deed hij dat al? Een week? Een maand? Een jaar?

Het peertje in de bureaulamp liet een hoog gezoem horen. Opeens begon het wat feller te branden en ging het met een harde plof kapot. In het donker dacht Eisner na over Kirsch en Mariya Draganović. Hij probeerde te doorgronden wat er aan de hand was en wat hij over het hoofd had gezien.

Sommige aspecten van de zaak waren al die tijd al walgelijk geweest, om niet te zeggen vreemd. Kirsch had zich de behandeling van de patiënte toegeëigend, had bewust de schijnwerpers opgezocht zodra de pers interesse toonde, en had zich op de fotografen gestort alsof hij een ambitieuze actrice op een première was. Eisner was ervan uitgegaan dat hij dat alleen maar uit eigenbelang deed. Een beroemde psychiater was een waardevolle psychiater. Privéklinieken hadden er veel geld voor over om een bekende naam in dienst te nemen. Was er nog meer aan de hand? Was er afgezien van de relatie arts/patiënt nog een verhaal waar hij niets van wist?

Als dat zo was, hoeveel zou De Vries daarvoor betalen?

De deur van het pension stond nauwelijks een decimeter open, en de ketting die het gat overspande was dik genoeg om een os te wurgen. Het was een ijzige avond en er lag al rijp op de kasseien, waardoor ze verraderlijk glad werden.

'Ik ben een verslaggever van de *Berliner Morgenpost*,' zei Eisner, omdat dat de beste leugen was die hij kon bedenken. 'Ik hoopte dat u me wat achtergrondinformatie kon verschaffen over uw oude huurster, Fräulein Draganović.'

Herr Mettler, die een vettig keukenschort voorhad, keek hem vanachter zijn beslagen brillenglazen met samengeknepen ogen aan. De onsmakelijke geur van gekookt vlees dreef de avond in.

'Ik heb niets te zeggen,' zei hij, terwijl hij zijn schouder tegen de deur duwde.

'Ik zou u ervoor betalen.' Eisner stak zijn hand in zijn zak, haalde drie briefjes van vijf Reichsmark tevoorschijn en hield ze omhoog, zodat Mettler ze kon zien. 'Voor uw tijd en moeite. Ik besef dat het al laat is.'

De deur bleef op een kiertje staan. De ketting tikte tegen het hout.

'Herr Mettler?'

'Wat wilt u weten?'

'Wat u de artsen in het Charité hebt verteld. Over uw huurster.'

'Waarom vraagt u dat niet aan hen?'

'Aan dokter Kirsch, bedoelt u?' Mettler gaf geen antwoord. 'Hij is helaas in het buitenland. Niemand weet wanneer hij terugkomt. Daarnaast weet u hoe artsen zijn.' Met een beweging van zijn duim en wijsvinger liet hij de bankbiljetten uitwaaieren. 'Tien minuten. En ik beloof dat ik uw naam niet zal noemen. Niemand zal weten dat ik hier ben geweest.'

Er kwam een vrachtwagen aan, gele koplampen flikkerden tussen de bomenrijen, lange schaduwen strekten zich als klauwen over de weg uit. Boven het kabaal van de motor uit hoorde Eisner geschreeuw.

Herr Mettler maakte de ketting los en hield de deur open. Zodra Eisner binnen was, deed hij de deur weer dicht en vergrendelde hij de bovenkant en onderkant. Ik zit gevangen, dacht Eisner. Het was geen plezierige gedachte. Hij dook weg in zijn jas en keek de gang rond, waarbij zijn blik bleef rusten op het verschoten groene behang met het bloemetjespatroon, de rij lege postvakjes en het staande horloge in de hoek, waarvan een wijzer ontbrak. De geur uit de keuken was walgelijk – geen kooklucht, maar de geur van botten waaruit bouillon werd getrokken. En opeens dacht hij aan Carl Grossmann en Georg Haarmann en de andere beroemde moordenaars die de lichamen van hun slachtoffers hadden gekookt om paté te maken.

Herr Mettler deed de keukendeur dicht en stak zijn hand uit om het geld aan te nemen. 'Ik hou mijn huurders niet in de gaten,' zei hij. 'Zolang ze betalen, mogen ze van mij doen wat ze willen.'

Eisner gaf hem de bankbiljetten en wachtte tot Mettler hem zou voorgaan naar een ander vertrek, maar kennelijk moest het gesprek in de gang plaatsvinden. Herr Mettler keek met samengeknepen ogen naar het geld en stopte het vlug weg in de plooien van zijn schort.

'Dat was een van de dingen die ik had willen vragen. Heeft ze betaald?'

'Op dit moment is de kamer nog van haar.'

'Dankzij dokter Kirsch. Heeft hij voor haar betaald?'

'Hij heeft iets voor haar geregeld.'

'Erg aardig van hem. Wel ongebruikelijk voor een arts, vindt u niet?' Mettler zweeg. 'Hoe lang blijft die regeling nog bestaan?'

'Dat moet u aan hem vragen.'

Herr Mettler gluurde naar Eisner en likte met zijn tong over zijn grijze snijtanden, alsof zijn maaltijd bijna werd opgediend. Hij maakte een achterbakse indruk, het leek wel of hij iets verborg. Misschien had het met zijn huursters te maken. Misschien waren het niet allemaal ijverige jonge vrouwen die naar Berlijn waren gekomen om kennis te vergaren.

'Ik zou graag haar kamer willen zien, als het mag.'

Als Kirsch en het meisje al een verhouding hadden, moest er in die kamer een bewijs te vinden zijn. Dan zou er een liefdesbrief liggen, een foto – een boek, Kirsch kennende. Een boek waarin misschien wel een onthullende opdracht stond.

'Waarom?' vroeg Herr Mettler.

'Achtergrond. Wat is het nummer?'

'Drie.'

'Staat er een tweepersoonsbed of een eenpersoonsbed?'

'Eenpersoons. In al mijn kamers staan eenpersoonsbedden. Dit is een pension voor dames.'

Eisner keek naar boven, waar hij nergens licht zag branden. 'Welke verdieping?'

'Een verhuurde kamer is privéterrein. Dit is geen kermisterrein.'

'Natuurlijk niet. Vijftig Reichsmark als ik even rond mag kijken.' In de keuken klonk een sissend geluid. Eisner haalde zijn laatste bankbiljetten tevoorschijn. 'Het meisje is verdorie gek geworden. Wat kan het haar schelen?'

Herr Mettler snufte en schoof zijn bril hoger op zijn neus. 'Zestig. En u komt nergens aan.'

'Afgesproken.'

Herr Mettler keek naar het geld. 'Ik zal de sleutel halen.'

Hij liep weer naar de keuken, waardoor er weer een oprisping van onwelriekend karkas de gang in dreef. Eisner hield een zakdoek voor zijn neus en draaide zich om, waarbij zijn blik op een brief viel die schuin in een van de postvakjes stond, onder het cijfer 3.

De brief was geadresseerd aan Mariya Draganović. Hij zag een buitenlandse postzegel en een poststempel waarop duidelijk ZÜRICH stond. Was dat het handschrift van Kirsch? Het was moeilijk te zien.

Hij had geen tijd om erover na te denken. Hij pakte de brief, liet hem in zijn portefeuille glijden en stopte de portefeuille weer in zijn jas.

Herr Mettler kwam met een sleutel in zijn hand terug.

'Weet u,' zei Eisner, terwijl hij terug naar de voordeur liep, 'misschien kom ik wel een andere keer terug. Ik heb al genoeg beslag gelegd op uw tijd.'

Toen Eisner weer in de trein zat, scheurde hij de enveloppe open. Er zat een brief in, al maakte het geschok van de trein het onmogelijk meer dan een paar woorden achter elkaar te lezen. Het kriebelige, slordige handschrift was hier en daar slecht te lezen, omdat er veel was doorgestreept. Af en toe gebruikte de schrijver keurige, rechtopstaande letters die wel uit een schoolschrift leken te komen, tot hij weer terugviel op hanenpoten.

Het handschrift was niet het enige vreemde aan de brief: de enveloppe was geadresseerd aan Mariya, maar boven de brief stond *Lieve Elisabeth*. Eisner vroeg zich af of dat een vergissing was. Als dat niet het geval was, hoe heette ze dan?

Hij stapte uit op station Friedrichstraße, waar ze nieuwe elektrische lampen boven het perron hadden gehangen. De ronde, witte lampen waren als een rij blinde ogen in het witgekalkte plafond vastgezet. Hij haalde de brief weer tevoorschijn en las hem vanaf het begin:

Zürich, 1 februari

Lieve Elisabeth,

Ik dacht dat je me niet had teruggeschreven, of, als dat wel het geval was, dat ze je brief hadden achtergehouden. Ik wilde niet wéér schrijven, want wat kon ik je vertellen als ik werd bespioneerd? Meestal geef ik mijn brieven hier aan een welwillende verpleegster. Ze post ze buiten het terrein met het geld dat ik haar geef, maar het zou kunnen dat ze ze eerst aan dokter Zimmermann laat lezen. Ik weet niet of ik haar kan vertrouwen. Daarom post ik deze brief zelf tijdens een van onze uitstapjes. Er is een snoepwinkel met een brievenbus aan de buitengevel. We worden altijd mee naar binnen genomen om naar de snoepjes te kijken, alsof we kinderen zijn, en als we wat zakgeld hebben, mogen we iets kopen. Het is een meelijwekkend verzetje, maar ik speel het spelletje mee.

Ik wacht tot je terugkomt uit Berlijn en hoop vurig dat je missie slaagt. Ik heb nooit gedacht dat je me was vergeten, maar ik was wel bang dat je de hoop op succes had opgegeven en was teruggekeerd naar Vojvodina. Ik heb er veel over gepiekerd, maar ik had nooit gedacht dat je ziek was, of, beter gezegd, dat ze zeggen dat je ziek bent zodat ze je in de gaten kunnen houden en kunnen zorgen dat je je mond houdt. Ik was al bang dat die roerige stad gevaarlijk voor je zou zijn, maar misschien besefte ik niet hóé gevaarlijk. De wereld is aan het veranderen. Onwetendheid is veiliger dan kennis, leugens zijn een lichtere last dan de waarheid. Toch hoop ik dat je het me niet kwalijk neemt dat ik je heb verteld wat ik weet. Ik begreep hoezeer je daar behoefte aan had, al was het alleen maar vanwege het kind.

Eerder vandaag, toen ik op de piano oefende, arriveerde er een arts uit Berlijn, een psychiater die Kirsch heette. Hij zei dat je een zenuwinzinking had gehad, maar hij zei ook dat je in de bossen was aangevallen. Dat wekte mijn achterdocht. Hij zei dat je geheugenverlies had, maar dat je nog wel wist wie ik was, en dat was het enige wat ik wel aannemelijk vond. Ik was er zelfs even heel blij om, want — ik geef het toe — ik heb lange tijd gedacht dat je me vergeten was. Ik was zelfs bang dat je misschien had besloten om in je eentje naar Amerika te gaan. Als ik je weer kon spreken, kon ik alles uitleggen. Ik ben bang dat je zonder mijn raad door twijfels bent overmand.

De arts uit Berlijn stelde allerlei vragen. Hij wilde vooral weten waarom je naar Berlijn was gegaan, wat ik echt een vraag vond voor een privédetective, als er een privédetective was ingehuurd. Die zou willen weten wat je weet en hoe je het te weten bent gekomen, of je je beweringen kunt bewijzen en hoe groot het gevaar is dat het op een schandaal uitdraait. Als ik mijn vader zie, ben ik voornemens hem over jou te vertellen, al zal dat niet meevallen. Dit zijn dingen waar ik nog steeds niet over hoor te praten. Trouwens, hij denkt alleen maar aan de kwantumkwestie, die kiemen van waanzin die hij op de wereld heeft losgelaten en die hij nu weer achter slot en grendel wil zetten, net zoals Mr. Rochester zijn arme, krankzinnige vrouw opsloot. Maar omwille van jou zal ik een manier vinden om het te doen, en zorgen dat jij tenminste bevrijd wordt van de angsten die je achtervolgen.

Ik vraag me af of die dokter Kirsch je daadwerkelijk behandelt, zoals hij zegt. Is hij echt psychiater? Hij ziet eruit als een gekweld man en zijn handen trillen, al probeert hij dat te verbergen. Het be-

staat niet dat hij bang voor mij is, maar hij is wel ergens bang voor. Hij is vertwijfeld op zoek naar de waarheid over jou, alsof zijn eigen leven ervan afhangt. Ik heb nog nooit een arts gezien die zijn patiënt zo toegewijd is, die veel liever antwoorden krijgt dan dat hij zijn mening verkondigt en recepten uitschrijft. Voor een arts weet hij best veel over fysica, en dat komt niet vaak voor.

Ondanks al mijn twijfels vond ik het plezierig om met hem te praten. In zijn aanwezigheid voelde ik me nu eens niet een persoon met 'slechte genen' – misschien heeft hij zelf ook wel 'slechte genen'. Zoiets dacht ik te bespeuren. Hij is in elk geval niet zoals de artsen hier. Als hij een vraag stelt, doet hij dat omdat hij je mening wil horen, niet alleen omdat hij een oordeel over je wil vellen – over je geestestoestand en de ernst of de aard van je stoornis, bedoel ik. Hij leek bereid te zijn als een gelijkwaardige met me te discussiëren, en dat maakte het moeilijk voor mij behoedzaam antwoord te geven. Ik kwam in de verleiding hem alles te vertellen, maar dat heb ik natuurlijk niet gedaan. Ik heb het idee dat ik hem terug zal zien. Hij weet dat hij nog meer over jou en mij te weten kan komen.

Ik denk vaak aan je, Lieserl. Als ik 's ochtends mijn ogen opendoe, zie ik jouw gezicht voor me. Dan weet ik dat ik van jou heb gedroomd, ook al is de droom zelf vervlogen. In gedachten zie ik je door de grote stad reizen, zie ik dat je gezicht wordt verlicht door etalages en de voorbijgaande felle schittering van de straatlantaarns. In gedachten zie ik je bij een raam zitten, misschien wel verdiept in het manuscript dat ik je heb gegeven. Dan frons je ongetwijfeld je wenkbrauwen bij het lezen van het slordige proza en het vreemde verhaal, dat waarschijnlijk voor mensen die in de gevangenis van het gemeengoed opgesloten zijn niet te volgen is. Natuurlijk stel ik me voor dat jij het wel met plezier leest, of in elk geval de behoefte voelt om het uit te lezen. Als je dat niet doet, zul je namelijk nooit helemaal begrijpen wat je hebt gelezen. En vergeet niet dat ik er nog steeds op reken dat je een titel bedenkt.

Ik kijk uit naar je terugkeer naar Zürich, al vraag ik me nu af of je ooit nog terugkomt. Als dat niet het geval is, verzoek ik je dringend datgene wat ik je gegeven heb te verbranden. Ik wil niet dat het in

handen komt van mensen die me voor eens en altijd het zwijgen zou-
den opleggen.
Ik moet nu gaan, anders ontdekken ze me misschien.

Voor altijd de jouwe,
Eduard

32

Kirsch kreeg de indruk dat de familie en vrienden van Einstein een eed hadden afgelegd. Onderzoek naar het privéleven van de natuurkundige, zoals de vraag waar hij op dit moment was, leverde alleen maar stilzwijgen of ontwijkende antwoorden op. De mensen die het meest wisten, zeiden het minst. Degenen die bijna niets wisten – kranten, politici, geestelijken – zagen er geen been in om hun mening te geven over zijn intiemste gedachten en het diepst van zijn ziel. Als hij de feiten boven water wilde krijgen, was er niemand die meer hoop bood dan Eduard Einstein. Eduards ziekte en isolement hadden zijn vastberadenheid en loyaliteit misschien verzwakt. Misschien onthulde hij wel wat hij eigenlijk zou moeten verzwijgen. Maar zou zijn relaas betrouwbaar zijn? Zijn kijk op de wereld was onconventioneel en wisselvallig, gekleurd door paranoïde gedachten die schuilgingen onder een laagje vernis van wetenschappelijke objectiviteit. Misschien zei hij wel gewoon wat hem het beste uitkwam.

Kirsch bewandelde de officiële paden en verborg de ware reden voor zijn interesse. Hij schreef brieven aan de geneesheer-directeur van het Burghölzli, Hans-Wolfgang Maier, en aan dokter Jakob Schuler, waarin hij om hulp vroeg bij zijn onderzoek naar de diagnostiek. Hij noemde de naam Eduard Einstein niet. Hij was bang dat ze zouden weigeren zijn ziekte te bespreken, omdat hij een eersteklaspatiënt en een zoon van een wereldberoemde man was.

Na twee dagen verruilde hij zijn kamer voor een hotelkamer met uitzicht op straat. Hij las de krant en keek naar de voorbijgaande voetgangers en auto's, de regelmatig passerende trams en naar de winkels, die keurig op tijd open- en dichtgingen. Kerkklokken markeerden alle hele en halve uren. Hij stelde zich voor dat de jonge

Einstein vanuit de Technische Universiteit naar beneden had gekeken, deze conventionele tijdsbeleving had aanschouwd en in gedachten met een heel ander idee van tijd bezig was geweest. Misschien dacht hij wel aan een universum waarin tijd niet per se lineair was, maar zich als een slinger bewoog, toenemend in snelheid, afnemend in snelheid en vervolgens zelfs achteruit, naar het beginpunt, terwijl de natuurwetten in dezelfde richting meebewogen. Of een universum waarin het tempo van de tijd correspondeerde met de klop van het menselijk hart, waarbij de seconden tijdens opwinding of inspanning werden gecomprimeerd en in ruststand werden uitgerekt – tot ze zich na de laatste hartslag uiteindelijk tot in het oneindige uitrekten.

Of een universum waarin de baan en omwenteling van individuele planeten onregelmatig was, zoals de beweging van subatomaire deeltjes. De lengte van elke dag en nacht zou dan onvoorspelbaar zijn, evenals het verloop van getijden en seizoenen. Zonnewijzers zouden nutteloos zijn. Klokken zouden nooit zijn uitgevonden, omdat ze onmogelijk gesynchroniseerd konden worden. In plaats van horloges zouden mensen hoekmeters en sextanten bij zich hebben om de stand van de zon en de sterren vast te stellen. Het ritme en de structuur van het leven zouden niet verbonden zijn aan het abstracte en het theoretische, maar aan wat tastbaar en werkelijk was.

En als we weer terug zijn, kunnen we discussiëren over de stelling dat tijd niet bestaat.

Dat was wat Max die laatste dag op het meer had gezegd, in afwachting van een discussie met zijn onwetende broer. Het waren zo'n beetje de laatste woorden die Kirsch zich van hem kon herinneren. Jarenlang had het hem dwarsgezeten dat dit gebabbel, deze onbelangrijke, onpersoonlijke flard in zijn hoofd was blijven hangen. Stel dat het waar was, dat tijd niet echt bestond. Stel dat het alleen maar een nuttige afspraak was, die ten onrechte de status van absolute waarheid had gekregen. De wereld zat vol met onbeduidende abstracties die zich als absolute waarheid hadden vermomd. De beschaving was niet gebouwd op relativiteit, laat staan op kwantummechanica. Ze was gebouwd op vertrouwen. De mensen zeiden toch altijd dat je ergens in moest geloven? Je moest een standpunt kiezen en daaraan vasthouden. Als je dat niet deed, waar vond je dan loyaliteit, plichtsgevoel, opoffering? Moraal? Liefde?

Terwijl Kirsch door het raam van zijn hotelkamer naar Zürich keek, nam hij voor de honderdste keer deze theoretische discussie door. Dat was het afscheidscadeau van Max geweest, samen met het boek van Einstein. En net als bij het boek kwam Max terug zodra hij zich erin verdiepte: een levende, bezielde aanwezigheid die net buiten zijn gezichtsveld bleef.

's Nachts waren zijn dromen grimmig en helder. Hij droomde dat hij weer aan het front was, dat er in de verte kanonnen bulderden en dat er draagbaren met gewonden werden binnengebracht. Hij droomde dat hij geen instrumenten had om hen te opereren. Hij was ze kwijtgeraakt, een vergrijp waarvoor hij voor de krijgsraad kon worden gesleept, net als een soldaat die zijn geweer kwijtraakte. Hij droomde dat Karl Bonhoeffer was gestorven, dat dokter Mehring de leiding over het Charité had gekregen en dat Mehring zijn patiënten aan een nieuwe experimentele behandeling wilde onderwerpen waarbij stroom op de hersenen werd gezet. Het kwam vaker voor dat hij over Mariya droomde. Hij zag haar in Café Tanguero met een lange, knappe man dansen, die hij pas na het ontwaken als Eduard Einstein herkende. Ze droeg de blauwe jurk en kousen van Karstadt. Alles was weer zoals vroeger. Maar als hij haar vroeg wat er was gebeurd, kwam haar antwoord niet boven het geluid van het orkest uit. Daarna renden ze naar de trein naar Potsdam, waar ze hem jaloers maakte door samen met Max in een bootje te stappen en in de mist weg te drijven, zodat Kirsch alleen nog maar de zwakke echo van hun lachende stemmen hoorde. Hij vroeg zich af hoe hij ooit zo'n naïeve fout had kunnen maken, omdat het wel duidelijk was dat Max een veel betere partij voor Mariya was dan hij. Maar toen de boot weer naar de kant kwam, zag hij dat Mariya niet meer aan boord was. In plaats van Max zat er alleen maar een oude man met zo'n hevig verminkt gezicht dat Kirsch nauwelijks naar hem kon kijken.

Het zou kunnen dat hij dergelijke visioenen binnenkort ook overdag zou zien, net als tijdens de oorlog. Het belangrijkste was dat hij erop voorbereid moest zijn. Ook met een overactieve fantasie kon hij nog functioneren. Voorlopig was er in elk geval geen reden om het iemand te vertellen.

Op een ochtend wilde hij net gaan ontbijten toen de piccolo hem een telegram gaf. Het was van de secretaresse van dokter Bonhoeffer, Frau Rosenberg.

VACATURE FUNCTIE PLAATSVERVANGEND AFDELINGSHOOFD
STOP
SNEL TERUG NAAR BERLIJN STOP

Aan een tafeltje bij het raam telde Kirsch de woorden. Misschien betaalde je bij het telegraafkantoor tegenwoordig per tien woorden, of per vijf. Het woordental was hoe dan ook ontoereikend: twee zinnetjes vlak achter elkaar, waartussen het verband op alle mogelijke manieren geïnterpreteerd kon worden. Blijkbaar was de functie van dokter Mehring vrijgekomen en verwachtte men dat Kirsch zijn verblijf in Zwitserland afbrak en naar Berlijn zou terugkeren. Moest hij de functie van plaatsvervangend afdelingshoofd waarnemen tot er een vervanger werd gevonden? Was het een permanente vacature, of was dokter Mehring tijdelijk afwezig? Als dat zo was, zouden zes woorden voldoende zijn geweest:

MEHRING ZIEK STOP TERUGKEER BERLIJN STOP

Buiten sneeuwde het weer. Lichte vlokjes daalden uit een mistige hemel neer. Toen hij zijn koffiekopje naar zijn mond bracht, tikte de rand zachtjes tegen zijn tanden. Misschien vond Frau Rosenberg het onbehoorlijk om de toestand van dokter Mehring via het telegraafnet rond te bazuinen. Misschien vond ze het medium ongeschikt voor vertrouwelijke informatie, of die nu persoonlijk of zakelijk was.

MEHRING AAMBEIEN STOP TERUGKEER BERLIJN STOP

Hij lachte nerveus. Nog beter dan een ziekte zou Mehrings ontslag zijn, naar aanleiding van zijn ommezwaai in het incident met zuster

Ritter. Als Mehring in een ander ziekenhuis had gesolliciteerd, wilde hij zijn zaakjes in het Charité misschien netjes afhandelen en de nare kwestie uitpraten. Eén ding wist Kirsch zeker: hij werd niet uitgenodigd om het plaatsvervangend afdelingshoofd op te volgen. Op de afdeling werkten artsen met meer ervaring en meer dienstjaren dan hij.

Hij wilde nog niet weg uit Zürich. Er waren nog te veel vragen, terwijl de antwoorden Mariya's toekomst veilig zouden kunnen stellen. Maar had hij wel een keuze? Op dit moment nam hij de beslissingen over Mariya en haar behandeling, maar bij een personeelswisseling zou dat kunnen veranderen. Heinrich Mehring was niet de enige psychiater die nieuwe behandelingen wilde uitproberen om krankzinnigen rustig te krijgen.

Meteen na het ontbijt belde hij het Burghölzli en vroeg hij naar dokter Schuler.

'Ik had gehoopt dat ik bij u langs kon komen voor ik terugga naar Berlijn.'

Schuler verontschuldigde zich. Als hij de brief had gekregen, was hij de inhoud vergeten. Hij leek het vervelend te vinden dat hij misschien onbeleefd was geweest tegenover een collega, en hij nodigde Kirsch uit om diezelfde middag naar het ziekenhuis te komen. 'Ik weet zeker dat we u kunnen helpen,' zei hij. 'Ik ben een groot bewonderaar van uw dokter Bonhoeffer. Door de jaren heen heeft hij heel veel voor het vak gedaan.'

Kirsch ging te voet op weg. Hij nam een kleine heupflacon cognac mee tegen de kou en liep met stevige pas langs de oostkant van de Zürichsee. De tocht duurde langer dan hij had verwacht, en het begon al te schemeren tegen de tijd dat hij bij de verst gelegen buitenwijken kwam. In de verte vielen de laatste stralen van de zon op de met sneeuw bedekte bergtoppen in het zuiden. Op een verlaten weg met bomen stond hij stil om op adem te komen. Onder hem had het meer een mineraalblauwe tint gekregen.

Hij nam een slok cognac en bleef staan om naar de stilte te luisteren, die slechts werd verbroken door het geluid van zijn eigen ademhaling. Hij luisterde ingespannen of hij nog een teken van leven kon ontdekken, maar hij hoorde niets. Opeens had hij het warm. De haartjes in zijn nek waren vochtig.

Hij pakte een zakdoek. Door de moeite die het kostte om zijn zakken na te zoeken, raakte hij buiten adem. Zijn zicht vertroebelde, ronddraaiende rood-zwarte massa's onttrokken de weg en de hemel aan het oog. Hij moest steun zoeken bij een telegraafpaal. Hij bedacht dat hij misschien wel weer droomde en nog in zijn hotelbed lag. De stad onder hem was een droomstad, die slechts werd bevolkt door geesten en herinneringen. Hij had zich een weg gedroomd naar het achterland van professor Einsteins leven, naar een plek waar zijn aanwezigheid nog nagalmde door de smalle geplaveide straten, waar de mensen die hij had aangeraakt nu leefden alsof ze gevangen zaten in de amber van die waardevolle dagen.

Hij haalde diep adem. Lichtflitsen zwommen in een rivier van bloed. Hij droomde niet. Inspanning en alcohol waren hiervoor verantwoordelijk. Misschien ook een lichte koorts. Toen hij rechtop ging staan, kon hij weer wat beter zien. Het zweet in zijn nek was koud geworden.

Door de vallei weergalmde de fluit van een locomotief. Hij moest oppassen dat hij niet te laat kwam. Hij vervolgde zijn tocht en ging wat harder lopen. Vlak na een bocht zag hij rechts van hem iets bewegen: een man, ook een wandelaar, die op een afstand van zo'n vijftig meter hetzelfde tempo aanhield als hij. Vanuit zijn ooghoek kon hij de slanke gestalte goed zien: een jongeman wiens silhouet scherp afstak tegen de lichte plekken in de verte. Maar toen hij zich omdraaide om te kijken, zag hij alleen maar bomen.

Er vloog een zwerm vogels voorbij, die met hun vleugels de lucht doorkliefden. Hij boog zijn schouders en liep door. De man was er nog. Hij liep zwijgend van schaduw naar schaduw, zonder enig geluid te maken, als een jager die zijn prooi achtervolgt. Maar hij probeerde zich niet te verbergen. Hij wilde Kirsch laten weten dat hij er was.

33

Dokter Jakob Schuler was een tengere, verzorgde man met gouden ringen aan zijn vingers, een peper-en-zoutkleurige snor en keurig, dunner wordend haar. Met zijn kleine brilletje straalde hij een uilachtige wijsheid uit die waarschijnlijk diepe indruk maakte op zijn patiënten. Met zijn bijna zestig jaar was hij oud genoeg om te hebben samengewerkt met de vorige geneesheer-directeur, de beroemde Eugen Bleuler, maar ook om het openlijk met hem oneens te zijn geweest.

'Hij verspilde te veel tijd aan Freud.' Hij sprak hard en snel en beet zijn woorden af. 'Hij probeerde de man altijd tevreden te stellen en vertelde hem dat hij vreselijk belangrijk was: de Copernicus van het brein en dat soort onzin.'

Ze liepen door een lange gang. Schuler liet zijn witte jas loshangen en bewoog zich voort met een stok.

'Bleuler was eigenlijk onzeker, iemand die nooit partij wilde kiezen. Hij was bang dat hij zou worden uitgesloten van het licht en tussen de "ongelovigen" zou belanden. U weet hoe dat gaat met Freud.'

'Bedoelt u dat je partij vóór hem of tegen hem moet kiezen?'

'Inderdaad.'

Dit deel van het gebouw was helder verlicht. Het was er ook lawaaierig, omdat er voortdurend personeel heen en weer liep. De tweede- en derdeklaspatiënten zaten aan tafel in de eetzaal, wat het personeel gelegenheid bood om de ziekenzalen en andere vertrekken schoon te maken en te doorzoeken. Bij de therapie waren alcohol, tabak en andere stimulerende middelen streng verboden, tenzij de artsen er toestemming voor hadden gegeven. Hoewel het ziekenhuis er steriel uitzag, stonk het er vaag naar uitwerpselen, een lucht die niet geheel werd gemaskeerd door de sterke geur van bleekmiddel.

'Dat soort "geloof" is allemaal heel leuk en aardig als je cliënten je vijftig frank per uur betalen, maar in een ziekenhuis als dit levert het alleen maar problemen op,' zei Schuler. 'Mensen zijn niet gediend van vragen over hun seksuele driften, vooral niet als hun moeder erbij wordt gehaald.' Ze liepen om een zaalhulp met een spons heen, die op zijn knieën bezig was om een donkere vlek van de muur te boenen. 'Ik heb geen bezwaar tegen de basisaanpak. De nadruk op de jeugd is heel overtuigend. Maar zijn geseksualiseerde gezinsmodel is doctrinair.'

Karl Bonhoeffer had een soortgelijke mening over Freuds theorieën. Misschien was Schuler daarom wel bereid aan Kirsch' onderzoek mee te werken. Hij wist inmiddels dat de identiteit van zijn patiënten keurig geheim zou blijven.

'De mate van subjectiviteit bij deze diagnoses levert voortdurend wrijvingen op,' zei hij. 'Als u familiegeschiedenissen bestudeert, kunt u misschien ook klaarheid brengen in de erfelijkheidskwestie. Ik lees altijd dat labiliteit van de ene generatie op de andere wordt doorgegeven, maar het zou nuttig zijn om wat data te zien.'

'Het is de bedoeling dat ik me alleen op diagnostische criteria concentreer,' zei Kirsch. 'Ik wil vaststellen of ze consequent zijn en of de huidige classificatie van geesteziektes wetenschappelijk is.'

Schuler fronste. De rubberen dop van zijn stok maakte scherpe piepgeluidjes terwijl hij voorthinkte. 'En wat gebeurt er als u ontdekt dat ze niet wetenschappelijk is? Moeten we de psychiatrie dan maar afschaffen?'

'Nee, waarom?'

Schuler keek verbaasd. 'Nou, dokter Kirsch, volgens mij mogen we ons arts noemen en op een bepaald terrein van de geneeskunde werkzaam zijn als we afzonderlijke ziektes kunnen identificeren. Als wij niet kunnen zeggen wat een patiënt mankeert, waar zijn we dan goed voor?'

Kirsch herinnerde zich wat dokter Fischer tijdens hun eerste ontmoeting had gezegd: *Status. Het is de achilleshiel van het hele vak.*

Schuler viste een sleutel uit zijn zak. 'Tot we krankzinnigheid een ziekte gingen noemen en daarmee aangaven dat ze – in elk geval in beginsel – behandeld kon worden, werden de meeste lijders simpelweg als schandelijke geheimen achter slot en grendel gehouden. Slechte genen en dergelijke. Op ziekte rust niet zo'n stigma. De geneeskunde, hoe rudimentair ook, biedt in elk geval hoop.'

'Ik ben alleen maar uit op wat meer samenhang in de diagnostische methodes. Ik wil een objectief referentiekader krijgen.'

'Aha,' zei Schuler. 'Een objectief referentiekader. Ja, dat zouden we allemaal wel kunnen gebruiken.'

De oudere dossiers van het Burghölzli werden samen met stapels afgeschreven meubels van het ziekenhuis in een muffe kelder bewaard. Er stonden banken, een schoolbord en een paar ijzeren bureaus van een type dat Kirsch sinds zijn schooltijd al niet meer had gezien. Na een korte rondleiding en een uitleg over het indexeringssysteem liepen ze naar Schulers werkkamer, een ruim vertrek waar tientallen potplanten tegen de muren stonden. Schuler vertelde dat het ziekenhuis niet alleen grote tuinen had, maar ook een serre waarin tropische planten werden gekweekt. Helaas waren er een paar ruiten gesneuveld toen een patiënt boven spullen uit een raam had gegooid, en om de teerste planten te redden, was het noodzakelijk geweest om ze binnen te zetten tot de reparaties klaar waren.

'We hebben gemerkt dat tuinieren voor allerlei patiënten een uitstekende therapie is, zolang ze het resultaat van hun inspanning maar kunnen zien,' zei hij, terwijl hij een waringin van een stoel haalde en gebaarde dat Kirsch mocht gaan zitten. 'Maar late vorst zorgt voor onuitsprekelijk leed.'

'U kweekt niet toevallig cactussen?' vroeg Kirsch, terwijl hij naar de grote hoeveelheden geel wordend blad om zich heen keek.

'Cactussen? O nee. Daar leent de omgeving zich niet voor, zelfs niet in de serre.' Schuler gaf de waringin een plaatsje op zijn bureau, waar de plant slechts gedeeltelijk voor zijn gezicht hing. 'Al hebben we een patiënt die een paar prachtige exemplaren bezit. Zijn vader heeft ze meegenomen uit Amerika. Waarom vraagt u dat?'

'Ik denk dat ik ze heb gezien. Als u het over Eduard Einstein hebt.'

'Ja. Hoe weet u…'

'Ik ben vorige week bij hem geweest. Min of meer om persoonlijke redenen.'

In het kort legde Kirsch zijn professionele interesse in de zaak-Draganović uit, zonder Mariya bij naam te noemen. 'Omdat ik hier toch al was, dacht ik dat ik wel kon vragen wat Herr Einstein zich van haar herinnerde, omdat ze elkaar kenden. Eigenlijk had ik eerst met dokter Maier moeten overleggen, maar ik wilde hem niet met zoiets onbelangrijks lastigvallen.'

Schuler snoof, het enige teken dat hij het niet prettig vond dat Kirsch zich als arts niet aan de regeltjes had gehouden. 'Werkte Herr Einstein mee?'

'Tot op zekere hoogte, maar ik vond sommige opmerkingen vreemd. Ik weet nog steeds niet wat ik moet geloven.'

Schuler zuchtte. 'Tja, voorlopig valt deze patiënt onder de verantwoording van dokter Zimmermann. Ik denk dat u maar eens met hem moet praten.'

Schuler stak zijn hand uit naar de telefoon en draaide een paar interne nummers. Een paar minuten later kwam dokter Zimmermann met een kartonnen dossiermap onder zijn arm het vertrek binnen. Hij was klein, twintig jaar jonger dan Schuler, zorgvuldig geschoren en broodmager. Hij droeg een bril en had dik, donker haar dat over zijn hoofd golfde. Om zijn linkeroorlel zat een verbandje.

Hij gaf Kirsch enthousiast een hand. 'Ik hoorde dat u net uit Berlijn bent aangekomen,' zei hij, terwijl hij de opmerking wat meer gewicht gaf door zijn wenkbrauwen op te trekken.

'Een paar dagen geleden, ja,'

Zimmermann knikte ernstig. 'Hoe gaat het daar?'

Hij had ongetwijfeld dezelfde bioscoopjournaals en krantenartikelen gezien als Kirsch: Hindenburg die Adolf Hitler tot kanselier benoemde, de menigten en de fakkeloptochten, gebeurtenissen die Kirsch zelf had gemist. Het feit dat Zimmermann geen Zwitsers accent had, suggereerde dat hij van oorsprong een Duitser was.

'Dokter Kirsch is niet gekomen om over politiek te praten,' zei Schuler. 'Hij wil meer weten over onze bewoner Einstein.'

'Herr Einstein, tja…' Tevergeefs keek Zimmermann om zich heen of hij een lege stoel zag. 'Dat is beslist een interessant geval. Duidelijke psychiatrische stoornis, gecombineerd met een opmerkelijke intelligentie en hoeveelheid kennis. Volgens zijn docenten was hij een zeer talentvol schrijver. En hij is de beste pianist die we in jaren hebben gehad.'

Tijdens de daaropvolgende discussie werd duidelijk dat dokter Schuler en dokter Zimmermann het niet eens waren over de vraag wat Eduard precies mankeerde, zoals Eduard zelf al had laten doorschemeren. Maar als dit een bron van onderlinge wrijving was, lieten ze dat niet blijken, in elk geval niet waar Kirsch bij was.

'Eduard heeft een paar jaar geneeskunde gestudeerd,' zei Zimmermann. Hij zat inmiddels op het randje van een tafel tussen een rubberplant en een dwergacacia. 'Dat maakt het veel moeilijker om een diagnose te stellen. Hij kent alle symptomen en kan ze naar believen tonen.'

'Dat vindt hij leuk,' zei Schuler. 'Hij heeft een manipulatief trekje: passief, maar wel effectief. Een beetje zoals een vrouw.'

'Hij staat ambivalent tegenover de psychiatrie, zoals tegenover zo veel dingen,' zei Zimmermann. 'Het is duidelijk dat de materie hem erg interesseert, maar tegelijkertijd vindt hij het leuk om een sceptische houding aan te nemen, alsof het hele vakgebied niet deugt.'

Kirsch knikte. 'Precies. Die indruk had ik ook toen ik hem sprak.'

'Die houding heeft hij van zijn vader,' vervolgde Zimmermann, 'en ik vermoed dat dat de kern van het probleem is. Als zijn vader iets niet accepteert, kan hij zich er ook niet toe zetten om het te accepteren, in elk geval niet volledig. Eduard heeft de pech dat zijn talenten en voorkeuren op gebieden liggen die zijn vader niet interesseren, met uitzondering van de muziek. U begrijpt dat dit voor hem een dilemma oplevert.'

Kirsch begreep het niet meteen. De aanwezigheid van Eduard in Mariya's leven werd steeds verwarrender. Einsteins zoon bezat kennis, maar ook fantasie, en, zo vermoedde hij, een ondeugende kant, misschien zelfs iets kwaadaardigs.

'Een dilemma,' herhaalde hij. 'Wat bedoelt u?'

Zimmermann duwde zijn bril wat hoger op zijn neus. 'Ofwel Eduard gaat lijnrecht tegen zijn vader in – wat een hopeloze zaak is omdat zijn vader een intellectuele kolos is die zijns gelijke niet vindt – ofwel hij zwicht en verwerpt bijna alles waarmee hijzelf een plaats in de wereld zou kunnen verwerven. In dat laatste geval zou je zelfs kunnen zeggen dat hij zijn eigen identiteit verwerpt.' Hij sloeg de dossiermap open en haalde er een stapel papieren uit, die losjes met een blauw lint bijeen waren gebonden. 'Hier heb ik iets wat Eduard heeft geschreven. Filosofische aforismen, noemt hij ze. Van tijd tot tijd verstuurt hij ze in brieven, maar gelukkig is hij ijdel genoeg om kopieën te bewaren.'

Hij gaf de papieren aan Kirsch. De vellen waren gevuld met een keurig handschrift, alsof de tekst met zorg was overgeschreven. Eén zin was onderstreept: *Voor een man bestaat er niets ergers dan een ontmoeting met iemand naast wie zijn bestaan en inspanningen geen waarde hebben.* Kirsch sloeg de bladzijde om en zag nog een zin die was onderstreept: *Het ergste lot is geen lot hebben, en het lot van niemand anders zijn.*

'Ontroerend of hopeloos sentimenteel,' zei Schuler. 'Een kwestie van smaak.'

Zimmermann stopte de papieren weer in de dossiermap. 'Er is ook een boek van een paar honderd bladzijden.'

Schuler fronste zijn wenkbrauwen, alsof Zimmermann iets had gezegd wat hij niet had mogen vertellen.

'Wat voor een boek?' informeerde Kirsch.

'Het schijnt een roman te zijn. We hebben hem een paar keer horen zeggen dat hij aan zijn boek werkte, maar we dachten dat het niet echt bestond, tot een van de verpleegsters bij hem kwam en zag dat hij een manuscript inpakte. Helaas was het verdwenen tegen de tijd dat we zelf een kijkje gingen nemen. We denken dat hij het aan iemand heeft gegeven. Het is erg frustrerend.'

Kirsch kon zijn oren nauwelijks geloven. Een paar honderd bladzijden fantasievolle ontboezemingen, hoe chaotisch ook, zouden meer inzicht hebben kunnen geven dan jaren analyse. Het boek had vlak voor hun neus gelegen, maar ze hadden het niet gezien, domweg omdat ze niet geloofden dat het bestond.

'Hebt u enig idee waar het over ging?'

'Het speelt zich af in een psychiatrisch ziekenhuis,' zei Schuler. 'En de hoofdpersoon is psychiater. Meer weten we niet.'

Gezien Eduards belangstelling voor de psychiatrie was de keuze niet verbazend. Misschien kon hij in zijn boek keuzes maken die hij in het ware leven niet durfde te maken.

'Bedoelt u dat Eduards relatie met zijn vader werkelijk de oorzaak van zijn ziekte is?' vroeg Kirsch.

Zimmermann knikte.

'Is professor Einstein daarvan op de hoogte?'

Schuler haalde zijn schouders op. 'We sturen verslagen naar Eduards moeder. We gaan ervan uit dat ze worden doorgegeven, maar...'

Zimmermann en Schuler keken elkaar aan. Zimmermann raakte het verband om zijn oor aan. 'We hebben nog niet gemerkt dat hij... belangstelling heeft. Al is professor Einstein natuurlijk een drukbezet man.'

'Het is overduidelijk dat Eduard zich in de steek gelaten voelt,' zei Schuler. 'Minderwaardig bevonden en aan de kant gezet. Daarom verafschuwt hij zijn vader. En verafgoodt hij hem. Zulke tegenstrijdige gevoelens zijn niet gezond, vooral niet voor een gevoelige jongeman.'

'Hij wordt er krankzinnig van,' voegde Zimmermann eraan toe. 'Het ergste is dat hij dat volgens mij weet.'

De analyse klonk logisch, met of zonder de hulp van de strenge beginselen van de freudiaanse psychoanalyse. Het was een waarneembaar feit dat kinderen zichzelf vaak de schuld gaven als een ouder vaak afwezig was of hen verwaarloosde, hoe irrationeel die gedachte ook was. Als je daar een vader aan toevoegde die iedereen in de schaduw stelde, een onberispelijke persoon die door miljoenen op handen werd gedragen, was het niet vreemd dat schuld- of minderwaardigheidsgevoelens heel diep konden zitten. Maar wat de behandeling betrof: de enige aanpak die kans op succes bood, was een verandering in de aard van de relatie. Voordat de schade onherstelbaar werd, moesten vader en zoon weer een liefhebbende band krijgen in plaats van een destructieve. Het was een aanpak die toewijding en tijd vergde.

'Wij hebben het idee dat professor Einstein het met geen van onze beoordelingen eens is,' vervolgde Schuler. 'Hij denkt dat zijn zoons geesteziekte niets met hem te maken heeft. Ze is aangeboren, net als congenitale syfilis, maar dan minder gevoelig voor behandeling. Volgens Eduards moeder is professor Einstein doodsbang voor aangeboren waanzin – een irrationele angst, zou je kunnen zeggen. Toen zijn andere zoon, Hans Albert, zich een paar jaar geleden met een oudere vrouw verloofde, liet hij een privédetective onderzoek naar haar doen. Toen bleek dat ze korte tijd psychiatrisch behandeld was, verzette hij zich met hand en tand tegen het huwelijk.'

'Daar zal hij wel zo zijn redenen voor hebben gehad,' zei Kirsch. 'Blijkbaar denkt hij dat waanzin de familie Marić ook in het bloed zit. Dus een verbintenis met een familie waarop die vloek rust...'

'Zou hij gelijk kunnen hebben?'

Schuler haalde zijn schouders op. 'Eduards moeder heeft wel vaak last van depressies – tenminste, dat zegt Eduard. En zijn tante, Zorka Marić, heeft tijdens de oorlog twee jaar hier in het Burghölzli doorgebracht. Alcoholisme en een of andere zenuwinzinking, al hield die volgens het dossier hoogstwaarschijnlijk verband met een trauma.'

'Aangeboren of niet, het zou makkelijker zijn om iets aan de problemen van de patiënt te doen als hij zich niet zo afgewezen voelde,' zei Zimmermann. 'Eduard ging zich duidelijk gestoorder gedragen toen hij hoorde dat zijn vader misschien voorgoed uit Europa zou vertrekken.'

Kirsch dacht aan Eduard, die alleen in zijn kamer zat en elke dag piano oefende in afwachting van zijn vaders bezoek – een bezoek dat zich tot nu toe nooit had aangediend.

'Gaat hij werkelijk voorgoed weg?'

'Dat zou heel goed kunnen,' zei Zimmermann. 'Frau Einstein vertelde ons dat men hem in Amerika een paar zeer lucratieve banen heeft aangeboden. Blijkbaar is Eduard daarachter gekomen, al was dat niet de bedoeling.'

'Hij heeft een brief van zijn vader onderschept,' vertelde Schuler. 'Dat bleek hij al een tijdje te doen, hij doorzocht zijn moeders papieren. Ze denkt dat er een paar zijn gestolen.'

Kirsch ging rechtop zitten. 'Brieven?'

'We denken van wel. Dit gebeurde een paar maanden geleden. Hoe dan ook, Eduard raakt al vreselijk van streek bij de gedachte dat zijn vader Europa zou kunnen verlaten. Tegelijkertijd lijkt dat zijn relatie met zijn moeder te beïnvloeden.'

In de gang klonk een elektrische bel. Schuler haalde een horloge uit zijn borstzak en stond op. Hij legde uit dat hij een vergadering had en weg moest.

'Neemt u maar contact op als u aan de archieven wilt beginnen, dan zal ik zorgen dat ze tot uw beschikking staan en dat u een rustige plaats krijgt om te werken. Doet u ondertussen de hartelijke groeten aan dokter Bonhoeffer.'

Dokter Zimmermann liep op de terugweg met Kirsch mee. De avondmaaltijd was voorbij en de patiënten schuifelden zwijgend terug naar hun kamers. Sommigen keken achterdochtig naar de passerende vreemdeling, maar de meesten staarden met de bekende mengeling van wanhoop en verwarring voor zich uit. De stemming was in elk geval kalmer dan in het Charité, maar dat kon ook komen doordat de patiënten meer kalmeringsmiddelen toegediend kregen.

'Ik hoop dat we u hebben kunnen helpen,' zei Zimmermann. 'U wilde weten of Herr Einstein een betrouwbare informatiebron is, en ik denk dat we die vraag helaas ontkennend moeten beantwoorden. In zijn hoofd gaat gewoon te veel om.'

'U maakt zich duidelijk zorgen om hem.'

Zimmermann knikte. 'Ik ben bang dat dit tot zelfmoord zou kunnen leiden. Misschien hunkert hij er nu al naar om op een bepaalde manier door zijn vader tot martelaar te worden gemaakt.'

'Misschien had hij dat in gedachten voor zijn fictieve psychiater,' opperde Kirsch.

Zimmermann haalde zijn schouders op. 'Ik vrees dat we het nooit zullen weten.'

In gedachten zag Kirsch Eduard weer achter de piano zitten. Hij speelde zo goed, met zo veel scherpte, dat het moeilijk te geloven was dat hij geestelijk niet gezond was. Het bewees hoezeer het menselijke brein in compartimenten was verdeeld; het ene deel werkte op het allerhoogste niveau, een ander was totaal disfunctioneel. In welk deel bevond zich zijn schrijfwerk? Was het verdwenen manuscript geschreven door Einstein het genie, of door Einstein de waanzinnige?

'Ik heb nog één laatste vraag,' zei hij. 'Als Eduard naar believen symptomen kan veinzen, hoe weet u dan dat hij niet al die tijd toneel heeft gespeeld? Zou het kunnen dat dit gewoon een schreeuw om hulp is? Een manier om zijn vaders aandacht te krijgen?'

'Ik sluit niets uit, maar zoiets heb ik nog nooit meegemaakt. U hoeft alleen maar naar zijn steeds slordiger wordende handschrift te kijken om te weten dat er iets aan de hand is. Daarnaast vertoont hij soms zeer extreem gedrag.'

'Zoals?'

'Woedeaanvallen, met deuren slaan, tien minuten achter elkaar met zijn vuisten op de piano bonken. En hij heeft zijn moeder aangevallen toen ze hem in bedwang wilde houden. Hij probeerde haar van het balkon te duwen.'

'Hij zei dat hij haar alleen maar bang wilde maken.'

'Dat is nog niet alles. Zijn moeder geeft les aan jonge vrouwen – wiskunde en muziek en zo. Eduard maakte er een gewoonte van om tijdens de lessen poedelnaakt binnen te lopen. De muren van zijn slaapkamer waren bedekt met pornografische afbeeldingen. Zijn moeder durfde er niemand binnen te laten, zelfs het dienstmeisje niet.'

Ze waren bij de hoofdingang gekomen. In de kale ruimte weergalmde het geluid van sluitende deuren.

'Mijn patiënte in Berlijn was een van Mileva Einsteins leerlingen. Maar het is me nog steeds niet duidelijk hoe Eduard haar heeft leren kennen.'

Zimmermann fronste zijn wenkbrauwen. 'Hoe heet ze?'

'Mariya Draganović.' Kirsch knikte in de richting van het dossier dat Zimmermann nog steeds onder zijn arm klemde. 'Heeft Eduard het nooit over haar gehad?'

Zimmermann dacht na. 'Volgens mij niet, maar het zou natuurlijk kunnen…'

'Ze komt uit Servië, uit dezelfde regio als zijn moeder.'

'Ja, dat weet ik. Ik herinner me haar nog heel goed.'

Kirsch wist niet of hij hem goed had verstaan. 'Pardon? Bedoelt u dat u haar hebt ontmoet?'

'Ja, natuurlijk. Ze is hier een poosje patiënte geweest. Op de eersteklasafdeling. Wist u dat niet?'

'Nee. Dat wist ik niet.'

'Eduard zat hier toen ook,' zei Zimmermann. 'Dus ik vermoed dat ze elkaar hier hebben leren kennen.'

34

Mariya had vóór haar komst naar Berlijn al in een psychiatrische kliniek gezeten. Het bewijs zat in haar dossier. Ze was twee weken in het Burghölzli gebleven, en misschien had ze daarvoor wel in een andere kliniek gezeten. Het leek erop dat brigadier Hagen gelijk had gehad: het had geen zin om uit te zoeken wat Mariya in Duitsland kwam doen, of wat er was gebeurd voordat ze werd gevonden. Pogingen oorzaak en gevolg te reconstrueren, zoals bij een onderzoek naar een misdaad, waren zinloos. Er was geen sprake van een misdaad, een beweegreden of een doel. Er waren alleen maar waanideeën.

In de werkkamer van dokter Zimmermann las Kirsch het dossier door, terwijl Zimmermann om hem heen scharrelde en deed alsof hij het druk had. Het was een dun dossier, maar wel volledig. Alle gegevens over de zaak – data, tijden, waarnemingen, behandelingen – waren zorgvuldig genoteerd en afgetekend. Onweerlegbare informatie. Data. Objectieve feiten. Dit was precies waarvoor hij was gekomen: inzicht in Mariya's geestestoestand, een betrouwbare basis voor een nieuw begin. Maar het was niet het nieuwe begin waar hij op had gerekend.

Ze had zich in september bij het ziekenhuis gemeld. In het dossier stond niet of ze een verwijzing had gehad of dat iemand haar had gebracht. Het leek erop dat ze op eigen initiatief was gekomen. Ze had beweerd dat ze aan slapeloosheid, slaapwandelen, paniekaanvallen en aanvallen van geheugenverlies leed, waardoor ze minutenlang gedesoriënteerd was. Het eerste onderzoek was verricht door een zekere dokter Vogt. Omdat er geen tekenen van een hoofdtrauma waren, dacht hij eerst dat ze misschien aan een hersentumor leed, maar afgezien van het geheugenverlies was er geen sprake van de symptomen die bij die diagnose hoorden. Mariya had geen hoofdpijn en was niet duizelig of misselijk – daar was ze heel stellig in. Hij merkte op dat de patiënte geagiteerd leek te zijn, *al leek ze ogenschijnlijk vastbesloten om kalm over te komen.* De volgende hypothese was dat ze een zenuwaanval had gehad, veroorzaakt door emotionele stress. De beste behandeling daarvoor was volledige rust in een kalme omgeving. Op aanraden van dokter Vogt had ze een paar dagen later een kamer op de eersteklasafdeling geboekt.

Geheugenverlies. Het stond er zwart op wit. Was het probleem nooit overgegaan? Hadden de aanvallen steeds langer geduurd, tot ze culmineerden in de constante staat van geheugenverlies die Kirsch in Berlijn had waargenomen?

Hij las verder. Er was niets opvallends gebeurd tijdens Mariya's verblijf in het ziekenhuis. Afgezien van rust en diverse kalme vormen van tijdverdrijf was ze begonnen met hydrotherapie, een nieuwe behandelmethode die erg in zwang was en waarvoor het Burghölzli sinds kort de juiste apparatuur had. Voor zover Kirsch wist, werden patiënten strak in natte lakens gewikkeld voordat ze in baden met verschillende watertemperaturen werden gedompeld. Volgens Zimmermann was aangetoond dat de behandeling angst en waanideeën bij paranoïde en schizofrene patiënten verminderde, en zonder gebruik van medicijnen tot kalme periodes leidde. Kirsch kon zich wel voorstellen dat een lange onderdompeling in water ontspannend werkte. Het gevoel van een gedeeltelijke gewichtloosheid zou beslist heilzaam zijn, maar hij kon maar moeilijk geloven dat het een behandeling met blijvend resultaat was. Hoe dan ook, Mariya's behandeling werd na de eerste keer stopgezet. Over de reden was in het dossier niet veel te vinden. Er stond alleen dat ze 'niet meer meewerkte', 'duidelijk haar mening verkondigde' en van streek leek te zijn.

De laatste aantekening, geschreven door dokter Vogt, bestond slechts hieruit: *Na een verbetering heeft de patiënte weer last van onrust en een verminderd concentratievermogen. Adviseer met ingang van begin volgende week een grondige psychiatrische evaluatie.* Maar tegen die tijd had Mariya haar rekening al contant betaald en zichzelf uit het ziekenhuis ontslagen. Ze had geen adres achtergelaten waar men haar kon bereiken.

Vogt had Mariya's bewering dat ze ziek was nooit in twijfel getrokken, maar hij had zelf geen concrete symptomen waargenomen. De bewijzen voor een geesteziekte waren fragmentarisch en indirect.

Het kwam wel vaker voor dat mensen een kamer in een psychiatrische kliniek boekten om een poosje discreet te kunnen herstellen. In gegoede kringen waren rustbehandelingen heel gewoon, al was het Burghölzli waarschijnlijk geen populaire keuze omdat daar te veel echte gekken zaten. Het zou toeval kunnen zijn dat Mariya Eduard een paar weken na zijn terugkeer naar het ziekenhuis was gevolgd. Maar als het geen toeval was, wat was het dan? Joeg ze een of andere vreemde fascinatie na? Of was het iets berekenenders? Misschien had Mariya dezelfde vruchtbare zwakheid ontdekt als Kirsch: een achterdeurtje naar de waarheid.

De mogelijkheden verdrongen elkaar, ongewenst, maar hardnekkig. Zelfs na al die tijd moest hij overal rekening mee houden. Eugen Fischer dacht dat Mariya medeplichtig was aan een omvangrijke fraude. Zelfs die theorie was nog niet weerlegd.

Kirsch zette zijn bril af en wreef in zijn ogen. Waarom was Mariya naar Berlijn gegaan? Waar was het idee vandaan gekomen? Misschien bestond het verband met Einstein alleen maar in zijn hoofd. Had hij scenario's bedacht die niet op waarheid berustten?

Hij sloeg de dossiermap dicht en besefte dat Zimmermann van achter zijn bureau naar hem zat te staren.

Hij glimlachte nerveus. 'Hebt u gevonden wat u zocht?'

Het was nog steeds verbazend licht buiten, ook al was het al laat in de middag. De sneeuw straalde een fosforescerend licht uit, waardoor het pad goed te zien was, zelfs toen het donkerder werd. Een stel bandensporen had parallelle lijnen op de kronkelige weg getekend.

Kirsch was vergeten dat hij op de heenweg een man tussen de bomen had gezien, maar toen hij aan de voet van het ziekenhuis de bocht om liep, zag hij hem met een sigaret tegen een naaldboom leunen.

'Je bent lang binnen geweest,' zei hij.

Kirsch kreeg geen tijd om verbaasd te zijn. Vaag herinnerde hij zich dat hij een afspraak met deze man had gemaakt. 'Het spijt me,' zei hij.

Max gooide de sigaret weg en stapte de weg op. Zijn oude overjas hing over zijn schouders. Hier had hij zich al die jaren verborgen, in het neutrale Zwitserland. Het was onvermijdelijk geweest dat hij werd aangetrokken door Zürich, waar Albert Einstein vroeger zo veel tijd had doorgebracht. Het was hun geheim geweest, iets tussen hen tweetjes, een geheim dat Kirsch zo goed had bewaard dat hij bijna was vergeten dat hij iets moest verzwijgen.

'Waarom ben je hier nog?' vroeg Max.

Kirsch dook diep in zijn jas en liep door. 'Ik ben hier voor mijn patiënte. Er zijn een paar dingen die ik wil begrijpen.'

'Mariya is degene met de antwoorden. Je vindt ze niet hier.'

'Misschien kom ik er wel achter wie ze is.'

'Wie ze was, bedoel je?'

'Ik zie het verschil niet. Wat is het verschil?'

'Wie wil je dat ze is?'

Het was echt iets voor Max om pijnlijke vragen te stellen.

'Lieserl. Ik wil dat ze Elisabeth Einstein is.'

'Waarom?'

'Hoe kun je dat nu vragen? Uitgerekend jij.'

'Denk je dat ze daardoor weer gezond wordt?'

'Ja.'

'Net als Eduard Einstein. Die is kerngezond.'

'Dat is heel anders.'

Max haalde zijn schouders op. Hij had zo zijn twijfels over de psychiatrie, net als zijn held. In zijn ogen was het geen echte medische wetenschap. 'Het is erg nobel dat je zo veel moeite doet. Als je gelijk krijgt, staat ze voor eeuwig bij je in het krijt. Haar vader ook.'

Ze waren nu vlak boven het meer, waar de grijze watermassa de kleurloze hemel raakte. Het was alsof ze voor een enorme, onafgemaakte muurschildering stonden. Alleen de bossen en de stad waren afgemaakt.

'Dat is niet de reden voor mijn komst,' zei Kirsch. 'Ik heb feiten nodig. Ik heb er genoeg van om te gissen. Ik moet een solide hypothese hebben.'

Max trok zijn jas wat dichter om zich heen. Kirsch voelde zich schuldig dat hij de jas van huis had meegenomen zonder het eerst aan zijn broer te vragen.

'Dankbaarheid is wel prettig, denk ik,' zei Max. 'Dan zal ze zich jou in elk geval herinneren als je er niet meer bent.'

'Zo zit het niet in elkaar.'

Max stak weer een sigaret op. Vroeger rookte hij nooit, maar nu was hij ouder. 'Hoe zit het dan wel in elkaar?'

Zwijgend wandelde Kirsch verder. Na een paar tellen besefte hij dat zijn broer niet meer naast hem liep. Hij keek over zijn schouder. Max stond met zijn armen naast zijn lichaam op de weg.

'Je hebt niet veel tijd meer,' zei hij.

Kirsch werd in zijn hotelkamer wakker. Schemerig blauw ochtendlicht piepte door een spleet tussen de gordijnen naar binnen. Het was ijskoud. Even dacht hij dat Max in de hoek naar hem stond te kijken, maar het was zijn regenjas, die aan de zijkant van de kast hing. Hij liet zijn hoofd weer op het kussen rusten en trok de dekens op tot aan zijn kin. Hij had het beslist gedroomd. Hij wist zeker dat hij vanaf het Burghölzli een taxi had genomen. Hij herinnerde zich duidelijk dat dokter Zimmermann er een had gebeld.

Hij probeerde zich het geluid van Max' stem voor de geest te halen, de details van zijn gezicht. Maar in de droom was het te donker geweest om hem scherp te kunnen zien. Hij herinnerde zich alleen een donkere schim, die scherp afstak tegen de sneeuw. En de stem, was dat echt de stem van Max geweest? Kirsch wist niet meer of hij het geluid nog zou herkennen als hij het hoorde.

Hij haalde de regenjas van de kast en legde hem over de leuning van een stoel.

35

Later die ochtend ging Kirsch aan de schrijftafel in zijn hotelkamer zitten om een brief aan Alma te schrijven. Met het oog op de dingen die hij haar moest vertellen, was het geen ideale manier om te communiceren. Maar door haar vaders ziekte had hij geen idee wanneer hij haar weer zou zien, en het leek verkeerd om haar speciaal naar Berlijn te laten komen om hun verloving te verbreken. In een brief kon hij haar in elk geval een duidelijke verklaring geven. Als hij zijn argumenten uiteenzette, hoefde hij niet bang te zijn dat hij werd onderbroken, en dan zou ze zelf inzien dat een breuk in haar eigen belang was. Het was een laffe keuze, maar er zat niets anders op. Hij had het al veel te lang uitgesteld. En waarom? Omdat stemmen in zijn hoofd hem al die tijd hadden verteld dat zijn gevoelens voor Mariya niet echt waren. Ze waren een voorbijgaande gril, een fantasie die prachtig in de leegte van haar geheugenverlies had gepast. Maar toen hij een beter beeld van Mariya begon te krijgen, had hij juist ingezien dat zijn liefde voor Alma weinig inhield. Hij had hevig verlangd naar het beeld van haar: fris, degelijk en onverschrokken, als de zon aan een wolkeloze hemel.

Eerst schreef hij haar naam en adres op de enveloppe: het makkelijke deel. Daarna maakte hij een kladversie, en hij begon drie keer opnieuw voordat hij zelfs maar een halve bladzijde had geschreven. Bij elke nieuwe poging werd zijn uitleg niet coherenter en beter onderbouwd, maar juist onsamenhangender en verwarrender. *Ik heb een ziekte waarvan ik hoogstwaarschijnlijk nooit zal genezen*, schreef hij. Hij vertelde niet welke ziekte het was. *Ik betwijfel of we ooit kinderen zouden kunnen krijgen.* Hij zei dat hij in elk geval niet de man was die haar gelukkig kon maken. Over een poosje zou ze dat zelf duidelijk inzien.

Hij had het niet over liefde, omdat hij wist dat liefde de zaak alleen maar verwarrender zou maken. Maar zonder liefde klonk alles wat hij opschreef leeg en onoprecht, alsof iemand anders de woorden had gedicteerd.

Hij keek op zijn horloge. Het was tijd om te gaan. Hij stopte de onafgemaakte brief in de enveloppe en liet die op de schrijftafel achter. Hij zou hem later wel afmaken of – en dat was waarschijnlijker – weer helemaal opnieuw beginnen. Tegen de tijd dat hij in de lobby kwam, had hij besloten dat hij helemaal geen brief zou schrijven. Als hij weer in Duitsland was, zou hij speciaal naar Oranienburg reizen en alles onder vier ogen uitleggen. Het was het minste wat hij voor Alma kon doen.

Helaas nam het kamermeisje de brief tijdens Kirsch' afwezigheid mee. Ze gaf hem aan de conciërge, die er een postzegel op plakte, hem met de rest van de uitgaande post meegaf en het juiste bedrag aan Kirsch' rekening toevoegde. Bij zijn terugkeer merkte Kirsch pas wat er was gebeurd.

Tegen de tijd dat hij in het Burghölzli arriveerde, begon de zon net door de wolken heen te breken, waardoor er vlakken wit licht op het meer dreven. Maar in de serre was het donker, omdat het glazen dak bedekt was met een deken van sneeuw. Aan één kant waren een paar ruiten kapotgegaan en omlijstten glassplinters de hemel als kapotte snijtanden. Alleen daar kwam het zonlicht naar binnen.

Eduard was bezig om een rij heesters in aardewerken potten te verzorgen en bond oude lompen om de uiteinden van de takken. Hij droeg een loshangende overjas over een rode kamerjas en een pyjama. Zijn haar viel slordig over zijn voorhoofd.

'Camelia's. Kijk, ze gaan al open.' Hij liet Kirsch een reepje van een roze bloemblaadje zien, dat tussen de vouwen van een wasachtige, groene knop door piepte. 'Eén keer strenge vorst en er blijft niets meer van over.'

Zijn adem produceerde wolkjes in de lucht.

'We moeten naar binnen,' zei Kirsch. 'Hier vat u kou.'

Eduard begon de bloemknop in te pakken. 'Ik wist niet dat dat uw vakterrein was. Bent u opgeleid tot huisarts?'

'Voordat ik psychiater werd, was ik chirurg.'

'Echt waar? Waarom bent u daarmee opgehouden?'

Kirsch liet zijn schouders zakken. Eduard was in een strijdlustige stemming. Dat verraste hem. 'Moet er een reden voor zijn?'

'Dat vind ik nog eens een interessante vraag. Hoort het menselijk brein tot de wereld van de klassieke fysica of tot de kwantumfysica? Is er een ondubbelzinnige reden voor alle gedachten en verlangens? Of kunnen ze spontaan ontstaan?'

'Laten we het er maar op houden dat ik aan verandering toe was.'

'Als het een geheim is, hoeft u het me niet te vertellen.' Eduard ging door met het inpakken van de bloemknop, scheurde het uiteinde van de lap en bond het met een knoopje vast. 'Ik ben ermee opgehouden omdat ik een hekel aan de lijken had. Na een paar ontledingen begon ik van ze te dromen. En die afgrijselijke lucht. Zelfs formaline kan die niet maskeren. U weet vast wel wat ik bedoel.'

'Ja.'

'Ik kon die geur nooit kwijtraken. Het was alsof hij in mijn hersenen, in mijn verstand was gesijpeld. Ik rook hem op mijn kussen als ik naar bed ging. En op andere mensen, levende mensen. Daarom begon ik ze te vermijden. Ik wilde die geur niet op me hebben.'

Aan het front sloegen ze de doden in de dichtstbijzijnde kelder op tot ze klaar waren om vervoerd te worden. Maar tijdens de grote offensieven tegen de Russen raakten de kelders altijd propvol – al legden ze de lichamen boven op elkaar, drie man hoog – en moesten ze zich met tenten behelpen. Als er extra lakens beschikbaar waren, wikkelden de zaalhulpen de lichamen in. Anders kleedden ze ze gewoon weer aan en trokken ze zakken over hun hoofden. Hoe dan ook, binnen een dag of twee wist de misselijkmakende geur de weg naar het veldhospitaal altijd weer te vinden. Binnen de kortste keren stonk het hele hospitaal naar de dood, hoeveel chloor of fenol er ook werd gebruikt. Als er nog meer gewonden werden binnengebracht, zagen ze de kraaien en de raven in een rijtje op het dak zitten. Eduard had gelijk: als je eenmaal met die lucht had geleefd, vergat je hem nooit meer. Het geurstempel was permanent, en elke herinnering aan die tijd of omgeving bracht hem abrupt en met een weerzinwekkende kracht terug.

'Als het om het brein gaat, neig ik persoonlijk naar de kwantumopvatting,' zei Eduard. 'Gedachten bestaan toch uit elektriciteit? En elektronen zijn toch kwanta? Hoe dan ook, ik denk niet dat de werking van het brein puur mechanisch is. Oorzaak en gevolg. Tiktak. Er moet méér aan de hand zijn.'

'Er is ook nog een ziel, bedoelt u.'

Eduard liet een afkeurend geluid horen. 'We schieten er niets mee op om het bovennatuurlijke erbij te halen. Dan vervangen we de ene lijst met onbeantwoorde vragen simpelweg door een andere.'

'Wat bedoelde u dan?'

Eduard streek met zijn vingers over een cameliablad. Het uiteinde was geel geworden. Het kon nooit lang duren voordat het van de plant viel. 'Het probleem is dat taal soms tekortschiet. In de kwantumwereld bestaan dingen waarvoor we geen woorden hebben: voorwerpen die in tijd en ruimte slechts uitkristalliseren als ze worden waargenomen; posities en vormen die potentieel bestaan, maar feitelijk niet. De menselijke taal herkent zulke schimmige zijnstoestanden niet. Een voorwerp kan niet op meerdere plaatsen tegelijk zijn. Het bestaat of het bestaat niet. Maar in de kwantumwereld niet – dat is waar alle andere werelden uit bestaan. Als het om atomen gaat, is poëzie volgens Niels Bohr de enige taal waar je iets aan hebt.'

Kirsch stond inmiddels te rillen. 'Ik heb een paar vragen, Herr Einstein. Ik hoop dat u dat niet erg vindt.'

Eduard stak zijn hand in zijn zak om er nog een vod uit te halen. Hij probeerde er een reep af te scheuren, maar de stof ging niet kapot. 'Hebt u een zakmes bij u? Of een schaar?'

Kirsch had een zakmes in zijn borstzak, dat hij voornamelijk gebruikte om potloden te slijpen. Het had een ivoren handvat, vergeeld van ouderdom. Hij aarzelde, haalde het tevoorschijn en vouwde het lemmet uit voordat hij het aan Eduard gaf.

'Het maakt niet uit. Ik kan wel raden waarom u geen chirurg meer wilde zijn.' Eduard woog het zakmes op zijn handpalm. 'Het heeft iets vreemds om in doden te snijden. De schending. Tijdens de anatomielessen werd er gelachen en kregen ze bijnamen – de lijken, bedoel ik. Goedemorgen, Kasper; goedenavond, Molly. Er zit niet veel vlees aan, zeiden ze dan, alsof het een slagerij was, maar dan minder vers. We bewaarden ze in een koude kamer, maar in de zomer was het daar niet koud genoeg. Vroeger droomde ik dat ze terugkwamen, helemaal zwart geworden en verminkt door de lessen.' Hij voelde met zijn handpalm even aan het snijvlak. 'Het zal bij levende mensen wel anders zijn. Ik denk dat zij niet bij je kunnen komen spoken.'

'Dat denk ik ook niet.'

'Tenzij ze op de operatietafel sterven.' Eduard vouwde de oude lap strak om het lemmet en trok eraan tot de stof scheurde. 'Het lijkt me vreselijk om iemands leven in mijn handen te hebben. Stel je voor dat je een fout maakt.' Hij stak zijn hand uit naar een volgende cameliaknop en wreef met zijn duim over de buitenkant. 'Ga even zitten, dokter. U bent bleek.'

Tegen de achtermuur lag een stapeltje canvas ligstoelen. Kirsch dacht erover om er een te pakken, tot hij besefte dat het er vreemd uit zou zien als hij ging zitten terwijl Eduard nog stond. Dokter Bonhoeffer zou hebben gezegd dat zulke dingen het fundament van de relatie tussen arts en patiënt ondermijnen.

'Ik wist dat u terug zou komen,' zei Eduard. 'U wilt weer over Mariya praten, hè?'

'Als u dat goedvindt.'

'Ja hoor. Ik praat graag over Mariya. Het helpt me om me haar te herinneren. Ze is mooi, vindt u niet?'

'Jazeker.'

'En ook heel intelligent, al merk je dat niet meteen als je haar voor het eerst ontmoet. Als je haar ontmoet, lijkt ze alleen maar onschuldig. Als een bezoekster uit een betere wereld. Je geneert je dat je eigen wereld niet zo is, omdat je weet dat hij zo zou moeten zijn.'

'Uw moeder zei dat Mariya makkelijk te beïnvloeden was.'

Eduard snoof. 'Mijn moeder schaamt zich.'

'Waarvoor?'

Eduard draaide hem de rug toe en liep naar de volgende plant. Hij boog zich om aan een bloem te ruiken, al was de knop nog niet open.

'Herr Einstein?'

Hij haalde zijn schouders op. 'Zoals ik al zei: de wereld is niet zoals hij zou moeten zijn. Dat was alles.'

Kirsch pakte een sigaret en stak hem op. Hij had feiten nodig. Oorzaak en gevolg. Daar moest hij zich aan houden.

'Tijdens ons vorige gesprek zei u niet dat Mariya hier patiënte is geweest. Waarom niet?'

'Ik dacht dat u dat wist.' Eduard ging weer aan het werk. 'Ik heb een verhaal over haar geschreven. Je zou kunnen zeggen dat ze mijn muze was.'

Kirsch zag Eduard weer een reep van de oude lap snijden. Hij was blij dat hij het lemmet al een poosje niet meer had aangezet. 'Dokter Zimmermann vertelde me over uw boek.'

Buiten liepen twee werklieden in overalls met een ladder om het gebouw heen. Bij de serre kwamen ze tot stilstand. De voorste man tuurde door het glas.

'Het speelt zich af in een psychiatrisch ziekenhuis,' zei Eduard.

'Dat had ik begrepen.'

'Het gaat over een psychiater die verliefd wordt op een patiënte.'

Met een harde tik zetten de werklieden hun ladder tegen de zijkant van de serre.

'Dat is een interessant uitgangspunt,' zei Kirsch. 'Waarom doet hij dat?'

'Waarom worden mensen verliefd? Omdat ze iemand vinden die hun kan geven wat ze willen of nodig hebben. Iemand die hen kan bevrijden.'

'Juist. En hoe loopt het af?'

'Niet goed, vrees ik. Het einde van een verhaal moet geloofwaardig zijn, anders voelt de lezer zich bedrogen. Niets kan een goed verhaal zozeer bederven als een onwaarschijnlijk einde. Ik hoop dat u dat niet erg vindt.'

'Waarom zou ik dat erg moeten vinden?'

Eduard begon weer een bloemknop in te pakken. 'Misschien is het een kwantumverhaal, dokter. Proza in plaats van poëzie. Had u daar al aan gedacht?'

Kirsch tikte de as van zijn sigaret in een lege bloempot. Eduard speelde met hem en probeerde hem steeds op het verkeerde been te zetten. Die spelletjes had hij ongetwijfeld ook gespeeld met Mariya. Het was zijn manier om plezier te maken, een uitlaatklep voor zijn verwrongen, rusteloze genialiteit.

'Hoe zit het met u, Herr Einstein? Is dat de ware reden waarom u hier bent gekomen? Wilde u onderzoek plegen voor een boek?'

'Onderzoek is belangrijk. Voor de achtergrond. De achtergrond moet ook overtuigend zijn. Dat verwachten lezers tegenwoordig. De spontane bereidheid om iets te geloven – zo noemen ze dat. Je hebt de achtergrond nodig om de lezers in het verhaal te laten geloven.'

'En Mariya? Waarom kwam zij hierheen?'

Eduard gaf geen antwoord. Hij leek weer al zijn aandacht nodig te hebben om zijn dierbare camelia's te beschermen. De ingepakte knoppen leken nu wel omzwachtelde vuistjes die vechtlustig omhoog waren gestoken.

Buiten hield een van de werklieden de ladder vast. De andere man was erop geklommen. Alleen zijn voeten en enkels waren nog zichtbaar.

'Dat is Hermann,' zei Eduard, zonder op te kijken. 'Manisch-depressief. Soms geven ze hem toestemming naar mijn pianospel te komen luisteren. Buitensporig dol op Schubert. Hij houdt ook van Mozart, maar als ik niet oppas, begint hij in de rondte te dansen.'

Een laagje sneeuw viel als een waterval van het dak. Een kolom van zonlicht doorsneed het schemerdonker. Boven hen verscheen het gezicht van Hermann, een masker van concentratie met de tong tussen de lippen. Kirsch keek naar de stoppelbaard, de slap hangende kaak en het kapsel, dat hem de aanblik van een dorpsgek gaf.

'Ze zijn bang dat het glazen dak instort, vooral nu het beschadigd is,' legde Eduard uit. 'Dat is een paar jaar geleden ook een keer gebeurd, toen de sneeuwlaag te dik werd.'

Voor het eerst merkte Kirsch dat het geraamte van de serre kraakte. 'Vertel eens wat meer over uw schrijfwerk,' zei hij. 'Laat u het aan andere mensen zien?'

'Meestal niet.'

'Ook niet aan een paar andere leerlingen van uw moeder?'

Eduard schudde zijn hoofd.

'Maar ik hoorde dat u goed met hen kon opschieten. Fräulein Anka Streim, bijvoorbeeld, en Maja Schucan. U hebt beslist voor hen gespeeld. En u ging uit dansen.'

Het had allemaal in Eduards dossier gestaan: dat hij aan het einde van de lessen binnenkwam en korte recitals gaf. Mileva had hem aangemoedigd. Ze was trots op haar jongste zoon en wilde graag voorkomen dat hij zou wegzakken in introspectie en depressie, zoals tijdens zijn studie. Over het algemeen vonden haar leerlingen Eduard charmant. Hij begeleidde hen tijdens tripjes en avondjes uit. Maar daarna begon hij zich te misdragen. Voorvallen waarbij hij jaloers was of zich 'onbetamelijk' gedroeg, drukten elk vooruitzicht op een romance de kop in.

Eduard haalde zijn schouders op.

'Die relaties duurden niet lang, is het wel?' vervolgde Kirsch. 'Dus ik neem aan dat u bang was voor een herhaling toen u Mariya ontmoette.' Hij kwam wat dichterbij en liet zijn stem zo vriendelijk mogelijk klinken. 'Hebt u haar daarom de brief gegeven, Herr Einstein? Ik heb het over de brief die u uit uw moeders kamer hebt gestolen, de brief over Lieserl.'

Hij zocht naar een reactie, een teken van verwarring of ontkenning, maar er gebeurde niets.

'Ik vroeg me af hoe Mariya eraan was gekomen. Ik kan me niet voorstellen dat ze hem zelf heeft gestolen. Wanneer had ze dat moeten doen? Ik weet inmiddels heel zeker dat uw moeder hem niet aan haar heeft gegeven. Dat betekent dat u hem moet hebben gepakt.'

Hermann klom voorzichtig nog wat hoger op de ladder en zette een voet op het dak terwijl hij met zijn bezem door de sneeuw veegde. De man op de grond geeuwde.

'Als ze uw zuster was, zou alles anders worden,' zei Kirsch. 'Was dat de gedachte die erachter zat? Dan zou ze bij u blijven. Dan zou ze voor altijd deel van uw leven uitmaken, wat er ook gebeurde. U zou ook niet bang hoeven zijn dat u haar het hof moest maken. Dat kon u allemaal overslaan.'

Eduard zei niets. Hij ging door met zijn werk en draaide met een geconcentreerde frons op zijn gezicht een reep stof een aantal keren om een knop. Het was verleidelijk om hem te vragen of hij werkelijk had geloofd dat Mariya zijn zuster was – of hij het nog steeds geloofde. Maar tijdens zijn rit naar de top van de heuvel was Kirsch tot de conclusie gekomen dat zelfs Eduards mening nauwelijks nuttig licht op de zaak kon laten schijnen. Alleen zijn moeder kende de waarheid, en het was duidelijk dat zij daar niets over wilde zeggen. Toch had hij er misschien iets aan om te horen wat Mariya zelf had geloofd.

Kirsch had klaarwakker in zijn hotelkamer gelegen toen het tot hem was doorgedrongen: Eduard was degene die de touwtjes in handen had. Dat Mariya een Einstein was, net als hij, was een idee dat hij in haar brein kon hebben geplant. Op het eerste gezicht kon ze heel goed Lieserl zijn, de dochter van wie jarenlang niets was vernomen: ze was ongeveer even oud, ze was in het juiste deel van de wereld grootgebracht en ze had een natuurlijke aanleg voor wiskunde. Het kwam ook mooi uit dat haar ouders allebei dood waren, want nu was er niemand die het idee kon tegenspreken als het eenmaal had postgevat.

Het zou een heel plausibel verhaal zijn geweest. Het kind dat bekendstond als Lieserl was buitenechtelijk verwekt en geboren. Destijds had Albert Einstein moeite gehad om een baan te vinden. Hij had een aanvraag ingediend om Zwitsers staatsburger te worden, maar die was nog niet goedgekeurd. Hij en zijn aanstaande vrouw waren buitenlanders, die het risico liepen dat hun visa door een gril van de autoriteiten werden ingetrokken. Een schandaal had rampzalig kunnen zijn. Technisch gezien was Albert in Duitsland nog steeds dienstplichtig. Daarom was Mileva naar huis gegaan, naar Servië, om in het geheim haar kind te baren. Daar had haar vriendin Helene Savić een discrete adoptie geregeld. Misschien was het wel de bedoeling geweest dat de regeling tijdelijk zou zijn. Misschien waren de Einsteins wel van plan om hun dochter mee naar Zwitserland te nemen als ze eenmaal getrouwd waren en een bestaan hadden opgebouwd. Of misschien wilde een van beiden dat. Dergelijke kwesties konden makkelijk bijdragen aan het mislukken van een huwelijk. Wat de waarheid ook was, de familie-eer was gered. Lieserl was in Servië bij haar adoptiegezin gebleven omdat dat, zoals Helene Savić schreef, *voor iedereen de beste oplossing* was.

Mariya had gezegd dat ze zich bevrijd voelde toen ze bij het graf van haar vader stond. Door haar beïnvloedbare karakter was ze snel geneigd te geloven dat ze geadopteerd was. En had Eduards moeder niet duidelijk gezegd dat Mariya een fantaste was? *Wat de Heer met de ene hand geeft, neemt hij met de andere weg.*

'Geloofde ze u, Herr Einstein?' vroeg Kirsch.

'In welk opzicht?' Eduard zocht nog meer knoppen die hij kon inpakken, maar hij was helemaal klaar.

'Dat ze Lieserl was, uw zus.'

Eduard schudde zijn hoofd. 'Ik heb geen zus.'

'Waarom hebt u Mariya de brief dan gegeven? Waar diende die voor?'

Eduard keek naar zijn handen en naar het zakmes. Hij begon het lemmet open en dicht te klappen. Nu er meer licht binnenkwam, zag Kirsch dat zijn oogwit bloeddoorlopen was en dat er kringen onder zijn ogen stonden. Hij vroeg zich af hoe ze zijn schizoaffectieve stoornis behandelden. Hij was met zijn gedachten zo bij Mariya geweest dat hij er niet aan had gedacht om het te vragen.

'Herr Einstein...'

'U bent wél gestuurd door mijn vader, hè?'

'Ik heb u de waarheid verteld: Mariya is mijn patiënte. Ik wil dat u me helpt.'

Eduard draaide zich met het opengeklapte mes in zijn hand om. 'Wat maakt het uit wat ik zeg? Wat maakt het uit wat ik denk?'

'U en Mariya hadden een hechte band.'

'Ze is weg. Ze is... *niemand*. U bent te laat.'

Hij kwam een stap dichterbij en even dacht Kirsch dat hij zou worden neergestoken. In plaats daarvan hief Eduard zijn hoofd op en zette hij de punt van het mes tegen zijn eigen keel, tegen zijn halsslagader. Hij duwde zo hard dat het vlees wit werd. De woorden van dokter Zimmermann galmden door Kirsch' hoofd: *Ik ben bang dat dit tot zelfmoord zou kunnen leiden.* En met een mes dat Kirsch hem had gegeven.

Boven hen klonk een dierlijke kreet. Intuïtief keken beide mannen omhoog. Hermann had hen kennelijk in de gaten gehouden. Hij lag plat op het dak, met zijn gezicht tegen het glas. Met zijn handpalmen sloeg hij zo hard op het glas dat de hele serre trilde. Kirsch sprong naar voren en probeerde Eduards pols te pakken, maar Eduard was te snel voor hem: hij stapte vlug opzij en draaide als een stierenvechter op de bal van zijn voet. Kirsch dook langs hem heen, struikelde over een stapel bloempotten en viel met veel kabaal op de grond.

Eduard keek naar het mes, dat hij nog steeds in zijn hand hield. Hij knipperde met zijn ogen, alsof hij niet zeker wist wat het mes daar deed. Daarna vouwde hij het lemmet zorgvuldig naar binnen en gaf hij het terug aan Kirsch.

'Dank u, dokter,' zei hij. 'Nu moet ik piano gaan oefenen. Mijn vader raakt van streek als ik niet oefen. Tot ziens.'

36

Het was een mengsel van natrium en sulfer: tien gram geelachtig poeder op de bodem van een flesje zonder etiket. De portier van het hoofdgebouw verzekerde hem dat dit het originele middel was. Eisner hoefde er met steriel water alleen maar een oplossing van tweeënhalf procent van te maken en die in een ader te spuiten. Als poeder was het pentobarbituraat duurzaam en onbeperkt houdbaar, maar een oplossing moest binnen achtenveertig uur worden gebruikt. Daarna werd het glas aangetast.

'Tweehonderdvijftig milligram,' zei de portier. 'Dat is de maximumdosis. Het hangt natuurlijk wel af van het lichaamsgewicht.'

'Natuurlijk.'

'Pas op dat u niet te veel gebruikt. Als u te vlug een te hoge dosis toedient, raken ze in shock.'

'Hoe lang heeft het effect?'

'Hangt ervan af. Een kwartier, ongeveer.'

Dat viel Eisner tegen. Een kwartier was niet lang voor de ondervraging die hij in gedachten had. Hij vroeg zich af hoeveel doses pentobarbituraat hij mocht geven en met welke tussenpozen, maar hij wilde niet dat de nieuwsgierigheid van de portier werd gewekt. Hij gaf hem het geld en liep terug naar de psychiatrische afdeling. Al doende zou hij er wel achter komen. Hij had al naalden en injectiespuiten uit de voorraadkamer gehaald. Hij had ook een tweedehands apothekersweegschaal en een maatcilinder aangeschaft. Maar hoe moest hij aan gesteriliseerd water komen?

Die middag ging hij naar de keukens, waar hij een ketel opzette en het gekookte water in een schone koffiepot schonk. Het feit dat er geen koffie in zat, viel niet op. Hij nam de pot mee naar zijn werkkamer en deed de deur op slot. Achter zijn bureau maakte hij genoeg oplossing voor drie spuiten, die hij ter plekke vulde. Hij popelde te beginnen, maar het was veiliger te wachten tot na het avondeten. Hij wilde niet gestoord worden of onnodig aandacht trekken.

Het was een geweldig spannend vooruitzicht dat hij zijn eigen medische doorbraakje ging bewerkstelligen. Kirsch zou het hem kwalijk nemen dat hij tijdens zijn afwezigheid experimenteerde, maar hij kon Eisner niet tegenhouden. Een man die zo veel geheimen had, moest uitkijken wanneer hij zijn gezag liet gelden. Hij zou het bijvoorbeeld vast niet leuk vinden om aan zijn verloofde uit te leggen waarom hij een kamer bij Herr Mettler betaalde.

Eisner hield een spuit tegen het licht. De kleurloze, heldere vloeistof zag er net zo onschuldig uit als water. Het was lang geleden dat hij iemand een injectie had toegediend. De kunst was om een bloedvat te vinden en te zorgen dat je er niet dwars doorheen stak. Bij lekkage in het omliggende weefsel konden er allerlei complicaties ontstaan. Waarschijnlijk was het een goed idee om de patiënte vast te binden. Hij wilde niet dat ze tegen zijn hand kon duwen.

Eisner duwde de zuiger omhoog tot er één enkele vloeistofdruppel uit de naald kwam. Hij moest voorkomen dat hij lucht injecteerde, want door een luchtbel konden bloedvaten scheuren. Als de bel in de hersenen terechtkwam, kon hij een beroerte veroorzaken. De hele procedure zou veiliger zijn geweest als Martin zijn medewerking had toegezegd. Het was zijn schuld als er iets misging.

Het probleem met Kirsch, besloot Eisner, afgezien van zijn neiging om schijnheilig te worden als het om zijn patiënten ging, was dat hij weigerde te delen. Hij nam de interessantste ziektegevallen en deed net of ze zijn eigen privéprojecten waren. Het kwam maar heel weinig voor dat hij zijn oordeel met anderen besprak, en zijn collega's mochten zich nergens mee bemoeien. Het Einstein meisje was daar een prachtig voorbeeld van. Het was egoïstisch, om niet te zeggen ondankbaar. Robert had hem aan Alma voorgesteld. Robert had hem in de familie Siegel geïntroduceerd. Alleen daarom al verdiende hij wat meer respect.

Misschien zou het barbituraat helemaal niet werken. Misschien was het geen sleutel naar het onbewuste en was het niet in staat mensen te dwingen de waarheid te spreken, zoals werd beweerd. Maar een objectieve waarnemer kon het hem niet kwalijk nemen dat hij het probeerde. Alleen met zulke experimenten, of ze nu succes hadden of niet, kon de kennis van de mens worden uitgebreid.

Kirsch was fel op het experiment tegen geweest. Over zijn lijk, had hij gezegd. Maar dat zou geen probleem worden, want hij en zijn lichaam, of dat nu dood of levend was, waren nergens te bekennen.

Mariya lag op haar bed te slapen toen de zaalhulp haar kamer binnenkwam.

'Dokter Eisner wil je beneden spreken.'

Als het donker was, werden er doorgaans geen mannelijke personeelsleden meer op de vrouwenafdeling gesignaleerd. Mariya dacht dat het een regel was waaraan alleen artsen zich mochten onttrekken. De manier waarop de zaalhulp in de deuropening stond en naar de tekeningen op de muren keek, vertelde haar dat ze het bij het rechte eind had.

Ze keerde hem de rug toe, maar ze hield haar ogen open. 'Ik ben moe,' zei ze. 'Ik wil slapen.'

De zaalhulp heette Jochmann. Hij was een vierkant gebouwde, norse man met een stierennek. Het was haar opgevallen dat de mannelijke patiënten met een boogje om hem heen liepen.

'Het is belangrijk,' zei hij. 'Kom mee.'

Ze lag doodstil en weigerde in beweging te komen of iets te zeggen. Eisner was haar arts niet. Ze vertrouwde de woorden van de zaalhulp helemaal niet.

Ze hoorde de deur dichtgaan en dacht dat hij was weggelopen, maar toen hoorde ze zijn zware voetstappen in de kamer. Ze bedacht dat ze om hulp zou moeten roepen, maar zodra ze haar mond opendeed, voelde ze een hand in haar nek en werd haar gezicht in het kussen geduwd. Jochmann draaide haar arm op haar rug en duwde haar op het bed. Ze stribbelde een paar tellen tegen, maar ze kon niet tegen hem op. Ze slaagde erin om haar hoofd naar één kant te draaien, net ver genoeg om adem te halen.

Ze dwong zichzelf om kalm te blijven. Als hij haar wilde verkrachten, moest hij haar in elk geval met één hand loslaten. Zodra hij zijn knopen losmaakte, zou ze haar kans grijpen. Maar hij liet haar niet los. Hij hield haar stevig vast tot ze geen verzet meer bood en trok haar toen overeind.

'Het heeft geen nut om tegen te stribbelen,' zei hij. 'Het is voor je eigen bestwil.'

Hij nam haar mee naar de gang. Ze had het gevoel dat dit allemaal heel vertrouwd voor hem was, routine. Zagen de zaalhulpen er daarom allemaal zo sterk uit?

'Mijn arts is dokter Kirsch,' zei ze, terwijl hij haar door de gang leidde. 'Hij behandelt me.'

'Nou, nu heb je er twee,' zei Jochmann. 'Bof jij even. Met twee keer zo veel dokters ben je in de helft van de tijd beter.'

Hij nam haar mee naar beneden, via een trap aan de achterkant die ze nog nooit had gebruikt. Op een gegeven moment liet hij haar arm los. Ze liepen steeds verder naar beneden tot ze in een warme, schemerig verlichte kelder kwamen, waar buizen langs de muren liepen en een sterke stookoliegeur hing. Aan haar voetzolen kleefden cementstof en roet. Ze kon het op een lopen zetten, maar hoever zou ze komen? Ze kon schreeuwen, maar wie zou haar horen?

'We zijn er bijna,' zei Jochmann.

Hij duwde tegen een zware draaideur en hield hem voor haar open. Aan de andere kant bevond zich een kaal, voor de helft betegeld vertrek met wastafels aan een van de muren. In het midden van de kamer stond een ijzeren bed met riempjes eraan. Dokter Eisner zat op het voeteneinde. Hij hield zijn handen tussen zijn knieën en liet zijn benen bungelen, als een schooljongen die de tijd doodt. Hij sprong overeind toen hij Mariya binnen zag komen.

'Waar is dokter Kirsch?' vroeg ze.

Eisner keek een beetje gekwetst. 'Ik weet niet waar hij op dit moment is. Hij heeft een soort studieverlof genomen.'

'Wanneer komt hij terug?'

'Je hebt het volste recht om je een beetje verwaarloosd te voelen. Maar daar komt nu verandering in.' Eisner liep weg van het bed. 'Ik wil dat je hier komt en gaat liggen.'

Fugue

37

Ik heb mijn studie in Zagreb nooit afgemaakt. Ik ben er niet weggegaan omdat ik lui of teleurgesteld was, en zelfs niet omdat ik heimwee kreeg, al was ik erg vaak alleen. Mijn vertrek had te maken met wat er in de lente van mijn laatste jaar in Orlovat gebeurde. Zelfs nu heb ik nog moeite om daaraan te denken. Ik heb er nog meer moeite mee om het te vertellen, maar het zal wel moeten als ik jou duidelijk wil maken waarom ik hier ben en wat ik van je wil weten.

Dat jaar hadden we een natte lente. Toen ik met Pasen met de trein naar huis ging, zag ik kilometer na kilometer ondergelopen land. Op sommige plekken kon je bijna niet zien waar de velden eindigden en de hemel begon. Het was een mooi gezicht, al wist ik dat er honger en zware tijden zouden volgen voor de mensen wier oogsten in de grond wegrotten. Ik had laten weten dat ik naar huis kwam, maar op het station werd ik niet opgewacht, ook al regende het weer en begon het donker te worden. Daarom liep ik in mijn eentje door het dorp en sprong ik op de modderige weg over de plassen heen tot ik bij de binnenplaats van het huis van de familie Draganović kwam.

De voordeur was niet op slot. In de keuken brandde een lamp, maar ik zag niemand. Ik zette mijn koffer neer en liep naar de achterkant van het huis, omdat ik dacht dat Senka in elk geval wel thuis zou zijn en voor de dieren zou zorgen. Ik zag dat het paard weg was. De ganzen en kippen liepen verspreid door de tuin en de boomgaard, sommige achter het hek, andere in groepjes rond de bomen aan de rand van het veld. Toen begon ik bang te worden. Senka zou haar kudde nooit zomaar laten rondlopen. Ze zou de dieren naar hun hokken hebben gedreven, waar ze warm en veilig waren. Maar de hokken waren leeg, op één vogel na, die er mager en schriel uitzag. Ik probeerde haar dierbare ganzen bij elkaar te drijven, maar ze bliezen naar me of renden weg. Ze weigerden naar me te luisteren, hoe hard ik ook smeekte of mijn best deed om hen over te halen.

Toen herinnerde ik me de huishoudster, Maja Lukić, en ik ging op pad naar haar huis. Ik had nog geen twintig meter gelopen toen ik haar op de weg zag rennen, net zo nat en bemodderd als ik. We gingen naar binnen en ze vertelde dat Senka al een dag werd vermist. Maja en een paar dorpelingen hadden in de buurt naar haar gezocht, maar tot nu toe hadden ze nog geen spoor van haar gevonden. Ik voelde dat er meer achter dit verhaal zat en dat Senka nooit zonder reden zou weglopen. Ik vroeg waar mijn vader was en of hij een rol in deze kwestie had gespeeld.

Op dat moment kende ik Maja Lukić nog niet goed. Toen Senka en ik klein waren, bakte ze koekjes voor ons, die ze in mousseline verpakte en tussen de takken van de bomen verstopte. Dat wist ik nog. Maar ze ging bij ons weg toen ik naar school ging, en sindsdien had ik haar zelden gezien. Nu verdiende ze met haar baan als huishoudster een inkomen dat ze hard nodig had en waar ze ongetwijfeld aan gewend was geraakt. Het is dus geen wonder dat ze liever niets lelijks over haar werkgever wilde zeggen, uit angst dat hij haar zou ontslaan. Toch vond ik haar ontwijkende antwoorden onuitstaanbaar en vroeg ik haar onomwonden of mijn vader die arme Senka voor een of ander vermeend vergrijp had gestraft, en zo ja, wat het gevolg daarvan was geweest.

Maja Lukić verzekerde me dat daarvan geen sprake was geweest, in elk geval niet voor zover zij wist. Maar ze gaf wel toe dat mijn vader soms tekeer ging over Senka als hij alleen was en gedronken had. Dat had te maken met mijn moeders dood. Als hij dronken was, zei hij dat het Senka's schuld was dat ze dood was – allemaal omdat de dokter had gezegd dat de ziekte eerst onder de dieren had geheerst en dat Senka haar mee naar huis had genomen. Maja Lukić trad niet in detail over deze uitbarstingen, maar ik kon me maar al te goed voorstellen hoe fel ze waren. Als het om zijn eigenwaarde en plaats in de maatschappij ging, was Senka's bestaan voor Zoltán Draganović als een open wond. Zij was immers zijn vlees en bloed, en daar kon hij niets aan veranderen. Om een reden die ik nog niet begreep, was de erkenning die hij door mijn studieprestaties kreeg nooit genoeg om de tekortkomingen van Senka te compenseren, en dat zou ook altijd zo blijven. Inmiddels weet ik natuurlijk waarom.

Wat Senka's verdwijning betreft, ik was nog steeds niet tevreden met de uitleg van Maja Lukić, en dat zei ik ook. Na enige aarzeling nam ze me mee naar de zitkamer, die ze naar eigen zeggen de vorige ochtend had schoongemaakt. De kamer werd sinds de dood van mijn moeder nauwelijks gebruikt, al brandde er wel altijd een haardvuur om te voorkomen dat het er vochtig ging ruiken. Maja pakte het album met onze familiefoto's van de schrijftafel en liet het aan me zien. Ze zei dat ze het opengeslagen op de grond had gevonden en bang was dat Senka het had gezien. Ik had geen idee waar ze het over had, tot ik het album opensloeg en zag wat onze vader had gedaan. Hij had alle foto's van Senka eruit gehaald, zelfs de foto's waarop ze haar doopjurk droeg. Bij foto's waarop meer mensen stonden, zoals de familiefoto die we in de studio in Novi Sad hadden laten maken, had hij haar beeltenis zorgvuldig met een scheermesje weggesneden. Op sommige foto's bleef er niets anders van haar over dan een schoen, een arm of een paar lokken haar die over een paar centimeter van haar schouder vielen. Op één foto had onze moeder Senka op haar knie en had ze haar arm om haar middel heen geslagen. Het was duidelijk dat hij Senka niet had kunnen verwijderen zonder mijn moeders arm weg te snijden. Zijn oplossing voor dit probleem was dat hij Senka's hoofd had weggesneden. Nu leek onze moeder niets anders dan een pop zonder hoofd op haar schoot te hebben, en ze zag eruit alsof ze daarom glimlachte, alsof het een grapje was.

Bij het zien van deze laatste wreedheid voelde ik een haat die ik nooit eerder had gevoeld. Ik heb geen gewelddadig karakter – in elk geval niet gewelddadiger dan dat van andere mensen. Maar op dat moment had alleen bloed de woede die ik namens mijn zuster voelde kunnen temperen. Ik weet dat het een egoïstische opwelling was: met wraak kon ik het schuldgevoel over mijn eigen afwezigheid en verwaarlozing verzachten. Gelukkig was mijn vader nergens te bekennen. Hij was die ochtend met een of ander smoesje uit het dorp vertrokken. Het kwam er gewoon weer op neer dat hij dronken wilde worden. Zelfs Maja Lukić kon dat niet verhullen.

We wisten dat we Senka in het donker nooit zouden vinden, maar zodra het licht werd, hervatten we onze zoektocht. Het was zondag, en toen vele dorpelingen vroom naar de kerk gingen om voor het welzijn van hun oogsten en hun portemonnee te bidden, kwamen er hooguit zes of zeven mensen naar ons toe om ons te helpen, ook al regende het niet meer. De rest dacht ongetwijfeld dat die arme Senka wel vaker wegliep omdat ze nu eenmaal achterlijk was, en dat ze ook wel weer terug zou komen. Maar ik wist beter, en met angst en beven ging ik met twee metgezellen naar de rivier. Volgens mij was dat de gevaarlijkste omgeving, want het water stroomde snel. De oude stenen brug leek op een waterkering, en het water liep schuimend onder de bogen door. Ik was bang dat er iets akeligs met Senka kon gebeuren als ze in het water was gevallen, want als kinderen hadden we geen van beiden goed leren zwemmen. In dat deel van de wereld was er nu eenmaal weinig gelegenheid om te zwemmen.

We volgden de rivier stroomafwaarts. Ik liep aan de ene kant en mijn metgezellen – een neef van Maja Lukić en zijn vrouw – liepen aan de andere kant. Even buiten het dorp begint de rivier over een lengte van een kleine kilometer te slingeren. Het is een plek waar veel hengelaars komen, omdat er schaduw is en omdat hun prooi in het ondiepe water makkelijker te bereiken is. Maar hier waren de oevers doorgebroken, waardoor het grasland en de berkenbossen aan weerszijden waren ondergelopen. Tot aan mijn knieën waadde ik door het modderige water, waarbij ik planten langs mijn benen voelde strijken. De grond onder mijn voeten was zo zuigend en verraderlijk dat ik bang was dat ik onder water getrokken zou worden. Al gauw zag ik de anderen aan de overkant niet meer, maar ik hoorde hen Senka's naam roepen, en dat deed ik ook. Onze stemmen droegen niet ver. Het waterpeil zakte al en leek het geluid mee te nemen. Ik zag de walgelijke zwartheid die het water achterliet en dreigde in paniek te raken. Ik schreeuwde Senka's naam tot ik schor was en er alleen nog maar gesnik uit mijn mond kwam. In mijn hart wist ik al dat ze nooit zou reageren.

Toen begon Maja's neef te schreeuwen. Hij had iets gezien. Struikelend en vallend rende ik tussen de bomen door in de richting van het geluid. Ik moet eruit hebben gezien als een waanzinnige, van mijn kruin tot mijn tenen doorweekt en helemaal bedekt met modder, maar heel even was ik vervuld met hoop.

Maja's neef stond nog steeds aan de andere kant van de rivier. Hij wees naar een groepje wilgen aan zijn kant. Onderweg daarheen zag ik een handjevol kraaien in de bomen opschrikken en wegvliegen. Een paar tellen later zag ik iets in de onderste takken hangen, iets wat op een oud, verfrommeld laken leek. Pas toen ik haar donkere haar in het water zag golven, wist ik dat het mijn zus was. Ze was dood: verdronken en met de stroom meegedreven. Ze lag op haar rug, met één schouder opgetrokken en

een arm over haar ogen, net als zo'n rouwende, in marmer uitgehouwen fi-
guur die de graftombe van een belangrijke man bewaakt. Ik weet niet hoe
lang ze daar al lag: in elk geval een dag, denk ik, want de kraaien hadden
al aan haar arme, naar boven gerichte gezicht en mond zitten pikken. Ik
doe al tien jaar moeite om dat beeld te vergeten.

    De uren daarna gingen in een waas aan me voorbij. Ik weet de volgorde
van de gebeurtenissen niet meer, en ook niet wat ik heb gezegd en gedaan.
Een paar minuten of uren was ik buiten zinnen. Ik weet dat Maja Lukić
ons vond en dat zij en mijn metgezellen de arme Senka uit de boom haal-
den en haar gezicht bedekten. Er kwamen andere mensen helpen om haar
te dragen, en daarna arriveerden er nog meer mensen, en de priester van
het dorp. Iedereen bood hulp aan of kwam gewoon om het vreselijke
schouwspel met eigen ogen te zien. Ze legden Senka op de keukentafel,
maar toen zei de priester dat ze op een koelere plaats moest worden gelegd
omdat ze in haar staat al aan het verrotten was. Al het vocht zou het proces
alleen maar versnellen. Er brak een discussie uit over de vraag waar we een
koele plaats konden vinden en wiens onderkomen het geschiktst was. De
kerk was de koelste plaats die iedereen kon bedenken, maar de priester
stond niet toe dat Senka daarheen werd gebracht tot was vastgesteld hoe ze
was omgekomen. Daarom wikkelden ze haar in een beddenlaken en droe-
gen ze haar naar een ander deel van het dorp. Ik heb haar nooit meer gezien.

    De enige die tijdens deze beraadslagingen afwezig was, was onze vader.
Maja Lukić vond dat hij als hoofd van de huishouding het recht had om te
beslissen wat er met zijn dochter moest gebeuren, maar niemand leek haast
te hebben om hem te gaan zoeken. Ik denk dat ze ervan genoten om de
dienst uit te maken in het grote huis, waar ze bijna nooit binnen mochten
komen. Dus uiteindelijk liet Maja Lukić dan maar zelf een paard en een
koetsje komen en vertrok ze naar het volgende dorp, waardoor ik alleen
thuis achterbleef. Sindsdien heeft ze me vaak verteld hoezeer ze haar fout
betreurt en hoe vaak ze wenst dat ze bij me was gebleven. Nog jarenlang
gaf ze zichzelf de schuld van wat er daarna gebeurde. Maar ik neem haar
niets kwalijk. Ze was bij mijn vader in dienst, niet bij mij. Ze deed alleen
maar haar best om de rechten en de eer van de familie en de naam Draga-
nović te beschermen. In Orlovat bestaat er niets belangrijkers. Zelfs het le-
ven is nog minder belangrijk.

    Ik bleef lange tijd in de keuken zitten — ik weet zelf niet precies hoe lang. Het moet minstens een uur zijn geweest, want tegen de tijd dat ik me verroerde, stond de zon zo laag aan de hemel dat hij onder het baldakijn van de wolken uit piepte. Ik stak een lamp boven de tafel aan. Daarna stond ik op en liep ik naar de bijkeuken om mijn vuile jurk uit te trekken. In mijn onderjurk ging ik voor de spiegel staan om de zwarte modder van mijn gezicht en armen te vegen en mijn haar onder de kraan uit te spoelen. Waarom ik dat deed, weet ik niet. Ik voelde een sterke behoefte om schoon te worden, om alle sporen van die dag van me af te schrobben. Ik had nog meer behoefte aan een bezigheid, om te voorkomen dat ik nog kon nadenken. Ik schrobde en schrobde tot mijn huid rauw was.

Ik was nog steeds in de bijkeuken toen ik mijn vader onder de poort door de binnenplaats op zag lopen. Hij trok zijn paard met zich mee. Ik zag meteen dat hij nog geen idee had wat er was gebeurd, want hij liep te neuriën en grinnikte zelfs zachtjes, alsof hij zich een of andere schuine mop herinnerde.

Ik heb al eerder gezegd dat ik intuïtief had geleerd dat ik maar beter niet met die man alleen kon zijn. Maar de kille woede die ik op dat moment voelde, de dringende behoefte aan wraak, verdreef mijn gebruikelijke drang tot zelfbehoud. Achteraf denk ik dat ik beter door de achterdeur had kunnen weggaan. Als ik dat had gedaan, was alles misschien wel heel anders gelopen. Dan zou ik hier in elk geval niet zitten en had ik dit verslag niet voor je geschreven. Dan zouden onze paden elkaar hoogstwaarschijnlijk nooit hebben gekruist.

Maar zoals je zult begrijpen, ging ik niet weg. In plaats daarvan legde ik kalm de schrobber neer en liep ik naar de keuken, waar ik het grootste mes pakte dat ik kon vinden.

38

Berlijn, 3 februari

Beste professor E.,

Sinds mijn laatste bericht heb ik het volgende ontdekt in de kwestie die uw belangstelling heeft.

De patiënte in kwestie wordt op dit moment behandeld door dokter Martin Kirsch (geb. 1890, Wittenberg, Sachsen Anhalt). Kirsch heeft in de oorlog van 1914-1918 als militair chirurg aan het oostfront gewerkt en was verbonden aan het 9e Leger. Hij heeft diverse aanbevelingen gekregen voordat hij in september 1918 om psychische redenen werd afgekeurd. Volgens de geruchten heeft Kirsch' superieur, kolonel Gustav Schad, een keer persoonlijk voorkomen dat dokter Kirsch voor de krijgsraad moest verschijnen.

Volgens zijn collega's laat dokter Kirsch zich op zijn intellect voorstaan en is hij niet geïnteresseerd in politiek. Hij heeft een paar keer bewezen trouweloos en ongehoorzaam te zijn. Volgens de verhalen zou dergelijk gedrag veel roekelozer zijn geweest als hij er niet in was geslaagd om banden met rijke en invloedrijke kringen te kweken. Ik noem in het bijzonder zijn verloving met de dochter van industrieel Otto Siegler. Hij heeft bewezen dat hij bereid is zich aan te passen als hem professionele of financiële voordelen worden geboden.

Dokter Kirsch heeft ongewoon veel belangstelling voor patiënte Draganović, naar verluidt ten koste van andere taken. Het feit dat er veel aandacht voor de zaak is geweest (waarvoor ik naar bijgesloten krantenartikelen verwijs) zou daarvoor verantwoordelijk kunnen zijn. Kirsch lijkt ambitieus te zijn, en als hij zijn gang kan gaan, zal hij de zaak waarschijnlijk gebruiken om er zelf beter van te worden.

Onlangs heeft dokter Kirsch verlof genomen om naar Zürich te gaan, ogenschijnlijk om onderzoek voor een wetenschappelijk artikel te plegen. In Zürich heeft hij het psychiatrische ziekenhuis Burghölzli bezocht, waar Fräulein Draganović vorig jaar september een paar weken blijkt te zijn verpleegd. Het is me niet gelukt te achterhalen waarom hij daar is geweest, maar gezien zijn vasthoudendheid en vastbeslotenheid om de voorgeschiedenis van zijn patiënte boven water te krijgen, kan ik niet uitsluiten dat dokter Kirsch vermoedt dat er een band tussen u en haar bestaat. Als die bewezen zou kunnen worden, zou hij er zijn voordeel mee kunnen doen.

Ik begrijp heel goed hoe belangrijk het is om zo'n ontwikkeling te voorkomen en ben bereid al het nodige te doen om te zorgen dat uw belangen geen gevaar lopen.

Uw dienaar,
H. de Vries

39

Op weg naar zijn werkkamer sprak niemand hem aan, dus Kirsch was nergens op voorbereid toen hij de deur van de kamer opendeed. Het vertrek was leeg. De dossierkast was verdwenen. Zijn bureau was leeg: geen typemachine, geen papieren, geen dossiers. De boekenplanken, die doorgaans doorbogen onder het gewicht van boeken en kranten, waren leeggehaald. Hij trok de laden van het bureau open. Alles wat er nog in lag, waren een oude kassabon van boekhandel Speyer & Peters en een stompje potlood. Zelfs zijn witte jas, die altijd aan een haak achter de deur hing, was verdwenen. Hij pakte de telefoon om Frau Rosenberg te bellen, maar er klonk geen kiestoon. Toen hij de draad door zijn handen liet glijden, zag hij twee pluimpjes kaal telefoondraad.

In Kirsch' aktetas zat nu het enige bewijs dat hij ooit psychiater was geweest. Was Bonhoeffer weer van gedachten veranderd? Had er nog iemand een klacht ingediend? Het was ongehoord in absentia ontslagen te worden, maar Kirsch was al eens ontslagen. Als dokter Mehring niet van gedachten was veranderd, had Kirsch al weg moeten zijn. Dan had hij zijn spullen allang uit zijn bureau gehaald en had hij zijn boekenplanken leeggemaakt – wat hadden ze eigenlijk met zijn boeken gedaan?

Buiten kwam de regen gestaag naar beneden. Hij klemde zijn aktetas tegen zijn borst. Zijn handen waren klammig. Had hij zich Mehrings ingetrokken klacht verbeeld? Of had hij gedroomd? Zijn dromen waren zo levensecht, zo vervlochten met de problemen die hem overdag bezighielden dat hij achteraf niet zeker wist of ze dromen waren geweest. Hij zocht naar het telegram dat hij in Zürich had gekregen. Misschien had hij dat ook gedroomd. Hij rommelde door zijn aktetas en begon zijn zakken een voor een leeg te halen. De Zwitserse franken zaten nog in zijn portemonnee, maar het telegram was nergens te bekennen.

VACATURE FUNCTIE PLAATSVERVANGEND AFDELINGSHOOFD
STOP
SNEL TERUG NAAR BERLIJN STOP

Hij had vurig gewenst dat Heinrich Mehring en zijn kwakzalversbehandelingen zouden verdwijnen en dat hij de zaak ongestoord op zijn eigen manier kon aanpakken. Dat was nu gebeurd. Hij had zich nooit afgevraagd of het allemaal echt waar kon zijn. Regenwater drupte van zijn kin en maakte zijn kraag nat. De barrière tussen waarneming en verbeelding was broos, maar cruciaal. Hij wist maar al te goed wat er zou gebeuren als de barrière afbrokkelde.

Max' stem fluisterde in zijn oor: *Je hebt niet veel tijd meer.*

Hij liep naar de werkkamer van Bonhoeffer. Onder aan de trap stonden twee verpleegsters te praten. Voordat hij goedemorgen kon zeggen, onderbraken ze hun gesprek en liepen ze allebei een andere kant op. Toen hij langs de ziekenzalen liep, zag hij andere personeelsleden even naar hem kijken, maar er volgde geen glimlach als ze hem herkenden, laat staan een begroeting. De borstkas van een mannelijke patiënt werd onderzocht door een bezoekend arts. De arts was in de weer met zijn stethoscoop, maar de patiënt staarde naar hem alsof hij een geest zag en verstevigde zichtbaar zijn greep om de rand van zijn ijzeren bed.

Hoe lang was hij weggeweest? Hij was van plan geweest een weekje weg te blijven, maar had het langer geduurd? Hij had het gevoel dat er een periode ontbrak. Hadden ze zijn spullen weggehaald omdat hij te lang was weggebleven? Of misschien had hij niemand verteld dat hij wegging. Misschien had dat ook bij de droom gehoord. Voor Bonhoeffer en zijn personeel was hij gewoon verdwenen. Bij de werkkamer van het plaatsvervangend afdelingshoofd bleef hij stilstaan. Als Heinrich Mehring daar was, zou Kirsch erachter komen wat er aan de hand was.

Hij klopte eerst zachtjes, daarna wat harder, maar er kwam geen reactie. Op zijn horloge was het negen uur. Mehring zou op ronde kunnen zijn, of in de kelder, waar hij zijn insuline-experimenten uit-voerde om zijn patiënten minder 'ingewikkeld' te maken – maar wel-ke patiënten?

Kirsch duwde de deur open. Het was maanden geleden dat hij hier binnen was geweest. Hij herinnerde zich de geur van Turkse tabak, een chaise longue waarop gele kussens met kwastjes lagen, ingekleur-de etsen van Wenen en Boedapest aan de muur, in de hoek een enigs-zins erotische afbeelding van een slavenmarkt, die gedeeltelijk schuil-ging achter een rubberplant. De moed zonk hem in de schoenen: alles bevond zich op dezelfde plaats, behalve de kussens.

Hij liet de deur op een kiertje staan en liep naar binnen. Het was koud. In plaats van tabaksrook rook hij de geur van ontsmettingsmid-del. Hij liet zijn blik over de boekenkasten met glazen deuren dwalen en zag tot zijn verbazing dat Mehring veel boeken bezat die hij ook had. Hij had ze zelfs in dezelfde volgorde neergezet. Daar stond Eu-gen Bleulers boek over schizofrenie, daar Karl Jaspers filosofische autobiografie, daar een exemplaar van Alexander Moszkowski's *Dia-logen met Einstein*. Kirsch pakte het boek van Moszkowski uit de kast en zag er potloodaantekeningen in staan. Hij vond nog meer aanteke-ningen in Emil Kraepelins *Manisch-depressieve krankzinnigheid en pa-ranoia*. Het waren de aantekeningen die hij zelf had gemaakt.

Op dat moment wist hij in elk geval wat er met zijn boeken was ge-beurd: Mehring had ze ingepikt. Hij zou wel hebben gedacht dat zijn ongehoorzame ondergeschikte ze niet meer nodig had. En waar wa-ren zijn papieren, zijn aantekeningen? Kirsch liep naar de dossierkast en trok de laden open. En ja hoor, de papieren in de kast bleken van hem te zijn. Hij liep naar het bureau. Zijn brieven – brieven die duide-lijk aan dokter M. Kirsch waren geadresseerd – lagen in Mehrings bak met ingekomen post.

Hij pakte de telefoon. De telefoniste verbond hem door met het toestel van Frau Rosenberg.

'U spreekt met dokter Kirsch.'

'Goedemorgen, dokter.'

'Mijn werkkamer is…'

Wat moest hij erover zeggen?

'Is de kamer naar uw tevredenheid?'

Hij ging achter het bureau zitten. 'Mijn spullen zijn allemaal naar de werkkamer van het plaatsvervangend afdelingshoofd gebracht.'

'Ja.'

Ze leek het niet nodig te vinden hem iets uit te leggen.

'I-ik...' Het bleef even stil aan de telefoon. 'Mijn dossierkast is geopend. Ik had hem op slot gedaan toen ik wegging.'

'Weet u dat zeker?'

Hij wist helemaal niets zeker. Hij verwachtte elk moment wakker te worden. Maar waar, en wanneer?

Misschien is het een kwantumverhaal.

'Ja, dat weet ik zeker.'

'Bent u iets kwijt?'

'Niet dat ik weet, maar...' Hij zag een witte jas achter de deur hangen. 'Waar is dokter Mehring?'

Frau Rosenberg aarzelde. 'Dokter Mehring werkt hier niet meer.'

'Waar is hij?'

'Hij heeft ontslag genomen.'

Kirsch keek naar de schilderijen en de chaise longue en vroeg zich af waarom Mehring ze niet had meegenomen. 'Dat wist ik niet.'

Er viel weer een stilte.

'Kan ik verder iets voor u doen?'

'Waarom heeft hij ontslag genomen?'

'Dat moet u aan het afdelingshoofd vragen. Hij is er op dit moment niet.'

Er klonk een vreemde aarzeling in Frau Rosenbergs stem door, een bepaalde afstandelijkheid. In het verleden was ze altijd vriendelijk geweest, een beetje als een goedige tante.

'Kan ik verder iets voor u doen?' herhaalde ze.

Kirsch' blik viel op een grote enveloppe boven in zijn bak met ingekomen post. Op de voorkant stond 'Universiteit van Berlijn' gedrukt.

'Nee, dank u,' zei hij, en hij hing op.

Hij maakte de enveloppe open. Er zaten een getypte brief en een kort artikel in, dat was gepubliceerd door het Instituut voor Psychiatrie. Maar de brief was niet van professor Von Laue, zoals hij had verwacht.

Geachte dokter Kirsch,

Ik neem aan dat uw onderzoek voorspoedig verloopt en dat u binnenkort data kunt gaan verzamelen. Recente ontwikkelingen op het politieke front hebben de vooruitzichten op een hervorming van de psychiatrie in Duitsland en elders sterk verbeterd. Als hulpmiddel bij onze pogingen om ouderwetse en egoïstische standpunten te veranderen is uw werk nu waardevoller dan ooit.

Ik sluit een artikel bij – men zou het een manifest kunnen noemen – dat zojuist door mijn vriend en collega dokter Ernst Rudin is gepubliceerd. Met goedkeuring van de autoriteiten worden er kopieën naar de leidinggevenden van alle psychiatrische instellingen gestuurd. Zoals dokter Rudin naar voren brengt, heeft de interventionistische benadering van de psychiatrie gefaald. Het is een wetenschap die grotendeels op onbeproefde veronderstellingen en dubieuze classificaties is gestoeld. Daardoor biedt ze alleen maar valse hoop (remedies etc.). Op lange termijn is de invoering van geestelijke en sociale gezondheidsleerprogramma's de enige manier om geesteszíekte en degeneratie onder de bevolking afdoend terug te brengen. Alleen dan raken onze gestichten leeg en kunnen we toekomstige generaties beschermen. Ik ben van mening dat Duitsland nu een regering heeft die deze verantwoordelijkheid aandurft, daarbij natuurlijk geholpen door de relevante kenniscentra.

Het zal u genoegen doen dat dokter Rudin uitgebreid heeft geciteerd uit uw vooronderzoek, dat in de Annalen der Psychiatrie *is gepubliceerd, om aan te tonen dat de huidige benadering van schizofrenie onwetenschappelijk is. Ik hoop dat dit u van het belang van uw onderzoek zal overtuigen.*

Met hartelijke groet,
dokter Eugen Fischer

Het was zijn jas, maar hij voelde toch een beetje vreemd aan. Hij zat strakker, was helderder wit en rook naar wasmiddel. Het drong tot Kirsch door dat het kledingstuk tijdens zijn afwezigheid gewassen en gesteven was.

Hij trok de jas aan en liep naar de vrouwenvleugel. In de recreatieruimte werd naailes gegeven, en in hun grijze schorten bogen de pati-
entes zich in een kring over hun werk. Mariya Draganović was niet in
het vertrek. Hij liep naar haar kamer. Een nieuwe patiënte, een vrouw
met piekend haar, lag op het andere bed, maar op het bed waar Mariya
had geslapen, lagen geen lakens en dekens meer. De matras was opgerold. Hij maakte de kast open: haar kleren waren weg.

'Waar is ze?'

De vrouw leunde op haar ellebogen. Haar haar was lang en grijs als
dat van een sprookjesheks.

Kirsch wees naar het afgehaalde bed. 'Mariya. Weet u waar ze is?'

'O nee,' zei de vrouw, terwijl ze rechtop ging zitten en haar benen
over de rand van het bed sloeg. 'Nu is het mijn beurt, dokter. Ik heb
erop gewacht.'

Zuster Auerbach stond bij de wasserij een sigaret te roken en blies de
rook door een piepklein raampje dat op de keukens uitkeek. Zodra ze
Kirsch zag aankomen, gooide ze de sigaret weg en pakte ze een stapel
lakens.

'Ik ben op zoek naar Fräulein Draganović,' zei hij. De verpleegster
keek hem met een wezenloze blik aan. 'Patiënte E.'

'Ik weet wie u bedoelt, dokter. Ze is er niet.'

'Niet op de afdeling?'

'Ze hebben haar opgehaald. Een paar dagen geleden.' Zuster Auerbach hield haar hoofd schuin, met een bezorgde blik die net zomin oprecht als overtuigend was. 'Wist u dat niet?'

40

De SA noemde zichzelf inmiddels 'hulppolitie'. Drie leden postten bij de ingang van Triage en liepen met hun duimen in hun koppel heen en weer. Toen er een ambulance arriveerde, gingen ze eromheen staan alsof ze naar smokkelwaar zochten. Het ambulancepersoneel stapte uit met een man op een brancard. Een van de SA'ers trok de deken van hem af en een tweede prikte hem met een geweer. Ze wilden weten of hij blauwe plekken of botbreuken had. Kirsch hoorde iemand 'blindedarmontsteking' zeggen en de brancard mocht naar binnen.

In het ziekenhuis was het rustiger dan anders. De personeelsleden leken in gedachten verzonken te zijn en vastbesloten te zwijgen. Ze deden stug hun werk, en als ze met elkaar moesten praten, deden ze dat op gedempte toon. Als psychiater moest Kirsch zich ook gewoon aan de bezoektijden houden, maar niemand hield hem tegen, zelfs niet toen hij de weg vroeg.

Volgens zuster Auerbach was Mariya drie dagen eerder ziek geworden. Ze had hoge koorts gekregen en geijld. Toen ze uit haar neus begon te bloeden, werd er een arts bij gehaald. Omdat hij bang was dat ze een besmettelijke ziekte had, had hij geadviseerd om haar van de psychiatrische afdeling naar het hoofdgebouw van het ziekenhuis te brengen. Daar veranderde de diagnose. Men zei dat Mariya een allergische reactie had gehad, al wist de verpleegster niet waarvoor ze allergisch was.

Kirsch vond Mariya in een van de vrouwenzalen. Acht identieke, witte ijzeren bedden met identieke witte tafeltjes ertussen stonden aan weerszijden van het looppad. De bedden waren op twee na allemaal bezet. Mariya lag op haar zij te slapen. Ze droeg een nachthemd waarvan de mouwen waren opgerold, en een arm lag boven de dekens.

Hij stond naar haar te kijken. Hij wilde naast haar gaan zitten en haar hand pakken, maar er waren geen stoelen. Een van de patiëntes aan de andere kant van de zaal had een droge, hardnekkige hoest. Het geluid weergalmde tegen de kale muren en de glanzende houten vloer.

Het was maanden geleden dat hij haar voor het eerst in het ziekenhuis had gezien, maar nu waren ze daar weer, de tussenliggende periode samengeperst alsof die nauwelijks had bestaan. Mariya's haar was nu langer en ze had geen blauwe plekken op haar gezicht, maar in elk ander opzicht was ze dezelfde. Alles was hetzelfde. Al zijn onderzoeken en strategieën hadden geen verschil gemaakt. Er waren bepaalde gegevens aan het licht gekomen, maar die verklaarden heel weinig en beloofden nog minder. Mariya's brein bleef vaag, net zoals haar zorgelijke situatie. Hij had genoeg informatie voor allerlei theorieën en speculaties, maar niet genoeg om haar te begrijpen, laat staan te genezen. Ondertussen raakten ze in tijdnood – allebei. Want hoe langer haar geheugenverlies duurde, hoe moeilijker het werd om haar herinneringen terug te krijgen. Net als dromen vielen herinneringen uit elkaar als ze onverteld bleven.

Hij ging op de rand van het bed zitten. Mariya's schetsboek lag op het tafeltje. Hij pakte het op en bladerde erdoorheen. Op elke bladzijde stond zijn portret, verder had ze niemand getekend. Zelfs de oude man en de filmster waren vergeten. Was dit vooruitgang, een teken dat het waanidee dat door Eduard Einstein gevoed was eindelijk minder grip op haar kreeg? Of was het een bewijs dat ze nog verder achteruitging?

Ze had hem in verschillende houdingen en stemmingen getekend: zittend, staand, glimlachend, fronsend, geanimeerd, peinzend. Maar terwijl Kirsch de bladzijden omsloeg, werden de tekeningen geleidelijk aan steeds ruwer, steeds minder gedetailleerd, steeds minder duidelijk een afbeelding van hem. Tegen de tijd dat hij bij de laatste tekening was gekomen, bestond de afbeelding slechts uit een paar lijnen die in de lucht hingen. Zijn kraag en bril waren gedetailleerder getekend dan zijn gezicht. Daarna waren de pagina's leeg.

Mariya bewoog zich. Haar huid was bleek en wasachtig, haar haren wild. Maar nu hij haar weer zag – de aanblik van de wakkere donkere ogen, het voorhoofd, de zachte contouren van haar mond – ging zijn hart sneller slaan.

'Goedemorgen,' zei hij. Ze tuurde met samengeknepen ogen naar hem, maar haar gezicht bleef uitdrukkingsloos. 'Ik ben er weer.' Hij merkte dat de andere vrouwen hem over de rand van hun deken bekeken. 'Ik ben te lang weggebleven. Het spijt me.'

Ze bracht een hand naar haar mond en streek met de toppen van haar vingers over haar lippen. 'Was het lang?'

'Een paar weken. Langer dan ik van plan was geweest. Als ik het had geweten...'

Ze hield haar handen voor haar lichaam, kromde de vingers en duwde de nagels in haar handpalmen. 'Ben ik wakker?' vroeg ze.

Hij trok het scherm uit en ging weer zitten. 'Natuurlijk ben je wakker. Mariya?'

Ze gaf geen antwoord. Ze bleef haar handen tot vuisten ballen en weer ontspannen, alsof haar vingers iets nieuws voor haar waren.

'Ik hoor hier niet te zijn,' zei ze. 'Dat heb ik ze al verteld: ik moet ergens anders zijn. Er wacht iemand op me.'

'Wie? Eduard?'

Ze zwaaide haar benen over de rand van het bed. 'Ik moet terug.'

Hij had haar nog nooit zo verward gezien. Dit moest het effect van een pijnstiller zijn. Hij nam aan dat ze haar iets hadden gegeven om de pijn te verzachten.

'Mariya? Je weet toch wie ik ben, hè?'

Hij hield het schetsboek omhoog en liet haar de afbeelding op de eerste bladzijde zien. 'Ik ben het, dokter Kirsch. Martin Kirsch.'

Ze tuurde naar de tekening en daarna naar hem. 'Martin,' zei ze. Hij dacht dat hij haar mondhoeken even omhoog zag gaan. 'De schrijver.'

Er klonken voetstappen aan de andere kant van het scherm.

'Wie heeft dit uitgevouwen?'

Met veel kabaal werd het scherm weer tegen de muur gevouwen.

'Dokter Kirsch.' Het waren dokter Brenner en de zaalzuster. 'Wat doet u hier? De bezoektijd is van twee tot vier.'

Kirsch stapte achteruit terwijl de zaalzuster ijverig in actie kwam.

'Kom,' zei ze, terwijl ze de dekens omhooghield.

Mariya ging gehoorzaam weer liggen en deed haar ogen dicht. Ze had Kirsch en Eduard met elkaar verward. Dat was nog niet eerder gebeurd.

'Komt het goed met haar, dokter?' vroeg Kirsch.

'Ik heb goede hoop dat ze volledig herstelt, al was het even kantje boord. Ze gaat elke dag vooruit.'

'Wat was er met haar aan de hand?' vroeg Kirsch.

Brenner keek hem recht in de ogen. 'Ik hoopte juist dat u daar meer duidelijkheid over kon verschaffen.'

'Ze zeiden dat ze een allergische reactie had gehad.'

Brenner keek even over zijn schouder. Het was duidelijk dat hij liever geen luistervinken wilde. 'Dat is één versie van het verhaal. De zwelling, de huiduitslag. Maar zonder alle relevante feiten blijft het natuurlijk gissen.'

Kirsch kende Brenner alleen maar als een man met een bruuske toon, maar nu klonk hij bijna beschuldigend.

'Welke relevante feiten?'

'Een overzicht van haar medicatie, bijvoorbeeld,' antwoordde Brenner. 'Dat was misschien wel heel nuttig geweest. Ik had een verzoek naar uw werkkamer gestuurd, maar niemand heeft de moeite genomen te reageren.'

'Het spijt me. Ik ben weggeweest. Hoe dan ook, ze heeft geen medicatie gekregen. Helemaal niets.'

Brenner haalde zijn korte, dikke vingers door zijn sluike, grijze haar. 'Dank u wel, zuster,' zei hij.

De zaalzuster hield op met Mariya instoppen en beende met kordate passen weg.

Brenner kwam dichterbij. 'Hoe u uw patiënten behandelt moet u zelf weten, dokter Kirsch. Ik zou het niet in mijn hoofd halen om me met uw experimenten te bemoeien. Maar beledigt u alstublieft mijn intelligentie niet.'

'Waar hebt u het over?'

Brenner pakte Mariya's pols en draaide hem om, waardoor Kirsch de onderkant van haar arm kon zien. Het vlees rond de elleboog was opgezwollen en er waren duidelijke aanwijzingen dat ze onderhuidse bloedingen had gehad. Op dat moment begreep Kirsch waar hij het over had: twee klontertjes opgedroogd bloed lieten zien waar de vena cephalica was doorboord.

'Nou, ik weet nergens iets van. Weet hij het heel zeker?'

Ze waren buiten, aan de achterkant van de psychiatrische afdeling. Eisner probeerde in zijn hemdsmouwen zijn fiets te repareren. Het rijwiel stond op z'n kop tussen hen in, met het achterwiel in het hek geklemd.

'Ik heb het zelf gezien,' zei Kirsch. 'Minstens twee injecties.'

'Recente injecties?'

'Zéér recent. Hoe komt ze daaraan?'

Eisner worstelde met de ketting en probeerde hem over de ketting-schijf te trekken. 'Heb je enig idee hoe groot het personeelstekort is, Martin? Ik heb er een dagtaak aan gehad om de boel hier onder controle te houden. Wat heb jij gedaan?'

'Dus je hebt geen idee wat er is gebeurd?'

'Ik heb wel ideeën, maar geen informatie.'

'Waar denk je dan aan?'

'Misschien wilde iemand haar verdoven om misbruik van haar te maken.' Eisner keek tussen de spaken van zijn voorwiel omhoog. 'Het zou niet de eerste keer zijn, Martin. Of misschien hebben ze haar iets verkocht. Je weet hoe dat gaat. Er verdwijnen spullen uit de apotheek: kalmeringsmiddelen, opiaten. In het vorige ziekenhuis waar ik werkte, hadden de zaalhulpen een illegaal handeltje.'

'Ik kan het me niet voorstellen. Mariya kan zoiets niet betalen. Ze heeft geen geld.'

'Misschien ging het die mensen niet om geld.'

Eisner liet de ketting los en keek naar zijn handen, die bedekt waren met vuil en smeer. Hij snoof en trok een vies gezicht. Hij kwam pas sinds kort met de fiets naar zijn werk. Daarvóór had hij een stijlvolle, maar aftandse auto gehad, een vooroorlogse Adler. Maar de motor had eindelijk het loodje gelegd en hij kon de reanimatie niet betalen.

'Je zei laatst iets over barbituraten,' zei Kirsch. 'Dat waarheidsserum. Je wilde een experiment uitvoeren.'

'Dat klopt. Jij was er fel op tegen. Je gaat me toch niet vertellen dat je van gedachten bent veranderd?' Fronsend keek Eisner naar de fiets. 'Ik moet dat hele rotding weer uit elkaar halen. Niet te geloven.'

'Ik ben niet van gedachten veranderd. Ik denk dat jij het experiment gewoon hebt uitgevoerd. Waar of niet?'

'Natuurlijk niet. Het verbaast me dat je dat moet vragen.' Eisner veegde zijn handen af aan een oude lap. 'Misschien heeft Mehring het wel gedaan.'

'Mehring? Waar heb je het over?'

'Denk nu na, Martin. Hij heeft altijd een hekel aan je gehad, of niet soms? En patiënte E., tja...' Hij pakte een schroevendraaier en bestudeerde het uiteinde. 'Iedereen wist dat zij een belangrijke patiënte voor je was. De "eminente" dokter Kirsch? Misschien wilde hij gewoon een spaak in je wiel steken, als afscheidscadeautje.'

Kirsch legde een hand op het hek. Hij wilde niet nadenken over Heinrich Mehring. 'Ik geloof je niet. Ik geloof er geen woord van.'

Eisner keek naar hem omhoog. Zijn lichte ogen waren uiterst kalm. 'Dat moet je zelf weten.'

Hij begon weer aan de fietsketting te prutsen en gebruikte de schroevendraaier om hem over de kettingschijf te krijgen.

Kirsch kwam een stap dichterbij. Op zijn slaap kwam een zweetdruppel vrij, die razendsnel over zijn wang rolde. 'Als ik ontdek dat jij hierachter zit, kun je hier vertrekken.'

Eisner zuchtte en stond op. Hij wilde iets zeggen, maar Kirsch wilde niet meer naar hem luisteren. Hij legde een hand op Eisners borst en gaf hem een duw. Eisner verloor zijn evenwicht. Hij zette een stap naar achteren, gooide zijn fiets omver en viel er onhandig bovenop. Kirsch liet hem languit op de grond liggen.

'Gefeliciteerd met de promotie, trouwens,' riep Eisner hem na. 'Je bent veruit de beste man voor die baan.'

41

Robert Eisner krabbelde overeind en werkte verder aan zijn fiets, in het volste vertrouwen dat Kirsch zijn rode wangen en trillende handen niet zou zien als hij omkeek. Hij probeerde zelfs te fluiten, maar zijn lippen waren te droog en er kwam alleen maar een sissend geluid uit zijn mond. Pas toen Kirsch helemaal uit het zicht was verdwenen, stond hij op. Hij beende terug naar zijn werkkamer en pakte de telefoon.

Hij had nog niet besloten wat hij met het dossier en de geheimzinnige brief uit Zürich wilde doen. Als hij ze aan de pers gaf, zou dat tot een schandaal kunnen leiden, maar het was naïef om te veronderstellen dat Kirsch' ondergang automatisch gunstig voor zijn collega's was. Als de gebeurtenissen onder de loep werden genomen, kwamen er altijd feiten boven water. Stel dat Eisners eigen rol in het verhaal aan het licht kwam. Dat zou het einde van zijn carrière kunnen betekenen, of nog erger. Daarnaast was Kirsch zijn vriend. Zo had hij hem in elk geval altijd beschouwd. Vrienden op weg naar de top waren nuttiger dan vrienden op weg naar de goot, al hadden ze nog zo'n negatief effect op je gevoel van eigenwaarde.

Maar blijkbaar was Kirsch zijn vriend niet meer. Het was wijs toe te slaan nu hij er nog de kans voor had. Kijk maar wat er met Heinrich Mehring was gebeurd. Na doodsbedreigingen was hij het land uit gevlucht, maar iedereen wist wie er achter de bedreigingen zat.

De telefonist verbond hem door. Aan de andere kant van de lijn ging de telefoon over. Eisner had het gevoel dat hij iets belangrijks, iets roekeloos ging doen. Maar Kirsch liet hem geen keuze.

'De Vries.'

'Eisner.'

Het gekraak van meubilair: De Vries die rechtop ging zitten of achteroverleunde.

'Wat kan ik voor u doen, dokter?'

Eisner legde zijn hand op het spreekgedeelte van de hoorn. Op zijn vingertoppen was de structuur van zijn huid in zwarte etslijnen te zien. Zijn vingers roken naar vet en vuil. 'Het is eerder zo dat ik iets voor ú kan doen.'

42

Het hele dorp Reinsdorf was uitgelopen voor de dienst ter ere van het monument. Kirsch kon geen plaats in de kerkbanken vinden en moest genoegen nemen met het hoekje van een van de propvolle, losstaande bankjes die tussen de veranda en de oude doopvont waren geperst. Na de dienst liepen de kerkgangers achter elkaar de zon in en gingen ze op weg naar het kruispunt waar het oorlogsmonument zou worden onthuld. Pas toen ze het kerkplein hadden verlaten, slaagde Kirsch erin zijn familie in te halen. Tot zijn verbazing droeg zijn moeder een splinternieuwe jas met een dubbele rij knopen. De jas was lang en zwart, met brede manchetten, een ceintuur en grote knopen op de taille en de schouders. Ze droeg een bijpassende zwarte hoed en een reebruin bontje om haar hals. Hij had haar nog nooit zo modieus gekleed gezien. Aan de arm van haar man liep ze met opgeheven hoofd in de richting van het kruispunt, alsof ze onderweg was naar een plezierige avond in het operagebouw.

Kirsch' zus Emilie liep een paar passen achter hen. Ze had lippenstift opgedaan en werd vergezeld door een broodmagere, onbekende man van rond de dertig met een stijve houding en een gouden horlogeketting uit zijn vestzakje. Hij liep een stukje van de familie af en bleef zo eerbiedig uit Emilies buurt dat Kirsch zich een poosje afvroeg of hij eigenlijk wel bij haar hoorde.

'Dit is Reinhard,' zei Emilie uiteindelijk. 'Mijn broer, Martin.'

De onbekende man stond stil, stak zijn hand uit en maakte een formele buiging. 'Reinhard Poppel. Het is een eer om kennis met u te maken, meneer.'

Ze gaven elkaar een hand en wandelden verder. Inmiddels kwam het monument in beeld, bedekt door een enorme donkerrode, fluwelen doek. De dorpelingen hielden hun hoeden vast toen er over het open veld opeens een scherpe windvlaag hun kant op waaide.

'Ik hoorde dat u ook in het leger hebt gediend, meneer.'

Het duurde een paar tellen voordat Kirsch besefte dat Reinhard Poppel het tegen hem had.

'Gediend? Op een bepaalde manier wel, ja.'

Poppel staarde naar de plaats van het monument.

'Helaas was ik te jong.'

De kleur trok uit Emilies gezicht weg. Het kostte Kirsch moeite om niet in lachen uit te barsten. 'Erg jammer, ja,' zei hij.

In een flits zag hij Emilies gêne in boosheid veranderen. Ze kneep haar ogen tot spleetjes, alsof ze wilde zeggen: *wil je soms dat ik een oude vrijster word?*

Kirsch vouwde zijn handen achter zijn rug en begon beleefde vragen te stellen. Herr Poppel bleek schoolinspecteur te zijn en had Emilie tijdens een van zijn schoolinspecties ontmoet.

'Het viel me onmiddellijk op dat haar klassen zeer oplettend waren, en dat de kinderen erg leergierig waren,' zei hij. 'Zelfs bij wiskunde waren de meisjes heel enthousiast.'

'Dat klinkt alsof dat u verbaast.'

'Nou, het komt niet vaak voor – al is dat wel begrijpelijk, als je kijkt hoe klein de kans is dat ze dat vak nodig hebben.'

'U vergeet het huishoudboekje,' zei Kirsch, terwijl hij in de verte staarde.

'U hebt gelijk, maar dit ging om geometrie, niet om rekenen. Ik vrees dat je in de voorraadkast niet veel aan Euclides hebt.'

'Daar gaat de melk van schiften.'

Herr Poppel lachte beleefd, verrukt dat hij zo goed overweg kon met de eminente broer van zijn liefje. 'Emilie boft,' voegde hij eraan toe. 'Het lijdt geen twijfel dat ze haar ware roeping heeft gevonden.'

Dat betwijfelde Kirsch, maar dat hield hij voor zich. Hij had de indruk dat Emilie altijd musicienne had willen worden, dat ze naar een van de beroemde scholen in Berlijn of Dresden had gewild en de wereld had willen bereizen om concerten te geven. Als de oorlog niet was uitgebroken, had ze dat misschien ook wel gedaan.

De dorpelingen waren in een grote halve cirkel om het monument gaan staan. Ouders droegen hun kinderen of hielden hen stevig bij hun schouders vast, alsof ze bang waren dat er iets kon gebeuren als ze te dichtbij kwamen. Herr Poppel stond niet meer bij hen. Kirsch zocht tussen de gezichten van de toeschouwers en hoopte omwille van zijn zus dat hij niet te onvriendelijk was geweest. Uiteindelijk zag hij hem praten met een man in een bruin uniform. Achter hen sprongen nog meer leden van de SA uit een vrachtwagen.

'Wat doen zij hier?'

'Zij verzorgen de muziek,' zei Emilie. 'Ze waren de enigen die voor niets wilden spelen.'

Een gepensioneerde luitenant-generaal verscheen in vol ornaat bij het monument en gaf een hand aan plaatselijke dignitarissen en leden van de stuurgroep. Op het moment dat de kerkklokken twaalf uur sloegen, werd de granieten plaat onder daverend applaus onthuld. Het naakte, massieve, ruw uitgehouwen stuk steen leek totaal misplaatst tussen de keurige huizen en landelijke bijgebouwen. Tegen het monument stond een grote rouwkrans. De luitenant-generaal hield een korte toespraak over de plicht om te gedenken, maar zijn stem kwam bijna niet boven de windvlagen uit. De komst van dit soort monumenten, waarvan er veel pas schandalig laat waren opgericht, speelde een essentiële rol bij het herstel van de nationale waardigheid die nu in heel Duitsland gaande was, zei hij. Bij die woorden begonnen de bruinhemden te applaudisseren, en een deel van het publiek volgde hun voorbeeld. Daarna las de luitenant-generaal de namen, rangen en regimenten van de veertien gevallen helden uit Reinsdorf voor. In de menigte haalden een paar mensen zakdoeken tevoorschijn. Een klein kind begon in zijn moeders armen te huilen omdat hij een eend over de weg zag waggelen en hem wilde aaien. Toen begon het fanfarekorps '*Ich hatt' einen Kameraden*' te spelen, terwijl er foto's werden gemaakt voor de plaatselijke krant.

'Ik dacht dat we niet genoeg geld hadden ingezameld,' zei Kirsch, terwijl ze wachtten tot de plechtigheid voorbij was. 'Ik dacht dat we te weinig hadden.'

'Dat was ook zo,' zei Emilie. 'Tot Alma ons te hulp schoot.'

'Wat bedoel je?'

Emilie fronste haar wenkbrauwen en legde een vinger op haar lippen, waardoor ze Kirsch verplichtte om dichterbij te komen.

'Haar vader heeft het verschil bijgelegd,' zei Emilie. 'Vorige week.'

Kirsch stond onvast op zijn benen. Hij had zich voorgenomen om niemand over zijn verbroken verloving te vertellen tot hij Alma zelf had gesproken. Hij had het huis in Oranienburg twee keer gebeld en boodschappen achtergelaten, maar ze had niet teruggebeld. Hij nam aan dat ze gekwetst was, misschien zelfs beledigd. Misschien geloofde ze helemaal niet dat hij ziek was. Toen hij de woorden had opgeschreven, had hij ze zelf al weinig overtuigend gevonden. Hij was nog steeds van plan om bij haar langs te gaan en haar alles te vertellen, dat ze blij mocht zijn dat ze de dans ontsprong nu hij de verloving verbrak. Maar ze zou natuurlijk niet snel instemmen met een ontmoeting die alleen was bedoeld om zijn geweten te sussen, en die haar bovendien nog meer vernedering zou opleveren. Hij moest gewoon naar Oranienburg gaan, aanbellen en afwachten wat er verder zou gebeuren.

'Weet je het zeker, Emilie? Weet je zeker dat het Alma's vader was?'

Emilie knikte. 'Vijfhonderd Reichsmark. Waar dacht je dan dat het geld vandaan was gekomen?'

'Dat heeft ze me helemaal niet verteld.'

'Natuurlijk niet, Martin. Waarom zou ze het je vertellen als ze heel goed wist dat je er wel achter zou komen?'

Dus dat was Alma's reactie: liefdadigheid, medelijden, neerbuigendheid. Er was geen reden om zijn familie te laten lijden onder het feit dat hij een zwart schaap was. Maar dat leek veel te ingewikkeld voor Alma, te berekenend. Terwijl Kirsch naar het gedenkteken staarde, besefte hij dat Alma de inhoud van zijn brief gewoon niet accepteerde. Ze zag dit als een misstap, veroorzaakt door te hard werken en een ongezonde blootstelling aan krankzinnige mensen. Ze zat thuis op een volgende brief van hem te wachten, waarin hij zijn eerste brief introk. Tot die tijd deed ze of er niets aan de hand was.

Emilie schudde haar hoofd. 'Weet je, Martin, soms denk ik dat je je verloofde helemaal niet goed kent.'

De stuurgroep had in het oude schoolgebouw een feestelijke lunch georganiseerd, met sandwiches, aardappelsalade, bier voor de heren en punch voor de dames. Het fanfarekorps stond buiten marsen te spelen. De luitenant-generaal gaf een paar mensen een hand en ging na tien minuten weg, maar de tevreden stemming bleef hangen. De veertien gevallen helden uit Reinsdorf hadden hun dorp in elk geval op de kaart gezet, en de meeste mensen vonden de moderne stijl van het gedenkteken veel beter dan de kalkstenen obelisken en kruisen die in naburige districten waren opgericht. Kirsch nam een biertje en liep door het vertrek, waarbij hij naar kennissen uit zijn jeugd knikte en paar keer werd gefeliciteerd met zijn voorgenomen huwelijk. Zijn moeder kreeg heel veel aandacht, omdat iedereen wist dat zij op het laatste moment redding had geboden. Ze werd omringd door de vooraanstaande leden van de gemeenschap, waarbij het gesprek werd onderbroken door nog meer verzoeken om voor de camera te glimlachen. Op een bepaald moment nam ze haar echtgenoot bij de hand en trok ze hem voor de lens, zodat ze gearmd konden poseren. Het was lang geleden dat Kirsch hen samen zo kalm en gelukkig had gezien, zijn moeder zo sereen. Het monument had de mensen verenigd. Het herinnerde het dorp eraan dat het een familie was. Ze hadden samen geleden en samen herdacht. En nu de namen van de veertien helden in steen waren uitgehouwen, was het alsof ze hier waren gestorven en hun bloed hadden gegeven voor deze muren, deze huizen en deze grond. Het was alsof ze een overwinning hadden behaald, want de muren, de huizen en de grond waren er allemaal nog.

Na een poosje hielden de muzikanten op met spelen en kwamen ze naar binnen. Kirsch passeerde hen bij de deur, zonder acht te slaan op het feit dat ze achteruitstapten om hem door te laten en glimlachten als honden die wilden horen dat ze braaf waren. Hij keek op zijn horloge: over een uur moest hij weer naar het station. Hij had net een sigaret opgestoken toen hij in de gaten kreeg dat zijn moeder hem naar buiten was gevolgd.

Ze legde een hand op zijn arm. 'Ik weet dat we het geld voor een deel ook aan jou te danken hebben.'

'Nee, ik heb er niet...'

'Het viel vast niet mee Alma te vragen een goed woordje voor ons te doen. Ik weet hoe trots je bent, en niemand vindt het leuk om zijn hand op te houden.'

'Je vergist je, hoor. Ik wist er helemaal niets van.'

Maar ze luisterde niet.

'Eerlijk gezegd wist ik niet of je het er wel mee eens was. Ik weet hoe je over de oorlog denkt…' Haar blik dwaalde af naar het gedenkteken. Vanaf een afstand van honderd meter vond Kirsch het net een asteroïde die zojuist uit de lucht was komen vallen en zich in de grond had geboord.

'Natuurlijk ben ik het ermee eens,' zei hij.

'We praten tijdens het avondeten wel verder.' Zijn moeder gaf hem een kneepje in zijn arm en liep terug naar het schoolgebouw. 'Ik heb toch zo'n aardige brief gehad van Alma. Je blijft toch wel, hè?'

Die avond sloop Kirsch na het avondeten naar de bovenste verdieping van het huis. Hij was ervan overtuigd dat Max op hem stond te wachten, popelend om zijn afschuw over de gebeurtenissen van die dag te spuien: de leugenachtige verspilling van een goed stuk steen, het bizarre, huichelachtige gepraat over nationale eer. Kirsch wilde hem verzekeren dat hij het volledig met hem eens was, maar toen hij in Max' kamer kwam, merkte hij dat ook die veranderd was. Het bed was verplaatst naar de andere kant van de kamer en de oude sprei was vervangen door een doorgestikte deken in blauwe, groene en roze pasteltinten. In plaats van de oude, verschoten satijnen gordijnen hingen er nieuwe, felgekleurde katoenen gordijnen met een zigzagopdruk. Er lag een nieuw kleed op de vloer en de grote ladekast, waarin veel van Max' oude spullen waren opgeslagen, was in de hoek gezet en lag nu vol met haarborstels, haarklemmetjes, kammen, nagelschaartjes en een poederdons in een zilveren doos. Max' verschoten foto stond er nog, maar alle andere spullen waren verdwenen.

Dit was Emilies slaapkamer geworden. Na dertien jaar had ze het kleine kamertje eindelijk vaarwel gezegd. Op de ladekast lagen haar spullen, achter de deur hingen haar kleren. Ze had de kamer in bezit genomen en alles aangepast naar haar behoeften en smaak.

Boven het hoofdeinde van het bed was een boekenplankje opgehangen. Er lagen voornamelijk romans en dichtbundels. Op de ruggen van de boeken stonden landelijke patroontjes in goudkleurig relief: Goethe, Schiller, Shakespeare, Balzac en een paar schrijvers van wie Kirsch nog nooit had gehoord.

Wat hadden ze gedaan met de boeken, kleren, het kinderspeelgoed van Max? Waren die op zolder opgeslagen? Of waren ze verkocht om geld voor het gedenkteken te verzamelen? Dat laatste leek hem het waarschijnlijkst, dat zouden ze wel passend hebben gevonden. Hij kon zich niet voorstellen dat ze veel geld hadden opgebracht. De kleren waren oud, het speelgoed bijna allemaal kapot, de boeken niet het genre dat de meeste mensen zou aanspreken. De meeste mensen hadden waarschijnlijk iets gekocht uit medeleven. Binnenkort zouden ze de spullen waarschijnlijk weggooien, omdat ze voor hen geen sentimentele waarde hadden. Ze zouden worden neergezet voor de vuilnisman of in een vuilverbrandingsoven worden gegooid. En niemand zou ze ooit missen.

43

Kirsch' nieuwe functie werd per brief bevestigd. Heinrich Mehrings patiënten werden aan hem overgedragen. Hij pakte de dossiers uit, die in dozen in de hoek van het kantoor hadden gestaan, en nam ze een voor een door. De verslagen van de insulinekuren zaten in een aparte map met een slot. Dat slot forceerde hij, omdat hij nergens een sleutel zag. Mehring was grondig geweest. Elke stap van elke behandeling was zorgvuldig genoteerd: doses, tijden, reacties, allemaal volgens een van tevoren opgesteld schema. De patiënten werden op dezelfde manier onderzocht, en de vragen en prikkels werden gestandaardiseerd om ze makkelijk met elkaar te kunnen vergelijken. Naar Mehrings eigen maatstaven was het duidelijk dat de reacties van zijn patiënten in de loop van hun behandeling steeds beter waren geworden. Paranoïde beweringen en waanideeën waren minder uitgesproken geworden. In sommige gevallen ontkenden patiënten dat ze ze ooit hadden geuit. Ze werkten bijna allemaal beter mee als ze geestelijke en lichamelijke taken moesten uitvoeren en gaven aan dat ze graag wilden terugkeren in de maatschappij. *De beste hoop op een terugkeer naar een productief bestaan ontstaat als de patiënt weer ʒin krijgt om iemand een pleʒier te doen,* schreef Mehring na een sessie die hem bijzonder tevreden had gestemd.

Kirsch vond het verslag van sergeant Stoehrs behandeling. Over het incident op 30 oktober, waarbij zuster Ritter gewond was geraakt, had Mehring geschreven: *sessie voortijdig afgebroken. Zie addendum.* Maar Kirsch kon geen addendum vinden.

Hij stopte het hele dossier in de verbrandingsoven. Hij had nooit gedacht dat hij zoiets nog eens zou doen, want data bleven data, maar toen hij er eenmaal aan begonnen was, beleefde hij er verbazend veel genoegen aan. De volgende dag liet hij alle spullen uit Mehrings laboratoria halen: de bedden, de infusen, de voorraden glucosewater. De insuline zelf liet hij naar het hoofdgebouw brengen, met een briefje erbij dat het moest worden nagekeken op verontreiniging.

Maar de patiënten bleven op de afdeling. Patiënten met ongeneeslijke schizofrenie werden doorgaans naar gestichten overgeplaatst, vooral als ze gevaarlijk of suïcidaal waren, en daar werden ze permanent met kalmerende middelen behandeld. Om patiënten in het ziekenhuis te houden, moest er sprake zijn van een behandeling die zicht op verbetering bood. Maar Mehrings aantekeningen richtten zich volledig op afwijkende symptomen, die waren verzameld om een van tevoren vastgestelde ziekte te identificeren. Hij had weinig interesse gehad voor de ziektegeschiedenis van zijn patiënten. De mogelijkheid dat hun ervaringen tot extreem of verontrustend gedrag hadden geleid, had geen aandacht gekregen. Kirsch had geen idee waar hij moest beginnen.

Aan de rest van het personeel had hij niet veel. De mensen hielden afstand en voerden instructies onmiddellijk uit, misschien wel vanwege Kirsch' rang, maar ze boden hem geen hulp aan. Het was alsof hij weer met de hiërarchie van het leger te maken had. Hij liep door de ziekenzalen, werkplaatsen en recreatieruimtes en probeerde aan elke patiënt wat tijd te besteden. Hij deed zijn best om te luisteren en aantekeningen te maken, maar het waren er te veel, te veel verhalen. Hoewel hij door levendige dromen en koortsaanvallen werd geplaagd, maakte hij langere dagen dan ooit, zonder concreet vooruitgang te boeken. Hij wenste dat het ziekenhuis in Zwitserland stond, in een of andere vallei die zo op een ansichtkaart had kunnen staan, zodat hij in elk geval rust, schone lucht en lichaamsbeweging had kunnen voorschrijven, net als een van die privéklinieken die hij ooit een schijnvertoning had gevonden. Op dit moment bood de psychiatrische afdeling alleen maar onderdak en veiligheid – in afnemende mate.

Waar mogelijk ontsloeg hij patiënten. Zijn collega's maakten geen bezwaar. Ze namen aan dat zijn pogingen om het aantal patiënten te verminderen een kostenbesparende maatregel was. Iedereen wist dat de instelling, net als soortgelijke klinieken, onder druk stond om haar uitgaven te verminderen. In het hoofdgebouw van het ziekenhuis werd er al personeel wegbezuinigd.

Sommige families vonden het fijn om te horen dat hun zieke familieleden geen gevaar voor hen vormden en dat aandacht en zorg de beste behandeling voor hen was, maar de meeste waren helemaal niet blij. Vaak weigerden ze ronduit hun familieleden terug te nemen. Sommige patiënten hadden ook helemaal geen familie, in elk geval geen naaste familie die hen in huis kon nemen. In die gevallen leek er nog minder hoop op zorg te zijn dan op herstel. Het was Kirsch nog nooit zo duidelijk geweest dat er in het geval van de geesteszieken gewoon niet genoeg medeleven voor iedereen was.

Kirsch ging elke dag bij Mariya langs, al moest hij zich streng aan de bezoektijden houden en was de omgeving niet bepaald geschikt om privégesprekken te voeren. Na een week werd ze door dokter Brenner ontslagen. Hij bevestigde dat haar lichamelijke symptomen eindelijk waren verdwenen en dat haar geestestoestand stabiel leek. Ze had alleen nog steeds last van geheugenverlies. Op aandringen van Kirsch werd ze weer op de psychiatrische afdeling opgenomen.

Diezelfde dag kreeg Kirsch weer bericht van dokter Fischer, die hem feliciteerde met zijn promotie en om informatie vroeg:

Het zal u genoegen doen dat de regeringsvertegenwoordiger voor Gezondheid en Medische Diensten van het Reichsministerie van Binnenlandse Zaken de aanbevelingen van het Kaiser Wilhelm Instituut aangaande de herdefiniëring van prioriteiten binnen de psychiatrie heeft geaccepteerd. Alle psychiatrische instellingen krijgen binnenkort instructies om uitvoerige lijsten te maken van patiënten en ex-patiënten die symptomen van ongeneeslijke psychische of neurologische ziektes vertonen of hebben vertoond. Uit voorzorg moeten deze symptomen als aangeboren worden beschouwd en moet men ervan uitgaan dat ze een erfelijke component hebben. Op de lijst moeten alle patiënten staan die lijden aan een vorm van:

- *schizofrenie*
- *manisch-depressieve stoornis*

- *epilepsie*
- *erfelijke blindheid en doofheid*
- *ernstige lichamelijke misvormingen*
- *erfelijke vorm van alcoholisme*
- *aangeboren zwakzinnigheid.*

Deze informatie zal het rijk in staat stellen om de hele bevolking en toekomstige generaties tegen de schade en ellende van overgeërfde ziektes te beschermen.

Het zou in uw voordeel werken als u, als arts in een van Duitslands meest gerespecteerde instellingen, meteen aan zo'n lijst zou beginnen.

Uw bereidheid om bij de ondersteuning van dit cruciale initiatief het voortouw te nemen, zal u ook in de toekomst het vertrouwen en de steun van de gezagsdragers opleveren.

Frau Rosenberg vertelde hem dat het afdelingshoofd een telefoongesprek voerde. Kirsch zei dat hij wel zou wachten. Tien minuten lang zat hij zwijgend in het kantoortje voor Bonhoeffers werkkamer, terwijl Frau Rosenberg aarzelend op haar typemachine tikte, zo te zien vastbesloten om zijn blik te vermijden. Toen hij eindelijk naar Bonhoeffer toe mocht, trof hij de oude man staand bij het raam aan, geïrriteerd prutsend aan de raamsluiting. In een asbak lag een sigaret op te branden. Hij zag er anders uit, al zag Kirsch niet meteen wat er veranderd was.

'Die verdraaide tocht,' mompelde Bonhoeffer. 'Gaat u zitten, dokter Kirsch.'

Kirsch bleef staan en gaf Bonhoeffer de brief. Het afdelingshoofd keek er weifelend naar voordat hij zijn hand in zijn borstzak stak om zijn bril te pakken. Op dat moment besefte hij wat hij aan hem had gezien: Bonhoeffer droeg geen witte jas. Kirsch keek om zich heen of hij hem ergens zag, maar de enige witte jas die hij kon ontdekken, was de zijne.

'Ik weet van de eisen van het ministerie, al stel ik het wel op prijs dat u me op de hoogte houdt,' zei Bonhoeffer.

'Ze willen lijsten. Van patiënten en ex-patiënten.'

'Blijkbaar.'

'Waarom? Waar dienen die lijsten voor?'

Over de rand van zijn bril keek Bonhoeffer Kirsch aan. 'Waarom vraagt u dat niet aan uw dokter Fischer?'

'Dokter Fischer? Ik ken de man nauwelijks.'

De rimpels op Bonhoeffers voorhoofd werden dieper. 'Dat is vreemd. Hij lijkt u heel goed te kennen. En niet alleen uw reputatie.'

Hij schoof de brief over het bureau naar hem toe. Met tegenzin pakte Kirsch hem op. Zijn connectie met Fischer was te ingewikkeld om uit te leggen.

'Waar dienen ze voor?' vroeg hij weer.

Het afdelingshoofd keek hem rustig aan. 'De mensen op de lijst zullen naar speciale instellingen worden gebracht. Ik weet niet wanneer.'

'Wat voor instellingen?'

'Instellingen waar chirurgen werken, vermoed ik. Er zal in elk geval geen sprake zijn van de psychiatrie zoals wij haar kennen.' Bonhoeffer ging achter zijn bureau zitten en begon in zijn papieren te rommelen. 'Voor verplichte sterilisatie is natuurlijk een wetswijziging nodig, net als voor euthanasie, maar ik ben ervan overtuigd dat die niet lang meer op zich zal laten wachten. Ze moeten natuurlijk eerst chirurgen vinden.' Hij stak zijn hand uit naar de sigaret, bestudeerde het uiteinde en drukte hem uit in de asbak. 'Maar ik kan me niet voorstellen dat dat een probleem zal zijn. Onze collega's in de reguliere geneeskunde hebben nooit in de waarde van de psychiatrie geloofd.'

'Dus u bent niet van plan om mee te werken?' Kirsch legde zijn handen op het bureau. Bonhoeffer staarde ernaar, alsof hij bang was dat ze daar alleen maar even rustten voordat ze op weg gingen naar zijn keel. 'U levert die lijsten niet in?'

'Ik zal natuurlijk doen wat de wet me verplicht.'

'Ik mag hangen als ik aan de wet een boodschap heb.'

Bonhoeffer lachte. 'Pas maar op, anders zorgt de wet nog dat u hangt.'

Kirsch had durven zweren dat het gebouw onder zijn voeten heen en weer schommelde.

'Voelt u zich wel goed?' vroeg Bonhoeffer. 'U ziet er bleek uit. En moe.'

'Ik ben niet van plan om mee te werken.'

'Weet u zeker dat u niet wilt gaan zitten?'

'We kunnen de afdeling nog beter sluiten. We kunnen beter iedereen naar huis sturen, als dit onze patiënten te wachten staat.'

'Iedereen naar huis sturen?' Bonhoeffer hield zijn hoofd schuin. 'Daar bent u toch al mee begonnen? Ik dacht dat dat altijd uw doel was geweest.'

'Mijn doel? Mijn doel is... is altijd...'

Kirsch wilde niet gaan zitten, maar zijn benen konden zijn gewicht niet meer dragen. Hij had een branderig gevoel rondom zijn borst, alsof zijn huid rond zijn ribben straktrok, uitrekte en scheurde. Bonhoeffer bood hem water aan, maar hij schudde zijn hoofd.

'Dokter Bonhoeffer, u kunt die dossiers niet aan hen geven. Het is ondenkbaar.'

'Integendeel: u zult ontdekken dat er heel lang over is nagedacht. Het gaat over de erfelijke gezondheid van het Europese ras. Ik denk dat u te selectief bent geweest in de boeken die u hebt gelezen.'

'Ze kunnen ons niet dwingen om mee te werken.'

'Wettelijk gezien niet. Nog niet. Maar ik denk dat het slechts een kwestie van tijd is.'

'Dan moeten we die tijd benutten.'

Bonhoeffer leunde achterover in zijn stoel. Kirsch was moeilijk te doorgronden. In het begin was hij toegewijd en nieuwsgierig geweest, maar geleidelijk aan waren zijn ideeën verhard tot een minachting van het gezag en de bestaande therapieën – zo zag Bonhoeffer het tenminste. Het was het begin van een algehele ethische afbraak geweest. Kirsch' arrogantie had zijn ambitie en meedogenloosheid gevoed. Heinrich Mehring was het land uit gevlucht nadat hij en zijn vrouw met de dood waren bedreigd. Veel mensen fluisterden dat Kirsch' machtige vrienden daarvoor verantwoordelijk waren.

Nu nam Kirsch een integere beslissing, ongeacht de gevolgen. Bonhoeffer vroeg zich af of Kirsch van gedachten was veranderd of dat hij de man helemaal verkeerd had ingeschat.

'Ik weet niet zeker of ik u begrijp,' zei hij. 'Op welke manier moeten we de tijd benutten?'

44

Op de afdeling was niemand verrast toen het nieuwe plaatsvervangend afdelingshoofd de taak op zich nam om de lijst samen te stellen. Toen de psychiaters Kirsch' memorandum kregen, waarin hij hun opdroeg om hun dossiers door te nemen, namen velen van hen aan dat zijn gretigheid om aan het verzoek van het ministerie te voldoen de ware reden voor zijn promotie was. De toon van zijn memorandum was kortaf. Alle dossiers over huidige of voormalige patiënten die aan de criteria van het ministerie voldeden, moesten onmiddellijk worden ingeleverd. Als er onzekerheid over de diagnose bestond – in het bijzonder bij een vermoeden van schizofrenie of een manisch-depressieve stoornis – moest het bewuste dossier ook worden ingeleverd. Zelfs de dossiers van de overledenen mochten niet worden overgeslagen. Er zouden nog familieleden in leven kunnen zijn – broers, zussen, kinderen en kleinkinderen – die het zaad van de zwakzinnigheid en de waanzin konden verspreiden en toekomstige generaties in gevaar konden brengen.

Kirsch was vager over het lot van de patiënten zelf. Hij benadrukte alleen dat de gegevens verzameld en ingeleverd moesten worden en dat de regeringsvertegenwoordiger van het ministerie ze zou gebruiken om een beleid uit te stippelen. Desondanks wist hij dat er bezwaren zouden komen. Geestesziekte was een vloek die families altijd graag hadden willen wegmoffelen. Het stigma van aangeboren krankzinnigheid was zwaar en blijvend. Het had psychiaters jaren gekost de mentaliteit te veranderen, familiegeheimen toevertrouwd te krijgen, net als andere artsen. Als dergelijke gevoelige informatie aan de autoriteiten werd overhandigd – namen, adressen, ziektegeschiedenissen – zou dat vertrouwen ongetwijfeld voor altijd geschonden zijn.

Zodra het memorandum was verstuurd, ging Kirsch boven in het gebouw aan het werk, op een vochtig ruikende zolder waar de oudste dossiers in beschimmelde kartonnen dozen en bijeengebonden stapels werden bewaard. Veel dossiers waren bijna honderd jaar oud en waren nog van vóór Emil Kraepelins eerste classificatie van geestesziektes. Kirsch sorteerde het restant en haalde alles eruit wat in de ogen van het ministerie op aangeboren ziektes zou kunnen wijzen. Dat bleek niet mee te vallen. In de meeste anamneses kwamen voorbeelden van manie, dementie of alcoholisme voor, en in honderden andere waren gevallen van mogelijke epilepsie te vinden. De enige manier waarop hij kon zorgen dat hij geen enkel geval van erfelijke ziekte over het hoofd zag, was de hele voorraad mee naar beneden nemen.

Binnen vierentwintig uur kreeg Kirsch de eerste dossiers van zijn collega's. Sommige werden persoonlijk afgeleverd, andere waren met een briefje erbij in zijn postvak bij de personeelskamer geprijt. *Dit zijn de gevallen van de afgelopen drie jaar. Ik zal de andere dossiers meteen nakijken.* Aan het einde van de tweede dag had hij een stapel van ruim een halve meter hoog. Uiteindelijk maakte geen enkele collega bezwaar. Niemand vroeg om meer uitleg, of informeerde zelfs maar wanneer hij zijn dossiers terugkreeg. De gegevens vloeiden kritiekloos en ongedwongen binnen. In de dossiermappen vond Kirsch nog meer briefjes, die aan de verslagen waren vastgeklemd of -gespeld. Op de briefjes hadden zijn collega's nog wat extra informatie geschreven: *De verpleegsters hebben Herr Göschel diverse keren met alcohol aangetroffen. Verder kan ik melden dat de teint van zijn vader suggereert dat hij drinkt.* Anderen waren zelfs nog zorgvuldiger: *Technisch gezien is het verstand van deze patiënt superieur aan dat van een idioot, maar ik weet uit betrouwbare bron dat minstens een van zijn broers en zussen een mongool is.*

Aan het einde van de week had Kirsch alle dossiers die hij nodig had om een uitgebreide lijst samen te stellen. Hij betwijfelde of er ooit eerder zo'n lijst had bestaan. Als je hem naast de openbare gegevens over geboortes en huwelijken zou leggen, zou je niet alleen kunnen zien waar geestesziektes in het verleden waren opgetreden, maar misschien ook wel kunnen voorspellen waar ze in de toekomst zouden opduiken. Het zou verleidelijk zijn om in te grijpen. Per slot van rekening was voorkomen beter dan genezen, vooral als genezing niet mogelijk was. Als alle psychiatrische instellingen in het land zo grondig waren, zou aangeboren krankzinnigheid ooit volledig kunnen uitsterven, net als de dodo of de beren die ooit in de enorme Duitse wouden hadden gezworven.

Die avond zat Kirsch na het avondeten in zijn eentje in zijn werkkamer, in afwachting van het moment dat het op de afdeling rustig zou worden. Het weer werkte niet mee. Straffe windvlagen lieten de ramen rammelen en loeiden over de daken. De regen viel in korte, hevige buien. Van stormen werden de patiënten altijd onrustig. Velen van hen vonden ze doodeng en moesten met medicijnen gekalmeerd worden. Bij anderen barstte er door het weer ook een soort storm in hun binnenste los. Ze gilden en babbelden en dansten. De storm was hun held, ze lagen aan de voeten van deze vergankelijke godheid. Af en toe lokte slecht weer geweld of automutilatie uit. Kirsch werd bij een paar relletjes in de mannenvleugel geroepen en droeg het personeel op om de lampen een uur langer te laten branden.

Rond middernacht werd het eindelijk rustig in de slaapzalen. Zo zachtjes mogelijk liep Kirsch naar beneden, naar de keukens, waar hij een rolwagentje haalde. Hij stapelde het vol dossiers en sleepte het over de trap aan de achterkant naar de kelder. In het schemerige elektrische licht schepte hij met een roestige spade kolen in de verwarmingsketel om hem op te stoken. Het was smerig werk. Lange tijd leken de kolen niet te willen branden en produceerden ze alleen maar zwarte rook, die in zijn gezicht walmde en zwarte roetvegen op zijn bril achterliet. Hij moest nog negen keer naar de zolder lopen om de oude dossiers te halen. Hij kon er niet veel tegelijk meenemen, want dan werd het karretje zwaar en moeilijk bestuurbaar en bonkten de ijzeren wielen op de traptreden. Het kabaal weergalmde als artillerievuur door het gebouw. Het duurde nog een afmattend uur voordat hij kon beginnen.

Eerst gingen zijn eigen dossiers erin. Door de verhuizing naar zijn nieuwe werkkamer was zijn archief een rommeltje geworden. Hij had een paar tekeningen van Mariya tussen zijn brieven van Eugen Fischer gevonden. Andere patiëntengegevens waren opgesplitst en verspreid. Maar het deed er niet toe. Hij zou ze allemaal verbranden. Een opname in het Charité was iets geworden wat een patiënt moest verbergen, wat de diagnose ook was geweest of hoe kort hij ook was gebleven. Dit was de beste manier om alles te verbergen. Zijn onderzoek ging ook het vuur in, compleet met alle gegevens die hij had verzameld en geanalyseerd voor zijn artikel in de *Annalen der Psychiatrie*.

'Je zult het er wel niet mee eens zijn,' zei hij hardop tegen de flikkerende schaduw op de muur achter hem. Maar de schaduw gaf geen antwoord, al dacht Kirsch aan de manier waarop hij zich over de beroete bakstenen bewoog, te kunnen zien dat hij zijn hoofd schudde.

Toen er van zijn werk in de psychiatrie alleen nog maar een smeulend vuurtje over was, gooide Kirsch de andere dossiers een voor een, stapel voor stapel in de ketel. Met name de oude papieren vatten niet snel vlam. Ze sisten en spatten als vlees in de pan. De ketel verslikte zich in de as, waardoor Kirsch voortdurend in het vuur moest porren om te voorkomen dat het uitdoofde. Hij werkte tot diep in de nacht, tot het zweet in straaltjes over zijn gezicht liep. Het laatste wat hij in de vlammen gooide, was zijn witte jas. Die had hij niet meer nodig. Hij had zijn ontslagbrief al geschreven en in het postvakje van dokter Bonhoeffer gelegd. Daar zou het afdelingshoofd hem de volgende ochtend vinden.

In de wasruimte knapte hij zich zo goed mogelijk op, en daarna liep hij naar de vrouwenvleugel. Hij kon een van de dienstdoende verpleegsters aan het einde van de gang horen snurken. De andere was nergens te bekennen. Hij liep naar Mariya's kamer, klopte zachtjes en ging naar binnen.

Mariya zat in het donker op het voeteneinde van haar bed naar de nacht te staren. Ze had haar hoge schoenen aan, en Max' oude overjas hing over haar schouders. Haar schetsboek lag op haar schoot.

'Klaar om te gaan?' vroeg hij.

Ze liepen door de keukens naar buiten. Het was bijna vijf uur, en door de gaten in het wolkendek in de verte was de ochtend een blauwe zweem. Er stond een taxi te wachten. Door de lege, schoongeregende straten reden ze zwijgend in oostelijke richting. Kirsch voelde zich leeg en op een vreemde manier opgetogen. De twee emoties stonden op zichzelf, maar hadden dezelfde proportie, als een voorwerp en zijn spiegelbeeld. Voor het eerst in jaren was hij geen psychiater meer, geen arts, en Mariya was zijn patiënte niet meer.

Ze zat naast hem, haar gezicht een silhouet tegen het ritmisch passerende licht van de straatlantaarns. Hij bedacht weer dat hij maar heel weinig van haar wist. Elk antwoord riep weer nieuwe vragen op, en hoeveel vragen hij ook beantwoordde, haar kern, haar wezen bleef onvatbaar. In die ongrijpbaarheid zat een bepaalde macht. Hij zag nu in dat hij erdoor was verleid, dat hij was overgehaald om de grenzen van zijn begrip te verkennen, om de oneindigheid te aanschouwen van wat hij nooit kon bevatten. Wat zou er van hem zijn geworden als er geen Einstein meisje had bestaan? Het was een vraag die hij zichzelf vaak had gesteld, maar hij had er nog steeds geen antwoord op.

Ze gingen het huis van Herr Mettler binnen en liepen naar boven zonder het licht aan te doen. Boven hen zat een gat in het dak, waardoor water naar binnen liep. De druppels landden in een metalen emmer die op de overloop van de tweede verdieping was neergezet. De kamer rook vochtig. Hij was te lang onbewoond en onverwarmd geweest. Kirsch ging op zijn knieën zitten en probeerde de haard aan te steken. Er lagen stukjes oude krant onder de kolen, maar net als de oude dossiers in het Charité vatten ze moeilijk vlam.

'Het duurt niet lang voordat het hier warm is,' zei hij, terwijl hij een derde lucifer aanstreek.

Mariya ging op het bed zitten en keek om zich heen, naar het saaie meubilair en de bezittingen die van haar schenen te zijn – de pop met het porseleinen gezicht, de haarborstel en handspiegel, de schoenen achter de deur. Nog even, dan zou ze kijken naar de plek waar zij en Kirsch elkaar hadden omarmd en gekust, de plek bij het raam waar de vloer kaal was en de planken kraakten. Het kostte Kirsch moeite om er met zijn rug naartoe te blijven zitten, om de herinnering aan dat moment niet met een paar toevallige details naar boven te halen: het patroon van de gordijnen, de hoogte van het plafond, de sluiting van het raam. Een paar minuten lang had het een beginpunt geleken, een tweede kans, tegen alle verwachtingen in. Nu drukte de gedeelde herinnering aan dat moment op hun schouders, als een standje voor hun onrealistische dromen.

In de haard likte een vuurtong over de buitenkant van de kolen. Een minuut geleden had Kirsch het nog koud gehad, maar nu gloeide zijn huid.

Mariya ging op haar handen zitten. 'Ben ik nu klaar in het ziekenhuis? Moet ik nog terug?'

'Nee. Je moet er niet meer naartoe gaan, nooit meer. Voor jou voelt het inmiddels misschien als een thuis, maar het is er niet veilig meer. Dit land is niet veilig.'

Over een paar dagen zou ze een nieuw paspoort en een adres krijgen. Kirsch had de situatie al aan de Joegoslavische ambassade uitgelegd. Ze hadden beloofd dat ze Mariya's gegevens in Belgrado zouden opzoeken en hem per kerende post de belangrijkste gegevens zouden doorgeven. Hij zou haar genoeg geld geven om naar huis te gaan, waar dat dan ook was. Daar zou ze buren, collega's, vrienden aantreffen. Zij zouden haar vertellen wat ze moest weten.

'Het belangrijkste is dat je weggaat,' zei Kirsch. 'Hoe sneller, hoe beter.'

'En jij?'

'Ik heb ontslag genomen.' Kirsch stond op. 'Ik deed daar niets nuttigs.'

'Maar wat ga je doen?'

Kirsch moest steun zoeken bij de schoorsteenmantel. Doorgaans kwamen de aanvallen van duizeligheid pas midden op de dag. Hij had geleerd er rekening mee te houden en te voorkomen dat hij ergens was waar iemand zijn verzwakking zou kunnen zien. Maar deze keer werd hij erdoor overvallen. 'Misschien zet ik wel ergens een privépraktijk op.' Hij dwong zichzelf te glimlachen. 'Dat doen veel artsen die vroeger in het leger hebben gezeten.'

'Ergens? Niet hier?'

'Ik heb ook genoeg van Berlijn.'

Hij wenste dat hij het kon uitleggen: de lijst van het ministerie, het artikel dat hij had geschreven voor de *Annalen der Psychiatrie*, zijn broer Max en het oorlogsmonument, dokter Schad en het onderzoek naar neurosyfilis, waarvan de uitslag positief was geweest. Hij kwam in de verleiding om het allemaal met haar te delen, al was het alleen maar om duidelijk te maken waarom hij niet met haar mee kon, waarom er geen plaats voor hem in haar leven was, hoe dat er ook zou uitzien. Maar een ander deel van hem wilde Mariya niet te veel belasten. Waarschijnlijk voelde ze al lang niet meer zo veel voor hem. Met een beetje geluk zou ze hem gaan zien als een koude, klinische man, die zo op de functies en werking van het brein was gefixeerd dat hij niet meer wist wat gevoelens waren. Dat was beter, eenvoudiger, fatsoenlijker.

'Het wordt tijd dat ik eens een andere omgeving zoek,' zei Kirsch. 'Twaalf jaar op dezelfde plek is te lang.' Hij voelde aan zijn jasje en stak zijn hand in zijn binnenzak om zijn portefeuille te pakken. Zijn hoofd begon te tollen door alle rook en een nacht zonder slaap. 'Hier heb je wat geld voor de komende dagen. Over een paar uur gaan de winkels open. Probeer de Grenadierstraße maar. Daar vind je alles wat je nodig hebt. Herr Mettler kan je de weg wel wijzen.'

Hij stak de bankbiljetten naar haar uit. Het voelde onprettig, alsof de handeling iets onbehoorlijks had. 'Ik moest maar eens gaan.' Hij legde het geld op de ladekast. 'Zodra ik je paspoort heb, kom ik terug.'

Het kostte hem de grootste moeite om normaal te lopen en zijn hoofd recht te houden. Tegen de tijd dat hij bij de deur kwam, was zijn zicht zo wazig dat hij de klink niet kon vinden. Hij hoorde Mariya's stem achter zich, maar deze keer drong de betekenis van haar woorden niet tot hem door.

Hij hoefde alleen maar de klink te vinden, dan zou hij in de gang staan. Uit het oog, uit het hart. Hij wilde niet dat ze hem zag wankelen alsof hij een dronkenlap was.

'Probeer wat te rusten,' zei hij. Zijn kaak en tong waren ook zwaar. 'Voor de reis. Het wordt een lange reis.'

Hij bevond zich nu in de duisternis, een kolkende, gruizige mist van piepkleine vierkantjes en driehoekjes die op krabbeltjes in een schoolboek leken. Als de mist even optrok, als iemand zou zorgen dat het wat lichter werd, zou hij in staat zijn overeind te blijven, maar het volgende moment viel hij. Intuïtief stak hij zijn armen omhoog om zich te beschermen, maar zijn handen sloegen tegen ijzeren staven. Een ledikant. Hij klemde zich eraan vast, maar het ledikant viel ook.

Toen hij omlaag keek, zag hij water onder zich stromen: een brede, zwarte rivier, piepkleine lichtpuntjes die zich over het glazige oppervlak bewogen. Hij wist niet of zijn schreeuw hardop klonk of alleen maar in zijn hoofd.

Iemand pakte hem bij zijn polsen en trok hem de steiger op. Het was Eduard Einstein. *Misschien is het een kwantumverhaal.* Op dat moment wist Kirsch dat hij droomde.

Terwijl hij op de grond lag te hijgen, haalde Heinrich Mehring een zakdoek uit zijn zak, waarmee hij zorgvuldig zijn handen afveegde. De zakdoek zat helemaal vol zwarte as.

'Uw patiënt, dokter Einstein,' zei hij, en hij draaide zich om. In de verte huilde een vrouw.

Achteraf hoorde Kirsch dat de koortsaanval drie dagen had geduurd. De koorts verdween en kwam terug, de ene keer heviger en verwarrender dan de andere. Als hij wakker was, waren de uren fragmentarisch en chaotisch, en als hij sliep, waren zijn dromen vaak helder. Herinneringen werden onbetrouwbaar en werden voortdurend herzien. Mensen van wie hij dacht dat ze dood waren, verschenen aan zijn bed en legden kalm uit waarom hij zich vergiste. Hij zag dat de levenden naar hun graf werden gedragen en onder houten kruisen of granieten grafstenen werden begraven, waarop een waslijst met namen stond. Tussen het zweten, de rillingen en de knallende hoofdpijnaanvallen door worstelde hij om een idee van plaats en tijd te behouden, een volgorde van concrete dingen waarin hij kon geloven, een catalogus van de dingen die onbetwistbaar echt waren. Hij klampte zich vast aan zijn beeld van de buitenwereld en zijn plaats daarin, doodsbang dat hij ze voor altijd kwijt zou zijn als hij ze losliet.

Mariya zorgde voor hem. Er drong niet veel tot hem door, maar dat wist hij zeker. Als hij wakker werd, was ze bijna altijd bij hem. Dan zat ze naast het bed, bracht ze hem een dienblad met eten of lag ze met een deken over zich heen op de grond te slapen. Meer dan eens deed hij zijn ogen open en zag hij dat hij weer bij Frau Schirmann was, met al zijn boeken en papieren om zich heen. Maar hij leerde die visioenen te wantrouwen, niet in de laatste plaats door de mensen die vaak in de kamer waren en die zijn aanwezigheid niet in de gaten leken te hebben. Een van hen was Eduard Einstein. Hij rommelde tussen Kirsch' papieren en zocht koortsachtig naar de brief die hij van zijn moeder had gestolen. Er verschenen ook familieleden van Kirsch, zelfs zijn oudere zus Frieda, die hij nog nooit eerder in Berlijn had gezien. Ze zaten in de donkere hoeken van de kamer, zijn vader achter een krant, als rouwende mensen tijdens een dodenwake.

In een droom vroeg hij zijn broer Max om kolonel Schad te halen. Ze waren weer in de kelder van het ziekenhuis, met Mehrings apparatuur om hen heen. Maar even later kwam kolonel Schad daadwerkelijk binnen. Hij zei tegen Mariya dat ze het raam open moest zetten, omdat het binnen te warm was. Zijn stem weergalmde, alsof ze zich in een bakstenen bunker bevonden. Kirsch wilde hem vertellen dat er geen ramen waren. Ze bevonden zich in de kelder. Toen voelde hij de kamer kouder worden en merkte hij dat hij weer in het huis van Herr Mettler was.

'Niet warmer dan drieëntwintig graden. En niet te veel dekens.' Het was onmiskenbaar Schads stem: kordaat, maar vriendelijk. 'Veel drinken – heldere bouillon is uitstekend – en tweemaal daags aspirine om het bloed te verdunnen. Ik kom over twee dagen terug. O, en hier heb je iets voor zijn mond. Om de paar uur aanbrengen.'

Het volgende moment was Schad verdwenen – Kirsch nam aan dat het weer een droom was geweest. Of een hallucinatie. Het was moeilijk om ze uit elkaar te houden. Maar toen stond Mariya naast hem, om zijn gebarsten lippen heel voorzichtig met vaseline in te smeren. Haar vingertoppen waren koel – haar aanrakingen voelden altijd koel aan, herinnerde hij zich – en hij kon haar adem op zijn wang voelen. Hij wist zeker dat hij zich beide gewaarwordingen niet verbeeldde, maar hij durfde zijn hoofd niet te draaien en naar haar te kijken, voor het geval zij ook verdween.

Max verscheen in een droom, zittend op zijn voeteneinde en bladerend in zijn boek van Einstein. Mariya had het meegenomen uit het ziekenhuis.

'Ik denk niet dat ze het heeft gelezen,' zei Kirsch.

Max keek niet op. 'Doe niet zo dom,' zei hij. 'Dat hoeft ook helemaal niet. Hoe kom je daar nu bij?'

Kirsch wilde hem vragen wat hij bedoelde, maar Max was al verdwenen en had het boek meegenomen.

De laatste keer dat hij Mariya zag, was minstens een dag later. Ze stond bij het raam. Condens maakte het glas troebel en veroorzaakte een scherpe kou in de lucht. De oude hutkoffer was naar het midden van de kamer gesleept. Het deksel stond open.

'Mariya?'

Het woord rolde krakerig uit zijn mond. Mariya keek niet op. Ze tuurde om de hoek van de gordijnen naar de straat.

Hij schraapte zijn keel. 'Wat is er?'

Ze kwam naar het bed. Op tafel stond een kom soep af te koelen. 'Niets. Je moet eten.'

'Waar stond je naar te kijken?'

Ze pakte de kom en een lepel. 'Herr Mettler zegt dat het gewoon weer een krantenman is.'

'Een krantenman? Hoe zag hij eruit?'

'Dat is niet belangrijk.'

Ze weigerde er verder over te praten tot hij de kom had leeggegeten. Daarna moest hij plassen, en daarna wilde hij graag weer slapen.

'Ik ben even weg,' zei Mariya, terwijl ze de dekens over hem heen trok. 'Een paar spullen halen. Ik blijf niet lang weg.'

Voor zover Kirsch wist, kwam ze niet meer terug.

45

Kolonel Schad kwam terug naar de Wörtherstraße, zoals hij had beloofd. Tegen die tijd was Mariya al uren weg. Hij had geen idee waar
ze was.

'Misschien is ze een nieuwe kamer gaan zoeken. Ze zal er wel genoeg van hebben om op de grond te slapen.'

Hij luisterde met een stethoscoop naar Kirsch' longen. Hij leek ervan overtuigd te zijn dat het ergste achter de rug was, in elk geval
voorlopig.

'Dat zou ze me hebben verteld,' zei Kirsch. Hij zwaaide zijn benen
over de rand van het bed. 'Ik moet haar gaan zoeken.'

Schad legde een hand op zijn schouder om hem tegen te houden.
'Jij gaat helemaal nergens naartoe, dokter Kirsch. In jouw verzwakte
staat zou een koutje al fataal kunnen zijn.'

'Er is iets gebeurd. Misschien is ze wel verdwaald, of...'

Kirsch probeerde overeind te komen. Zijn hoofd was helder, maar
hij voelde zich leeg, als een pop van papier-maché. Waar waren zijn
kleren, zijn schoenen?

'Martin.' Schad keek hem met een geduldige blik aan. 'Ze weet wat
je hebt. De ziekte. Ik weet niet hoe. Ik heb het haar niet verteld. Misschien heeft ze het geraden, maar het zal je niet verbazen als ze liever
enige afstand...' Hij zuchtte. 'Ik heb je gewaarschuwd. Zelfs dierbaren gaan van het ergste uit.'

Kirsch zag zijn eigen spiegelbeeld op de deur van de kleerkast. Nu
zijn hemd openhing, waren de plekken op zijn lichaam duidelijk
zichtbaar. Ze hadden zich uitgebreid over zijn borst en waren samen-
gevloeid tot lange, gebogen lijnen, als de scharen van een reusachtige
krab.

'Ik denk dat ik het haar heb verteld,' zei hij. 'Dat was niet mijn bedoeling.'

Schad bromde en hield de stethoscoop weer tegen zijn borst. 'Dat is heel netjes van je.'

Het was Kirsch wel duidelijk dat Schad dacht dat Mariya zijn minnares was geweest. Het feit dat hij zich daarin vergiste, wilde nog niet zeggen dat hij zich overal in vergiste.

'Die koortsaanvallen kunnen komen en gaan,' zei hij. 'Dat ligt in de lijn der verwachting. Je lichaam vecht tegen de infectie. Ik zou zeggen dat het deze keer heeft gewonnen.'

Kirsch bedankte hem en vroeg om een rekening, maar Schad wilde niet van betaling weten. Omdat ze elkaar nog van vroeger kenden, had hij Kirsch gewoon willen helpen.

'Je zou de jongedame trouwens moeten bedanken,' zei hij. 'Ze is echt een verpleegstertje. Geloof me, je was in heel goede handen.'

Zodra Kirsch kon staan, ging hij haar zoeken. In alle oostelijke stadswijken liep hij van het ene pension naar het andere. Nergens was een spoor van haar te bekennen. De dagen daarna probeerde hij de ziekenhuizen, de klinieken, de gestichten. Veel mensen hadden van het Einstein meisje gehoord, maar niemand had haar gezien. Hij informeerde bij het hoofdbureau van politie en bekeek zelfs foto's van niet-geïdentificeerde vrouwen die dood in de stad waren gevonden. In de buurt van het Alexanderplatz en langs de Kurfürstendamm sjouwde hij van het ene kroegje naar het andere, gewapend met zijn foto uit *Die Berliner Woche*. Als laatste mogelijkheid probeerde hij de Berlijnse pers in te schakelen. Ooit hadden ze het verhaal fascinerend gevonden en nu was er eindelijk weer een nieuwe ontwikkeling. Maar de redacteuren die hij sprak, hadden geen belangstelling voor een bericht over Mariya's verdwijning. Ze waren überhaupt niet geïnteresseerd in verdwijningen. 'Tegenwoordig zijn er belangrijkere zaken voor ons,' zei een van hen. 'We zijn bevoorrecht dat we in historische tijden leven.'

Hij ging elke dag terug naar de Wörtherstraße, in de hoop dat Mariya was teruggekomen of een boodschap voor hem had achtergelaten. Hij bleef haar kamerhuur betalen. Maar ze kwam niet terug en er lag nooit een bericht. Eind maart arriveerde hij net op tijd om een vrachtwagen vol meubels weg te zien rijden. Hij werd bijna overreden toen hij de chauffeur met zwaaiende armen tegenhield. Het meubilair bleek te worden geveild. Herr Mettler had het pand verkocht en was vertrokken. De nieuwe eigenaars leken geen haast te hebben om het huis te betrekken. De week daarop waren de ramen dichtgespijkerd.

Een paar dagen later nam hij de trein naar Potsdam. Het was nog te vroeg in het jaar voor de stoomboten, en daarom huurde Kirsch bij het station een fiets en reed hij naar het zuiden, de kronkelende paden van de Telegraphenberg op. De Einsteintoren stond aan de andere kant, een paar honderd meter van de top. Het gladde, witte gebouw rees uit de beboste helling omhoog als de commandotoren van een reusachtige onderzeeboot. De ramen hadden een vorm die aan een vogelvleugel deed denken, gebogen en organisch, alsof ze door evolutionaire krachten waren gestroomlijnd om zich sneller te kunnen bewegen. Alleen de zilverkleurige koepel, waaronder de grote verticale telescoop stond, was puur functioneel.

Einstein scheen het gebouw dat ter ere van hem was gebouwd niet mooi te vinden. Hij had geen oog voor de expressionistische fijngevoeligheid van de architect en was er maar een paar keer geweest, hoewel hij voorzitter was van de stichting die het gebouw beheerde. Maar Mariya had de toren bezocht, daar was Kirsch van overtuigd. De toren was de enige plek in Berlijn die Einsteins naam droeg. Ze zou zich warm hebben aangekleed en zich hebben gemengd tussen de dagjesmensen voor wie de Telegraphenberg ook een geliefd plekje was, al was het alleen maar voor het uitzicht, de schone lucht en de siertuinen die rond de top waren aangelegd. Misschien was ze er wel geweest op de dag voordat de jongens met de fietsen haar hadden gevonden. Kirsch dacht dat ze er misschien wel zou terugkomen, zonder precies te weten waarom: haar brein was immers losgesneden van de troostende zekerheden van de lineaire tijd. In plaats daarvan werd alles bij haar herhaald. Een cyclus van crisis, geheugenverlies, herstel en crisis, die pas zou eindigen met de dood.

Er waren die dag geen dagjesmensen, al regende het niet meer en begon de zon door de wolken heen te breken. De deuren van de toren zaten op slot en waren extra beveiligd met een ketting. Tegen een van de hoeken van het gebouw stond een steiger. Een loshangend zeil flapperde in de wind, en zware touwen striemden tegen de grond.

Kirsch reed aan de andere kant van de heuvel naar beneden. De paden waren steil en glad. Hij maakte al vlug snelheid, en zijn wielen slipten in de bochten. De remmen van zijn fiets waren gevaarlijk strak afgesteld. Telkens als hij erin kneep, werd hij bijna over zijn stuur gelanceerd. Hij werd gedwongen zijn voeten te gebruiken. Een paar minuten lang had hij moeite om in evenwicht te blijven, tot het pad eindelijk wat vlakker werd.

Hij liet de fiets uitrijden tot hij tot stilstand kwam. Hij was inmiddels diep in de bossen, ergens ten zuiden van de Telegraphenberg. Om hem heen stonden allemaal hoge, dunne bomen. Er drupte regenwater van hun takken, dat met zacht getik op de bebladerde aarde viel. Kirsch luisterde en draaide zijn hoofd verschillende kanten op. Hij had sterk het gevoel dat hij in de gaten werd gehouden. Hij dacht terug aan de jonge priester in Reinsdorf, die iets had gezegd over gevallen bladeren en de gevallenen in de oorlog. Hij had het altijd een slechte metafoor gevonden, zwak en misleidend.

De stilte werd verbroken door een geweerschot. Het was niet bij hem in de buurt, maar minstens honderd meter verderop. In de bossen rond Berlijn werd gejaagd, of de jagers er nu een vergunning voor hadden of niet. Een hond blafte. Kirsch hoorde een man schreeuwen. Daarna werd het stil. Een vogel zat hooguit drie meter boven hem ineengedoken op een boomtak: een kraai of een roek. Zijn zwarte veren zagen er verfomfaaid uit, vooral rond zijn nek. Kirsch klapte in zijn handen, maar de vogel vloog niet weg. Of het beest nu ziek of verdoofd was, het bleef onbekommerd naar hem kijken.

Het grindpad was overgegaan in een zandpad. Kirsch fietste verder, waarbij zijn wielen dieper in de modder zakten. Er welde zwart water uit de grond omhoog, dat de voren vulde en op zijn gezicht en kleren spatte tot hij het op zijn lippen kon proeven. Hij ging op de pedalen staan en gebruikte zijn hele gewicht om de vaart erin te houden. Op zijn pad verschenen zwarte plassen van het formaat van granaatinslagen. De bossen verdronken erin.

Zo'n anderhalve kilometer verder werd het onmogelijk om verder te fietsen. Hij stapte af en nam de fiets aan de hand, waarbij hij om de plassen liep, dwars door kreupelhout en varens wandelde en vaak het pad kwijtraakte, dat hij een paar honderd meter verder dan weer terugvond. Er plakte kleefkruid en winde aan zijn broekspijpen en mouwen. Er hoorden wegen door het woud te lopen. Vroeg of laat zou hij er wel een vinden. Zijn horloge vertelde hem dat hij een uur had gefietst, maar toen hij aandachtiger keek en de modder van zijn gezicht veegde, zag hij dat de wijzers niet meer bewogen.

Eindelijk zag hij gouden strepen aan de hemel. Dat betekende dat hij in zuidwestelijke richting liep. Hij kon niet ver meer van het meer zijn. Hij verliet het pad en liep verder naar het westen, omdat hij zo snel mogelijk bij het open water wilde zijn. Het terrein werd steiler en begon daarna weer te dalen. In dit deel van het woud werden de bomen verstikt door klimop. Alleen de naaldbomen en wilgen leefden nog.

Hij zag het huis pas toen hij toevallig op een hoek van de tuin stuitte. Het was een roodbruin, houten gebouw met witte luiken, dat op een kleine, keurig onderhouden open plek stond. Het had een breed dakterras, dat via een trap aan de buitenkant te bereiken was. Een opvallend, patrijspoortachtig raam op de begane grond gaf het de aanblik van een villa aan zee. Kirsch had het huis wel eens in kranten en architectuurtijdschriften zien staan. Met uitzondering van de funderingen was het helemaal gebouwd van dennenhout uit Oregon en sparrenhout uit Galicië, een voorbeeld van de Bauhausstijl. Hoewel de exacte ligging nooit bekend was gemaakt, wist hij waar hij was. Dit was de rand van Caputh, en hij stond in de tuin van Albert Einsteins zomerhuis.

De knipsels zaten nog in zijn plakboek. Hij had andere foto's waarop Einstein met verschillende vooraanstaande bezoekers voor de openslaande deuren stond, of vanaf het dakterras met zijn pijp in zijn hand naar het meer staarde. In zijn gedachten was het huis groter en mooier geweest – niet vorstelijk, maar elegant en gezellig. Het had de warmte en wijsheid van zijn eigenaar weerspiegeld. De werkelijkheid leek gekrompen, verkrampt, alsof Einsteins afwezigheid het leven eruit had gezogen.

Het gras werd verstikt door klaver en onkruid. Op de paden was mos verschenen. De planten in de bloembakken, die op de foto's hadden gebloeid, waren dood. Kirsch legde zijn fiets neer en liep de cementen veranda op. Terwijl hij het huis naderde, hoorde hij een zacht, gedempt geluid dat op de lome dreun van een machine leek.

De trap aan de buitenkant was slijmerig onder zijn voeten. Halverwege, op het trapbordes, was een van de leuningen afgebroken. Bladeren lagen in natte hopen op het dakterras. Een parasol lag opgerold op de grond. Het meer, dat niet zo ver van het huis af lag, was een strook grijs water die achter de bomen schuilging. Kirsch huiverde. Zijn kleren voelden koud en nat aan op zijn huid.

Hij hoorde het geluid weer. Het kwam uit het huis. Er was een deur die op het dakterras uitkwam, maar die zat op slot. Kirsch liep naar de noordzijde van het gebouw en tuurde onderweg door de luiken. Binnen was het overal donker.

Op de oprit stond een vuile groene Mercedes, waarvan het dak open was. Het leek erop dat er toch iemand thuis was, maar het echtpaar Einstein kon het niet zijn. Albert Einstein was gevlucht naar het buitenland. Het regime had zijn banktegoeden en het restant van zijn eigendommen geconfisqueerd. Een krant die aan de kant van de nazi's stond, had een prijs van vijftigduizend Reichsmark op zijn hoofd gezet.

Kirsch liep naar de voordeur. Hij wilde net aankloppen toen hij zag dat het hout rond het slot versplinterd was. Onder de klink stond een grote, modderige voetafdruk. De deur was geforceerd. Hij kon hem met zijn schouder openduwen.

Een donkere, smalle gang met een vloer in een schaakbordpatroon. Een vochtige, schimmelige lucht. De muren en plafonds waren van hout gemaakt. Een smalle trap leidde naar de eerste verdieping. Een deur die op een kiertje stond, leidde naar een kelder. Kirsch liep naar de achterkant van het huis, waar strepen licht tussen de luiken door piepten.

Voor dieven was er weinig te vinden. Het meubilair was spaarzaam en eenvoudig, en er waren geen vitrines waarin het familiezilver werd tentoongesteld. Hij liep naar de keuken. Naast een pepermolen lag een gescheurde zak meel. Duizenden mieren zwermden over het aanrecht en de gootsteen.

Hij voelde een lichte tocht in zijn nek. Het geluid kwam van de andere kant van de binnenmuur: een nonchalant geklop, een ironische ontbieding. Er lagen messen op de keukentafel, maar er was er niet een scherp genoeg om als wapen te dienen. Hij liep naar de gang. Papieren ritselden. Er was iemand in de andere kamer. Hij deed de deur heel zachtjes open.

Het zonlicht deed pijn aan zijn ogen. De ramen waren kapot en de luiken hingen nog maar aan één scharnier. Ze zwaaiden heen en weer en tikten tegen een ijzeren reling aan de buitenkant. Het vertrek – een kleine studeerkamer – was helemaal overhoopgehaald. Overal lagen boeken en papieren op de vloer. Achter een eenvoudige vurenhouten tafel probeerde een man ze op handen en voeten haastig bij elkaar te graaien. Het duurde een paar tellen voordat Kirsch hem herkende.

'Professor Von Laue?'

De hoogleraar keek geschrokken op. 'Wie bent u? Wat wilt u?'

'Martin Kirsch. Van het Charité. Herkent u me niet?'

De hoogleraar bleef naar hem staren. Zijn kraag was losgekomen van zijn overhemd, waardoor er in zijn nek een streep huid zichtbaar was. 'De deur was…'

'Wat wilt u?' herhaalde Von Laue.

'Ik zoek iemand.'

'Wie?'

'Een patiënte. Ex-patiënte. Degene die uw nieuwsgierigheid had gewekt.'

'De studente?'

'Ze wordt vermist.'

Von Laue fronste zijn wenkbrauwen, schudde zijn hoofd en werd zichtbaar rustiger. 'Nou, hier zult u haar niet vinden. Hier woont niemand meer.'

'Dat zie ik.'

De hoogleraar legde een stapel dossiers op de tafel. Kirsch besefte dat hij de man de stuipen op het lijf had gejaagd.

'Tja,' zei Von Laue. 'Tja. Maakt niet uit. U kunt me helpen deze papieren bij elkaar te rapen. Doe iets nuttigs. Het is slechts een kwestie van tijd voordat ze terugkomen.'

'Wie? Wie komt er terug?'

'Wie denkt u? We moeten ze allemaal naar de auto brengen. We leggen ze in zijn appartement tot ik een plek weet die veiliger is.' Von Laue keek hem aan. 'Nou, waar wacht u nog op?'

Kirsch deed wat hem was gevraagd. Onder de trap vond hij een paar oude koffers, en in de voorraadkast stonden een paar groentekistjes. In de studeerkamer vulden ze die met papieren.

'De boeken ook?' vroeg Kirsch.

'Alleen als er aantekeningen in staan. Anders niet.'

In stilte werkten ze een paar minuten door. Kirsch voelde dat Von Laue zich schaamde dat hij zo vijandig had gedaan, en dat hij een manier zocht om het goed te maken.

'Waarom dacht u dat uw patiënte hier zou zijn?' vroeg hij uiteindelijk.

Kirsch hield op met werken om zijn voorhoofd af te vegen. Hij had alleen maar op zoek willen gaan naar de plek waar de jongetjes met de fietsen haar hadden gevonden. Het was een manier om dichter bij haar te komen, de enige manier die hij kon bedenken.

'Ze is hooguit anderhalve kilometer hiervandaan gevonden,' zei hij. 'Ik denk dat ze misschien op weg was naar haar vader.'

Von Laue zuchtte en begon de boekenkasten te doorzoeken. 'U bent een aardige man, dokter Kirsch. Ik begrijp dat u het goed bedoelt. Maar u kunt uw energie beter voor andere zaken bewaren.' Hij pakte een boek, bestudeerde de rug en zette het terug. 'Geloof me, dat onderzoek zal niets opleveren.'

'Hoe weet u dat zo zeker?'

Er vielen losse papieren op Kirsch' voeten, boven op de talloze papieren die al als tapijt op de vloerplanken lagen. Toen hij zich vooroverboog om ze op te rapen, had hij moeite om adem te halen.

Von Laue bladerde door een boek. 'Veel mensen denken dat Albert Einsteins werk alleen maar over sterren en zonnestelsels hier ver vandaan gaat. Ze denken dat het niets met hen te maken heeft. Wat ze vergeten, is dat we allemaal deel van het universum uitmaken. Wij zijn net zo goed een uiting van zijn natuurwetten als de rest, of we dat nu leuk vinden of niet. Als onze opvattingen over de kosmos veranderen, moeten onze opvattingen over de mens dus ook veranderen. Dat is heel belangrijk.'

Kirsch pakte boeken in. In zijn hand had hij een exemplaar van het boek dat Max hem had gegeven: *Over de speciale en algemene relativiteitstheorie*. Tot op zekere hoogte moest Max Von Laues mening hebben gedeeld. Waarom zou hij zo'n boek anders cadeau hebben gedaan aan zijn broer, de legerchirurg?

'Bedoelt u dat professor Einstein geen tijd zou hebben gehad voor zijn eigen dochter?'

Von Laue glimlachte. 'Tijd speelt wel een rol, maar niet op de manier die u bedoelt.'

'Op welke manier dan wel?'

Buiten schoven er wolken voor de zon. Opeens werd het donkerder in de kamer. Von Laue keek door het raam naar de bossen. Even dacht Kirsch dat hij daar iemand zag staan, die hen vanuit de schaduw in de gaten hield.

'Waar komen deze briljante nieuwe inzichten volgens u vandaan?' vroeg Von Laue. 'U hebt het menselijk brein bestudeerd, dokter. Waarom kan Albert Einstein zien wat voor anderen onzichtbaar blijft? Hoe kan hij zich een voorstelling maken van iets wat anderen zich niet kunnen voorstellen?'

'Ik denk dat hij intelligenter is.'

Von Laue schudde zijn hoofd. 'Intelligenter dan Poincaré? Intelligenter dan Max Planck? Ik betwijfel het. Ik betwijfel of hij het met u eens zou zijn. Het verschil, het cruciale verschil, zit in zijn onafhankelijke manier van denken. Zijn scepsis, zo u wilt. Op een of andere manier heeft hij het vermogen ontwikkeld om afstand te nemen van elke aanname, elke abstractie, hoe diep die ook in de kern van het menselijk brein verankerd is, en precies vast te stellen wat echt en tastbaar is, en wat niet. Lineaire ruimte en absolute tijd waren meer dan onschendbaar, dokter Kirsch. Ze waren de basis van het rationele denken. Het kwam niet eens bij iemand op om eraan te twijfelen. Einstein toonde niet alleen aan dat ze bedrieglijk waren, hij zag ook dat het zo was.'

Kirsch' voorhoofd voelde warm aan, de koorts klopte zachtjes onder zijn slapen. 'Ik ontken niet dat hij uniek is. Maar ik begrijp niet...'

'U ontkent het wél. U stelt zich voor dat deze buitengewone gezichtspunten zonder offers en veranderingen tot stand kunnen ko-

men. Maar zo wordt de waarheid ontdekt. Om de wereld waar te nemen, moet men erbuiten stappen. In de evangeliën staat dat de waarheid je vrij zal maken. Er zou moeten staan dat de waarheid je een buitenstaander maakt.'

Wat had Eduard Einstein tijdens hun eerste ontmoeting gezegd?
Mariya is aan het veranderen.

'Dit is allemaal wetenschap,' zei Kirsch. 'Dat heeft toch niets met
iemands familie te maken?'

Von Laue schudde zijn hoofd. 'U wilt me niet begrijpen, maar volgens mij snapt u best wat ik bedoel.' Hij haalde een paar boeken van
de plank en hield er een in elke hand. 'Als intuïtieve veronderstellingen over ruimte en tijd niet kloppen, is de kans klein dat de conventies
in onze maatschappij onfeilbaar zijn. Eer, gemeenschapszin, land,
God. Waar zijn die begrippen op gebaseerd? Stevige, tastbare funda-
menten? Iets absoluuts, zoals de snelheid van het licht? Of op zulke
dubieuze, inconsequente veronderstellingen dat het rationele brein
nauwelijks weet waar het moet beginnen?' Hij pakte de boeken in en
trok een la in de tafel open. Daar lagen nog meer papieren in. 'In een
sceptische wereld zouden waarheid en zekerheid samengaan. Maar
kijk om u heen. Is dat wat u ziet?'

Kirsch bracht een hand naar zijn gezicht. Hij transpireerde. Hij
deed zijn ogen dicht en zag het monument in Reinsdorf, het glanzende zwarte graniet en de enorme, brutale leugen: VOOR GOD EN VA-
DERLAND.

'Zo hoeft het niet te zijn,' zei hij. 'De mensen kunnen bijleren.'

Von Laue lachte. 'Waarom denkt u dat ze iets willen bijleren? Mijn
beste kerel. Voor de meeste mensen zijn het slechts de waanideeën die
het leven draaglijk maken. Als u het mij vraagt, is dat de tragedie van
het menselijk tekort. De mens heeft de behoefte om te doen of alles
zin heeft, terwijl de rede zegt dat dat niet zo is. Als niets zin heeft, wat
hebben de mensen dan nog met elkaar gemeen? Dan zouden hun onderlinge banden verdwijnen. De maatschappij zou verbrokkelen, en
iedereen zou in zijn eentje tegen de onverschilligheid van het universum moeten opboksen. Dat is wat de mensen boven alles willen voorkomen. Zelfs oorlog is een prijs die ze daarvoor willen betalen.'

Er striemden vlagen wind tegen de zijkant van het huis. Het luik klapte tegen het ijzerwerk. Von Laue tilde een van de dozen op. 'We kunnen dit maar beter afronden. Ik wil hier weg zijn voordat het donker wordt.'

Hij liep naar de auto. Kirsch ging weer aan het werk en stopte armen vol papieren in een kleine leren koffer. Hij probeerde niet aan Mariya te denken, onderweg naar het huis, gekleed in haar nieuwe jurk en nieuwe schoenen en vol hoop dat ze de Albert Einstein uit de bioscoopjournaals zou aantreffen: de meelevende profeet, de welwillende vader. Hij probeerde helemaal niet na te denken.

Hij was bijna klaar toen hij op een stapeltje ongeopende post stuitte: rekeningen, een paar uitnodigingen in enveloppen met reliëfversiering, enveloppen die aanvoelden of ze met tijdschriften waren gevuld. Onderop lag een dikke, witte enveloppe waarop een keurig vrouwenhandschrift Einsteins naam en adres had geschreven. Volgens het poststempel was het pakketje op 26 oktober vanuit postdistrict C in Berlijn verstuurd. Dat was dicht bij de straat waar Kirsch woonde. Op dat moment herinnerde hij zich waar hij het eerder had gezien.

In de envelop zat een stapel gelinieerde vellen papier, volgeschreven in hetzelfde keurige handschrift. Het was een compleet katern van een aantekenboek. Tussen de laatste pagina's was een tekening van een paar vierkante centimeter gestopt: Albert Einstein, die met een vriendelijke glimlach op zijn gezicht voor een lessenaar stond.

De eerste bladzijde begon: *Hoe ben ik hier na al die tijd beland?*

Licht

46

Het was dom te denken dat ik een grote man als Zoltán aankon, zelfs nu hij dronken was. Het was nog dommer me te verbeelden dat ik een mes in zijn hart kon steken. Ik wenste hem dood. Hij was schuldig aan de dood van mijn zus, zo schuldig alsof hij haar zelf had verdronken. Maar een of ander instinct beteugelde mijn honger naar wraak en weerhield me ervan om hem aan te vliegen zodra hij de deur opendeed, wat de verstandigste en effectiefste aanval zou zijn geweest. Ik hield me niet in uit medelijden, en al helemaal niet uit angst. Het was een gevoel – onbekend maar hard, als een tumor in het vlees – dat ik het niet in me had om een mensenleven te nemen, dat ik voor altijd zou veranderen als ik die dodelijke stap zette. Mijn oude persoonlijkheid zou vervagen en ik zou een nieuw bestaan beginnen, waarin geschiedenis en bloedbanden vergeten moesten worden en het brein misschien wel levenslustig zou zijn, maar het hart voor altijd zou zwijgen.

Met het mes in mijn hand stond ik in de keuken aarzelend op de drempel van dat sombere nieuwe bestaan. Dat was de situatie toen Zoltán Draganović naar binnen wandelde.

Hij bleef even naar me staan kijken, eerst geschokt, daarna beledigd, vervolgens geamuseerd. In zijn bedwelmde brein vochten de drie emoties om de boventoon.

'Wat krijgen we nu?' sputterde hij uiteindelijk. Hij kneep zijn ogen tot spleetjes en ik zag dat hij een verklaring voor deze onverwachte vijandigheid probeerde te vinden. 'Heb je je zus gesproken? Wat heeft ze tegen je gezegd?'

Wat had ze me kunnen vertellen als ze nog had geleefd? Of als ik eindelijk eens aan haar had gedacht in plaats van aan mezelf, en het haar had gevraagd? Nu het te laat was, had ik wel een idee. Maar ik kon me er niet toe zetten om erover te praten, zelfs op dat moment niet. Een klein deel van mij hoopte nog steeds dat ik me vergiste.

Zoltán kwam dichterbij. Ik haalde naar hem uit met het mes en richtte het op zijn keel. Eén diepe stoot, zei ik tegen mezelf, en hij zou als een offerlam doodbloeden. Ik vocht om dat laatste beetje wilskracht naar boven te halen. Maar de gedachte aan mijn eigen schuldgevoel, mijn zwijgende medeplichtigheid aan Senka's lot, ontnam me de kracht.

Zoltán voelde dat het gevaar was geweken. Hij lachte toen ik het mes voor zijn gezicht heen en weer zwaaide.

'Dit is mijn huis,' zei hij met gespreide armen. 'Als je het wilt hebben, moet je het van me afpakken.' Hij zette een hoge borst op en kwam op me af. Hij bood me zijn borstkas aan en daagde me uit om hem aan te vallen.

Ik zei dat ik zijn huis niet wilde. Maar ik kon niet hardop zeggen wat ik wél wilde: het verleden veranderen en bij mijn zus blijven, zodat haar niets kon overkomen. Ik wilde haar lachend in een appelboom zien klimmen, of bij haar in de boomgaard zitten en de gefluisterde geheimpjes van onze jeugd weer met haar delen. Bovenal wilde ik voelen dat haar vertrouwen in mij niet misplaatst was geweest. Maar al die dingen kon ik niet meer krijgen, en zelfs Zoltáns dood zou ze niet binnen mijn bereik brengen.

'Wat wil je dan, jongedame?' vroeg hij. 'Waarom ben je zo laaiend?' Hij hield zijn hoofd schuin, alsof ik een interessant raadsel was waarvoor hij eindelijk een oplossing begon te bedenken. 'Misschien ben je een beetje jaloers op je zus.'

Voordat ik iets kon zeggen, graaide hij naar het mes, dat ik net snel genoeg wegtrok om hem in zijn handpalm te snijden. Hij schreeuwde en sloeg me zo hard in het gezicht dat ik tegen de tafel viel. Mijn hoofd tolde en ik kon het bloed in mijn mond proeven. Hij duwde me achterover en tilde met één arm mijn benen van de vloer, waardoor ik nog een keer tegen de tafel viel, dezelfde keukentafel waarop het lichaam van mijn zuster slechts een paar uur eerder had gelegen. Het volgende moment voelde ik zijn gewicht op me, zo zwaar dat ik dacht dat hij me zou verpletteren. De lantaarn boven de tafel zwaaide heen en weer, waardoor de hele keuken leek te draaien. Zoltán bleef maar praten, en zei dat hij mijn zus niet zou hebben lastiggevallen als hij had geweten dat ik er ook wel zin in had. Daarnaast zei hij nog een aantal dingen die ik niet wilde horen. Want zelfs terwijl ik me verzette, merkte ik dat ik afstand nam van die plek en dat moment, dat ik me ergens terugtrok waar ik alles vergat en nergens door geraakt kon worden, waar geen gevolgen en bewustwordingen bestonden omdat er niets te weten viel. Vanaf deze gevoelloze plek keek ik naar de man en vrouw die op een tafel onder het licht van een heen en weer zwaaiende lantaarn met elkaar vochten – en verder zag ik niets. De man had geen naam, en de vrouw ook niet. De tafel was gewoon een tafel, en de lantaarn wierp schaduwen over hen heen waardoor ik moeilijk kon zien of hun omhelzingen liefkozingen van minnaars waren of het gevecht van aartsvijanden die elkaar naar het leven stonden. Pas naderhand, toen ik wakker werd en merkte dat ik alleen was, drong de bittere waarheid tot me door en besefte ik welke prijs ik voor mijn zwakheid en schuldgevoel had moeten betalen.

Ik was nauwelijks overeind gekrabbeld toen Maja Lukić terugkwam. Ze moet hebben geraden wat er was gebeurd. Ze sloeg een jas om me heen, pakte mijn koffer en nam me via een sluipweggetje meteen mee naar huis. Ik was niet in staat om vraagtekens bij haar keuze te zetten, maar ze was natuurlijk bang dat we op de hoofdstraat gezien zouden worden, ook al was de avond bijna gevallen. Achteraf was ik boos over de onrechtvaardigheid hiervan. Maar Maja Lukić was niet op haar achterhoofd gevallen. Ze kende haar woonplaats heel goed, en ze wist dat de verloren eer van een vrouw nooit kon worden teruggewonnen, zelfs niet als ze hem buiten haar schuld was kwijtgeraakt. Dat zijn nu de primitieve wreedheden van het dorp waar ik ben opgegroeid, waar mannen beweren dat ze grote voorstanders van de modernisering en de zegeningen van de verlichting zijn – wie wil er nu niet met de stoomtrein reizen, van de beste medicijnen gebruik maken of elektriciteit in zijn huis laten aanleggen als dat mogelijk is? – maar hun hart in het verleden laten, tussen de schaduwen van het bijgeloof. Ik begrijp heel goed dat je genoeg hebt van die dwaze, waardeloze oude wereld en dat je ervan verlost wilt worden!

Ik betwijfel of Maja Lukić er ook zo over dacht, maar ze was oprecht bezorgd om me. Ze besloot dat ik maar het beste zo snel mogelijk uit het dorp kon vertrekken. Ze zei dat ze al een poosje vermoedde dat Zoltán niet goed bij zijn hoofd was en dat ze meer dan eens op het punt had gestaan ontslag te nemen. Ze was bang dat Zoltán me zou doden uit angst dat ik hem ergens van zou beschuldigen. Ze gaf me al het geld dat ze in huis had en stuurde me de volgende dag naar Belgrado, gewapend met een haastig geschreven aanbevelingsbrief die ik aan een aangetrouwd familielid moest geven. Ik ging niet met haar in discussie. Ik wist niet waar ik anders *naartoe moest. Ik kon niet in Orlovat blijven, en ʒonder Zoltáns geld kon ik mijn studie in Zagreb niet voortʒetten. Ik dacht ook dat hij daar bij me langs ʒou komen. Kortom, ik was ʒo in de war dat ik rationele beslissingen beter aan anderen kon overlaten. Zelfs mijn geheugen werd onbetrouwbaar, ʒo onbetrouwbaar dat ik meer dan eens wakker werd en niet wist waar ik was. Dan dacht ik dat Senka en mijn moeder nog leefden en dat het geʒin waartoe ik ooit had behoord nog bestond.*

Svetlana Lukić was de ʒus van Maja's overleden echtgenoot. Ze had een kledingʒaakje vlak bij de kathedraal van de Heilige Sava en had een goed hart, al was ʒe dan een beetje stijfjes en vastgeroest. Ze had een enorme voorliefde voor katten. Dat kwam slecht uit, want ʒe kon het ʒich niet veroorloven om katten in huis te nemen. Die ʒouden haren op de jurken kunnen achterlaten of de stof met hun nagels kunnen beschadigen, dus als alternatief voerde ʒe de ʒwerfkatten in het gebied rond de kathedraal.

Ik deed mijn best om haar in de winkel te helpen. Ik kon niet naaien, maar ik kon haar wel helpen om haar boekhouding te ordenen. Daar had ʒe ʒo'n rommeltje van gemaakt dat ʒe aan de genade van elke belastinginspecteur ʒou zijn overgeleverd. Na een maandje ging ik op ʒoek naar een baan als lerares. Die bleek al snel te vinden te ʒijn, want er was een groot tekort aan vrouwelijke wiskundedocenten. Tijdens de jaren daarna deed ik mijn best om mijn eigen opleiding te vervolgen. Dankʒij een docent uit Zagreb kreeg ik toegang tot een paar vooraanstaande academische bibliotheken en mocht ik ʒelfs bepaalde colleges bijwonen aan de universiteit van Belgrado. Die wekten mijn interesse voor natuurkunde en de vele schokkende ontdekkingen op dat vakgebied. Mijn pogingen tot ʒelfstudie konden een academische graad natuurlijk niet vervangen, maar de ʒelfdiscipline die nodig was om deʒe natuurwetenschap te volgen en de bespiegelingen over al haar mysteries brachten me in die tijd veel rust, ook al was die rust niet volledig.

Maar ik ga te snel met mijn verhaal. Ik moet je nog meer vertellen over die onstuimige lente waarin mijn ʒus stierf, al valt me dat niet mee. Ik denk dat Maja Lukić en ik de enigen zijn die alles weten. Straks weet jij het ook. Je móét het weten, want anders is mijn lange reis hierheen voor niets geweest. Ik bied je de geheimen aan die ik ʒo lang heb bewaard in de hoop er ook een van jou terug te krijgen. Dat is het enige wat ik van je vraag.

Ik logeerde nog steeds bij Svetlana toen er brieven van Maja Lukić arri-

veerden. Ik was altijd neerslachtig als ik ze openmaakte, want ik wist dat
ze de berichten zouden bevatten over mensen en dingen die ik wilde verge-
ten, met uitzondering dan van mijn arme zus. Maja vertelde dat Senka's
lichaam was overgebracht naar Novi Sad, de provinciehoofdstad, en dat
ze was begraven in het familiegraf van de familie Draganović. Tot op de
dag van vandaag vraag ik me af waarom Zoltán die moeite heeft genomen.
men. Ik kan alleen maar aannemen dat hij graag de schijn wilde ophou-
den. Nu zijn dochter dood was, kon hij het zich veroorloven om haar alle eer
van de wereld te betonen, en in ruil daarvoor kreeg hij het medeleven van
de wereld terug. Ik wenste dat ik bij het laatste afscheid aanwezig had kun-
nen zijn, maar ik wenste nog vuriger dat ze ergens anders en in beter gezel-
schap was begraven.

Het werd me duidelijk dat Maja Lukić zich op een bepaalde manier ver-
antwoordelijk voor me voelde, net zoals ik enige verantwoordelijkheid had
gevoeld voor Senka's lot. Uit haar onbeholpen, maar oprechte brieven be-
greep ik dat ze werd gekweld door een hevig schuldgevoel. Ik reageerde zel-
den. Misschien verergerden haar schuldgevoelens daardoor, want ze leek
me steeds wanhopiger gerust te willen stellen. In die context begon ze erop
te zinspelen dat Zoltán Draganović mijn vader niet was. Eerst was het niet
meer dan een ingefluisterde gedachte, maar haar beweringen werden
steeds stelliger, tot ze uiteindelijk deed alsof het een bewezen feit was. Ze
herhaalde iets wat ik ooit had gehoord van mijn grootmoeder, dat mijn
moeder vóór mij een kindje had gehad dat roodvonk had gekregen. Ik was
dat verhaal al bijna vergeten en dacht dat ik het me als kind had verbeeld.
Voor de buitenwereld was ik het oudste kind. Ik had roodvonk gekregen
toen ik een halfjaar oud was, maar was weer hersteld. Dat was het einde
van het verhaal, maar volgens Maja Lukić zat het heel anders.

Ze werkte destijds bij ons in huis en zag dat het oudste kind op sterven
lag. Ze vertelde dat mijn moeder zich diep ellendig voelde en ontroostbaar
was. Toen werd Maja voor een periode van twee weken of langer wegge-
stuurd. Niemand mocht het huis in, zelfs de priester niet. Dat was onge-
woon, want als men dacht dat een kind zou sterven, werd het meestal eer-
der gedoopt om het zieltje te redden. Toen Maja eindelijk weer mocht
komen werken, zag ze dat het kind weer kerngezond was — maar het was
niet hetzelfde kind. 'Dit kindje was minstens twee maanden ouder,'
schreef ze. 'Haar gezicht was ronder en haar ogen waren donkerder.' Vol-

gens haar was er maar één verklaring mogelijk: ik was in het geheim geadopteerd, ofwel om mijn moeder te troosten, ofwel omdat Zoltán bang was dat hij anders kinderloos zou blijven. Maar ze had geen idee waar ik vandaan was gekomen of wiens kind ik eigenlijk was.

Maja Lukić was bang dat ik door deze onthulling van streek of beledigd zou zijn, zelfs na alles wat er was gebeurd. Het was al heel wat om geen kind van mijn vader te zijn, maar het was nog veel erger om ook geen kind van mijn moeder te zijn. Maar toen ik die brief las, was het alsof een raadsel waarmee ik mijn hele leven had geworsteld opeens werd opgelost. Jarenlang had ik me in de familie Draganović een buitenstaander gevoeld. Nu wist ik eindelijk waarom. Het was een schok dat mijn gevoelens zo plotseling en ontegenzeglijk werden bevestigd. Maar het was ook een troost, een grotere troost dan zelfs Maja Lukić ooit zou weten.

Ik had natuurlijk kunnen eisen dat Zoltán me de waarheid vertelde, maar niets kon me ertoe brengen om contact met hem op te nemen, laat staan hem te laten weten waar ik was. Uiteindelijk, zo'n negen jaar later, kreeg ik bericht uit Orlovat dat hij een beroerte had gekregen en was gestorven. Zijn notaris kwam uit Novi Sad om zijn nalatenschap af te handelen, maar hij kon nergens een testament vinden, met uitzondering van het testament dat hij vóór mijn moeders dood had opgesteld. Omdat er verder geen familie meer in leven was, kreeg ik bericht dat het residu van zijn nalatenschap naar mij zou gaan als bepaalde schuldeisers waren afbetaald. De waarde bleek hoger te zijn dan ik had verwacht, want al dronk Zoltán zijn magere pensioen en het pachtgeld van zijn land regelmatig op, het land zelf was altijd van hem gebleven. Daarnaast had hij bepaalde familiebezittingen en het huis achtergelaten.

Ik ging terug naar Orlovat om de erfenis te accepteren. Ik verkocht bepaalde stukken land voor een redelijke prijs en richtte me vervolgens op het huis. Ik had de taak om Zoltáns papieren door te nemen uitgesteld, maar kreeg te horen dat ik er echt een keer aan moest beginnen. Daarom nam ik uiteindelijk de tijd om ze te bekijken. Het was een rommeltje, en ik kwam in de verleiding om alles in de haard te gooien. Maar toen ontdekte ik een aantal afschriften van zijn bank in Novi Sad, die meer dan tien jaar oud waren. Op elk afschrift stond dat er geld was overgemaakt door een bank in Zürich. Drie keer per jaar was er geld gekomen van een zekere Frau Einstein-Marić – genoeg voor een universitaire studie. Verder waren de beta-

lingen gestopt rond de tijd dat ik mijn studie had afgebroken en in Belgrado was gaan wonen.

Je kunt je wel voorstellen dat ik heel benieuwd was hoe de vork in de steel zat. Ik herinnerde me tante Helenes zwijgende metgezellin, en het effect dat haar aanwezigheid altijd op mijn vader en moeder had gehad. Ik herinnerde me vooral wat ik later over haar prestaties en roem had gehoord. Op dat moment, toen ik in mijn eentje in de kamer zat waar Frau Einstein ons ooit had bezocht, durfde ik het verhaal van Maja Lukić te geloven.

Een paar weken later bezocht ik tante Helene in Belgrado. Ik had haar al jaren niet meer gezien, maar ze kende me nog en condoleerde me met de dood van mijn vader. Ik vertelde haar dat ik door mijn veranderde omstandigheden inmiddels van plan was om mijn studie in het buitenland voort te zetten. Ik vroeg haar wat de beste plaats was en of ze wist waar ik het benodigde wiskunde- en natuurkunde-onderwijs kon krijgen om weer tot de academische wereld toe te treden. Ze dacht diep na en ik had de indruk dat mijn plannen haar genoegen deden. Zoals ik al had vermoed, stelde ze uiteindelijk voor dat ik naar Zürich zou gaan en een bezoek zou brengen aan een lerares die ze daar kende. Ik hoef je nauwelijks te vertellen wie die lerares was.

Ik bracht tante Helene niet op de hoogte van de waarheid, in elk geval niet van de hele waarheid. Ik wilde niets liever dan mijn studie hervatten. Ik droomde ervan om weer met die vreemde en mooie raadsels te worstelen, om te streven naar die uiteindelijke en absolute verlichting die jou nu bezighoudt. Die prijs bemachtigen, als hij al te bemachtigen is, zou beslist de allergrootste prestatie van de mens zijn. Niets kan belangrijker of meer de moeite waard zijn. Maar het doel van mijn reis naar Zürich, het doel van mijn komst naar Berlijn, is eenvoudiger: ik wil ontdekken wie mijn ouders zijn en voor eens en altijd weten of het verhaal van Maja Lukić klopt. Ik denk dat jij de enige bent die me kan helpen. Ik ben ervan overtuigd dat de mensen die me iets kunnen vertellen hun mond houden zolang jij zwijgt. Zo veel macht heb je over hen. Het lijkt erop dat je dubbel gezegend bent: je beheerst niet alleen de gedachten van andere mensen, je hebt ook hun loyaliteit en liefde – een gevolg dat ongetwijfeld niet alleen uit je enorme wijsheid, maar ook uit je goede, zachtaardige karakter voortvloeit. Daarom leg ik mijn lot vol vertrouwen in je handen, in de wetenschap dat jij, juist

jij, de bestendiging van een leugen onacceptabel vindt, hoe goed het men-
sen die kortzichtiger en minder principieel zijn ook zou uitkomen om hem te
laten voortbestaan.

47

De Haan, België, april 1933
De zon brandt door een laag sluierbewolking heen en maakt de schaduwen bleek. Er is geen zuchtje wind, de zee is onnatuurlijk kalm, de
horizon versmolten tot een witte hemel. Vanaf de veranda van Villa
Savoyarde kijkt Albert Einstein naar een van de rechercheurs, die
langs de waterlijn kuiert. Hij heet Gilbert en hij doet bijna niets anders dan patrouille lopen op het strand en in de hoge duinen rond de
villa. Een moordenaar zou per boot kunnen komen, heeft hij op een
ochtend aan Elsa uitgelegd. Verder heeft hij nog weinig gezegd. Het
merendeel van zijn tijd rookt hij sigaretten en staart hij naar de vis-
sersboten, die puffend voorbijkomen en op grijze garnalen vissen.
Achter de vissers, in de verte, kun je nog net de veerboten naar Engeland de haven van Oostende uit zien varen.

Een andere rechercheur zit altijd binnen. Zijn naam is Vlaams en
daardoor onmogelijk uit te spreken. Hij zit in de gang, neemt kopjes
koffie aan en houdt de oprit in de gaten. Als er bezoekers komen,
springt hij overeind en houdt hij iedereen staande die hij niet kent. De
plaatselijke bevolking van De Haan heeft het verzoek gekregen zich
van den domme te houden als iemand naar het huis van Einstein
vraagt, maar dat heeft weinig uitgehaald. Elke dag komen er meer
mensen over het strand aanlopen. Sommigen doen of hij hun niet interesseert, anderen lopen schaamteloos te staren en foto's te maken.
Gilbert en zijn collega zijn zichtbaar nerveuzer geworden. Ze controleren vaak hun revolvers en bellen op gedempte toon met hun superieuren over hun onbeveiligbare werkterrein. Er zijn in de duinen
woordenwisselingen geweest met verslaggevers en een cameraploeg
van een bioscoopjournaal, om nog maar te zwijgen over een paar de-

legaties academici. Ze zijn hier nog geen drie weken, maar ze beginnen nu al het gevoel te krijgen dat ze belegerd worden. Elsa zit urenlang boven in haar slaapkamer, met de deur op slot. Het staat vast dat dit toevluchtsoord, dat gratis ter beschikking is gesteld door de Belgische koning, een tijdelijk verblijf is. Nazi-Duitsland is te dichtbij, het bereik van het land te groot. Het is onmogelijk geworden om hier te werken.

Einsteins privésecretaresse, Fräulein Dukas, een onaantrekkelijke, magere vrouw met ravenzwart haar, kijkt op van haar stenoblok. Einstein is halverwege het dicteren opgehouden met praten. Ze waren bezig aan een brief aan Lord Rutherford over het aanstaande bezoek aan Groot-Brittannië. Herdenkingslezingen in Oxford en Glasgow. Rutherford moet de data bevestigen.

Zonder dat Einstein erom moet vragen, leest Fräulein Dukas de laatste regel terug: 'Ik hoop uiterlijk 26 mei in Dover te arriveren...'

Normaal gesproken is zij verantwoordelijk voor de agenda. Ze kent de afspraken en verplichtingen van haar werkgever uit haar hoofd, en die van zijn vrouw ook. Maar er zijn ook afspraken die ze niet voor hem kan inplannen, en verplichtingen die hij alleen kan beoordelen.

Hij had al lang een keer naar Zürich gemoeten. Hij had beloofd dat hij in mei langs zou komen. Maar hoe lang moet hij blijven? Drie dagen? Vier? Elsa wil dat hij in een hotel logeert, maar dat zou onbeleefd en overdreven zijn. Mileva heeft een prima logeerkamer in haar appartement aan de Huttenstrasse. Anderzijds bestaat het gevaar dat ze Eduard uit het Burghölzli haalt om zo veel mogelijk tijd met z'n allen door te brengen. Vader en zoon zullen muzikale duetten spelen, wat zonder problemen zal verlopen, en over psychiatrie en literatuur praten, wat wél problemen oplevert. Hij zal het niet hebben over een definitief afscheid. Met opzet heeft hij tegen de pers nooit iets gezegd over plannen om zich definitief in Amerika te vestigen. In het openbaar heeft hij zich geringschattend uitgelaten over het Land van de Onbeperkte Mogelijkheden. Tegelijkertijd verlangt hij ernaar om de problemen van de oude wereld voor eens en altijd vaarwel te zeggen, om de last van het piekeren daarover van zich af te zetten, zowel in het openbaar als privé. Net als zijn oude leven leidt de oude wereld hem af, een jeukende plek waar hij niet bij kan. Het wordt elke dag aanlokkelijker om een oceaan tussen hemzelf en die wereld te plaatsen.

Drie dagen en drie nachten. Als hij langer blijft, wordt Mileva cha-grijnig. Dan komen er oude rancunes naar boven. Haar genoegen en trots over zijn komst worden geleidelijk aan verdrongen door haar aangeboren wrok. Mileva de martelares. Geen enkele ontmoeting is compleet zonder een zinspeling op verwaarlozing of beloftes die hij niet is nagekomen. In dat opzicht is hun jongste zoon het perfecte wa-pen, een levend verwijt. Twee jaar geleden verscheen ze onaangekon-digd in Berlijn, op de bruiloft van Elsa's dochter, met het nieuws dat het niet goed ging met Eduards geestelijke gezondheid. Maar de krankzinnigheid komt niet van zijn kant van de familie. Kijk maar naar haar zuster, Zorka. Sinds zij volwassen is, volgt de ene gedwon-gen ziekenhuisopname na de andere. Nu woont ze in haar eentje in Novi Sad, in een huis waar ze veertig katten houdt.

Drie dagen en twee nachten. Dat zou genoeg moeten zijn.

Einstein wendt zich tot Fräulein Dukas. 'Ik hoop uiterlijk...'

Op tafel ligt een stapel ongeopende post. De hoeveelheid postze-gels uit verschillende landen is nog indrukwekkender dan anders, maar Einsteins blik valt op een grote bruine enveloppe. Daar zitten helemaal geen postzegels op. Zijn naam staat er ook niet op, alleen de woorden 'Villa Savoyarde'.

'Waar komt dit vandaan?'

Fräulein Dukas kijkt op van haar stenoblok en wuift een opdringe-rig kriebelmugje weg. 'Die is door een motorkoerier afgeleverd. Hij wilde hem persoonlijk aan u geven, maar rechercheur Dejaeck...'

Ze gebaart met haar hoofd in de richting van de gang. De enveloppe is verzegeld met was, en er staat het woord 'vertrouwelijk' op. Fräulein Dukas maakt geen post open waar 'vertrouwelijk' op staat.

Einstein scheurt de enveloppe open. Hij weet van wie hij afkomstig is. Alleen De Vries stuurt zijn post per privékoerier naar hem toe.

'Ik ben zo terug,' zegt Einstein, terwijl hij de papieren mee naar binnen neemt.

In de woonkamer staat hij stil en spitst hij zijn oren. Een ritselend geluid uit de gang vertelt hem dat rechercheur Dejaeck een krant leest. Elsa is boven. De tafelklok op de schoorsteenmantel tikt zacht-jes twee keer per seconde. Zelfs nog voordat Einstein begint te lezen, voelt hij de dwingende vingers van het verleden. Ze strekken zich uit om hem op te eisen. Is een oceaan oversteken ver genoeg? Vindt hij bij aankomst in Princeton, zijn uitverkoren toevluchtsoord, zijn oude zonden verstopt in zijn bagage, wachtend tot ze worden uitgepakt?

Het laatste rapport van De Vries stelt hem op vele punten gerust. In de zaak-Draganović heeft hij geen spoor van een samenzwering ontdekt, geen aanwijzing dat er ooit bedrog of chantage werd overwogen. Als Mariya Draganović een medeplichtige had, was het haar psychiater, een ambitieuze, maar kennelijk labiele persoon wiens toewijding aan haar zaak stof heeft doen opwaaien. Er wordt gesuggereerd dat de twee een band hebben die verder gaat dan de relatie tussen arts en patiënt, maar meer ook niet. Het kan dus nog steeds zo zijn dat de beweringen van het meisje het product van een verwarde geest waren, dat ze ergens, waarschijnlijk in Zürich, het verhaal van Lieserl Einstein heeft gehoord en het zich heeft toegeëigend. Zieke geesten verzinnen vaak zulke fantasieën, misschien om een chronisch gevoel van onbeduidendheid of isolatie te compenseren. Toch bespeurde de Berlijnse psychiater dergelijke neigingen bij Mariya Draganović niet, hij zag geen tekenen van een vergevorderde psychose. Einstein had ook niet de indruk dat ze gestoord was. Als de vrouw duidelijk gestoord was geweest, had hij de zaak wel laten rusten.

Wat de waarheid ook is, het meisje wordt niet meer behandeld in het Charité. Het lijkt De Vries onwaarschijnlijk dat ze het hem ooit weer lastig zal maken. Het ziet ernaar uit dat al Einsteins angsten ongegrond waren.

Hij laat zich op de bank zakken en laat een hand op de rand van de zitting rusten. Hij merkt dat hij graag details wil weten. Er zijn nog te veel dingen die hij niet weet, onzekerheden die op een dag kunnen samensmelten tot iets dreigends, als de resten van een tumor die niet volledig wordt weggesneden.

Als het meisje niet loog en niet gek was, moet ze zich gewoon hebben vergist. Lieserl is al jaren dood. Tenminste, dat hebben ze hem verteld. Hij probeert zich te herinneren wanneer Mileva hem het nieuws vertelde, de exacte omstandigheden. Het lukt hem niet.

Onder aan de laatste bladzijde is een fotootje geplakt, het soort foto dat voor paspoorten wordt gebruikt. Waarschijnlijk heeft De Vries de foto uit het stadhuis. Deze foto lijkt meer op het gezicht dat hij zich herinnert. Mariya zat in het concertgebouw in het publiek. Hij was nog maar net met zijn lezing begonnen toen ze hem opviel. Er komen bijna altijd knappe vrouwen naar zijn openbare lezingen, maar iets aan haar gezicht trok zijn aandacht. Hij merkte dat hij steeds weer naar haar keek. 'Hebben wij elkaar al eens ontmoet?' vroeg hij haar na afloop, toen ze tussen de mensen door naar hem toe liep. Het was geen conversationele openingszet, geen manier om een gesprek te beginnen. Het was de enige verklaring die hij kon bedenken: dat ze elkaar al eens hadden ontmoet en dat de herinnering net buiten zijn bereik bleef, plagerig en aanlokkelijk.

Wat doet het ertoe? Er is geen dreiging meer, geen mogelijk schandaal dat hem kan beletten om naar Amerika te verhuizen. Het meisje is weg en zal nooit terugkeren. Maar de foto blijft hem dwarszitten – hij voelt weer die herkenning die hem eens zo boeide. Herkende hij zijn eigen vlees en bloed? Was dat het?

Hij haalt zijn vingers door zijn lange witte haar. Waarom zou Mileva liegen? Om hem te kwetsen? Maar hij was niet gekwetst, daar was geen sprake van. Het nieuws van Lieserls dood, of het nu waar was of niet, had geen praktische gevolgen. Of maakte dat het bedrog juist mogelijk – makkelijk, zelfs?

Bij het verslag zit een brief, geadresseerd aan het meisje. De Vries heeft er een kort briefje aan vastgemaakt. *Deze brief schijnt te zijn verzonden door een inwonende patiënt van het psychiatrische ziekenhuis Burghölzli. Hij noemt zich Eduard, maar het is me nog niet gelukt zijn identiteit vast te stellen.*

Hij begint te lezen. Door de aanwakkerende zeewind begint het binnen koud te worden. Hij heeft behoefte aan zijn pijp en zijn jasje. Op de schoorsteenmantel tikt de klok. Eduard. Hij had nooit aan Eduard gedacht, omdat hij aannam dat zijn zoon ver weg in zijn eigen wereldje zat, niet in staat om plannetjes te beramen. Of heeft iemand hem ertoe aangezet? Heeft iemand hem gewapend met informatie die hij nooit had moeten krijgen? In zijn afwezigheid zijn oude grieven gaan zweren en kankerig geworden.

Als hij klaar is met lezen, verscheurt hij de brief en het verslag van

De Vries en gooit de stukjes in de open haard. Daarna loopt hij weer naar de veranda.

Fräulein Dukas pakt haar stenoblok en potlood op. 'Ik hoop uiterlijk 26 mei in Dover te arriveren,' zegt ze, de laatste gedicteerde zin voorlezend.

Einstein gaat zitten en beschermt zijn ogen tegen de zon. Binnenkort zal de greep van het verleden verslappen. Binnenkort. Dan wordt zijn leven lichter, helderder. In Princeton zal hij grote hoogten bereiken. Hij zal de jonge honden van de kwantummechanica temmen en het gezonde verstand van de wetenschap voor eens en altijd redden. Als hij eenmaal vrij is.

Uit de asbak pakt hij zijn pijp, die is uitgegaan. Hij zuigt koude, teerachtige lucht naar binnen. 'Uiterlijk 1 juni. Ik moet wat langer weg dan ik dacht.'

48

Orlovat, 28 april

Beste dokter Kirsch,

Vergeef me als u het vervelend vindt dat ik u uit nieuwsgierigheid schrijf. Ik ben nu een maand weg uit Berlijn. In die tijd heb ik mijn best gedaan om uw advies op te volgen: de stad en alles wat daar is gebeurd vergeten. Maar ik merk dat er vragen zijn waarop ik een antwoord moet hebben, en dat ik u bepaalde dingen moet vertellen. Want al bent u mijn arts niet meer en bent u op geen enkele manier meer verantwoordelijk voor me, ik ben bang dat u zich zorgen hebt gemaakt over mijn abrupte vertrek, en dat ik misschien een verkeerd idee van mijn gevoelens of geestestoestand heb gegeven. Ik denk vaak aan de tijd die u aan me hebt besteed, de bescherming en de zorg, en het zit me dwars dat ik u misschien alleen maar ongerust heb gemaakt.

Het eerste wat ik graag wil weten, is of het goed met u gaat en of u geen koorts meer hebt. Uw vriend dokter Schad verzekerde me dat u herstellende was en ik had reden om aan te nemen dat hij gelijk had. Uw temperatuur was gedaald, u begon eindelijk weer te eten, en u begon weer rustig te slapen, zonder die heftige dromen die me tijdens de eerste twee dagen zo bang maakten. Achteraf wilde ik dat ik langer was gebleven, al was het alleen maar om mijn vrees weg te nemen, maar als u de waarheid hoort, hoop ik dat u niet te streng over me oordeelt.

Een van de laatste dingen die u me vertelde, was dat u dacht dat u niets nuttigs had gedaan in het Charité. Het leek wel of u dacht dat u

*me had teleurgesteld, dat uw moeite voor niets was geweest. Ik wil u
vertellen dat u zich vergist. Als u iets eerder was hersteld of als ik iets
later uit Berlijn was weggegaan, had u dat met eigen ogen kunnen
zien. Op het moment dat ik dit schrijf, heb ik mijn geheugen bijna
helemaal terug. Er zijn nog momenten, wat voorvallen uit mijn recente verleden, die ik me niet helemaal goed kan herinneren, maar
dat zijn er maar een paar, en het worden er steeds minder. Ik heb weer
een duidelijk idee gekregen wie ik ben, zonder dat ik mijn toevlucht
hoef te nemen tot fantasie of indirecte herinneringen. Ik had mentale kracht nodig om onder ogen te zien wat mijn diepgewortelde instinct in een diep, donker hoekje wilde wegstoppen. Maar inmiddels
weet ik dat ik die kracht dankzij u heb gevonden. Op afstand is het
me duidelijker dan ooit: zonder u zou ik als een schim van mezelf
hebben voortgeleefd. Op den duur zou ik misschien mijn rol hebben
gespeeld, maar ik zou me nooit mezelf hebben gevoeld.*

*De informatie die ik was kwijtgeraakt, kwam weer boven toen ik
u bij Herr Mettler verzorgde. Mijn geheugen kwam stukje bij beetje
terug, zonder duidelijke volgorde. Eerst merkte ik de terugkeer nauwelijks. Toen u die eerste nacht lag te slapen, verkende ik de kamer
waar ik ooit had gewoond, en bekeek ik de bezittingen die van mij
schenen te zijn. Ik vond de koffer en bekeek de inhoud: de wetenschappelijke boeken, die tegelijkertijd ontzagwekkend en vertrouwd
waren, de vele ansichtkaarten die ik had gekocht, maar nooit had
verstuurd, het fotoalbum met de lege fotohoekjes — een aanwijzing
dat ik iets verdrietigs had meegemaakt, iets wat me zou opwachten
als ik het verleden per se wilde terugkrijgen. Geleidelijk aan kwamen de herinneringen aan die zaken en wat ze voor me betekenden
dichterbij, als iets wat op het puntje van je tong ligt en toch ongrijpbaar blijft.*

*Ik probeerde ze niet met alle geweld terug te krijgen. Ik dacht er-
over na als ik niet sliep of voor u of mezelf moest zorgen. Ik was erg
dankbaar dat ik u mocht verzorgen. Wist u dat Frau Mettler me toe-
stond haar keuken te gebruiken, en me zelfs hielp het eten klaar te
maken toen ze begreep hoe ziek u was? Ik kon de weg in de buurt goed
vinden, en vond ook moeiteloos de weg naar dokter Schad, die ik op
uw verzoek ging halen. Op een ochtend nam ik onbewust zelfs een*

kortere weg vanaf de Grenadierstraße. Daardoor had ik kunnen weten dat mijn geheugen terugkwam, maar het drong pas door een andere, concretere aanwijzing tot me door.

Ik nam uw opmerking dat Duitsland niet veilig meer voor me was heel serieus, maar ik wist niet precies op welke manier er gevaar dreigde. Herr Mettler wilde me alleen maar vertellen dat er steeds mensen verdwenen en zei dat ik me 's avonds niet meer op straat moest vertonen. Ik volgde zijn advies op en zelfs als ik me overdag buiten waagde – als alles er heel normaal uitzag, moet ik zeggen – probeerde ik alert te blijven. Ik ging ervan uit dat ik eerst vastgegrepen en overmeesterd moest worden om te verdwijnen. Daarom vermeed ik de meest verlaten straten en steegjes en keek ik regelmatig over mijn schouder of ik niet werd gevolgd. Soms werd ik heel nerveus, omdat ik dacht dat ik een bepaalde man eerder had gezien. Als ik zag dat er iemand naar me keek, moest ik me vaak inhouden om me niet om te draaien en weg te rennen. Toen zag ik daadwerkelijk iemand, een man die me niet volgde, maar die het huis in de gaten hield. Ik had hem die ochtend bij de hekken van het joodse kerkhof zien rondhangen toen ik brood en melk ging kopen: een ruw uitziende man met rode wangen en een harde, onverstoorbare blik. Bij mijn thuiskomst was hij er nog, niet duidelijk in het zicht, maar nu op het kerkhof, waar hij met zijn handen in de zakken van zijn regenjas doelloos van de ene steen naar de andere liep. Herr Mettler vermoedde dat het een verslaggever was. Hij zei dat er wel eerder verslaggevers bij zijn pension hadden aangebeld, die onbeleefde vragen stelden. Maar de man zag er niet uit alsof hij iets te vragen had. Hij zag eruit als een jager, die geduldig wachtte tot zijn prooi uit zijn schuilplaats tevoorschijn kwam.

Eenmaal terug in de kamer liep ik naar het raam. Ik zag hem nergens, maar dat wilde niet zeggen dat hij was weggegaan. Een deel van mij was bang, een ander deel zei dat de angst irrationeel was. Misschien had de man gewoon een dierbare verloren en bezocht hij het graf. Maar in mijn achterhoofd dacht ik waarschijnlijk al aan vluchten, want terwijl ik de mogelijkheden overwoog, liep ik naar de la waarin ik een stapel schone onderrokken en onderjurken bewaarde. Zonder erbij na te denken, stak ik mijn hand in de stapel en haalde ik *een paspoort en een handvol bankbiljetten tevoorschijn. Die had ik daar maanden eerder verstopt. Pas toen ik alles in mijn hand had, drong het tot me door wat ik had gedaan: ik had me iets herinnerd. Later die dag kwam dokter Schad langs. U hebt er goed aan gedaan om hem te vertrouwen, want zijn voorschriften waren zeer nauwgezet en duidelijk. Ik vroeg hem naar uw onderliggende ziekte en wilde weten of u me tijdens uw koortsaanval de waarheid had verteld. Hij zei weinig, misschien uit respect voor uw privéleven. Tegelijkertijd had ik de indruk dat hij dacht dat het nieuws een enorme schok voor me was, zo hevig dat de gevoelens die ik misschien wel voor u koesterde erdoor waren veranderd. Daarna zei hij dat ik bofte, omdat ik nog zo jong was dat ik wel een nieuwe partner zou vinden. Hij scheen te denken dat ik méér voor u was dan een patiënte. Ik heb hem niet verteld hoe het zat, al wens ik soms dat ik dat wel had gedaan. Ik heb u namelijk niet zo abrupt verlaten vanwege uw ziekte.*

Het kwam door de ansichtkaarten, de ansichtkaarten die ik moet hebben gekocht, maar nooit heb verstuurd. Het was op de ochtend van de vierde dag. Zoals gewoonlijk was ik de deur uitgegaan om eten te kopen, en ik verliet het huis van Herr Mettler aan de achterkant, door de keukendeur. Zoals gebruikelijk ging ik naar het bakkerijtje aan het einde van de Tresckowstraße, maar omdat het brood daar was uitverkocht, liep ik een stukje verder de Prenzlauer Allee in, op zoek naar een andere bakker. Ik had nog niet ver gelopen toen ik een winkeltje passeerde dat kranten en tabak verkocht. In een rek bij de deur hingen ansichtkaarten van Berlijn, net zulke kaarten als de mijne: exact dezelfde foto's van exact dezelfde plaatsen, en ook nog een aantal kaarten die ik niet had. Het was de winkel waar ik ze had gekocht.

Ik hoefde niet in die winkel te zijn, maar ik stond stil. Ik begon de ansichtkaarten te bekijken, vooral de nieuwere, de gekleurde. Dat was een gewoonte geworden sinds ik mijn vaderland had verlaten. Behalve kaarten van straten en monumenten waren er ook afbeeldingen van dieren: honden, paarden en katten met lange haren en strikken om hun nek. Op dat moment herinnerde ik me voor wie de kaarten waren bestemd, voor wie ik ze allemaal had gekocht. Terwijl ik doodstil in de winkel stond, tuimelden de herinneringen achter el-

kaar mijn bewustzijn binnen, vraag na antwoord na vraag, met zo'n enorme snelheid dat mijn hoofd ervan duizelde.

Ik liet de ansichtkaarten vallen en rende de straat op, waar inmiddels veel mensen onderweg naar hun werk waren. Ze zaten samengeperst in de trams en stroomden over de trottoirs richting station Alexanderplatz. Ik had mijn geld en mijn paspoort in mijn jas. Niets hield me tegen om op dat moment in een trein te stappen. Ik voelde me veilig in die menigte, beschermd en verscholen tussen al die anderen. Ik vreesde dat ik nooit meer zou kunnen ontsnappen als ik terug naar de Wörtherstraße ging. Dan zouden de mannen die me in de gaten hadden gehouden me komen halen, en zouden uw waarschuwingen voor niets zijn geweest. Dus toen ik op het Alexanderplatz kwam, kocht ik een metrokaartje naar station Potsdam en van daaruit ging ik met de tram naar station Anhalt. Zeven minuten later vertrok er een trein naar München. Dat meevallertje leek te bevestigen dat ik een goede keuze had gemaakt. Ik kocht een kaartje en stapte haastig in.

Ik hoop dat u mijn haast begrijpt als ik u vertel dat de ansichtkaarten allemaal voor een kind waren. In dat winkeltje herinnerde ik me haar, het meisje dat vijf lange maanden niets van me had gehoord. Mijn dochter. Ze heet Anna en ze is negen jaar. Een paar dagen na mijn vertrek uit Berlijn werden we herenigd. Ik ben vastbesloten haar nooit meer alleen te laten.

Het zit me dwars dat zo'n dierbare persoon uit mijn geheugen kon verdwijnen. Ondanks de duisternis die me omringde, voel ik me vaak schuldig dat mijn liefde voor Anna niet sterk genoeg was om haar beeld vast te houden. Welke moeder vergeet nu haar kind? Ik moet mezelf eraan herinneren dat kinderen op deze wereld maar al te vaak vergeten worden, en dat de onschuldigen niet altijd vrijwillig in de steek worden gelaten. Slechts weinig mensen hebben de kracht of de moed zich te verzetten tegen de dwingende normen van de maatschappij.

Door de omstandigheden rond haar geboorte heeft Anna het grootste deel van haar leven niet bij me gewoond. Voor een vrouw met een onwettig kind is het moeilijk om werk als lerares te vinden, zelfs in deze moderne tijd. Desondanks woont Anna nu bij mij. We *ȝijn weer naar het platteland verhuisd, naar het dorp waar ik ben ge-boren. Hier weegt de behoefte aan leraren misschien wel ȝwaarder dan de afkeuring van het schoolbestuur. Tenminste, die indruk heb ik gekregen. Hoe dan ook, Anna en ik ȝullen nooit meer gescheiden worden.*

U hebt me vaak gevraagd wat ik in Berlijn kwam doen. Ik kan u inmiddels vertellen dat ik er voor haar was. Ik hoopte een schaduw te verdrijven die sinds Anna's geboorte over haar leven heeft gehangen, al heeft ȝe daar nooit weet van gehad en komt ȝe er ook niets over te weten, als het aan mij ligt. Vergeef me als ik niet in detail treed. Als ik het geluk heb om u nog eens te ȝien, ȝal ik niets voor u verborgen houden. Maar laten we het er nu maar op houden dat mijn missie is mislukt. De vragen blijven onbeantwoord, al ȝitten ȝe me nu minder dwars dan vroeger. Soms vraag ik me af of dat aan u ligt, ȝoals ik al ȝo veel aan u te danken heb. Hoe dan ook, het is me inmiddels duide-lijk geworden dat deȝe schaduw van mij is, van niemand anders. Hij ȝal met mij sterven en verdwijnen. Anna en diegenen die na haar ko-men, ȝullen hem niet ȝien, ȝelfs niet in hun dromen. Licht is pas licht als het wordt waargenomen, vertellen de grote denkers ons. Op de-ȝelfde manier kan er geen schande bestaan over een verhaal dat niet bekend is.

Ik koester de egoïstische droom dat u op een dag naar ons toe komt. Anna is een intelligent, mooi kind, heel nieuwsgierig en lief. Er ȝijn ȝo veel dingen die ȝe dolgraag van u ȝou willen leren. Zelfs als we maar korte tijd samen kunnen doorbrengen, ȝou ik elk uur koeste-ren, welke ȝorg ik u ook ȝou moeten geven. U ȝei dat u genoeg had van Berlijn. Misschien biedt dit onverwachte toevluchtsoord u de rust die u ȝo graag wilt en beslist verdient.

Als u niet komt, moet u weten dat ik u eeuwig dankbaar ben en dat ik altijd van u ȝal houden.

Uw vriendin,
Mariya

49

Over een indrukwekkende ijzeren brug ratelde de trein Belgrado binnen. Zijn eerste aanblik van de witte stad bestond uit waterkanten vol mensen en beboste hellingen met kerken erop: een zuidelijke stad vol vierkante huizen en rode daken. Pas toen hij in een taxi zat, zag hij de obligate pracht en praal van een onafhankelijke staat: brede boulevards en vorstelijke gebouwen met koepels en façades die aan bruidstaarten deden denken. Op straat waren meer paard-en-wagens en koetsen dan vrachtwagens en auto's te vinden. Zowel de mannen als de vrouwen droegen ouderwetse, sombere kleren in donkere tinten. In de middaghitte straalde de stad iets looms en provinciaals uit: opgeblazen en enigszins dreigend, het soort stad waar mannen messen droegen om een gekrenkte eer te kunnen wreken.

In de lobby van Hotel Moskva keek Kirsch in het telefoonboek van de stad. Het was een boekje waarin slechts een paar duizend namen stonden, maar de conciërge bladerde er demonstratief doorheen alsof hij wilde benadrukken dat het een zwaar boekwerk was.

'*Automatski* telefooncentrale,' zei hij, wijzend op een telefooncel aan de andere kant van de lobby. 'Volkomen privé.'

Kirsch vond de naam en het nummer en schreef ze met het bijbehorende adres op een papiertje.

'Weet u waar dit is?' vroeg hij.

De conciërge tuurde met samengeknepen ogen naar het papier. 'Ja, ja.' Hij wees over zijn rechterschouder. 'Katanícevastraat.'

'Kunt u me vertellen hoe ik daar moet komen?'

De conciërge leek te weifelen, alsof het misschien wel verraad was om zulke gedetailleerde informatie aan een Duitssprekende buitenlander te geven. 'Wacht,' zei hij, en hij liet de piccolo komen.

De piccolo haalde een beduimelde plattegrond uit zijn achterzak en nam Kirsch mee naar het plein. De Katanícevastraat lag even ten zuiden van het stadscentrum, achter wat volgens de kaart een groot openbaar gebouw in een park was. Kirsch kocht de plattegrond en sprong op een tram die naar het zuiden reed. De andere passagiers staarden naar hem terwijl hij onhandig geld voor een kaartje bij elkaar zocht en dinarbiljetten aan de conducteur gaf, die alleen maar zijn hoofd schudde. De vrouwen wendden hun blik af toen de tram doorreed. De mannen bleven schaamteloos naar hem staren. Hij merkte vooral aan een vettige slagerijgeur dat hij ver van huis was.

Het grote openbare gebouw bleek een kerk in de orthodoxe stijl te zijn: reusachtig, wit en met een koepelgewelf. De muren waren pas geschilderd, waardoor Kirsch zijn ogen moest beschermen toen de zon tevoorschijn kwam. Het schrille gekrijs van vliegende gierzwaluwen klonk ijl in de openlucht. Bij de hekken zat een oude vrouw naast een openstaande koffer met souvenirs en amuletten. Kirsch stond stil om een ansichtkaart te kopen.

De huizen aan de Katanícevastraat waren een paar verdiepingen hoog, met luiken, rode daken en gepleisterde façades, soms onversierd, soms getooid met engelen en klassieke urnen in reliëf. Ooit waren dit imposante huizen geweest, maar nu waren ze door de macht en omvang van de industrialisatie tegen hun zin tot wonderlijk ouderwetse gebouwen verschrompeld. De buitenkant van nummer 10, een van de grootste huizen, ging schuil achter een dode klimplant. De vezelachtige takken hadden zich als de vingers van een skelet om alle richels en uitsteeksels geklemd. De luiken van de bovenverdiepingen stonden open, maar verder zag het huis er vervallen en onbewoond uit.

Kirsch belde aan. Aarzelend klonken er schuifelende voetstappen op een stenen vloer. De deur ging open.

'*Dobro jutro*.' Kirsch nam zijn hoed af. 'Frau Helene Savić?'

Het enige wat hij van de vrouw tegenover hem kon zien, was haar bleke, ovale gezicht en een stevig zilveren kruisbeeld dat om haar hals bungelde. Ze knipperde met haar ogen, al wist hij niet of dat van verbazing of van het scherpe licht was.

'Mijn naam is Kirsch. Dokter Martin Kirsch.'

Hij stak zijn visitekaartje naar haar uit. De deur ging een paar centimeter verder open. De vrouw was geheel in het zwart gekleed en had een zwarte sjaal om haar hoofd geslagen. Ze was van middelbare leeftijd. Kirsch dacht dat dat ongeveer wel de goede leeftijd voor tante Helene was, maar hij had niet verwacht dat ze als een non gekleed zou zijn.

Tante Helene scheen in Oostenrijk geboren te zijn en Duits als moedertaal te hebben, zoals haar brief aan Mileva Einstein-Marić had bevestigd, maar deze vrouw liet niet merken of ze hem had begrepen. Kirsch keek naar beneden en zag de enorme vilten sloffen en de doek waarmee ze blijkbaar de vloer aan het boenen was.

'Frau Helene Savić,' herhaalde hij. 'Is ze thuis?'

De vrouw nam het kaartje aan. 'Ogenblikje,' zei ze, en ze wenkte dat hij binnen moest komen.

In de hal hing ook de sfeer van vergane glorie. Het behang met de dunne streepjes was dof en bladderde af, er stonden zwarte schimmelplekken op het plafond en een grote spiegel met een vergulde lijst was verweerd. De vrouw – een huishoudster, nam Kirsch aan – verdween naar boven. Hij hoorde stemmen: een norse, geïrriteerde mannenstem en een aandringende vrouwenstem. Hij luisterde of hij een derde stem hoorde, de stem van een andere vrouw, maar hij hoorde niets. Het was dertig jaar geleden dat Helene Savić haar brief aan Mileva Marić had geschreven. Misschien waren zij en Milivoj daarna uit elkaar gegaan. Als dat zo was, hoopte Kirsch dat ze nog contact met elkaar hadden.

Dankzij tante Helene had er een hernieuwde kennismaking tussen Mariya en Mileva plaatsgevonden. Dat had Eduard Einstein hem verteld, en hij had ook onthuld dat zijn moeder dat Helene kwalijk nam. Kirsch begreep wel waarom: Helene bemoeide zich met familiezaken, pulkte roekeloos aan een oude, beschamende wond en bracht een ongewenste geest weer tot leven. Behalve met haar eigen gemoedsrust moest Mileva inmiddels ook met andere kinderen rekening houden. En dan was er nog de beroemde naam Einstein, die ze zelfs na haar scheiding niet had willen loslaten.

Maar ik verzoek je dringend om in deze kwestie voorzichtig te werk te gaan en zo veel mogelijk rekening te houden met de gemaakte afspraken.

Dat had Helene dertig jaar geleden aan Mileva geschreven. Er moest iets zijn gebeurd waardoor ze van gedachten was veranderd. Had ze opeens last van haar geweten gekregen, misschien? Was ze religieus geworden? Of zag ze materiële voordelen? In 1903 had Albert Einstein op een patentbureau gewerkt, maar nu was hij de beroemdste wetenschapper ter wereld. Terwijl Kirsch de sjofele hal rondkeek en de geur van schimmel en oude sterkedrank rook, kon hij zich wel voorstellen dat de gedachte aan geldelijk gewin misschien had postgevat. Als de Einsteins Mariya accepteerden, bedacht zij misschien wel manieren om haar dankbaarheid te uiten. En als ze dat niet deden, als Mileva weigerde de waarheid te erkennen, werd er misschien wel zwijggeld betaald.

Kirsch had besloten dat de waarheid zijn geschenk aan Mariya zou zijn: de wetenschap dat Zoltán Draganović haar vader niet was, dat ze een Einstein was, en haar dochter ook. Hij nam aan dat Helene Savić hem daarbij zou willen helpen. Eduard had gezegd dat tante Helene aardig en slim was. Ze begreep alles.

Boven ging een deur open, en er verscheen een corpulente man boven aan de trap. Hij was een meter tachtig lang en had dikke hangwangen. Hij legde een knoop in de ceintuur van een doorgestikte ochtendjas, die te kort voor hem was. Fronsend keek hij naar beneden, alsof hij werd geconfronteerd met een moeilijke taak die hij erg onaangenaam vond.

'Goedemorgen, dokter...' Hij tuurde naar Kirsch' visitekaartje, dat hij blijkbaar maar moeilijk scherp in beeld kon krijgen.

'Kirsch. Martin Kirsch.'

'Wie bent u? U bent zeker gestuurd door hém.'

Milivoj Savić sprak Duits met een zwaar Slavisch accent.

'Ik ben hier uit eigen beweging, meneer.'

De man wankelde op zijn benen, al deed hij zijn best dat te verbergen. De huishoudster liep langs hem heen en kwam mompelend de trap af.

'Gaat het om een medische kwestie?'

'Het gaat om Mariya Draganović. Als het kan, zou ik Frau Savić willen spreken.'

Herr Savić snoof en rechtte zijn schouders, alsof hij daardoor minder dronken leek. 'Mijn vrouw is er op dit moment niet.'

'Mag ik vragen wanneer u haar terug verwacht?'

'Twee of drie dagen. Ze brengt in Novi Sad een bezoek aan...' Savić zocht met zijn hand steun op de trapleuning. '... vrienden.'

Tot een langer gesprek leek hij niet in staat te zijn. Hij draaide zich wankelend om en liep terug naar zijn kamer. 'Ik zal zeggen dat u geweest bent,' zei hij, en hij deed de deur dicht.

50

Helene Savić, drieënvijftig jaar oud, tenger en grijsharig, zat in het Koningin Elisabeth Café met een koud glas thee voor haar neus bij een raam te wachten.

Tijdens haar jeugd in Oostenrijk hadden tuberkelbacteriën haar gewrichten aangetast, vooral haar linkerknie, waardoor de groei van haar been was belemmerd. Net als haar vriendin Mileva Marić, die een aangeboren heupontwrichting had, droeg ze heel haar leven al een orthopedische schoen. Het was een lelijk ding, zwaar en zwart, dat ze onmogelijk kon verbergen. De beste oplossing was de schoen wegstoppen onder enkellange rokken. Dat was een van de redenen waarom ze lange rokken was blijven dragen, ook al waren ze al jaren uit de mode. Ze wist dat ze daardoor ouder leek dan ze was, dat ze er in de zomer zelfs een beetje belachelijk uitzag, maar Belgrado was Wenen niet, laat staan Parijs. En sinds Milivoj zijn baan bij het ministerie was kwijtgeraakt, kon ze sowieso geen modieuze kleren meer betalen. Nu pas, nu het te laat was, wenste ze dat ze iets mooiers kon dragen, een getailleerd pakje misschien, met een jasje en een bijpassende rok tot op de kuit, zoals ze die wel eens in modebladen zag staan. Voor deze ene dag wenste ze dat ze er weer jong uit kon zien.

Ze staarde over het plein naast de schouwburg en kneep haar ogen samen tegen het felle licht. Dunne bewolking schoof geluidloos voor de zon. Ze greep de beschadigde leren schooltas op haar schoot steviger beet.

De tas was van haar oudste dochter, Julka. De afspraak met Albert was twee weken geleden gemaakt – toen had ze in elk geval het telegram gekregen – maar ze had pas vanochtend nagedacht over de vraag waar ze de brieven in moest stoppen, brieven die ze tot dat moment achter slot en grendel in haar bureau had bewaard. Julka was inmiddels volwassen en getrouwd. Ze had twee kinderen en deed vrijwilligerswerk in het staatsziekenhuis. Ze gebruikte de schooltas niet meer, maar toch maakte Helene zich zorgen dat ze hem misschien zou missen, dat hij sentimentele waarde voor haar had. Ze bloosde bij de gedachte dat ze moest uitleggen dat ze hem had weggegeven.

Buiten rolde een wagen voorbij, paardenhoeven kletterden over de oude Turkse kasseien. De klok achter de bar wees halftwee aan.

Het was niet handig geweest om een tafeltje bij het raam te kiezen. Albert zou niet op een plaats willen zitten waar hij vanaf de straat gezien kon worden, maar het was al te laat. Helene kon geen ander tafeltje vragen zonder meer aandacht op zichzelf en daardoor ook op Albert te vestigen. De obers gaven haar al genoeg aandacht en waren druk in de weer met menukaarten, taartwagentjes en dagschotels. Even vroeg ze zich af of ze hem zouden herkennen. Het was vijfentwintig jaar geleden dat hij hier regelmatig kwam. Toen besefte ze dat ze hem natuurlijk zouden herkennen: Alberts gezicht was over de hele wereld bekend. Het was minder zeker of hij haar zou herkennen.

Er lag een mes op tafel. Ze schoof een stukje naar voren en probeerde haar spiegelbeeld in het lemmet op te vangen. Hij zou wel denken dat ze vreselijk veranderd was, dat ze er oud en vermoeid uitzag – het gevolg van de tijd, het grootbrengen van kinderen, en vooral door de onverbiddelijke erosie van de hoop. Soms wenste ze dat ze nooit uit Oostenrijk was weggegaan, of net als Mileva een echtgenoot in Zwitserland had gevonden, waar het leven makkelijker was.

Milivoj Savić had Alberts goedkeuring nooit kunnen wegdragen. Albert vond de man te dom voor haar, te beperkt. Dat had hij bijna letterlijk tegen haar gezegd. Het had haar niet van haar stuk gebracht. Eigenlijk was ze wel gevleid dat Albert zo'n hoge dunk van haar intelligentie had. Wat zijn relatie met Mileva Marić betrof, daar had Helene ook geen prettig gevoel over gehad, zij het om heel andere redenen. Albert had Mileva nooit begrepen. Hij had nooit begrepen hoe verschrikkelijk ongelukkig ze kon zijn, of hoe groot haar behoefte aan liefde was.

Mileva had zich er al bijna bij neergelegd dat ze een oude vrijster zou worden toen ze Albert ontmoette. Op een bepaalde manier was ze best knap, maar het lot had haar een mank been en een verlegen, melancholiek karakter gegeven. Ze kon niet dansen of flirten. De enige man die ze het naar de zin had willen maken, was haar vader, Milos Marić, en daarin was ze in elk geval geslaagd. Mileva was zijn lieveling geweest, zijn grootste bron van trots – tot ze hem te schande had gemaakt, natuurlijk.

Wat had Albert in Mileva gezien? Vast niet dat ze goed was in differentiaalrekening of in staat was om zijn experimenten en theorieën te begrijpen – al was het wel iets nieuws dat vrouwen dat konden. Misschien kwam het simpelweg door de manier waarop ze voor hem zorgde, de gezelligheid en de kameraadschappelijkheid die vergezeld gingen van een totale, onvoorwaardelijke toewijding. En dan was er Alberts moeder nog. Ze verafschuwde de kleine Servische hinkepoot, zoals ze haar eens had genoemd. Ze maakte haar zo zwart en zette haar zo hevig voor schut dat Mileva regelmatig in tranen uitbarstte als ze ervan hoorde. Maar dat maakte haar in Alberts ogen alleen maar aantrekkelijker. Achteraf begreep Helene het heel goed: hij had zich bewust van zijn moeder losgemaakt. Ondanks zijn eigen intuïties en verlangens had hij zichzelf ertoe gedwongen. Het viel ongetwijfeld niet mee om zijn moeder te trotseren, de belangrijkste vrouw in zijn leven, maar dat was juist de reden waarom hij vond dat hij het moest doen. Het was een beproeving die in zijn ogen moest slagen.

Wat hij niet had begrepen – of niet had willen begrijpen – was dat de liefde Mileva's leven had veranderd. Hij werd het middelpunt van haar leven en zij werd afhankelijk van hem. Het beste bewijs daarvan was het feit dat ze zwanger werd van Lieserl. In Vojvodina werden zulke zonden tegen de familie-eer met bloed gewroken. Zelfs een verloofde die een voorschot op zijn huwelijksnacht nam, kon nog met een doorgesneden keel eindigen. Zijn zwangere minnares kon op zijn minst op verbanning en ongenade rekenen. Misschien had Mileva zich daar niet druk om gemaakt, omdat ze al in ballingschap leefde. De grote Einsteinkosmos was haar land, haar wereld geworden.

Alberts telegram was meer een ontbieding dan een uitnodiging geweest. Hij had niet voorgesteld om naar Belgrado te komen. Waarschijnlijk wilde hij Milivoj niet zien, of was hij bang dat hij niet mee zou werken. Het verlies van zijn baan had Helenes man zwaar getroffen. Misschien had Mileva Albert verteld dat hij dronk en woedeaanvallen had, en dat hij soms dagenlang niet buitenkwam. Als ze dat had gedaan, had Helene spijt dat ze haar in vertrouwen had genomen. Het was iets tussen haar en Milivoj. Haar man had zo zijn fouten, maar hij was altijd eerlijk geweest.

De ober kwam en nam Helenes glas mee. Ze was zo in gedachten verzonken dat ze hem niet tegenhield. Hij kwam terug met de rekening. Ze haalde net geld uit haar tas toen er een onbekende het café binnenkwam. Hij had een gerimpelde, sproetige huid, als die van een boer, maar zijn overhemd was schoon en fris gestreken. Zijn modieuze pak had twee rijen knopen. Hij nam zijn hoed af en keek rond, waarbij hij de tafeltjes een voor een bekeek. Vervolgens staarde hij haar met een paar bleke, indringende ogen aan.

De handtas glipte uit haar hand en viel op de grond. Terwijl ze zich bukte om hem te pakken, schoof de schooltas bijna van haar schoot. Toen ze weer opkeek, was de man verdwenen.

Buiten was een stoffige blauwe auto gestopt. Een groepje jonge vrouwen kwam fluisterend voorbij. Ze bleven bij het raam staan en keken achterom naar de auto. Daarna draaiden ze zich om en haastten ze zich gearmd en giechelend weg. Albert was er. De meisjes hadden hem vast zien aankomen: een oude man die erg veel op professor Einstein leek. Het kwam vast niet bij hen op dat het professor Einstein wás. Dat kon niet in dit kleine Servische plaatsje, waar ze geen telescopen of universiteit hadden die zijn aandacht zouden trekken. Daarnaast was Albert te beroemd, te legendarisch om daadwerkelijk lijfelijk ergens aanwezig te zijn. Helene besefte dat hij universeel was geworden, net als de godheden van monotheïstische religies. Hij was overal en nergens. Ze vroeg zich af of dat al die tijd zijn doel was geweest, het geheime verlangen dat zijn onverzadigbare nieuwsgierigheid had gevoed.

Hij droeg een zwarte hoed die ze niet kende, met een brede rand, een hoge bol en een gleuf bovenop, als een cowboyhoed. Hij klemde een pijp tussen zijn tanden. Zijn gestreepte das had een kleine, slordige knoop. Hij kwam naar haar toe en zwaaide met zijn pijp om haar te begroeten. Terwijl hij ging zitten, nam hij zijn hoed af. Zijn haar was langer en wilder dan vroeger, met grijze en witte strepen. De originele kleur was alleen nog maar zichtbaar boven zijn oren. Blijkbaar zorgde de tweede Frau Einstein niet zo goed voor hem als de eerste.

'Zo,' zei hij, 'daar ben ik dan.'

Meteen kwam de ober terug om hem een menu te geven.

'Koffie, zwart,' zei hij, terwijl hij de kaart teruggaf. 'Twee kopjes.'

Het was alsof hij een paar uur was weggeweest in plaats van twintig jaar. In zijn zak zocht hij naar een doosje lucifers. Zijn kleren roken sterk naar tabak. Als jongeman had Helene hem ondanks zijn bescheiden inkomen heel verzorgd gevonden, maar nu maakte hij een sjofele indruk. Ze vermoedde dat hij het niet meer nodig vond om er netjes uit te zien.

Ze besefte dat ze staarde. 'Albert,' zei ze. 'Lieve Albert.'

Liéve Albert? Hoe kwam ze daar nu bij? Ze bloosde als een schoolmeisje op haar eerste dansfeest. 'Fijn om je te zien.'

Albert glimlachte goedig naar haar, en zijn donkere ogen glinsterden. Hij streek een lucifer aan en hield die bij zijn pijp. De rookpluimpjes roken verbazend fruitig. Helene vond de geur veel prettiger dan de droge, chemische stank van Milivojs sigaretten.

Einstein leek haar gedachten te lezen. 'Een Amerikaanse melange,' zei hij, terwijl hij de lucifer in een asbak gooide. '*Revelation*, noemen ze het, openbaring. Met zo'n naam...' Hij schoof zijn duimen in de zakjes van zijn vest en keek om zich heen. 'Het lijkt wel of het hier is veranderd.'

'Het is nog hetzelfde, alleen wat armoediger.' Helene wierp een blik op het versleten meubilair, de witte katoenen gordijnen, inmiddels vergeeld van ouderdom, de beschadigde, vettige lambrisering die zo slecht was overgeschilderd dat de lelijke plekken nog duidelijker zichtbaar waren geworden. 'Er is al jaren niets meer aan gedaan. Er is geen geld.'

'Het was het enige café dat ik me nog kon herinneren,' zei Albert opgewekt. 'Altijd uitstekende koffie.'

Helene was ervan overtuigd dat de koffie hem net zo teleur zou stellen als het café. Het was bergafwaarts gegaan met de levensmiddelenkwaliteit, net als met de rijkdom van de plaatselijke bourgeoisie. Vóór de oorlog had Novi Sad als grensstad nog enig strategisch belang gehad. De brug over de Donau was een cruciale toegangsweg naar het Oostenrijks-Hongaarse keizerrijk geweest. De douane en het leger boden meer dan genoeg werkgelegenheid en ruimte voor handel. Tegenwoordig hing Novi Sad er in het midden van Joegoslavië maar een beetje bij. Het was een marktstadje met onevenredig veel indrukwekkende gebouwen, de laatste stopplaats vóór Belgrado.

'Dat zal ik missen,' voegde Albert eraan toe. 'De Amerikanen hebben verstand van tabak, maar ze hebben geen idee hoe ze goede koffie moeten zetten.'

Helene had gehoord dat hij terug naar Amerika ging. Was hij echt van plan om niet meer terug te komen?

'Waar logeer je?' vroeg ze. 'In de Kisackastraat?' Albert keek verbaasd, alsof de naam hem niets zei. 'Het huis van de familie Marić.'

'O.' Albert fronste zijn wenkbrauwen. 'Nee, daar woont Zorka nu.'

Hij tikte met zijn pijp tegen zijn tanden, alsof hij de implicatie van die opmerking in morse spelde. Albert had Mileva's jongere zus nooit veel aandacht gegeven, en zij was altijd doodsbang voor hem geweest. Ze was psychisch beschadigd door wat er tijdens de oorlog met haar was gebeurd. Helene kreeg nog de rillingen als ze eraan dacht. Waarschijnlijk wilde geen enkele man, in elk geval geen Servische man, trouwen met een vrouw die door een groep soldaten was verkracht, zelfs niet als zij nog een huwelijk zou willen. Maar dat was nog geen reden om haar te ontlopen. Ze had nog nooit een vlieg kwaad gedaan.

'Als ze alleen is, heeft ze beslist wel ruimte voor een logé,' zei Helene.

Albert lurkte peinzend aan zijn pijp. 'Het schijnt dat het huis vol katten zit. Ze neemt zwerfkatten mee naar huis. De bedienden worden er stapelgek van, en haar moeder is te oud om er een stokje voor te steken.'

'Ik weet zeker dat je er nog steeds welkom zou zijn.'

'Het hotel is prima. We gaan morgen trouwens toch weer weg.'

'We? Ben je niet in je eentje gekomen?'

Albert keek door het raam. De taxi stond nog op hem te wachten. 'Ik mag niet in mijn eentje reizen. Dat wil Elsa niet, en mijn Amerikaanse betaalmeesters ook niet. Tegenwoordig kan ik niet eens op het strand wandelen zonder gevolgd te worden door rechercheurs.'

'Is hij rechercheur?' vroeg Helene, terwijl ze haar best deed om een glimp van hem op te vangen.

'Als hij onderzoek moet plegen wel, ja. Hier heeft hij andere taken. Elsa is bang dat ik elk moment naziagenten tegen het lijf kan lopen.'

'Een lijfwacht.' Helene vond het een bizarre, perverse gedachte. Hoe haalde iemand het in zijn hoofd om Albert Einstein te vermoorden? 'Heeft hij een vuurwapen?'

'Ik denk het niet.' Albert keek even naar de kop van zijn pijp. 'Je kunt geen gesprek met hem voeren, maar hij draagt in elk geval mijn bagage. Mijn rug is dankbaar dat hij niet wordt belast, maar mijn tong is de wanhoop nabij.'

Er werd koffie gebracht, met een kannetje melk erbij. Tijdens hun studententijd in Zürich had Helene de indruk gehad dat Albert op koffie leefde – koffie, tabak en worstjes, en niet altijd van de beste kwaliteit. Mileva was altijd bang dat hij Engelse ziekte zou krijgen en begon maaltijden voor hem te koken, volgens haar de enige manier om hem in leven te houden. Haar goede bedoelingen hadden een averechtse uitwerking gehad toen Albert zijn moeder vroeg om haar pakketjes met eten naar Mileva's adres te sturen. Frau Einstein vond het een regelrechte schande dat ze al samen leken te wonen. Vanaf dat moment was het oorlog tussen de twee vrouwen geweest.

'Heb je de brieven meegenomen?' vroeg Albert, terwijl hij koffie inschonk.

Helene bloosde. Tot zover het gesprek over koetjes en kalfjes. Het was erg kort geweest, beleefd maar zonder enige warmte. Albert en zij hadden geen contact gehad sinds zijn scheiding, maar ze had verwacht dat hij het leuk zou vinden om oude herinneringen op te halen.

'Ik heb de hele stapel bij me, al ben ik er natuurlijk wel een paar kwijtgeraakt.' Albert keek haar zwijgend aan. 'Ik begrijp nog steeds niet waarom je ze wilt hebben. Per slot van rekening zijn het Mileva's brieven.'

'Mileva wil ze ook hebben.'

'Breng je ze naar haar terug?'

Albert schoof een kop koffie naar haar toe. Het was een domme vraag. De brieven zouden worden vernietigd: te veel informatie over een ongelukkig huwelijk, te veel informatie over een onwettig kind dat Albert nooit had gezien. Tegelijk met de roem en het geld was de paranoia gearriveerd. Er was geen andere verklaring te bedenken.

Helene pakte haar kopje en zette het weer neer. 'Je hoeft nergens bang voor te zijn, hoor. Je kunt me vertrouwen.'

Albert nam een flinke slok koffie en fronste zijn wenkbrauwen, ofwel omdat haar woorden hem dwarszaten, ofwel omdat de koffie hem teleurstelde, zoals ze had verwacht. 'Dat weet ik, maar stel dat er iets met jou gebeurt. Wie krijgt die brieven dan? Stel dat je wordt beroofd.'

'Ik kan ze net zo makkelijk vernietigen als jullie, als jullie dat allebei willen.'

Albert haalde een witte enveloppe uit de zak van zijn jasje. 'Dat kan ik niet van je verlangen. Op een dag zouden ze veel geld waard kunnen zijn. Het zou niet eerlijk zijn.'

Hij zette de enveloppe tegen het zoutvaatje, alsof het een verjaardagskaart was. Helene keek ernaar en merkte dat ze de dikte bestudeerde om te schatten hoeveel erin zat.

'Waarom nu?'

'Moet je dat nog vragen?' vroeg hij. 'Die hele kwestie met Mariya Draganović. Die gemene streek.'

Er gleed een geërgerde blik over Alberts gezicht. Helene herinnerde zich hoe opvliegend hij kon zijn, de onverwachte woedeaanvallen die Mileva zo veel angst hadden aangejaagd – al wilde ze er alleen maar fluisterend over praten. Hij was geen sterke man, maar hij was er van jongs af aan goed in geweest om de zwaartekracht te benutten. Iedereen die hem kwaad maakte, liep het gevaar van de trap te worden gegooid: kinderen, dienstbodes, zelfs zijn vrouw. Mileva zei dat het dan wel leek of een andere Albert hem overnam, een man die zijn emoties niet onder controle had, een man die ten prooi viel aan alle hartstocht en gewelddadigheid die hij op andere momenten zo vreesde en verachtte.

'Het was niet mijn bedoeling om een gemene streek uit te halen, Albert. Ik gaf een goed advies aan een heel intelligent meisje. Ze zocht een lerares en Mileva was de voor de hand liggende keuze. Dat is alles.'

Langzaam schudde Albert zijn hoofd. 'Hou maar op met dat toneelstukje, Helene. Mileva heeft me alles verteld. Ik weet wie Mariya Draganović is.'

Helene voelde alle kleur uit haar gezicht wegtrekken. Het was niet haar idee geweest om te liegen. Mileva had erop gestaan. *Ik zal hem vertellen dat Lieserl dood is*, schreef ze aan Helene. Dat was het jaar dat Albert naar Palestina was gegaan, het jaar dat hij zijn Nobellezing in Zweden had gehouden. Tien jaar geleden. *Het is het beste als hij nooit meer aan zijn dochter denkt, zowel voor hem als voor haar.* Ze wilde dat Helene het geheim bewaarde.

'Het spijt me, Albert. Ik heb alleen maar gedaan wat Mileva me heeft gevraagd. Ze wilde dat ik mijn mond hield en dat heb ik gedaan.' Albert lurkte aan zijn pijp. 'Je hebt me trouwens ook nooit naar Lieserl gevraagd. Je hebt nooit enige interesse getoond.'

Ze vond het moeilijk om Albert te kwetsen, ook al had hij dat verdiend. In dat opzicht was hij altijd net een kind geweest. Mensen die tegen hem wilden uitvaren, kregen altijd last van schuldgevoelens.

'Ze is naar Berlijn gekomen,' zei hij. 'Ze wilde haar vader vinden.'

'Mileva moet het haar hebben verteld. Van mij heeft ze het niet, Albert. Echt niet.'

Albert schudde zijn hoofd. 'Dat weet ik, dat weet ik. Ze heeft het van Eduard. In Mileva's appartement ontdekte hij een paar oude brieven. Over Lieserl. Ik weet niet precies wanneer. Misschien wel jaren geleden.' Hij snoof. 'Zo. Nu begrijp je wat ik hier kom doen.'

Helene klemde de schooltas tegen zich aan. 'Wat is er gebeurd?'

'Gebeurd?'

'In Berlijn.'

'Niets.'

'Niets?'

Albert haalde zijn schouders op. 'Ze kwam naar het zomerhuis.' Hij schoof het koffiekopje van zich af en liet zijn tong vol afschuw tegen zijn hemel klakken. 'Hier kom ik niet meer. Het is niet meer zoals vroeger. Jammer.'

'Wat gebeurde er toen?'

Albert pakte zijn pijp weer, maar die was uitgegaan. Hij keek onverschillig naar de kop, alsof het hem niet meer kon schelen of er rook uit kwam.

'Er ontstond een misverstand. Ze kwam tijdens een openbare lezing naar me toe. Dat doen vrouwen wel vaker. Ik had geen idee wie ze was. Ze zei dat ze Elisabeth heette en dat ze wiskundeles gaf. Daarom nodigde ik haar uit om langs te komen. Ik krijg tegenwoordig vaak bezoek. Meer dan me lief is.'

Mileva had verhalen gehoord over Alberts leven in Berlijn, en een paar van die verhalen waren ook tot Helene doorgedrongen. Zijn tweede huwelijk, met zijn nicht Elsa, scheen net zo stormachtig te zijn als zijn eerste, en aanzienlijk minder intiem. Albert liet zich op geen enkele manier door zijn vrouw de wet voorschrijven. Ze mocht zich niet met zijn leven bemoeien. Hij kwam en ging wanneer het hem uitkwam, bepaalde zelf waar en wanneer hij at en ontving iedereen die hij wilde zien. In Caputh werd zelfs verteld dat Elsa zich niet in het huis mocht laten zien omdat Albert dan ongestoord en ongegeneerd bewonderaarsters kon ontvangen. Dergelijke berichten werden Mileva door welmenende bondgenoten toegefluisterd. Ze wilden ermee zeggen dat ze zonder hem beter af was, maar de berichten maakten Mileva alleen maar kwaad. Ze vond ze trouweloos. Albert verdiende betere vrienden. In al die jaren sinds de scheiding had Helene Mileva nog nooit iets lelijks over hem horen zeggen.

'Dus ze kwam naar het huis. Ik neem aan dat je daar alleen was.'

'Ik was aan het werk. Ik wilde weer aan de slag. Je hebt geen idee hoeveel er tegenwoordig van me wordt gevraagd, Helene. Het lijkt helemaal niet meer op vroeger, in Zürich. Toen was ik een vrij man.'

Helene begon zich slecht op haar gemak te voelen. Alberts gedrag had altijd een onberekenbaar kantje gehad, zelfs toen ze elkaar net hadden leren kennen. Hij had iets van een losbol over zich. In die tijd had Helene gedacht dat het meer een houding dan een karaktertrek was. Maar nu, gewapend met het afrodisiacum van de roem, vrijer dan ooit van de knellende banden die voor gewone stervelingen golden, had hij meer dan genoeg gelegenheid om werkelijk zo te leven.

Mariya moest de zoveelste verovering worden, een plezierig avontuurtje. Ging hij tegenwoordig zo werktuiglijk met zijn 'bezoeksters' om? Had hij een bepaalde routine? Een favoriete plek in huis – een zitkamer boven, misschien, met een gerieflijke bank?

'Legde ze alles uit? Hoorde je wie ze was voordat...'

'Ze zei dat ze Lieserl was. Moet je je voorstellen. Als donderslag bij heldere hemel. Ik dacht dat ze me wilde chanteren. Wat had ik anders moeten denken? Dat komt door jou.'

Helene zag het voor zich: een hoopvolle, opgetogen, verlegen Mariya, bij wie het hart in de keel klopte. Hij zag al deze tekenen als de extatische toewijding van een mooie jonge bewonderaarster. Heel vleiend. Heel opwindend. En toen kwam er een kink in de kabel, een verrassingsaanval in de vorm van een ongehoorde bewering die met geen mogelijkheid waar kon zijn.

'Je was kwaad.'

'Ik heb haar eruit gegooid.'

'Van de trap af?'

'Wat?'

'Ze heeft zich bezeerd. Dat heb ik van Mileva gehoord.'

'Ze viel. Het regende. De traptreden waren nat.'

'Traptreden...'

'Ik rende achter haar aan, maar ze holde weg. Waarschijnlijk dacht ze...'

Ze dacht dat haar vader haar ʒou verkrachten. Helene werd duizelig. Ze wilde de rest niet meer horen, maar Albert bleef praten, omdat hij zich graag wilde rechtvaardigen.

'Ze stal mijn roeiboot. Sprong erin en zette zich af. Ik wist dat de boot water zou maken, maar ze luisterde niet.' Hij tikte zijn pijp leeg in de asbak. Tegelijk met de as viel er onverbrande tabak uit. 'Ze was krankzinnig. Ze ademde zo snel dat ik dacht dat ze zou flauwvallen. Ik liet haar wegroeien.'

'Wist je nog steeds niet wie ze was?'

'Hoe had ik dat moeten weten? Ik kon geen touw aan haar verhaal vastknopen. Het werd me pas iets duidelijker toen ik hoorde dat haar psychiater naar Zürich was gekomen.'

Vanaf de andere kant van het vertrek zaten een plaatselijke notabele en zijn vrouw naar hen te kijken. De man keek verontwaardigd, alsof de aanwezigheid van een genie in het café een onverdiende aanval op zijn eigen belangrijke positie was.

'Erg naar allemaal,' zei Albert. 'Ik heb me dagenlang verveeld gevoeld. Zoiets laat ik nooit meer gebeuren.'

Helene vermande zich. 'Het spijt me dat ze je van streek heeft gemaakt. Ik hoop dat het incident geen nare gevolgen heeft gehad.'

Albert zuchtte. Zijn adem rook vies en weeïg. 'Tot nu toe niet.' Hij pakte een tabakszak en begon zijn pijp weer te stoppen. 'Maar je begrijpt waarom ik op mijn hoede ben, Helene, nu zo veel mensen graag met stenen naar een steen willen gooien.' Hij grinnikte om het woordgrapje over zijn eigen naam. 'Tegenwoordig ben ik een afgodsbeeld. Sommigen voelen zich geroepen om me te aanbidden, anderen willen me omverwerpen.'

De ober kwam terug om hun kopjes weg te halen. Voordat Helene besefte wat ze deed, had ze de enveloppe weggegraaid om hem buiten zijn bereik te houden. Toen ze weer opkeek, glimlachte Albert naar haar.

Toen de ober weg was, zette ze de enveloppe weer terug.

'Vroeger hadden ze hier muziek,' zei Albert. 'Waar zijn de musici gebleven?'

'Weense walsen zijn uit de mode. Het is hier veranderd, Albert.'

'Het was prettig om hier gewoon te zitten luisteren,' zei hij. 'Zonder de noodzaak om voortdurend te praten.' Hij keek op zijn horloge. 'Ik moet weer eens gaan.'

Helene zette de schooltas met brieven voor hem neer. 'Ze zitten er allemaal in.'

'O ja,' zei Albert, alsof hij de brieven was vergeten. 'Dank je.'

Hij hing de schooltas over zijn schouder en stond op om weg te gaan. Omdat de schouderriem veel te kort was voor een volwassene zag hij er een beetje komisch uit, maar dat leek hem totaal niet te deren.

'Albert.' Helene leunde over de tafel en legde een hand op zijn arm. 'Niet boos op me zijn. Vanwege Mariya. Ik vond dat ik het recht niet had om haar iets in de weg te leggen. Ik heb nooit problemen willen veroorzaken.'

Hij tikte zachtjes met zijn hand op de hare. 'Problemen zijn er om opgelost te worden. Het leven zou maar saai zijn als ze er niet waren.'

Helene glimlachte, al viel er eigenlijk niets te lachen. Ze had het gevoel dat ze iets kostbaars kwijtraakte, deze keer voor altijd.

'Blijf maar zitten,' zei Albert. 'Het is het beste als ik ongemerkt naar buiten glip. Het is jammer dat ik niet kan blijven, maar ik heb hier nog één afspraak voordat ik wegga.'

Hij zette zijn vreemde zwarte hoed weer op en klemde zijn pijp tussen zijn tanden.

'Mag ik vragen met wie?'

'Gewoon, iemand.' Albert haalde wat kleingeld uit zijn broekzak en liet het glimlachend op de tafel vallen. 'Iemand die naamloos zal blijven.'

51

Kirsch wordt wakker en doet knipperend zijn ogen open. Een oude vrouw schudt hem zachtjes aan zijn knie en praat tegen hem, al begrijpt hij niet wat ze zegt. Hij is in de trein in slaap gevallen. Hij gaat netjes rechtop zitten, zet zijn bril recht en merkt dat andere mensen naar hem kijken. Hij is kortademig, hij transpireert en zijn overhemd is nat.

De oude vrouw knikt, leunt achterover en geeft de andere passagiers een mogelijke verklaring: de jongeman had een nachtmerrie, waarschijnlijk heeft hij iets verkeerds gegeten. De andere passagiers lachen.

Het is heet en benauwd in de coupé. Hij heeft moeite met ademhalen. De oude vrouw zegt weer iets als hij wankelend en sjorrend aan zijn kraag naar het gangetje loopt. Ze wijst op een van de bagagerekken boven de bank. Ze herinnert hem eraan dat hij zijn koffer niet moet vergeten. Weet ze dan niet dat hij die al bij de overstroming is kwijtgeraakt? Hij is halverwege de gang voor het tot hem doordringt dat de overstroming slechts een droom was.

Na zijn bezoekje aan de Katanícevastraat stapte hij in de eerste trein die uit Belgrado vertrok. Het had geen zin om op Helene Savić te wachten. Misschien duurde het nog weken voordat ze terugkwam, áls ze al terugkwam. En zelfs als ze thuiskwam, was er geen garantie dat ze met hem wilde praten. Maar de reis vanuit Berlijn had hem uitgeput en het zou beter zijn geweest als hij een poosje had gerust.

In Novi Sad zegt de stationschef tegen hem dat er een lijnverbinding naar het noordoosten is, via Titel. Volgens een grote kaart aan de muur is hij dan nog maar een paar kilometer van Orlovat verwijderd. Maar de laatste trein is al vertrokken. Hij zal moeten overnachten.

'Ik kan u Hotel Koningin Maria aanbevelen,' zegt de stationschef. Zijn Duits is opvallend goed. 'Het oudste hotel van de provincie en nog steeds het beste. Vóór de oorlog heette het Hotel Koningin Elisabeth, maar zij kwam uit Beieren, dus...'

Verontschuldigend haalt hij zijn schouders op. Duidelijk geen voorstander van de Joegoslavische federatie. Kirsch fronst zijn wenkbrauwen. Het verhaal komt hem bekend voor. Dan herinnert hij het zich: net als het hotel heette Mariya eerst Elisabeth. Ze was Lieserl. Weet de stationschef dat? Maakt hij een grapje?

'Ik begrijp het niet.'

Het gezicht van de stationschef betrekt. 'Ik bedoelde er niets vervelends mee, meneer.' Hij wijst naar de straat. 'De taxi zal u wel brengen.'

Aan de andere kant van de stad slaan zware, galmende klokken twee uur.

Mariya Draganović hoort ze vanuit de lobby van Hotel Koningin Maria. Het geluid weergalmt over het plein en maakt een zwerm duiven zo aan het schrikken dat ze opvliegen. Ze vouwt haar handen op haar schoot en wacht. Ze wacht nu al een halfuur en ze is misselijk van de zenuwen.

Tien dagen geleden kreeg ze een brief uit Zürich, van Mileva Einstein-Marić. Nadat Mileva naar haar gezondheid had geïnformeerd, schreef ze dat haar ex-man een bezoek aan Novi Sad wilde brengen en haar wilde ontmoeten. Hij wilde graag zien of het goed met haar ging en eventuele misverstanden die in Berlijn waren ontstaan ophelderen. De brief werd een paar dagen later gevolgd door een telegram, waarin haar werd gevraagd meteen een antwoord terug te sturen. De ontmoeting zal vandaag om twee uur plaatsvinden.

Ze heeft het warm in haar eenvoudige grijze jurk en haar zware schoenen. De voordeur van het hotel is opengezet om de wind door het gebouw te laten waaien. Aan de andere kant van de straat zit een gehurkt kindje op de kasseien met een draaitol te spelen. Daarnet zag ze hem nog met zijn broertjes en zusjes, maar die zijn met hun moeder doorgelopen. Het ziet ernaar uit dat ze het jongetje zijn vergeten, maar dat lijkt hij niet erg te vinden. Hij heeft alleen maar aandacht voor de draaitol, die hij op handen en voeten bestudeert. Hij ligt bijna languit met zijn wang op de grond, alsof de tol een piepkleine houten godheid is, met veel meer macht dan je op het eerste gezicht zou vermoeden.

Mariya's herinneringen aan Caputh zijn nog steeds niet compleet, de fragmenten scherp en snijdend: splinters van een gebroken spiegel. Ze had een stoomboot genomen. Het was een van de laatste dagen van het seizoen: rijen lege stoelen, versluierd zonlicht dat op het grijze water glom. Ze was over een bospad gelopen, verbaasd dat de lucht zo benauwd was en zo sterk naar hars rook. Ze herinnert zich dat ze zichzelf koelte toewuifde met de landkaart die ze had gekocht. Het strooibiljet voor Einsteins lezing viel steeds uit de vouwen. Uiteindelijk raapte ze het op en stopte ze het in haar onderjurk. Caputh was verder weg dan ze had gedacht. Haar jurk werd zwaar en trok en flapperde om haar benen. Vlak bij het huis reed er een auto de weg op. Een vrouw met slordig grijs haar keek vanaf de passagiersstoel minachtend naar haar.

Het hele huis kraakte als een schip. Bij de deur was een plekje waar ze haar schoenen kon neerzetten. Ze was buiten adem en verloor bijna haar evenwicht toen ze in de gang haar schoenen uittrok. De zitkamer was boven. Vanaf een dakterras liep een trap naar de tuin, en de witte leuning stak fel af tegen de donkerder wordende lucht. Over een ligstoel lag een geruit kleed.

'Elsa is vanmiddag naar Berlijn. Winkelen en zo.'

Ze waren met hun tweeën. Dat vond Mariya prettig. Zij en Einstein hadden veel te bespreken, geheimen te delen. Ze wilde niet dat ze werden afgeluisterd.

Hij had haar brief niet gekregen, ook al had ze die drie dagen geleden met de snelle post verstuurd. De post was niet betrouwbaar, zei hij. Er werd vaak gestaakt. Daarnaast kreeg hij veel te veel post van het grote publiek. Hij las alleen wat zijn privésecretaresse hem voorlegde. Toen ze erop aandrong dat hij controleerde of hij haar brief had gekregen, raakte hij geïrriteerd.

'Wat heb je er dan in gezet dat je me nu niet kunt vertellen?'

Er waren veel dingen die ze hem niet kon vertellen. Daarom had ze alles opgeschreven: ze had hem het hele verhaal gestuurd, zodat hij haar zou begrijpen, haar zou kennen zoals ze gekend wilden worden.

Ze had het warm van de wandeling. Het was benauwd in de kamer en ze werd een beetje misselijk van de sterke houtlucht.

'Mag er wat frisse lucht naar binnen?'

Ze stond op en liep naar de openslaande deuren. De knop klemde. Einstein keek vanaf de bank geamuseerd toe terwijl zij haar best deed om de deur open te krijgen.

'Doe je jas eens uit,' zei hij. 'Ik wil je beter bekijken.'

Ze weet nog dat ze dat heel normaal vond. Waarom zou een vader niet willen kijken naar het kind dat hij zo lang kwijt was geweest?

Ze zei dat ze dorst had. Ze had tijd nodig om haar gedachten te ordenen. Einstein verdween en kwam terug met iets zoets en donkers in een bewerkt bekerglas. Hij droeg een slobberbroek en een tennisshirt. Zijn huid stak donker af tegen de witte stof.

Ze wist niet waar ze moest beginnen. De gêne was te groot. Ze was duizelig en deed haar jas uit. De zware katoenen blouse kleefde aan haar huid. Het volgende moment zaten ze samen op de bank. Einstein vroeg haar naar de lezing. Had ze zijn betoog kunnen volgen? Had hij te veel tijd besteed aan de vergelijkingen? Was de differentiaalgeometrie begrijpelijk? Het was alsof hij echt niet wist wie ze was of wat ze kwam doen. Toch leek het of hij haar in het concertgebouw meteen had herkend. Al toen ze haar naam had gezegd, had hij haar apart genomen. 'We moeten praten,' zei hij. 'Hoe sneller, hoe beter. Ik had al gehoopt dat je naar me toe zou komen.'

Met grote slokken dronk ze haar glas leeg. Het drankje brandde in haar keel. Einstein tikte zachtjes op haar knie. 'Zo, zeg nu maar eens wat je wilde vertellen.'

Op een bepaald moment viel ze flauw. Toen ze bijkwam, dacht ze dat ze droomde. Ze was in Orlovat. Overal overstroomd land, de rivier zwart en gezwollen, de kraaien die aan haar zusters lippen pikten terwijl ze tussen de takken van een wilg lag. De keukentafel met de lantaarn erboven, die boven haar heen en weer zwaaide. Een stem in haar hoofd die zei: *Dit ben ik niet. Ik ben hier niet.*

'Je hoeft voor mij niet flauw te vallen, hoor.' Einsteins gezicht was vlak bij het hare. Zijn adem rook naar teer. 'Geloof me, mijn achting voor een dame verdwijnt heus niet als ze wakker wil zijn als ik met haar vrij.'

De glazen tuimelden om en vielen op de vloer kapot. Elisabeth Einstein. Ik ben Elisabeth Einstein. Ik ben Lieserl. Je dochter. Ze herinnert zich dat ze de woorden in haar hoofd heeft geschreeuwd. Maar hardop?

Daarna is het zwart om haar heen. Ze heeft naar het moment gezocht, maar er komt niets meer terug. Ze herinnert zich alleen de smaak van bloed in haar mond. Geen idee hoe het er kwam.

'Jij geslepen kleine sloerie.'

Er zaten bloedspetters op zijn witte tennisshirt, vlak boven zijn hart.

Ze stonden buiten op het dakterras. Ze zag de roeiboot aan de rand van het meer dobberen. Einsteins hand hield haar arm vast. Zijn greep was sterk: de greep van een zeiler. Als een klauw.

'Wie heeft je hiertoe aangezet?'

Ze rukte zich los en slaagde erin de trap te bereiken, maar ze voelde dat hij haar op de hielen zat. Vervolgens viel ze en strekten haar armen zich uit in het gapende gat. Waarschijnlijk was ze bijna het hele eind kopjeduikelend naar beneden gerold. De paniek werd doorboord door pijn. Ze herinnert zich dat ze vroeg: *heb ik mijn arm gebroken?* Haar handen bloedden en waren geschaafd.

Onder zich voelde ze de trap schudden. Hij kwam achter haar aan, zware voetstappen die op het hout roffelden.

Daarna in de roeiboot, waar haar hart zo snel sloeg dat ze nauwelijks adem kon halen. Ze keek naar het huis: geen spoor van Einstein, geen spoor van een levende ziel. Waar was hij? Daarna welde het ijzige water rond haar voeten op. Ze zonk. In die zware kleren zou ze verdrinken. Als een loden doodskleed zouden ze haar naar beneden sleuren. Maar stel dat hij haar naar de kant zag zwemmen. Stel dat hij haar via de oever was gevolgd. Ze moest verder weg zien te komen, waar hij haar niet kon zien.

De zon was allang verdwenen. Het water had de kleur van leisteen, en op het oppervlak verschenen koppen in de aanwakkerende wind. Ze rukte aan haar kleren en spuugde water uit terwijl de boot onder haar wegzakte. Het laatste wat ze zich herinnert, was de schokkende kou voordat haar hoofd onder water verdween, een vluchtige vrees terwijl ze steeds verder van het licht verwijderd raakte.

Er gaat een telefoon. Mariya kijkt op. De oude man die achter de balie werkt, loopt naar haar toe. Bijna alle personeelsleden van Hotel Koningin Maria lijken veel te oud voor hun baan.

'Juffrouw Draganović?'

Ze knikt.

'Er staat buiten een auto op u te wachten.'

Ze tuurt naar de straat. De jongen met de draaitol is verdwenen. In plaats daarvan staat er een zwarte, glimmende auto. Op de achterbank zit iemand te wachten en een pijp te roken.

De huizen in Novi Sad lijken op die in Belgrado, maar dan ouder. De tijd en de zwaartekracht hebben ze uit hun vorm getrokken, ze van hun loodrechte positie en daarbij ook van hun waardigheid beroofd. De straten zijn breed, boomloos en leeg. Kirsch vermoedt dat de meeste inwoners van Novi Sad binnen zijn, gevlucht voor de hitte. Terwijl hij naar het centrum van de stad rijdt, verbeeldt hij zich dat ze hem van achter hun afbladderende luiken bekijken.

Een paard-en-wagen propvol biervaten verspert een deel van de weg. Zijn chauffeur wil inhalen en gaat heel langzaam rijden. Een tegenligger doet precies hetzelfde. Beide voertuigen gaan stapvoets rijden. Terwijl ze elkaar passeren, ziet Kirsch Mariya achterin zitten, naast een oude heer met een zwarte, breedgerande hoed.

Eerst is hij niet verbaasd. Tegenwoordig verschijnt ze vaak voor zijn ogen als hij aan haar denkt, in elk geval een paar seconden. Dat gebeurde tijdens het laatste jaar van de oorlog ook met de geesten van de dode mannen. Hij heeft Mariya op een rijdende tram zien springen en heeft haar over een vol perron zien rennen. Hij heeft haar spiegelbeeld vaak in etalages gezien. Maar dan slaat zijn hart een slag over en beseft hij wat hij ziet. De aanblikken en geluiden van het heden komen met een vaart terug, en dan is ze verdwenen.

Maar deze keer verdwijnt ze niet. Ze draait haar hoofd en kijkt hem recht in de ogen. Hij glimlacht naar haar. Ze glimlacht niet terug. Ze kijkt geschokt, alsof zij deze keer de levende is, het mens van vlees en bloed, en hij de levenloze geest.

Terwijl ze doorrijden, leunt de oude man naar voren, omdat hij wil zien wat zijn metgezellin zo boeit. Kirsch ziet zijn gezicht.

Hij stond erop dat ze hem Albert noemde, maar tot nu toe heeft ze hem nog niet rechtstreeks aangesproken, omdat ze niet weet wat ze moet zeggen. Het lijkt niet uit te maken. Professor Einstein lijkt het al goed te vinden als ze af en toe knikt, of ja of nee zegt. Na de eerste incoherente momenten heeft ze zelfs gemerkt dat hij erg in zijn nopjes is. Ze merkt het aan zijn stem en de manier waarop hij waarderend aan zijn pijp lurkt, alsof er een last van zijn schouders is gevallen. Blijkbaar wist hij niet hoe ze zou reageren als ze hem weer zag, en is hij opgelucht dat ze meewerkt. In Berlijn was er sprake van een misverstand, zegt hij, en voor zijn vertrek naar Amerika wil hij dat goedmaken. Hij verwijst niet naar haar geheugenverlies. Ze weet niet of hij er niets van weet of dat hij denkt dat ze veinsde. Hij bedankt haar hoffelijk voor het feit dat ze de tijd heeft genomen om vanuit Orlovat naar Novi Sad te reizen. Hij weet dat het een vermoeiende reis is, zegt hij, gezien de staat van de Servische wegen. Het is alsof ze oude vrienden zijn.

Een onbekende man in een pak met twee rijen knopen zit achter het stuur. Zijn ogen, die dicht bij elkaar staan, kijken via de spiegel naar haar. Ze is ervan overtuigd dat die ogen haar al eerder in de gaten hebben gehouden.

'Wie is hij?' vraagt ze zachtjes, om te voorkomen dat hij haar hoort.

'Dat is De Vries. Maak je maar geen zorgen over hem. Zijn taak is voornamelijk contragravitationeel.'

'Contragravitationeel?'

'Hij draagt mijn bagage.'

In de verte rijdt een wagen de weg op. De chauffeur trapt op de rem. Ze zijn op de hoek van de Kisackastraat, halverwege het station. Er komt hun een andere taxi tegemoet. Er is nauwelijks ruimte om elkaar te passeren.

Kirsch zegt dat de chauffeur moet stoppen, maar de chauffeur begrijpt hem niet. Hij denkt dat Kirsch over de route klaagt. 'Ze graven hier,' zegt hij, terwijl hij met zijn duim over zijn schouder gebaart. Daarna tekent hij met zijn hand een rondje. 'Omheen.'

Door het achterraam ziet Kirsch Mariya's taxi weer versnellen en stofwolkjes opwerpen.

'Die kant op.'

Hij wijst naar de taxi, maar de chauffeur schudt zijn hoofd. Dat is niet de weg naar Hotel Koningin Maria. Hij gebaart met zijn kin naar de weg voor hen en drukt op de claxon, alsof ze daardoor sneller op hun plaats van bestemming zijn.

Kirsch aarzelt. Wat heeft hij eraan om haar te volgen? Mariya heeft zijn hulp niet meer nodig. Ze heeft haar vader gevonden, of hij heeft haar gevonden. Ze zullen niet meer worden gescheiden. Zij en haar dochter zullen met hem naar Amerika gaan, waar ze geen geheimen hoeven te bewaren. En het wordt een pijnloze immigratie, want er hoeven geen banden meer doorgesneden te worden.

Kirsch legt zijn hand op de schouder van de chauffeur. De chauffeur trapt hard op de rem.

'Die kant,' zegt hij. 'Volgen.'

De chauffeur vloekt en keert de auto. Mariya's taxi gaat rechtsaf een zijweg in. Een vrouw met een mand kijkt hem na.

'Daar. Die kant!'

Maar de chauffeur heeft er genoeg van. Hij zet de auto aan de kant en beveelt Kirsch uit te stappen. Wat hem betreft kan die idiote buitenlander gaan lopen. Kirsch pakt zijn koffer. Er zijn geen andere taxi's in de buurt, er is helemaal geen verkeer. Er zit niets anders op dan te voet verder te gaan.

Op een roestig ijzeren bord op de hoek staat ALMASKA. De straat is smal, de voorkanten van de huizen zijn vervallen en bedekt met roet. Het is een straat die nergens naartoe leidt. Misschien gaan ze niet verder. Misschien is dit Mariya's definitieve bestemming.

Honderdvijftig meter verderop ziet hij een kerk, een hoog barokgebouw met een schuin rood dak en een witte klokkentoren, omringd door bomen. Hij rent verder en zoekt naar een uithangbord van een hotel, een school, iets wat hij begrijpt, maar er zijn alleen maar huizen, een bakkerij met gesloten luiken, roestige ijzeren balkons en afbladderende verf. En de kerk.

Geboortes, huwelijken en sterfgevallen. Wat hebben ze in een kerk te zoeken? Dan dringt het tot hem door: kerken hebben archieven. In de kerk krijg je een naam. Heeft Mariya de hare hier gekregen?

Maar wat doet het er nu nog toe? Een of ander ritueel van vroeger, stokoud en zinloos. Waarom zou Albert Einstein zich daar druk om maken? Misschien heeft Mariya een visum nodig om naar Amerika te gaan. Misschien moet ze de Amerikanen bewijzen wie ze werkelijk is. Kirsch leunt tegen een deurpost. Door het rennen is hij buiten adem en duizelig. Binnen barst geblaf los. Hondenpoten rennen over de leistenen. De deur schudt, de ijzeren grendels rammelen.

De Almaskastraat komt uit op een piepklein pleintje. De kerk staat op een kerkhof met een ijzeren hek eromheen. De boomtakken bewegen in de bries. Aan de andere kant van het plein draait een man met een schort een zonnescherm naar beneden. Het mechanisme maakt een knarsend geluid. Kirsch is hier nog nooit geweest, maar op een of andere manier komt het plein hem bekend voor. Heel even komt de gedachte bij hem op dat hij weer droomt, dat dit allemaal niet echt is. Maar dan ziet hij hen achter het hek van het kerkhof tussen de grafstenen lopen: Albert Einstein en zijn oudste kind.

Hij staat stil. Deze keer kijkt Mariya niet op. Haar vader praat en zij luistert aandachtig. Wat zegt hij? Wat legt hij uit? Kirsch wenst dat hij het kon horen. Hij wil haar laten weten dat hij er is, al was het alleen maar om haar vaarwel te zeggen.

Dan ziet hij de andere auto staan. Die staat met draaiende motor aan de andere kant van de weg. Een kleine, zwaargebouwde man staat een paar meter verderop een sigaret op te steken. Hij houdt de straat goed in de gaten. Zijn houding, de manier waarop hij staat, zijn gezicht – alles komt hem op een vreemde manier bekend voor, maar het duurt even voordat Kirsch hem kan plaatsen.

De verslaggever. De man die hij met Robert Eisner heeft gezien. Degene die bij de psychiatrische afdeling rondhing. Wat doet hij hier?

Kirsch gaat zachter lopen. De verslaggever moet hier voor Einstein zijn. Waarom zou hij anders helemaal hierheen zijn gekomen? En hoe heeft hij Einstein gevonden? Hoe wist hij waar hij moest zoeken?

Toen zag ik dat iemand het huis in de gaten hield... een ruw uitziende man met rode wangen en een indringende, kalme blik. Bij mijn thuiskomst was hij er nog, op het kerkhof, waar hij doelloos van de ene steen naar de andere liep.

Mariya is achtervolgd en het spoor heeft naar Albert Einstein geleid. Was dat domweg toeval? Of was het allemaal voorzien, bedacht, gepland?

Wie zou zo'n plan bedenken? Wie had het geduld, de informatie, de middelen? Een doodgewone verslaggever niet. Hij kon geen krantenman zijn. Maar misschien was hij iemand die voor de staat werkte. Een geheim agent, een spion.

Ze hadden kunnen voorkomen dat Mariya Duitsland verliet, maar ze hadden haar laten gaan. Kirsch staat stil. Opeens wordt het hem duidelijk. In Duitsland hadden ze niets aan Mariya. Einstein zou nooit naar het Reich terugkeren. Maar in Vojvodina, een plaats die hij vroeger had gekend, zou hij zich misschien veilig wanen. Daar was hij misschien minder op zijn hoede. Het Einstein meisje is het aas en de haak.

En nu is hij er ook. Precies op tijd om getuige te zijn van de moord op Albert Einstein.

De onbekende man richt zijn blik op hem. Hij knijpt zijn ogen samen van verbazing, of is het van afschuw? Op dat moment vervliegen de laatste twijfels. Voortgestuwd door het Lot begint Kirsch te rennen, niet de andere kant op, maar naar de moordenaar toe.

Hans de Vries herkent Martin Kirsch een paar seconden nadat Kirsch hem herkent, en nadat hij even koortsachtig heeft nagedacht, komt hij tot dezelfde conclusie. Kirsch is ambitieus en labiel – een man met een kort lontje, zoals ze zeggen. Zijn jaloerse, obsessieve aandacht voor patiënte Draganović is opgemerkt en suggereert een bepaald opportunisme dat in zijn vak niet vaak voorkomt. Voor een opportunist is de aanwezigheid van Albert Einstein in Novi Sad te mooi om te laten liggen: het is een kans om nog hogerop te komen, nu onder het nieuwe regime, om nog maar te zwijgen over die vijftigduizend Reichsmark als de pronazikrant uitbetaalt. Het enige wat hij hoeft te doen, is Albert Einstein vermoorden en de grens over vluchten.

Het laatste restje twijfel aan die theorie verdwijnt als De Vries ziet dat Kirsch het op een lopen zet en met samengeklemde kaken recht op hem afkomt, alsof hij zich al schrap zet voor een botsing. Kirsch is minder dan tien meter van hem vandaan als De Vries zijn hand in zijn jas steekt. De Walther PPK zit er niet in. Hij beseft dat hij het pistool in het handschoenenkastje heeft laten liggen. Na drie dagen als bediende en chauffeur van professor Einstein is hij niet meer zo alert op gevaar. De wetenschapper lijkt zich totaal niet bewust van een mogelijke aanval, hij straalt zo ongelooflijk veel zelfvertrouwen uit dat het moeilijk is om waakzaam te blijven.

De Vries staat bij de bestuurdersplaats van de auto, de verkeerde kant. Misschien kan hij een snoekduik maken. Hij rukt het portier open en weet meteen dat hij dat beter niet had kunnen doen. Kirsch ramt ertegenaan en drukt hem tegen de auto. De Vries vindt nergens houvast. Hij kan niet terugduwen. Opeens klinken er klokken – zware, weergalmende klokken – niet in zijn gedachten, maar boven zijn hoofd. In de kerk zijn de klokkenluiders aan het oefenen. De bril van Kirsch is van zijn neus gestoten en hangt komisch aan een oor. Hij ramt het portier nog een keer dicht, harder nu. De Vries voelt een rib kraken en schreeuwt.

Hij wankelt. Kirsch heeft het portier losgelaten. Hij stapt achteruit, haalt met zijn arm uit en geeft De Vries een stomp tegen de zijkant van zijn hoofd, dat als een knokige voetbal tegen het dak van de auto stuitert.

Albert stopt halverwege de zuidelijke ingang en kijkt om zich heen, alsof hij zich probeert te oriënteren.

'Het is lang geleden,' zegt hij. 'Mileva heeft het me een keer laten zien, maar ik weet niet zeker...'

Hij wijst met zijn pijp eerst de ene kant op, daarna de andere, en bromt dan tevreden. Daarna loopt hij om de klokkentoren heen, die in de versluierde zonneschijn een felle witte tint heeft. Het kerkhof is klein, maar netjes, met taxusstruiken en bomen met grote bladeren die op regelmatige afstand van elkaar tussen de stenen staan. Bloemen, waarvan sommige verlept en bruin, spreken van een zwijgende omgang tussen de levenden en de doden.

Ze lopen vijftig meter door.

'Daar is het,' zegt Albert. 'Dit is de goede plek.'

Hij neemt haar mee naar een groepje grafstenen vlak bij de kerkmuur. Op de stenen staat de naam MARIĆ. Hij wijst er eentje aan. Bij het hoofdeinde staat een aardewerken vaas met pioenrozen. Net als de steen lijken de bloemen er nog niet lang te staan.

'Dit is Milos Marić,' zegt Albert. 'Mijn voormalige schoonvader. Hier zou Mileva zijn geëindigd als ze niet…'

Hij maakt de zin niet af. Dat hoeft ook niet. Mileva had haar familie te schande gemaakt door zwanger te raken. In haar vaders ogen was ze geen haar beter dan een kurva. Dan dringt het tot Mariya door wat Einstein zegt: *Ik bedenk deze regels niet. Ik heb er niets mee te maken.*

Albert draait zich om, loopt een paar passen en bestudeert de ene steen na de andere. Een paar meter verderop bevindt zich nog een familiegraf, gedeeltelijk verscholen achter een breed uitgegroeide taxus. Hier zijn de grafmonumenten minder goed onderhouden: bijna alle stenen zijn afgesleten en verweerd, de gietijzeren kruisen hangen schuin door de opdringerige wortels eronder. Op de dwarsbalk van een eenvoudig houten kruis is een koperen plaatje gespijkerd. s.d. staat erop. Het is het enige graf van de familie Draganović waarop bloemen liggen, al zijn de bloemen verdord en bruin.

Voor Mariya zit er een afstand van dertig jaar en vijftienhonderd kilometer tussen de familie Draganović en de familie Marić, maar hier, op dit kerkhof, liggen ze slechts een paar meter van elkaar af. Hier zijn ze buren, vrienden, vergaan tot hetzelfde stof – al heeft ze dat nooit mogen weten.

Albert staart naar het houten kruis. 'Weet jij wie dit is?'

'Weet jij het?'

Albert stopt zijn handen in zijn zakken. 'Ik ben haar voornaam kwijt. Hoe heette ze ook alweer?'

'Senka.'

'O ja. Ze is verdronken, hè?'

'Ja.'

Eindelijk neemt Albert zijn hoed af. 'Ze zei dat jij het was. Mijn ex-vrouw, bedoel ik. Ze zei dat Lieserl dood was. Verdronken. Dus toen jij beweerde…'

'Waarom? Waarom heeft ze dat gedaan?'

'Dat lijkt me wel duidelijk.'

Familie-eer. Dat bedoelt hij. Dit is allemaal gebeurd om de eer van de familie Marić te beschermen. Maar de leugen was alleen nodig geweest als Albert had gedreigd opschudding te veroorzaken, zijn dochter op te zoeken en haar bestaan wereldkundig te maken. En waar is het bewijs daarvoor? Misschien heeft Mileva haar ex-echtgenoot verteld dat hij geen dochter meer had omdat hij dat wilde horen. Dat was weer een potentiële last en een sociale band minder. Albert steekt zijn hand in zijn jas en haalt er een enveloppe uit. Mariya weet meteen dat er geld in zit. Een afscheidscadeau. In ruil voor haar stilzwijgen.

Mariya hurkt om de dode bloemen op te rapen. Ze heeft ze daar een paar maanden eerder neergelegd, op weg naar Zwitserland. 'Je bent nooit bij ons tweeën op bezoek geweest, hè? Mileva deed dat wel. Je hebt nooit naar ons geïnformeerd. Was je dan helemaal niet nieuwsgierig?'

Albert schudt zijn hoofd, zet zijn hoed weer op en draait zich om. Even denkt Mariya dat hij haar daar laat staan, maar dan kijkt hij om en gebaart hij naar de hemel, de zon, het licht. 'Als je het hiermee vergelijkt, mijn beste kind, waar had ik dan in vredesnaam nieuwsgierig naar moeten zijn?'

Hij is grootvader. Mariya heeft op het juiste moment gewacht om het hem te vertellen. *Daarom ging ik naar je op zoek. Dit is wat ik je wilde vertellen.* Maar nu is het haar glashelder dat het juiste moment nooit zal komen.

Albert begint weer te praten, iets over de omstandigheden en haar recht op een verklaring, maar Mariya kan het door het lawaai van de klokken niet horen. Ze galmen over het pleintje, niet met de melodieuze klanken van een viering, maar een stroeve, mechanische galm die de lucht laat trillen. Albert steekt de enveloppe naar haar uit, leunt naar voren en laat hem op haar schoot vallen. Pas dan ziet ze Martin Kirsch – deze keer weet ze het heel zeker – over het kerkhof naar hen toe rennen.

Hans de Vries heeft de indruk dat de goot krioelt van de zwarte mieren. Het zijn er miljoenen, een wriemelende massa die alles bedekt, maar in tegenstelling tot de mieren die hij eerder heeft gezien, hebben deze geen gezamenlijk doel of waarneembare koers. Dit zijn chaotische mieren, wilskrachtig en ijverig, maar zonder duidelijk plan. Hun pogingen zijn gedoemd om elkaar tegen te werken en met elkaar in botsing te komen, waardoor de kolonie sterft. Hij voelt hun pootjes op de rug van zijn handen. Hij voelt ze in zijn armen bijten.

Hij dwingt zichzelf op zijn knieën te gaan zitten. Naast hem staat de auto nu op een steile helling. Bezorgd vraagt hij zich af of hij de handrem erop heeft gezet, en of de auto zal wegrollen voordat...

Voordat wat? Dan herinnert hij het zich: voordat hij het pistool kan pakken, *het pistool dat hij nodig heeft om Martin Kirsch neer te schieten.* Hij hijst zich overeind, kruipt over de bestuurdersplaats en maakt het handschoenenkastje open.

De Walther voelt stevig en zwaar aan. Hij wordt al rustig nu hij het wapen in zijn hand heeft. Terwijl hij uit de auto klautert, lijkt de auto weer horizontaal te gaan staan, als een gekapseisde boot die langzaam weer recht komt te liggen. Hij knippert, omdat hij merkt dat er iets plakkerigs in zijn oog zit waardoor de oogleden aan elkaar kleven. Hij wrijft erover. Er zit bloed aan zijn vingers.

Hij kijkt het plein rond. De kerkklokken luiden, maar er is niemand te zien. Waar is Einstein nu? Hoe lang is hij al weg? Opeens bedenkt hij dat ze de klokken luiden omdat Einstein dood is. Of misschien is hij toch nog niet te laat. Misschien roepen ze om hulp.

Hij haast zich naar het kerkhof. Op zijn linkeroog vormt zich een laagje opgedroogd bloed. In de verte hoort hij stemmen, schreeuwende stemmen. Einstein staat doodstil. Kirsch rent met opgeheven arm op hem af. Heeft hij iets in zijn hand? Een mes? Een vuurwapen?

De Vries ziet dat Einstein naar hem kijkt. Het is alsof hij aan de grond genageld staat. Hij wijst naar Kirsch, alsof hij wil zeggen: doe iets! De Vries tilt de Walther op en houdt hem met beide handen vast. Hij heeft er nog maar één keer mee geschoten, en dat was meer dan een jaar geleden, de dag waarop hij hem kocht. Hij ging naar het bos en schoot op rotte appels, waarvan hij er niet eentje raakte. Hij moet nodig oefenen, maar de kogels zijn te duur. Stel dat hij Kirsch mist en professor Einstein raakt. Wat moet hij dan doen?

Kirsch grijpt Einstein bij de arm. Er is geen tijd meer. Hij moet schieten. Nu.

'God sta me bij.'

De handen van De Vries trillen als hij richt.

Het lichaam maakt zo'n rare, onnatuurlijke slingerbeweging dat het lijkt of een web van onzichtbare krachten dat hem bijeenhoudt en

overeind houdt heeft gefaald. Coördinatie, vorm en richting brokke-
len af tot een vormeloze wanorde. Heel even hervindt Kirsch zijn
evenwicht voordat hij met een vragende blik op zijn gezicht op zijn
knieën zakt.

Albert rent naar het hek. Daar is De Vries, met bloed op zijn gezicht, die iets in zijn jaszak stopt. Mariya beseft dat hij het schot moet
hebben afgevuurd. Het is een vergissing. Het is allemaal voor niets.

Ze rent naar Kirsch en helpt hem op zijn rug. Ze kan de wond niet
zien. Die moet ergens onder zijn jas zitten. Ze probeert te kijken, maar
hij grijpt haar bij de armen, als een blinde.

'Is hij veilig?' Zijn gezicht is lijkbleek. 'Is hij veilig?'

Dat is alles wat hij wil weten. De klokken luiden niet meer. Op het
plein hoort ze de autoportieren dichtslaan, het gegrom van een motor.

Kirsch hapt naar adem en wil zich omrollen. Mariya helpt hem op
zijn zij – hij moet op zijn zij liggen, dat herinnert ze zich. Op zijn zij
heeft hij minder kans dat hij in zijn eigen bloed verdrinkt. Er moet een
ambulance komen, ze moet Kirsch naar een ziekenhuis brengen. Het
kerkhof is leeg, maar er moeten mensen in de kerk zijn. Er moeten
mensen zijn die de klokken hebben geluid.

'Ik kom terug,' zegt ze. 'Blijf liggen. Blijf stilliggen.'

Hij houdt haar arm nog steeds vast. Ze maakt zijn handen voorzichtig los en legt ze gekruist onder zijn kin.

52

De zon staat helder aan de hemel. Het licht schijnt in zijn gezicht en verblindt hem bijna. Is hij neergeschoten? Dat moet wel. Het is in elk geval beter dan een granaatinslag. Liever een kogel dan een granaatscherf. Kogels zijn makkelijker te verwijderen, de wonden zijn netter. Het is alleen lastig om het bloeden te stelpen.

Hij ziet de chirurg al kleren van zijn lichaam knippen, verpleegsters die de wond met tang en watten schoonmaken. Zo dadelijk geven ze hem chloroform of morfine tegen de pijn. Het is alleen vervelend dat zijn hart zo blijft bonken. Hij wil niet flauwvallen. Hij wil zeker weten dat hij niet te laat is gekomen.

Hij rolt zich op zijn rug. De zon is nu twee zonnen, geel en heet. De verpleegsters zijn verkleed als nonnen. Door hun maskers en habijten kan hij alleen hun ogen zien: oplettend, maar uitdrukkingsloos. Met spijt beseft hij dat de zaak-Draganović eindelijk gesloten is. Hij kan niets meer doen. Hij probeert zich te troosten met de gedachte dat hij er ooit, op het juiste moment, als Mariya ver weg is, misschien wel een stuk over kan schrijven voor een psychiatrisch vakblad. Misschien kunnen er lessen uit geleerd worden, kunnen wijzere mannen dan hij er conclusies uit trekken.

Een wit gordijn bedekt een raam en bolt als een zeil in de wind. Een van de chirurgen buigt zich met een lichte frons op zijn voorhoofd naar hem toe. Zijn lippen bewegen onder zijn masker, maar Kirsch hoort geen enkel geluid.

Hij doet zijn ogen dicht. Al gauw lijkt het of hij drijft, niet op het duistere water van zijn nachtmerries, maar op een glanzende, kristalheldere zee. Vanaf de kust klinken stemmen, waarvan hij er een paar al lang niet meer heeft gehoord. Ze roepen hem. Ze wilden zo veel weten, hij moet hun zo veel vertellen. Ze hebben al die tijd gewacht. Toch hoopt hij dat hij niet te snel bij hen is. Hij wil nog even bij Mariya blijven. Hij wil zeker weten dat alles nu goed is. Hij wil naar haar gezicht kijken en haar zien glimlachen, net als die eerste keer dat ze hem zag. Hij wil een foto of een tekening als aandenken aan haar. Hij probeert haar te roepen, maar zijn kaak is stijf en willoos. Zijn mond kan haar naam niet vormen. Hoe heet ze trouwens? Mariya of Elisabeth? Welke naam zal ze kiezen, nu de keuze aan haar is?

Als hij weer wakker wordt, zit ze naast hem en houdt ze zijn hand vast. Zijn hele lichaam voelt zwaar aan, waardoor het zelfs moeite kost om zijn hoofd te draaien. Deze keer klinkt haar naam luid en duidelijk als hij hem uitspreekt.

Ze buigt zich naar hem toe. 'Ik ben hier. Probeer stil te liggen.'

Aan de andere kant van het vertrek loopt een verpleegster van het ene bed naar het andere om beddengoed neer te leggen. Ze kijkt even op en gaat dan door met haar werk. Het witgekalkte plafond heeft gewelven, als in een kapel of een middeleeuws kasteel. Een openstaand raam biedt uitzicht op bomen. Dan komt de herinnering terug.

'Is hij veilig?' vraagt hij. 'Is hij veilig?'

'Ja, hij is veilig.'

'Je werd gevolgd. Het was een valstrik.'

Ze knikt en haar mondhoeken gaan heel even omhoog. 'Het was maar goed dat jij er was. Anders was hij dood geweest. Je hebt zijn leven gered.'

Die gedachte was nog niet eerder bij hem opgekomen. Hij heeft het leven van Albert Einstein gered. Meer kan iemand niet van hem vragen. Zelfs Max zou trots op hem zijn geweest, trotser dan wie dan ook.

Even voelt hij helemaal geen pijn. Hij voelt zich licht.

'Hij heeft je eindelijk gevonden. Je vader.'

'Ja.'

Ze brengt een glas water naar zijn lippen. Hij beseft dat hij inderdaad dorst heeft. Hij drinkt voorzichtig, maar toch druipt het water over zijn kin.

'Ga met hem naar Amerika. Samen met je dochter. Het is daar veiliger.'

Mariya haalt het glas weg en zet het op het nachtkastje. Als ze weer naar hem kijkt, staat er echt een glimlach op haar gezicht.

'Goed, maar dan moet jij meegaan.'

'Ik?'

Ze houdt zijn handen tussen de hare.

'Dat leek mijn vader een prima idee. Als je beter bent, ga je dan mee?'

Hij heeft vaak gefantaseerd over Amerika en het leven dat Mariya daar zal krijgen. Hij ziet haar nu op de veranda van een withouten huis zitten. Ze is hard aan het werk, een potlood in haar hand, een schetsboek op haar schoot, precies zo'n schetsboek als ze in Berlijn had. Door een open raam ziet hij haar vader ijsberen, lurkend aan zijn pijp terwijl hij het resultaat van haar inspanningen afwacht. In de tuin is een meisje aan het touwtjespringen en zachtjes in zichzelf aan het tellen. Over het gras onder haar voeten rollen droge bladeren. Hij loopt met een fiets aan zijn hand het pad op. Mariya kijkt op en glimlacht.

'Als ik beter ben,' zegt hij, en hij doet zijn ogen dicht.

Een halfuur later verlaat Mariya het ziekenhuis. De dommelende politieman in de gang verroert zich niet. Ze heeft al tegen zijn superieuren gezegd dat ze in haar eentje op het kerkhof was en een bezoek aan het graf van haar zus bracht. Ze heeft geen idee wie de aanvaller en het slachtoffer zijn, en ook niet waarom ze ruzie kregen. Tot nu toe heeft niemand het nodig gevonden om haar verklaring in twijfel te trekken. Misschien verandert dat nu er een sterfgeval onderzocht moet worden – tenminste, als de plaatselijke rechercheurs hun werk doen. Maar ze betwijfelt of ze dat zullen doen. De dood van een onbekende buitenlander is opmerkelijk, maar meer ook niet. De rust in het stadje wordt er niet door verstoord. Ondertussen zijn haar vader en zijn lijfwacht allang weg.

Zodra Mariya buitenkomt, arriveert haar dochter met Maja Lukić. Voor de gelegenheid draagt ze haar nieuwe blauwe jurk en is haar donkere haar met een lint bijeengebonden. Mariya gaat op haar hurken zitten en trekt het meisje tegen zich aan.

'Ze is onderweg erg lief geweest,' zegt Maja. 'Ze vindt het heerlijk om met de trein te reizen.'

'Ik had gehoopt dat hij haar kon zien,' zegt Mariya. Ze wil niet huilen waar het kind bij is, maar het valt niet mee om tegen de tranen te vechten en haar stem neutraal en rustig te houden.

'Hij?' De stem van Maja Lukić wordt zo zacht dat ze fluistert. 'Bedoel je de beroemde wetenschapper?'

Mariya haalt diep adem. Ze staat op en veegt het stof van haar rok. 'Nee. Hij heette Martin Kirsch.' Ze pakt haar dochter bij de hand en neemt haar mee. 'Hij was arts.'

Lieve Elisabeth,

Ik voeg dit laatste briefje toe om je aan mijn verzoek te herinneren en je te vragen niet te streng te oordelen over deze rebelse, ongebreidelde fantasie, die binnenkort alleen nog maar in jouw hoofd bestaat – als ze al bestaat – en verder nergens anders. Het is in meer dan één opzicht jouw verhaal, omdat je er tegelijkertijd een rol in speelt en het als buitenstaander leest. Nu je dat weet, hoop ik dat je mijn stoutmoedigheid niet beledigend vindt, want net als een wetenschapper kan een lezer er niet omheen dat zijn waarnemingen door zijn zintuigen, ervaring en veronderstellingen worden gevormd. Als ouders dragen jij en ik daarom samen de verantwoordelijkheid voor dit product, onze spruit, hoe oneerlijk de omstandigheden van de verwekking ook waren.

Ik hoop dat dokter Kirsch op al die bladzijden een aangename metgezel is geweest. In werkelijkheid heb ik nog nooit een psychiater als hij gezien. Hij is het soort psychiater dat ik graag zou zijn geweest als ik een sterker gestel had gehad en gezonder van geest was geweest. Ik zou zelfs willen sterven als hij, want zijn dood is op een bepaalde manier plezieriger dan vele manieren van leven. Wie wil zijn leven nu niet geven voor een hoger doel, ook al is dat dan denkbeeldig, in plaats van zonder dromen leven?

Ik fantaseer graag dat Niels Bohr en zijn bondgenoten de waarde van mijn boek zouden inzien, maar ik weet zeker dat mijn vader het tot in de grond van zijn hart zou verafschuwen. Daarom wil ik je dringend adviseren het nooit aan hem te laten zien. Hij zou zijn aandeel in de vorming ervan ontkennen, net zoals hij zijn aandeel in mijn vorming ontkent, en, nu we het daar toch over hebben, de jou-we. Hij ₹ou niet aarₑelen om dit het werk van een krankₑinnige te noemen, omdat de hoofdpersonen – jij en ik en dokter Kirsch – op verschillende plaatsen tegelijk ₹ijn, net als de kwanta die hij per se onder de duim wil krijgen. Maar ja, hij noemt veel dingen die hem niet interesseren krankₑinnig. Misschien is dat eenvoudiger dan ₹e accepteren. Toch ₹ou ik het anderₑijds fijn vinden als hij kon ₹ien wat ik heb geschreven, hoeₑeer het hem ook tegen de borst stuit. Dan ₹ou hij misschien iets meer begrijpen van de prijs die voor ₹ijn vrijheid is betaald.

Ik hoop dat ik eerlijk ben geweest over mijn eigen karakter, ge-drag en de aard van mijn stoornis. Achteraf heb ik een heel helder beeld van mijn eigenaardigheden, alsof ₹e bij iemand anders horen. Toch viel het niet mee om over de extremere terugvallen te schrijven, omdat ik me daar natuurlijk voor schaam – vooral omdat ik weet dat ₹e in de toekomst vaker ₹ullen voorkomen en onverdraaglijker ₹ullen worden. Ik ben alleen blij dat ik erin geslaagd ben om dit verhaal af te ronden voordat ₹e hier daadwerkelijk met mijn behandeling begin-nen. Het schrijven vereiste inspiratie – inspiratie die jij me hebt ge-geven.

Nu hoeven we alleen nog maar een titel te bedenken. Ik heb beslo-ten dat ik de keuₑe aan jou overlaat. Ik ga akkoord met jouw sugges-tie, wat je ook bedenkt. Het is een schamel geschenk, maar ik kan je verder weinig geven, want in dit oord heb ik geen macht of beₑittin-gen, alleen maar wat kleren, mijn muₑiek en mijn gedachten. In elk geval weet jij, Elisabeth, hoe machtig het geschenk van een naam kan ₹ijn, in voor- en tegenspoed – dat weet je beter dan wie dan ook. Wat er ook gebeurt, herinner me ₹oals ik was.

Voor altijd de jouwe,
Eduard

Historische noot

Nadat de 'Wet ter voorkoming van nageslacht met erfelijke ziektes' op 14 juli 1933 van kracht werd, werden in Duitsland zo'n vierhonderdduizend mensen tegen hun wil gesteriliseerd. De meesten waren patiënten in psychiatrische ziekenhuizen en andere instellingen. Tussen 1939 en 1945 werden er nog eens tweehonderdvijftigduizend lichamelijk en verstandelijk gehandicapte mensen vermoord, als onderdeel van een geheime operatie onder de naam Aktion T4. De voornaamste bedenkers van het raszuiverheidsprogramma van de nazi's, onder wie dokter Eugen Fischer, werden nooit vervolgd.

Nadat zijn vader in oktober 1933 voorgoed naar Amerika was gegaan, ging het met de geestelijke gezondheid van Eduard Einstein snel achteruit. Hij sleet de laatste tweeëndertig jaar van zijn leven als patiënt in het psychiatrische ziekenhuis Burghölzli in Zürich, waar hij een aantal verschillende behandelingen onderging, waaronder insulinekuren en elektroshocktherapie. Hij heeft zijn vader nooit meer gezien.

Na zijn geheime aankomst in New York kreeg Albert Einstein een aanstelling bij het Institute of Advanced Study in Princeton, New Jersey. Daar bleef zijn zoektocht naar een unificatietheorie zo veel aandacht opeisen dat hij bijna geen aandacht meer had voor andere problemen. In de uren voor zijn dood, in april 1955, was hij in het ziekenhuis nog steeds bezig om berekeningen te maken. Tegenwoordig vinden natuurkundigen dat dit onderzoek, dat meer dan vijfentwintig jaar in beslag nam, nauwelijks wetenschappelijke waarde heeft. De kernbeginselen van de kwantummechanica zijn nog steeds niet weerlegd.

In 1986 werd een tot dan toe geheime correspondentie tussen Einstein en Mileva Marić openbaar gemaakt. Voor het eerst kwam aan het licht dat het echtpaar een jaar vóór hun huwelijk een dochter had gekregen. Het kind werd Lieserl (Elisabeth) genoemd en kwam op of rond 27 januari 1902 ter wereld, waarschijnlijk in Titel, een dorp in de toenmalige Oostenrijks-Hongaarse provincie Vojvodina. Er zijn aanwijzingen dat ze verstandelijk gehandicapt was. Het is nog steeds onbekend wat er met haar is gebeurd.

Woord van dank

Bij het onderzoek voor dit boek heb ik veel hulp gehad van Barbara Wolff van het Albert Einstein Archief (Jewish National and University Library, Jeruzalem) en Osik Moses van het Einstein Papers Project (Caltech, Pasadena).

Mijn dank gaat ook uit naar Alice Meyer voor haar herinneringen aan het interbellaire Duitsland, naar Claudia en Heiko Geithner, Jonathan en Clare Scherer voor hun nuttige commentaar op de eerste versie, naar Peter Straus, Stephen Edwards en Laurence Laluyaux voor hun enthousiaste steun, en naar James Gurbutt, die het boek een kans heeft gegeven.

Tot slot wil ik mijn ouders bedanken, Peter en Dorothy Sington, die me door dik en dun zijn blijven bemoedigen en steunen.